Silhouette®

SILHOUETTE TASCHENBUCH
KASEB 0006

Titel der Originalausgabe
POWER GAMES

SILHOUETTE TASCHENBÜCHER
erscheinen in der CORA Verlag GmbH & Co. KG,
20350 Hamburg, Axel-Springer-Platz 1

Redaktion und Verlag:
Brieffach 8500, 20350 Hamburg

erschienen bei: Mira Books, Toronto
Published by arrangement with
HARLEQUIN ENTERPRISES II B.V., Amsterdam

Foto: Axel Zajaczek

Satz und Druck: AIT Trondheim AS
Printed in Norway

ISBN: 3-934559-28-X

Machtspiele

Penny Jordan

PROLOG

Der Raum war schlecht beleuchtet und wirkte abweisend. Die Luft roch abgestanden und nach Desinfektionsmitteln, auf den Metallschränken lag eine dünne Staubschicht. Das Fenster ging zum Krankenhausparkplatz hinaus, durch die Milchglasscheibe glichen die an- und abfahrenden Autos geisterhaften Schemen.

Das Mädchen auf dem Stuhl verfolgte den Betrieb draußen mit dumpfem Gesichtsausdruck, während die Frau hinter dem Schreibtisch stumme Blicke mit dem verlegen an der Tür stehenden Mann tauschte.

Das Zimmer war klein, ursprünglich hatte es mal als Abstellkammer gedient. Durch die offene Tür drangen typische Krankenhausgeräusche – die gedämpften Stimmen der Schwestern, das Rollen der Räder von Essenskarren oder Betten auf dem Linoleumboden, die hohen Schreie der Neugeborenen und das tröstende Murmeln ihrer Mütter ...

Jetzt sprach das Mädchen. Seine Stimme klang leise und erschöpft, und auch seinem eingefallenen, blassen Gesicht merkte man an, welche enormen Belastungen dieses junge Geschöpf hinter sich haben musste. „Und Sie sind sicher, dass nie jemand erfährt ... dass nie jemand ...“ Sie verstummte und biss sich auf die bebende Unterlippe.

Wie jung sie ist, dachte die Frau, noch nicht einmal neunzehn. In mancher Hinsicht wirkte sie wesentlich jünger, in anderer wiederum jedoch um so vieles älter.

„... dass es nie jemand herausfinden wird.“

„Nein, niemand“, versicherte die Frau ruhig.

Draußen vor der Tür ging eine Krankenschwester mit einem Baby auf dem Arm vorbei, und das Mädchen schloss für einen Moment gequält die Augen. „Wo ... wo muss ich unterschreiben?“ fragte es mit brüchiger Stimme.

Die Frau zeigte ihr die Stelle. „Und Sie wissen genau, was das für Sie für Folgen hat, nicht wahr?“ Es war ihre Pflicht, das Mädchen noch einmal darauf hinzuweisen. „Sobald Sie dieses Dokument unterzeichnet haben, gibt es kein Zurück mehr. Dann können und dürfen Sie Ihren Entschluss nicht mehr ändern.“ Sie sah zu dem Mann an der Tür, und der nickte stumm.

„Ja, ja, das weiß ich“, bestätigte das Mädchen. Jetzt erinnerte der Klang seiner Stimme an das Rascheln des welken Herbstlaubs draußen auf den Straßen. Seine Hand zitterte, als es sich nach vom beugte, um zu unterschreiben.

Die ältere Frau empfand tiefstes Mitgefühl, doch auch sie sah keinen anderen Ausweg. „Es ist das Beste so“, meinte sie sanft, als das Mädchen wieder den Kopf hob und blicklos zum Fenster starrte. „Sie werden sehen. Nun werden Sie ein neues Leben für sich anfangen, noch einmal ganz von vorn beginnen können . . . und vergessen.“

„Vergessen?“ flüsterte das Mädchen leidenschaftlich. „Ich kann nicht vergessen. Nie. Ich verdiene es nicht, vergessen zu können.“

„Trotzdem. Es ist jetzt vorbei“, teilte die Frau ihm energisch mit.

„Vorbei?“ Das Mädchen sah ihr in die Augen. „Wie kann es je vorbei sein? Für mich wird es nie vorbei sein. Niemals!“

1. KAPITEL

„Hast du meinen Bericht über das Angebot gelesen, das uns die Japaner gemacht haben?“

Bram Soames wandte sich vom Fenster seines Büros ab, von dem aus man in den eingezäunten Garten an einem Londoner Platz blicken konnte, und sah seinen Sohn an. Äußerlich betrachtet waren sich Vater und Sohn sehr ähnlich; beide waren groß, breitschultrig und von athletischem Körperbau; beide hatten dichtes dunkelbraunes Haar, eisgrüne Augen und feine aristokratische Gesichtszüge. Zumindest hatte diesen Ausdruck Brams Großmutter väterlicherseits immer benutzt, sie berief sich dabei auf eine Liaison zwischen seiner Ururgroßmutter und einem Adeligen. Wollte man seiner Großmutter Glauben schenken, so hatte es sich um das schon beinahe klassische Drama der unschuldigen Pfarrerstochter gehandelt, die von dem schneidigen Grafen verführt worden war.

Bram hingegen neigte insgeheim eher zu der Vermutung, seine Gesichtszüge hätten ebenso gut das Erbe irgendeines unbedeutenden Verwandten sein können. Da es aber seinem Charakter entsprach, stets die Schwächen und Eitelkeiten anderer zu respektieren, hatte er die großmütterliche Version dieser Geschichte nach außenhin niemals infrage gestellt. Es war jedenfalls Familientradition, dass der älteste Sohn immer auf den Namen eines Vorfahren getauft wurde. Bram war in dieser Hinsicht gleich dreifach gesegnet – oder war es ein Fluch? – denn er hieß mit vollem Namen Brampton Vernon Piers. Bei Jay war das natürlich ganz etwas anderes gewesen, aber schließlich . . .

Außen Stehende hielten die beiden Männer meist für Brüder, und nicht für Vater und Sohn. Bram hatte nichts weiter dagegen, im Gegensatz zu Jay, der sogar ausgesprochen aggressiv reagieren konnte, wenn er so etwas hörte. Aber da ihr Altersunterschied ja auch nur fünfzehn Jahre betrug, war es eigentlich ganz verständlich, dass Menschen diesem Irrtum erlagen.

Bram merkte, dass Jay auf seine Antwort wartete, und wusste, sein Sohn würde nicht mit dem einverstanden sein, was er ihm jetzt sagen musste. „Es tut mir Leid, Jay", begann er ruhig, „aber daraus wird nichts. Wir sind ein kleines Unternehmen von Spezialisten. Sich auf so eine Expansion einzulassen, würde bedeuten . . ." Er suchte nach den richtigen Worten. „Wir haben einfach nicht die Möglichkeiten, ein derartiges Projekt mit dem entsprechenden Personal zu besetzen. Ich bin Techniker, und unter diesem Aspekt wird unsere Firma auch betrieben. Gehen wir auf das Vorhaben der Japaner ein, läuft bei uns womöglich alles nur noch über Juristen und Buchhalter."

„Womöglich könnte diese Firma aber auch in die vordersten Ränge moderner Computertechnologie vordringen!" wandte Jay zornig ein. „Momentan sind wir nur ein kleiner, drittrangiger Betrieb in England. Mit der Unterstützung durch die Japaner jedoch . . ."

„Wir gehören zu den Marktführern, Jay", berichtigte Bram entschieden. „Sonst hätten sich die Japaner gar nicht erst an uns gewandt."

„Aber wir müssen expandieren!" brauste Jay auf. „Wir müssen in den amerikanischen Markt einsteigen! Genau da liegt doch die Zukunft – in der Massenproduktion! Was wir hier machen mit unseren Sonderanfertigungen ist ja ganz schön und gut, doch der wahre Bedarf liegt ganz woanders. Sieh dir doch bloß . . ."

„Es gibt eindeutig einen Markt für unsere Produkte", unterbrach Bram ihn. „Wir verstehen etwas von unserer Arbeit, und gerade deswegen haben wir auch einen so guten Ruf."

„*Du* hast ihn!" konterte Jay wütend. „Und genau darum geht es im Grunde, nicht wahr? Sicher, du bist gern bereit, mir ein eigenes Büro und einen guten Posten anzubieten, aber wehe, ich möchte einmal wirklichen Einfluss, wirkliche Unterstützung!" Zu einem so bitteren, verächtlichen Blick wie Jay ihn nun hatte, wäre Bram niemals fähig gewesen. Und wie so oft verspürte Bram auch jetzt wieder jene Mischung aus Ärger und Traurigkeit in sich aufsteigen.

Macht, Einfluss, Anerkennung – all das bedeutete Jay so viel. Und so war es schon immer gewesen. Aus dem ungestümen Kind, das von jeher bewusst Brams Schuldgefühle zu schüren verstanden hatte – so sehr, dass Brams Freunde oft geraten hatten, er solle etwas auf Abstand zu diesem Besitz ergreifenden Sohn gehen – war ein nicht minder ungestümer und zutiefst unzufriedener Erwachsener geworden. Wagte man jedoch anzudeuten, dass die Gründe für Jays Machthunger in dessen traumatischer Kindheit zu suchen waren, reagierte Jay mit der Angriffslust eines Raubtiers, dem man ein frisches Stück Fleisch vorhielt. Er geriet dann in solche Rage, dass zarter besaiteten Gemütern buchstäblich schlecht wurde, während Bram erneut von Mitleid und Schuldgefühlen heimgesucht wurde.

Früher, als Jay noch um einiges jünger gewesen war, hatte Bram oft nachgegeben. Nicht etwa um des lieben Friedens willen, sondern vielmehr in der Hoffnung, Jay auf die Art die Bestätigung zukommen zu lassen, nach der sich sein Sohn so verzweifelt sehnte und die er gleichermaßen verzweifelt nicht zu akzeptieren bereit war. Doch in diesem Fall jetzt musste Bram hart bleiben.

„Nein, Jay, es tut mir Leid“, wiederholte er entschlossen. Er ignorierte die feindselige und außerdem nicht der Wahrheit entsprechende Behauptung, Jay spiele nur eine untergeordnete Rolle im Betrieb und besetze einen Posten, den sein Vater lediglich eingerichtet hatte, um seinen Sohn besser unter seiner Fuchtel haben zu können. Die Wahrheit sah ganz anders aus. Insgeheim wäre es Bram lieber gewesen, wenn Jay auf einem anderen Gebiet Karriere gemacht hätte, statt seinem Unternehmen beizutreten. Dabei wusste Bram, dass Jay nicht nur viele Äußerlichkeiten von ihm geerbt hatte, sondern auch das Talent, durch das Bram zu einem der innovativsten und fähigsten Computerprogrammierern seiner Generation geworden war. Doch wie es sein Naturell war, hatte Jay sich nicht damit zufrieden gegeben. Sein Harvard-Diplom als Betriebswirt hatte, wie Bram sich sehr wohl bewusst war, nur wieder mal ein Zeichen setzen sollen, dass der Sohn sich dem Vater für um Nasenlängen voraus hielt. Während es für Bram nach wie vor das Wichtigste war, das zu tun, worauf der Erfolg des Unternehmens aufgebaut war, nämlich Programme zu entwerfen, glaubte

Jay daran, dass allein Expansion und Massenproduktion Zukunft haben könnten.

„Dir tut es Leid", gab Jay verbittert zurück. „Aber ich habe Wochen harter Arbeit in dieses Projekt gesteckt. Heute Abend soll ich nach New York fliegen und mich mit den Amerikanern und den Japanern treffen. Wie stehe ich denn da, wenn ich denen auf einmal erzählen muss, wir hätten leider kein Interesse?"

Jetzt kam man also endlich an den Kern des Problems, und das waren Jays Stolz, sowie seine Furcht vor einem möglichen Gesichtsverlust. Bram hatte es bereits geahnt. „Ich würde mir an deiner Stelle keine allzu großen Sorgen machen", riet er seinem Sohn mit jener ruhigen Sachlichkeit, die ihm oft irrtümlich als Mangel an Temperament und als Schwäche ausgelegt wurde. „Meiner Erfahrung nach wird man annehmen, du versuchst, ein wenig auf Risiko zu spielen. Vor allem die Japaner sind ganz groß in solchen Strategien."

Jay runzelte die Stirn. Er musste zugeben, dass das wahrscheinlich stimmte. Nichtsdestotrotz hatte er nicht vor, seine Zukunftspläne für die Firma aufzugeben, ganz gleich, was sein Vater auch davon halten mochte. Als er vorhin gemerkt hatte, dass Bram nicht gewillt war, sein Vorhaben zu akzeptieren, hatte ihn blinde Wut gepackt. Nun jedoch besänftigte ihn der Gedanke, dass es noch immer einen Weg geben konnte, seinen Vater umzustimmen und ihm zu beweisen, dass er, Jay, im Grunde Recht hatte. Als Kind war sich Jay deutlich seiner heiklen Stellung im Leben seines Vaters bewusst gewesen. Auf aggressiv misstrauische Weise hatte er jeden feindselig beäugt, der Einfluss auf Bram ausübte, und diese Angewohnheit war ihm auch als Erwachsener geblieben. Mit siebenundzwanzig war er inzwischen jedoch wesentlich geübter darin, sich nichts von seinen Empfindungen oder gar dem Grund dafür anmerken zu lassen. Genauso wie er darin geübt war, vor sich selbst zu verleugnen, dass er aus demselben Grund, nämlich aus einer tief verwurzelten Angst heraus, das unstillbare Bedürfnis verspürte, Macht über seinen Vater zu gewinnen. Natürlich war es absurd, darauf zu spekulieren, dass seinem Vater mit zweiundvierzig Jahren die Kontrolle über den Betrieb entgleiten und Jay vor die Aufgabe gestellt werden könnte, zum Wohle aller die Firmenleitung zu übernehmen. Andererseits war die Computerindustrie bekannt für ihren gewaltigen Hunger auf junge, kreative Menschen, auf Fortschritt und Innovationen. Die Zukunft ihrer Branche lag in der Jugend und nicht etwa, wie sein Vater steif und fest behauptete, in den traditionellen Märkten. Und ganz sicher auch nicht in den neuesten Plänen, die Bram hatte. Er wollte nämlich Programme entwerfen, die die Lebensqualität derer entscheidend verbessern konnten, die in irgendeiner Form körperlich oder geistig krank waren – ‚eingeschränkt', wie sein Vater ihn während Jays letzten Zornausbruchs sanft verbessert hatte. Im Laufe dieses Streits hatte Jay ihn angegriffen, weil er ein solches Projekt für viel zu kostenintensiv hielt.

„Zugegeben, in der unmittelbaren Zukunft können wir nicht von einem Profit ausgehen", hatte Bram zugestimmt. „Aber sollten wir nicht in erster Linie denen Hilfe anbieten, die sonst ewig im Abseits leben würden? Und abgesehen davon – langfristig sehe ich durchaus große Profite, schon allein durch die Patente."

„Und genau deswegen willst du das machen, nicht wahr, Vater?" hatte Jay ihn provoziert. „Weil du an den langfristigen Profit denkst! So ein Blödsinn! Du tust das nur, weil du so ein weiches Herz hast, und das weiß jeder! Mach mir doch nicht weis, dass Anthony Palliser an dich herangetreten ist, weil er dir eine Gelegenheit bieten wollte, Geld zu verdienen. Nein, er kam zu dir, weil er genau wusste, dass sich sonst niemand in der Branche auf ein solches Projekt einlassen würde. Wir wissen ja noch nicht einmal, ob wir derartige Programme überhaupt herstellen können! Schließlich müssen sie für jeden Anwender individuell maßgeschneidert sein!"

„Aber diese Programme können Menschen, die sonst nicht dazu in der Lage wären, helfen, sich verständlich zu machen! Bedenke doch nur, was das bedeutet, Jay!"

„Das tue ich. Es bedeutet eine absolute Zeit- und Geldverschwendung", hatte Jay beharrt.

„*Meine* Zeit und *mein* Geld", hatte Bram ihn sanft erinnert.

Seines Vaters Zeit und sein Geld. Diese beiden Begriffe zogen sich seit er denken konnte durch sein Leben, rieben immer wieder seine Seele wund und hinterließen Narben. Eine seiner frühesten Kindheitserinnerungen war die an die kühle, sachliche Stimme einer Frau, die gereizt zu Bram gesagt hatte: „Bram, um Gottes willen, denk doch bitte mal nach! Das Letzte, was du jetzt brauchen kannst, ist die Verantwortung für ein Kind zu übernehmen! Unser erster wirklicher Durchbruch steht bevor, endlich haben wir die Chance, etwas Geld zu verdienen – und der Himmel weiß, wir haben es bitter nötig!" Von dem Tag an hatte Jay diese Frau gehasst, und er hasste sie auch heute noch. Ein Gefühl übrigens, das Helena, trotz ihrer kühlen distanzierten Art, aus vollem Herzen erwiderte, wie er wusste.

„Um wie viel Uhr geht deine Maschine nach New York?" erkundigte sein Vater sich in diesem Moment.

„Um halb sieben. Warum?" fügte Jay argwöhnisch hinzu.

„Nur so. Ich treffe mich um halb fünf mit Anthony. Er hat ein paar Forschungsunterlagen zusammengestellt, die mich seiner Meinung nach interessieren könnten, und ich dachte, du wärst vielleicht gern dabei."

„Wozu?" konterte Jay mürrisch. „Wie du schon richtig sagtest, es ist dein Geld und deine Zeit, die du in diese Sache investierst."

„Jay . . ." wollte Bram protestieren, doch sein Sohn war bereits dabei, das Büro zu verlassen. Trotz seiner hochgewachsenen, durchtrainierten Statur erinnerte er Bram schmerzlich an einen viel jüngeren, aber ebenso selbstbewussten Jay, der sich auch früher schon oft so von ihm abgewendet hatte – die Schultern gestrafft vor Wut, der Körper förmlich zitternd vor unterdrücktem Jähzorn.

„Er versucht, dich zu manipulieren, und du lässt ihm das durchgehen!" hatte Helena ihn gewarnt. Sicher hatte sie in gewisser Hinsicht Recht gehabt, aber wie machte man einem zornigen, verbitterten kleinen Kind, das zwei Jahre nach ihrem Tod immer noch nachts nach seiner Mutter und seinen Großeltern rief, dem alle Aggressionen nur helfen sollten, seine größte Furcht zu tarnen, nämlich, dass sein Vater es auch noch allein ließ – wie sollte man einem solchen Kind klar machen, dass es nichts, aber auch gar nichts zu befürchten hatte? Wie konnte man ihm zu verstehen geben, dass man seinen Schutzpanzer durchschaute, dass man sehr wohl wusste, wie sehr es sich im Grunde nach Liebe sehnte?

Wie sollte man ihm zeigen, dass die Arme, die er so leidenschaftlich von sich wies, im Grunde nur darauf warteten, ihn zu halten, zu beschützen und vor aller Unbill des Lebens zu bewahren? Bram hatte es immer unbeschreiblich wehgetan, wenn er beobachtete, wie Jay sich jedem Versuch seines Vaters widersetzte, körperliche Nähe zu zeigen. Bram selbst war ein Mann, der Körperkontakt nie gescheut hatte und der auch immer in der Lage gewesen war, Gefühle offen zu zeigen. Um so trauriger war es für ihn gewesen, dass sein Sohn nichts von seinen Umarmungen und Liebkosungen hatte wissen wollen.

„Du brauchst doch kein schlechtes Gewissen zu haben, was ihn betrifft", hatte Helena protestiert, als er versucht hatte, ihr seine Empfindungen zu erklären.

„Oh, doch", hatte er leise widersprochen. „Schließlich habe ich ihn gezeugt."

„Du warst damals noch keine fünfzehn! Ein Junge, fast selbst noch ein Kind!"

„Richtig", hatte er ruhig zugestimmt. „Doch auch wenn das vielleicht eine Entschuldigung ist, Helena – den Preis für meine Unreife damals muss Jay bezahlen. Kein Vierzehnjähriger kann ernsthaft und verantwortungsbewusst Vater sein. Indem ich Jay gezeugt habe, habe ich ihn der Chance beraubt, in eine Beziehung hineingeboren zu werden, in der er wirklich erwünscht gewesen wäre; einen Vater zu haben, der ihn tatsächlich hätte beschützen, ihm Sicherheit hätte bieten können."

„Aber du hast ihm doch Sicherheit geboten!" hatte Helena beharrt. „Du hast ihm ein Zuhause gegeben, hast dein eigenes Leben, deine Pläne, deine Freunde seinetwegen vernachlässigt! Er sollte dir dankbar sein, statt ständig zu versuchen, dein Leben zu zerstören."

„Helena, kein Kind sollte je dafür dankbar sein müssen, dass es geliebt wird. Unter dieser emotionalen Last sollte kein Mensch aufwachsen müssen. Ich weiß, Jay kann schwierig sein . . ."

„Schwierig? Er ist unmöglich, Bram! Er ruiniert dein Leben! Du hättest ihn in ein Heim geben sollen, zu deinem und zu seinem eigenen Besten!"

Was Bram im Gegensatz zu anderen Leuten auch noch seinem erwachsenen Sohn anmerken konnte, war diese Angst eines Kindes, das glaubt, sich die Liebe seiner Eltern verdienen zu müssen. Und was er sich selbst, als Vater, nie verzeihen konnte, war die Tatsache, dass er glaubte, jene Angst verursacht zu haben. Er hatte gehofft, dass Jay als Erwachsener eines Tages selbst erkennen würde, wie unbegründet seine Angst war; wie viele Entbehrungen er sich und seinem Vater aufbürdete durch seine aggressiv-Besitz ergreifende Art. Denn hätte er zugelassen, dass auch andere Menschen in ihr Zusammensein vordrangen, wäre das eine große Bereicherung für sie beide gewesen. Doch dazu war es nie gekommen.

Ja, Jay hatte eifersüchtig über die Beziehung zu seinem Vater gewacht und sich jedem wütend entgegengestellt, der es gewagt hatte, in ihr Leben zu treten. Und genauso verbissen schottete er jetzt sein eigenes Privatleben ab. Ab und zu bekam Bram etwas vom Büroklatsch mit, und dadurch erfuhr er, dass Jay offenbar einen ziemlich ausgeprägten Sexualtrieb haben musste. Frauen fühlten sich beinahe gefährlich von ihm angezogen, bis sie dahinter kamen, dass er ausschließlich Sex von ihnen wollte und sie mehr nicht von ihm zu erwarten hatten. Ganz zufällig hatte Bram bei einer Dinnerparty einmal ein Gespräch zwischen einer Verflossenen seines Sohns und ihrer Freundin mit angehört.

„Rein körperlich betrachtet ist Jay wahrscheinlich der beste Liebhaber, den ich je hatte. Er kennt einfach alle Tricks und weiß genau, was er tun muss, doch nach einer Weile erkennt man, dass das auch schon alles ist. Es ist, als hätte er ein Computerprogramm für sexuellen Erfolg entwickelt – alles wirkt kalt, beinahe klinisch. Er ist der Typ, der sich eines Tages eine junge, unerfahrene Aristokratin aus besten Kreisen mit ellenlangem Stammbaum und wenig Hirn aussuchen wird. Er wird sie verführen, sie heiraten und sie dann in ein Haus auf dem Land abschieben, nachdem er sie geschwängert hat, um sich anschließend wieder den wirklich wichtigen Dingen in seinem Leben zuwenden zu können."

„Und das wäre?" hatte die Freundin mit hochgezogenen Augenbrauen wissen wollen. „Oder brauche ich das gar nicht erst zu fragen?"

„Oh, nein, Sex ist es nicht", hatte die andere erwidert. „Nein, Jays einziger Lebenszweck, den er auch mit alles verzehrender Leidenschaft verfolgt, ist die Gestaltung seiner

Beziehung zu seinem Vater. Er setzt alles daran, dass nichts und niemand je zwischen sie kommt."

„Du meinst, weil er Angst hat, die Firma zu verlieren?"

„Ich weiß nicht recht. Ich erinnere mich nur an ein Mal, als Jay mit mir essen gehen wollte. Zufällig erwähnte ich, dass Bram das Wochenende mit meiner Cousine verbringen wollte. Sie war damals gerade frisch geschieden und schon von jeher gut mit Bram befreundet gewesen. Jay sagte unsere Verabredung ohne Nennung von Gründen ab. Meine Cousine rief mich einige Tage später völlig deprimiert an und erzählte, nur wenige Stunden nach Brams Ankunft sei auch Jay erschienen. Er hätte darauf bestanden, ein paar höchst dringende geschäftliche Angelegenheiten mit seinem Vater zu besprechen, und sei dann fast das ganze Wochenende dageblieben."

„Nun, ich vermute, wenn Bram wieder heiraten würde, könnte es sehr gut sein, dass Jay dann von den eventuellen Kindern aus dieser Ehe verdrängt werden würde. Und wollen wir mal ganz ehrlich sein – Bram gilt vielleicht zwar nicht als solcher Sexprotz wie sein Sohn, aber es steht außer Zweifel, dass er nicht minder sexy wirkt."

„Das ist richtig, er ist sogar ausgesprochen sexy", hatte die andere beigepflichtet.

Danach hatte Bram dem Gespräch keine weitere Beachtung mehr geschenkt. Dass man ihn als sexy bezeichnete, belustigte ihn eher, als dass es ihm schmeichelte. Im Lauf der Jahre hatte er nur wenige sexuelle Beziehungen gehabt. Auch hatten sie stets in aller Heimlichkeit verlaufen müssen, etwas, das viele Männer durchaus anregend finden mochten, doch für Bram war es stets nur hemmend und deprimierend gewesen. Natürlich war es unvermeidlich gewesen, dass die Frauen irgendwann gereizt darauf reagiert hatten, ihre Beziehung immer wegen Jay geheim halten zu müssen. Doch wenn Bram dann schließlich seine Bedenken beiseite geschoben und sich offen zu der Beziehung bekannt hatte, war Jay unweigerlich in Aktion getreten. Er hatte sich so vehement in die Beziehung zwischen ihnen eingemischt und sie zu sabotieren versucht, dass es Bram irgendwann nicht mehr überrascht hatte, wenn sich die betreffende Frau von ihm trennte.

„Ich liebe dich, Bram", hatte eine einmal leidenschaftlich

gesagt. „Du bist genau der Mann, den ich mir immer erträumt habe, und eine dauerhafte Beziehung mit dir wäre für mich der Himmel auf Erden. Doch mit Jay würde dieses Leben schließlich zur Hölle werden.“

„Warum schickst du ihn nicht weg? In ein Internat, oder noch besser, in eine Besserungsanstalt?“ hatte eine andere wütend vorgeschlagen. Doch obwohl Bram sie nur zu gut verstanden hatte, hatte er den Kopf geschüttelt.

Er hatte Jay schon genug Schaden zugefügt. Ihn darüber hinaus noch zu strafen, war keine Lösung. Stattdessen hatte Bram immer wieder versucht, ihm zu beweisen, dass er nichts zu befürchten hatte, dass nichts und niemand die Liebe zu seinem Sohn zerstören konnte. Und dass er für Jay nicht automatisch weniger empfand, wenn er noch einen anderen Menschen liebte. Zu guter Letzt hatte Bram einsehen müssen, dass Jay ihm nie glauben würde. Und in mancher Hinsicht wollte er ihm wohl auch gar nicht glauben, weil er die vermeintliche Macht über seinen Vater nicht zu verlieren wünschte.

Vielleicht wäre alles anders gekommen, wenn Bram sich einmal ganz ernsthaft und leidenschaftlich verliebt hätte, was jedoch nie der Fall gewesen war. Schon beizeiten, als Jay noch klein gewesen war, hatte er gelernt, seine emotionalen und körperlichen Bedürfnisse zu unterdrücken. Nun fragte er sich, wann aus der Notwendigkeit eine Gewohnheit geworden war, die er jetzt nicht mehr so leicht ablegen konnte. Er neigte nicht zu Zynismus, aber ihm war klar, dass viele der Frauen, die so offensichtlich den Kontakt zu ihm suchten, weniger an ihm als Mann interessiert waren. Es war nun mal kein Geheimnis, dass er mehrfacher Millionär war, dafür hatte schon die Presse gesorgt.

Den Grundstein für das Unternehmen hatte er bereits gelegt, als er noch in Cambridge studierte. Vergeblich hatten seine Freunde ihm geraten, sich lieber nach einem geregelten Job mit einem geregelten Einkommen umzusehen. Wie viele große Computerfirmen ließen schließlich die Schlusssemester an den Universitäten durch Headhunter nach besonders talentierten Leuten durchforsten.

Bram hatte nicht auf solche Headhunter warten können. Er musste sofort Geld verdienen, um sich und den kleinen Jay über die Runden zu bringen. Also hatte er eine Stelle als freier Mitarbeiter angenommen, was ihm zwar weniger Geld einbrachte, dafür hatte er aber zu Hause arbeiten können. Helena, eine Freundin aus Universitätszeiten, hatte ihn als Erste auf die Idee gebracht, sein eigenes Unternehmen zu gründen. Sie hatte stets einen guten Riecher für ertragreiche Geschäfte gehabt.

Ganz im Gegensatz zu Plum. Oder Plums Vater. Helena hatte ihre Tochter eigentlich auf den Namen Victoria taufen lassen. Doch Flyte MacDonald, ihr erster Ehemann – ein riesiger, rothaariger, politisch links orientierter Schotte, den sie nur einen Monat nach dem Kennenlernen ganz gegen den Willen ihrer Eltern geheiratet hatte – Flyte also hatte ihrem Baby vom ersten Tag an den Spitznamen Plum verpasst, und der war dann geblieben. Flyte war Bildhauer, damals ein noch völlig unbekannter, inzwischen jedoch hatte er es zu großem Ansehen gebracht. Als Plum drei war, hatte Helena sich von ihm scheiden lassen. Später hatte sie dann James geheiratet, mit dem sie noch zwei weitere Kinder bekommen hatte. Keins von beiden hatte auch nur die geringste Ähnlichkeit mit Plum.

Kurz nach ihrem sechzehnten Geburtstag hatte Plum verkündet, dass sie nicht mehr zur Schule gehen und von nun an bei ihrem Vater leben wollte. Die sonst so beherrschte, ruhige Helena war außer sich vor Zorn gewesen, als sie Bram davon erzählt hatte.

„Das ist natürlich alles nur Flytes Schuld! Er hat ihr diese Flausen in den Kopf gesetzt und sie ermutigt, ihr Leben zu ruinieren! James ist wütend! Sie war ja schon immer rebellisch . . . schwierig . . .“ Sie hatte ihm nicht in die Augen sehen können. „Na ja, da hat es Probleme in der Schule gegeben. Mit Jungen und so. Doch James hat dafür gesorgt, dass sie trotzdem bleiben durfte. Und so dankt sie uns das jetzt! Kannst du dir vorstellen, was die Leute sagen werden? Wenn sie hören, dass sie zu ihrem Vater gezogen ist? Jeder weiß doch, was Flyte für ein Leben führt, sein Ruf ist mehr als berüchtigt. Er . . .“

„Er ist ihr Vater, Helena“, hatte Bram besänftigend eingeworfen. Er glaubte zu ahnen, dass Plum es ohnehin bald leid sein würde, mit ihrem Vater zusammenzuleben. Was Flytes Arbeit betraf, so war er zwar sehr angesehen, doch seine Lebensweise war so schrill und unkonventionell wie er selbst auch. Er lebte in einem Häuschen am Rande von Chelsea, das er sich vor Jahren gekauft hatte, als die Grundstückspreise und die gesamte Umgebung noch den künstlerisch-extravaganten Lebensstil der Bewohner widerspiegelten. Inzwischen hatte sich die Gegend stark verändert, nun war eher die gehobene Mittelschicht hier ansässig. An Flyte waren diese Veränderungen jedoch spurlos vorübergegangen, sehr zum Kummer seiner Nachbarn, die sich über die häufigen und lautstarken Streitereien beschwerten, die Flyte mit seinen zahlreichen Geliebten und Modellen auszutragen pflegte. Der Porsche fahrende Makler von nebenan äußerte Befürchtungen, seine Kinder könnten durch Flytes Lebenswandel negativ beeinflusst werden. Auch missfielen ihm die permanenten Störungen durch Besucher des Bildhauers, die sich in der Adresse irrten und bei ihm klingelten.

Flytes Antwort hatte dem Mann gar nicht gefallen. Als Entschuldigung – zumindest nannte Flyte das so – hatte er ihm eine Skulptur geschenkt. Diese stellte ein nacktes Paar beim Liebesakt dar; die Stellung, in der es sich gerade befand, trug im Volksmund den Namen einer Zahl . . . Zufällig war das auch die Hausnummer des Nachbarn. Zu allem Überfluss wiesen die Gesichter der Liebenden eine geradezu peinliche Ähnlichkeit mit dem Makler und seiner Frau auf. „Sie könnten die Skulptur ja in Ihren Vorgarten stellen", hatte Flyte unschuldsvoll vorgeschlagen. „Dann verwechselt bestimmt niemand mehr unsere Häuser."

Die Zeitungen hatten sich dieser Geschichte angenommen, sehr zum Verdruss des Maklers. Und dieser glättete die Wogen auch nicht unbedingt durch seinen ebenfalls in den Zeitungen abgedruckten Kommentar, so etwas täte er nie mit seiner Frau und er hätte auch nicht für die Skulptur Modell gestanden.

Wie Bram richtig vermutet hatte, hielt es Plum nicht lange bei ihrem Vater aus. Denn er hatte ihr, das musste zu seiner Ehrenrettung gesagt werden, strikt verboten, von der Schule zu gehen. Jetzt lebte Plum wieder bei James und Helena, „das heißt, wenn sie sich denn mal herablässt, nach Hause zu kommen", hatte sich Helena erst vor ein paar Wochen verbittert bei Bram beklagt. „Ich weiß, dass heute alles anders ist als zu unserer Jugendzeit, aber . . . James sagt, wenn sie sich nicht anständig benimmt, muss sie ausziehen. Er macht sich

Sorgen, dass ihr Verhalten auf unsere anderen beiden abfärben könnte", hatte sie erzählt. „Er meint, wenn die beiden glauben, wir lassen Plum alles durchgehen, dann könnten sie auch . . . Was sollen wir bloß tun, Bram? Ich komme einfach nicht an sie heran. Sie war immer schon so schwierig, sie ist viel mehr Flytes Tochter als meine. Manchmal kommt es mir wirklich so vor, als hätte ich nicht das Geringste mit ihr gemeinsam. Sie ist so – emotional. So unbeherrscht!"

So triebhaft, hätte sie Brams Meinung nach auch sagen können, aber das tat sie nicht. Plum selbst schien nicht zu merken, mit wie viel Abscheu ihre Mutter ihre sexuellen Eskapaden und ihren inzwischen weit verbreiteten, schlechten Ruf zur Kenntnis nahm. Bram empfand in erster Linie Mitleid für Plum, trotz der Tatsache, dass sie . . .

Das Läuten des Telefons im Büro nebenan riss Bram aus seinen Gedanken. Er sah auf die Uhr. Wenn er pünktlich zu seiner Verabredung mit Anthony kommen wollte, musste er sich beeilen. Er kannte Anthony, besser gesagt *Sir* Anthony mittlerweile, schon seit dem Studium. Sie waren stets in Verbindung geblieben, obwohl sie gänzlich unterschiedliche Berufswege eingeschlagen hatten. Anthony hatte als Student für den Freiwilligen Entwicklungsdienst gearbeitet und war jetzt Leiter einer großen Wohltätigkeitsorganisation. „Ich habe dir einen Vorschlag zu machen, der gleichzeitig eine Herausforderung ist", hatte er vor ein paar Monaten zu Bram gesagt, und nachdem er ihm die Einzelheiten erklärt hatte, war Bram lachend seiner Meinung gewesen.

„Du hast Recht, es ist eine Herausforderung."

„Eine, die du nicht annehmen willst?"

„Lass mir Zeit", hatte Bram erwidert. „Ich muss darüber nachdenken."

Jetzt eilte Bram den Flur entlang, ihm war plötzlich noch etwas eingefallen. „Jay?" rief er und betrat das Büro seines Sohns.

„Ja."

Bram achtete nicht weiter auf den knappen, unfreundlichen Tonfall. „Du denkst doch an die Party zu Plums achtzehntem Geburtstag? Du musst noch ein Geschenk besorgen."

Er zuckte innerlich zusammen, als er Jays Augenausdruck

sah. Sein Sohn hatte Plum noch nie sonderlich gemocht. „Was schwebt dir denn vor? Also ich finde, es kommt nur entweder ein Keuschheitsgürtel oder das Kamasutra infrage. Wobei Letzteres wahrscheinlich sinnlos ist, denn den Gerüchten nach kennt sie bereits sämtliche Stellungen und hat womöglich noch ein paar neue dazu erfunden. Und was das Erste betrifft . . ." Er lächelte boshaft. „Es ist wohl ziemlich nutzlos, die Stalltür abzuschließen, nachdem das Pferd ausgerissen ist, oder? Nun, wie dem auch sei, zumindest ist es angenehm zu wissen, dass nicht einmal die angeblich untadelige Helena eine so gute Mutter ist, wie sie uns immer weismachen möchte."

Bram hörte seinem Sohn schweigend zu. Jay verabscheute Helena womöglich noch mehr als ihre Tochter. „Plum ist noch ein Kind, Jay", versuchte er, seine Patentochter zu verteidigen.

„Sie ist eine Schlampe", stellte Jay grausam fest.

Als er eine halbe Stunde später beim Verlassen der Firma an Jays Büro vorbei kam, merkte Bram, dass die Tür offen stand, der Schreibtisch aufgeräumt und niemand mehr im Zimmer war. Bram war klar, dass es Jay mit seinem heutigen Expansionsvorschlag nicht bewenden lassen würde. Dennoch hatte er diesmal nicht die Absicht nachzugeben. Nicht, weil er Jay demütigen und ihm jeglichen Einfluss vorenthalten wollte, wie sein Sohn ihm so verbittert unterstellte, sondern weil er fest der Überzeugung war, dass die Art von Expansion, wie Jay sie wünschte, zu viele Risiken barg.

Als die Empfangsdame ihn kommen sah, warf sie ihm einen erstaunten Blick zu und fragte ihn, ob sie seinen Chauffeur holen lassen sollte. Bram schüttelte lächelnd den Kopf. Es war ein freundlicher, sonniger Nachmittag, und er hatte Lust, die knapp zwei Kilometer durch die Stadt bis zur Zentrale des Wohltätigkeitsverbands zu Fuß zu laufen. Doch beim Einatmen der stickigen Großstadtluft draußen wurde ihm wieder einmal bewusst, wie sehr er in solchen Momenten Heimweh nach der Weite des flachen Sumpflandes um Cambridge hatte. Es hatte mehrere Gründe dafür gegeben, dass er mit der Firma nach London gegangen war. Einmal war eine zentrale Lage für die immer größer werdende Zahl seiner Kunden aus aller Welt wichtig gewesen, außerdem hatte er Jay eine anregendere Umgebung bieten wollen als das abgelegene, etwas heruntergekommene Haus auf dem Land, ganz zu schweigen von den besseren Schulmöglichkeiten in der Stadt. Tief im Innern jedoch hatte er nie aufgehört, sich nach der Stille und der Beschaulichkeit des Sumpflands zu sehnen.

Für Anthony wiederum war es typisch gewesen, dass es ihm gelungen war, die Eigentümer des prachtvollen georgianischen Hauses, in dem der Wohlfahrtsverband untergebracht war, dazu zu bringen, sich mit einer geradezu lächerlichen Miete zufrieden zu geben. „Zu viel Bescheidenheit macht sich nie bezahlt", hatte er Bram einmal geantwortet, als der einen Kommentar über das prunkvolle Gebäude gemacht hatte, in dem sich unter anderem ein großer Spiegelsaal befand. Für das Vergnügen, hier während eines Balls mit Gleichgestellten kommunizieren zu können, legte die gesellschaftliche Creme de la Creme gern ein kleines Vermögen hin.

Bram wusste noch nicht genau, ob er Anthony wirklich die Unterstützung gewähren konnte, wie dieser sie sich vorstellte. Er würde es gern, sogar liebend gern, wenn er ehrlich war. Das Video fiel ihm ein, das Anthony ihm gezeigt hatte. Dort war ein junger Mann zu sehen gewesen, der sich mit Hilfe eines ganz speziell entwickelten Computers tatsächlich verständlich machen konnte, obwohl ihm dazu vorher fast jegliche Fähigkeit gefehlt hatte. Wenn Bram nun Programme entwickeln konnte, die anderen Menschen auf ähnliche Weise helfen würden, dann . . . Ja, was dann? Würde dann sein Schuldgefühl nachlassen, dass er zwar in materieller Hinsicht sehr viel erreicht, bei seinem Sohn jedoch versagt hatte? Nein, sicher nicht. Aber eine gewaltige innere Befriedigung würde es ihm schon verschaffen. Zwischenmenschliche Kommunikation war ein Hauptbestandteil des Lebens, und diese Gabe an in dieser Hinsicht hilflose Menschen weiterzugeben . . .

Als er noch ganz neu in Cambridge gewesen war, hatte er einmal einen Erkundungsbummel durch die Stadt gemacht und hatte dabei auch eine alte und seiner Meinung nach verlassene Kirche betreten. Doch plötzlich hatte oben auf der Empore ein Chor zu singen begonnen. Der harmonische Gesang, den heutzutage viele wohl für altmodisch und simpel gehalten hätten, hatte ihn damals fast zu Tränen gerührt. Obwohl er selbst nicht besonders musikalisch war, hatte ihn der so freudig und inbrünstig dargebrachte Lobgesang zutiefst berührt. Es machte ihn traurig, dass Jay, der eine sehr schöne Stimme hatte, sich leider weigerte, etwas daraus zu machen. Brams eigene Begabung, wenn man sie denn so nennen wollte, war wesentlich profanerer Art, doch wenn er sie nutzen konnte, damit andere endlich wieder eine Möglichkeit fanden, ihre Freude zum Ausdruck zu bringen ... Er lächelte spöttisch vor sich hin. Was Jay jetzt wohl gesagt hätte, wenn er die Gedanken seines Vaters hätte lesen können!

Die junge Rezeptionistin, die Bram entgegenblickte, erkannte plötzlich, warum manche reifere Männer so unwahrscheinlich sexy wirkten. Sie brauchte nur daran zu denken, dass der Blick dieser Augen mit den schweren Lidern ihr gelten, oder dass der aufreizende Mund sie küssen könnte, und schon überlief sie ein sinnlicher Schauer. Bestimmt war der Mann umwerfend im Bett; die meisten seines Alters waren das. Reifere Männer nahmen sich Zeit, sie waren erfahren, und dieser hier schien darüber hinaus auch noch fantastisch gebaut zu sein, soweit man das trotz des Anzugs sehen konnte. Sie liebte es, wenn ein Mann einen straffen, gut proportionierten Körper hatte. Ihr Freund, der Bodybuilding betrieb, konnte einfach nicht verstehen, dass seine Muskelpakete sie eher abstießen als anregten.

„Brampton Soames“, stellte er sich jetzt vor und bedachte sie mit einem Lächeln, bei dem ihr schon wieder ganz anders wurde.

Brampton Soames, der Multimillionär! Sie errötete leicht und teilte ihm verwirrt mit, dass Sir Anthony nicht da sei.

„Lassen Sie nur, Jane, ich kümmere mich um Mr. Soames.“

Enttäuscht registrierte die Rezeptionistin, wie Sir Anthonys Sekretärin entschlossen auf den Besucher zukam, ihn begrüßte und mit ihm zum Fahrstuhl ging.

„Es tut mir Leid, Mr. Soames“, entschuldigte die Sekretärin sich. „Ich wollte eigentlich bei Ihrer Ankunft hier sein. Doch dann kam noch ein wichtiger Anruf ...“

„Das macht doch nichts“, beschwichtigte Bram. „Sir Anthony ist nicht da, wie ich hörte?“

„Leider nicht. Er musste zu einer nicht geplanten, aber sehr wichtigen Besprechung mit unserem Schirmherrn und lässt sich vielmals bei Ihnen entschuldigen."

„Ich bin ohnehin nur gekommen, um ein paar Unterlagen abzuholen. Vielleicht . . ."

„Natürlich. Er hat bereits die Leiterin unserer Dokumentationsabteilung beauftragt, Ihnen die erforderlichen Unterlagen zukommen zu lassen. Er meinte auch, dass Sie sich eventuell einmal mit ihr unterhalten sollten, falls Sie Zeit hätten. Sie ist seit etlichen Jahren bei uns als Archivarin tätig, und Sir Anthony glaubt, sie könnte Ihnen wahrscheinlich viel besser behilflich sein als er selbst."

„Das wäre sehr schön", stimmte Bram zu.

„Dann bringe ich Sie jetzt in ihr Büro. Ihr Name ist Taylor Fielding."

„Taylor . . . Ist sie Amerikanerin?" erkundigte Bram sich interessiert.

„Ich glaube nicht. Auf jeden Fall hat sie keinerlei amerikanischen Akzent, aber vielleicht ist ihre Familie ursprünglich von dort. Sie ist sehr verschlossen. Obwohl ich inzwischen seit fast acht Jahren mit ihr zusammen arbeite, weiß ich nur sehr wenig von ihr."

Bram fragte nicht weiter nach. Er war von Haus aus sehr interessiert an anderen Menschen, jedoch nie auf zu aufdringliche Weise. Allerdings war er auch so feinfühlig, dass ihm sofort der zurückhaltende Unterton der Sekretärin aufgefallen war, und er fragte sich, was wohl der Grund dafür sein mochte. Frauen, die zusammen arbeiteten, waren meist wesentlich offener und mitteilsamer, was ihren Umgang miteinander betraf, als Männer. Zwei Männer, die seit acht Jahren miteinander arbeiteten würden sich wahrscheinlich kaum über einander äußern, aber zwei Frauen . . . Es sei denn, zwischen diesen beiden Frauen herrschte eine gegenseitige Antipathie, doch der Tonfall der Sekretärin hatte eigentlich nichts dergleichen vermuten lassen. Was bedeutete, dass Taylor Fielding in der Tat ein ausgesprochen verschlossener Mensch sein musste. Mit britischem Akzent und einem amerikanischen Namen. Interessant.

Während ihn die Sekretärin durch das Labyrinth der Gänge und Treppen im noch nicht modernisierten Teil des Gebäudes führte, ließ er seinen Grübeleien unbesdränkt freien Lauf. Taylor Fielding. Vielleicht war sie ja eine adrette, unscheinbare graue Maus überlegte Bram. Unvermittelt schwebte ihm eine der Tiergestalten aus Beatrice Potters Büchern vor, und ohne dass er es merkte, begann er, still vor sich hin zu lächeln. Es war das gleiche warme Lächeln, das schon vorhin der Rezeptionistin geradezu den Kopf verdreht hatte.

Und genau dieses warme Lächeln war das Erste, was Taylor sah, als sie auf das Klopfen der Sekretärin hin zur Tür ging und sie öffnete.

2. KAPITEL

Teils belustigt, teils aber auch bewundernd sah Bram die Frau vor sich an. Er hätte sich wirklich kein falscheres Bild von ihr machen können. Sie war groß und hatte eine derart aufregende Figur, dass er sich hin- und hergerissen fühlte zwischen Lachen und Weinen beim Anblick des strengen dunkelblauen Kostüms mit der hochgeschlossenen weißen Bluse, die sie trug. Zum Lachen reizte ihn die Tatsache, dass sich ein so makelloser Körper hinter einer solch unpassenden Aufmachung verbergen sollte. Die Frau hätte weiche, fließende italienische Mode tragen müssen, in sanften Natur- oder Pastellfarben, die sicher ihren zarten Teint besser unterstrichen hätten als diese harte, kalte Kombination aus Blau und Weiß. Was Bram hingegen traurig machte, war etwas ganz anderes. Mit seinem extrem ausgeprägten Gespür erkannte er sofort, dass diese Frau ihre eigene, sinnliche Weiblichkeit nicht mochte, sich dafür verachtete und fast Angst davor hatte. Dabei brauchte Bram sie nur anzusehen, und schon regte sich in ihm das Verlangen, sie zu berühren und zu streicheln; nicht aus sexuellem Verlangen heraus, sondern eher aus einem Gefühl der Ehrerbietung und Bewunderung. Sie konnte unmöglich Amerikanerin sein, nicht mit diesem durchscheinend zarten, blassen Teint, den hellen graublauen Augen und dem dunkelroten Haar, das – Bram kam es wie eine Sünde vor – zu einem strengen Knoten zusammengefasst war.

Sie bedachte ihn mit einem eisigen, wütenden Blick, und das verriet ihm, dass ihr seine spontane körperliche Reaktion auf sie nicht entgangen war. In der Tat war ihm bei ihrem Anblick das passiert, was man in seinen Flegeljahren salopp als ‚einen Steifen bekommen' tituliert hatte. Er konnte sich nicht erinnern, wann er das letzte Mal dermaßen unkontrolliert und heftig auf eine Frau reagiert hatte. Und so empfand er einerseits eine große, innere Gereiztheit über das unreife Verhalten seines Körpers, und andererseits war ihm voller Unbehagen nur allzu klar, was Miss Taylor Fielding von ihm halten musste. Dass sie eine, Miss', also unverheiratet war, hatte er dem Namensschild draußen an der Bürotür entnommen.

„Taylor, das ist Mr. Soames", stellte ihn Anthonys Sekretärin vor.

„Bram, bitte", verbesserte er und hielt ihr die Hand hin. Der kühle, hochmütige Blick, den er daraufhin erntete, sollte ganz unmissverständlich eine Zurechtweisung dafür sein, dass er sich körperlich nicht an die Regeln hielt. Die Art jedoch, wie sie generell vor Bram zurückwich, besagte etwas anderes. Das war eine viel tiefer verwurzelte, instinktivere Reaktion.

„Ich habe das Material für Sie zusammengestellt, so wie Sir Anthony es mir aufgetragen hat", sagte sie, nachdem die Sekretärin den Raum verlassen hatte. „Hier ist es."

In jedem anderen Fall hätte Bram die Art nur leicht amüsiert, wie sie ihm den Ordner zuschob und sofort die Hand zurückzog, als hätte sie Angst, Bram könnte sie berühren. Doch jetzt, im Zusammenhang gerade mit dieser Frau, schmerzte ihn ihre Reaktion persönlich. „Ich hörte, dass Sie schon viele Jahre für den Verband arbeiten." Bildete er sich das angstvolle Aufflackern in diesem sonst so eisigen Blick nur ein? Das konnte er sich kaum vorstellen. Aber wovor hatte sie dann solche Angst, dass diese Angst unwillkürlich in einen fast greifbaren Zorn mündete? Vor ihm selbst? Vor der Frage? Womöglich vor beidem? Ihre so widersprüchlichen Emotionen und der rätselhafte Grund dafür reizten Bram, und er ertappte sich bei dem Wunsch, mehr über diese Frau zu erfahren, viel mehr. Er wollte sie beschützen, und gleichzeitig verspürte er das wesentlich eigennützigere Bedürfnis, den von ihr so geschmähten Körper zu enthüllen und zu beobachten, wie Zorn und Kälte aus ihrem Blick wichen und Wärme und Lachen Platz machten. In seinen Armen. Seinem Bett. Mit seinem . . . Halt, Stopp! rief er sich energisch zur Besinnung. Hatte er denn nicht schon genug andere Probleme in seinem Leben? Und hatte sie ihm nicht außerdem noch ganz unverhohlen zu verstehen gegeben, dass sie seine Empfindungen nicht erwiderte?

„Ihr Ordner!" hörte er sie schneidend sagen. Warum sieht er mich so an, warum beobachtet er mich so? fragte sie sich verärgert. Als ob . . . Sie blickte hastig zur Seite und empfand gleichzeitig Zorn und den Wunsch, sich zu verstecken. Sie mochte es nicht, wenn Menschen, Männer vor allem, sie so intensiv betrachteten. Es machte sie nervös und löste eine innere Alarmstufe in ihr aus. Was war nur an diesem typisch männlichen Blick – so sexuell neugierig, sexuell interessiert, auf sexuelle Eroberung aus – dass man ihn nur einmal wahrzunehmen brauchte und ihn dann nie wieder vergaß und immer wieder sofort richtig einzuordnen vermochte? Es machte sie rasend, dass dieser Mann sie so ansah. Sie hatte schließlich nichts getan, um ihn dazu zu ermutigen, eher das Gegenteil war der Fall.

„Gehen Sie mit mir essen?"

Die gelassene Frage warf sie vollends aus der Bahn, Wut und Angst drohten sie fast zu überwältigen.

Bram ahnte ihre Antwort bereits, ehe er überhaupt die Frage gestellt hatte, und er fragte sich, ob er wohl vollkommen den Verstand verloren hatte. Es gab zahlreiche Frauen, die Himmel und Erde in Bewegung gesetzt hätten, nur um einmal von ihm eingeladen zu werden, doch diese Frau würde niemals dazu gehören.

„Nein."

Es war keine knappe, höfliche Ablehnung, sondern klang eher wie ein Pistolenschuss, mit dem sie ihn endgültig zu vernichten hoffte. Es war längst zu spät, ihr klar zu machen, dass er selbst überrascht war wegen seines für ihn so völlig untypischen Verhaltens. Sie würde ihm ohnehin nicht glauben, und er vermutete, dass sie ganz allgemein weder ihm noch sonst irgendeinem Mann glauben wollte, der es wagte, die von ihr festgesetzten Grenzen zu überschreiten. Bram war Frauen begegnet, die notorische Männerhasser waren, aber keine von ihnen war wie diese hier gewesen. Die anderen Frauen waren voller kalter, leidenschaftsloser Verachtung Männern gegenüber gewesen, während die Abneigung dieser Frau eindeutig brennendere, schmerzvollere Ursprünge haben musste. Er fragte sich, ob sie wusste, wie verletzlich sie dadurch wirkte und wie sehr diese

Verletzlichkeit seine Sehnsucht nach ihr schürte – sowohl körperlich als auch gefühlsmäßig.

Er wollte sich eben bei ihr entschuldigen und versuchen, sie etwas zu besänftigen, als die Tür aufging und eine weitere Frau das Büro betrat. Nach einem raschen, anerkennenden Blick zu Bram bedauerte sie die Störung und fragte Taylor etwas. Taylor wandte ihm den Rücken zu, und das auf so eindeutig abweisende Art, dass Bram sich achselzuckend zum Gehen wandte. Doch dann blieb er noch einmal stehen, und einem ihm bis dahin völlig unbekannten Impuls folgend sagte er leise zu ihr: „Ich bleibe mit Ihnen in Verbindung. Noch habe ich nicht aufgegeben."

Sie wurde blass und sah ihn so panikerfüllt an, dass ihm ziemlich unbehaglich zu Mute wurde. Er hatte offenbar das Falsche gesagt, und schlimmer noch, er hatte das schon gewusst, ehe er überhaupt den Mund aufgemacht hatte. Was war bloß mit ihm los? Er war doch sonst nicht so tollpatschig, ganz im Gegenteil. Aber wenn er ehrlich war, dann hatte er auch größere Erfahrung darin, sich Frauen taktvoll vom Hals zu halten, als darin, sie auf sich aufmerksam zu machen.

„Donnerwetter!" stellte Taylors Kollegin fest, nachdem Bram gegangen war. „Also, das nenne ich einen sexy Mann! Wer war das?"

„Brampton Soames, der Chef von Soames Computac."

„Nein!" Die andere machte große Augen. „Geld und Ansehen auch noch! Ich dachte, der wäre viel älter. Hat er nicht einen erwachsenen Sohn?"

„Ich weiß es wirklich nicht", beendete Taylor das Thema mit einem Tonfall, der besagen sollte, dass sie weder an Bram Soames, noch an seinem Sex-Appeal, noch an seinem Sohn auch nur das geringste Interesse hatte. Was nicht ganz stimmte, nur war ihr Interesse ganz anders gelagert als das ihrer Kollegin, die immer noch jammerte, dass sie nicht fünf Minuten eher gekommen war. Taylors Interesse galt nicht seinem blendenden Aussehen, seiner charismatischen Ausstrahlung oder seinem Millionenvermögen, sondern konzentrierte sich ausschließlich auf die Tatsache, dass er ein Mann war und sie eben aus diesem Grund nichts mit ihm zu tun haben wollte.

„Was ist bloß mit ihr?" hatte sie einmal unfreiwillig ein

Gespräch zwischen zwei jüngeren Kolleginnen belauscht. „Sie kleidet sich und benimmt sich wie eine alte Jungfer aus einem Vorkriegsfilm. Dabei ... wenn sie nur ein bisschen mehr aus sich machen würde, könnte sie wahrscheinlich durchaus noch einen Mann abkriegen."

Einen Mann abkriegen. Taylor hatte sich fest auf die Zunge beißen müssen, um nicht laut zu rufen, dass ein Mann das allerletzte war, was sie sich wünschte.

„Sie hat offensichtlich irgendein sexuelles Problem", hatte das andere Mädchen unbekümmert vermutet. Ein *sexuelles* Problem ... Taylor hatte innerlich voller Verbitterung gelacht.

Ihre Kollegin schwärmte unterdessen immer noch von Brampton Soames. Taylor sah auffällig auf ihre Armbanduhr. Die Uhr war ein Geschenk ihrer Eltern gewesen, als sie das Abitur bestanden hatte. Was für eine Angst hatte sie im letzten Schuljahr gehabt, sie könnte die hohen Erwartungen ihrer Eltern enttäuschen! Ihre ältere Schwester hatte die Schule immerhin als Jahrgangsbeste verlassen. Caroline hatte Chirurgin werden wollen, doch ihr Vater hatte ihr das ausgeredet. „Es wäre etwas anderes, wenn sie ein Junge wäre", hatte er gelassen erklärt. „Als Frau sollte sie jedoch lieber einen Beruf wählen, der sich leichter mit einer Familie in Einklang bringen lässt."

Ihr Vater hatte sich nie gewünscht, dass aus seinen Töchtern karrieremäßig verkappte Männer wurden, er wollte nur, dass ihre Bildung und ihr Wissen sein eigenes Genie widerspiegelten. Er war einer der landesweit führenden Köpfe in der biologischen Forschung und wusste daher, wie wichtig vererbte genetische Veranlagungen für den Erhalt eines hohen geistigen Niveaus waren. Gleichzeitig war er aber auch durch und durch Mann. Seine Kritik und sein Lob waren für die heranwachsende Taylor stets von größter Bedeutung gewesen. Ein leicht missbilligender Blick am Frühstückstisch, die scheinbar achtlos dahingeworfene Bemerkung, ihre neue Frisur sei nicht weltbewegend oder Taylor habe wohl ein, zwei Pfund zugenommen – und der ganze weitere Tag verlief für sie grau in grau. Ein anerkennendes Lächeln von ihm hingegen versetzte sie für lange Zeit in absolute Hochstimmung.

Ihre Mutter hatte ähnlich hoch gesteckte Prinzipien. Sie

war Pathologin, hatte nach der Geburt ihrer Töchter allerdings nur noch halbtags gearbeitet. Wie die Familie von Taylors Vater wies auch die ihre eine lange Reihe von Medizinern auf, dazu kam ein gehobener gesellschaftlicher Hintergrund. Beide Töchter hatten Privatschulen besuchen müssen, in denen auf die Vorbereitung auf eine spätere erfolgreiche Akademikerkarriere ebenso viel Wert gelegt wurde wie auf Etikette.

Obwohl es nie ausgesprochen worden war, wusste Taylor, dass ihre Eltern höchste Erwartungen in sie setzten. Caroline war den Idealvorstellungen ihrer Eltern einmal sehr nahe gekommen. Nach dem Jahr in Australien, wo sie entfernte Verwandte besucht hatte, die eine große Schaffarm im Outback besaßen, hatte sie verkündet, Jura studieren zu wollen. Diese Entscheidung hatte die höchste Anerkennung ihres Vaters gefunden, nicht zuletzt deswegen, weil es im Grunde seine Entscheidung gewesen war. Bei der traumatischen Erinnerung an jenen schrecklichen Sommer vor vielen Jahren schnürte sich Taylor wieder die Kehle zu. Zur Hölle mit diesem Brampton Soames. Er war schuld, dass sie sich jetzt so elend fühlte und die Erinnerungen zurückkehrten . . . Sie hatte ihre Schwester nicht mehr wieder gesehen. Ihre Eltern hatten Caroline enterbt, nachdem diese gegen alle Regeln verstoßen und sich auf der Schaffarm in einen nicht standesgemäßen jungen Mann verliebt und ihn schließlich geheiratet hatte. Taylor wusste noch, wie schockiert, wütend und angewidert ihre Eltern darüber gewesen waren. Sie hatten Caroline aus ihrem Leben verbannt und Taylor gewarnt, ja nicht einen ähnlichen Fauxpas zu begehen. Taylor hatte sich ihnen gefügt und sich doppelt Mühe gegeben, sie nicht zu enttäuschen – in jeder Hinsicht.

An diesem Abend hatte sie sich vorgenommen, früher Feierabend zu machen. Sie wollte noch ein Buch aus der Bibliothek holen und ein paar Einkäufe erledigen. Wenn sie es eben vermeiden konnte, hielt sie sich bei Dunkelheit nicht mehr draußen auf. Im Winter ging das natürlich nicht so gut, und dann musste sie sich eben andere Strategien ausdenken. Wie zum Beispiel sich ganz in der Nähe einer anderen Frau auf der Straße zu halten oder keine öffentlichen Verkehrsmittel zu benutzen. Sie war Stammkundin bei einem kleinen privaten Taxiunternehmen, das ausschließlich weibliche Fahrgäste beförderte. Das war ein ziemlich kostspieliger Luxus, aber dafür sparte sie gern an anderer Stelle. Trotzdem war sie immer heilfroh, wenn die Nacht vorbei war und der Tag anbrach. Im Dunkeln fühlte sie sich unbehaglich, voller Misstrauen und Angst. Sie schlief stets bei angeschaltetem Licht, wenn man das, was sie tat, überhaupt Schlaf nennen konnte. Sie hatte sich angewöhnt, beim leisesten Geräusch aufzuwachen, wurde dann ganz starr und sah und hörte sich angestrengt um.

Sie bezweifelte, dass Brampton Soames ebenfalls so schlief. Nein, er schlief bestimmt ganz fest und entspannt. Und schlief eine Frau neben ihm, dann würde er sie sicher auf Besitz ergreifende Weise im Schlaf festhalten, so wie viele Männer das taten, indem sie einen Arm oder ein Bein über ihre Partnerin legten und sie so zur Bewegungsunfähigkeit verurteilten.

Bram Soames. Sie hatte sich keine großen Gedanken gemacht, wie er wohl sein könnte, als Sir Anthony sie gebeten hatte, ihm die Unterlagen auszuhändigen. Sie wusste von ihm nur, dass er ein Computerprogramm entwickeln wollte, das sprachbehinderten Menschen helfen konnte, sich verständlich zu machen. Ein sehr ehrgeiziges und anerkennenswertes Projekt – falls er es schaffte. Und falls nicht? Nun, dann bringt das ihm und seiner Firma zumindest eine Menge kostenloser Werbung ein, dachte sie säuerlich. Nein, sie hatte sich wirklich kaum Gedanken über ihn gemacht, doch jetzt war ihr klar, dass er das genaue Gegenteil von dem war, was sie sich eventuell hätte ausmalen können. Er hatte auf Anhieb fast ihr ganzes Büro mit dieser Aura intensiver, körperlicher, ja, sexueller Präsenz ausgefüllt, und das hatte sie geängstigt und nervös gemacht. Er hatte gar nicht versucht, seine körperliche Reaktion auf sie zu verbergen.

Im Laufe der Jahre war sie durchaus Männern begegnet, die einen aggressiveren Sex -appeal ausgestrahlt hatten, doch keiner von ihnen hatte sie so nervös gemacht wie er. Vielleicht lag es daran, dass es fast den Anschein gehabt hatte, als wollte er sie auffordern, seine Belustigung darüber zu teilen, *dass* er eben so auf sie reagiert hatte. So, als sei er darüber genauso fassungslos wie sie. Doch das war natürlich unmöglich. Ein Mann in seinem Alter, mit seiner Erfahrung ... Nun, mit ihr vergeudete er jedenfalls seine Zeit. „Ich habe noch nicht aufgegeben", hatte er sie gewarnt. Sie fing plötzlich zu zittern an. Schock, sagte sie sich, das ist alles. Seltsam, dass ein so harmloser Zwischenfall das bei ihr auslösen konnte, obwohl ...

„Es tut mir Leid", sagte Taylor zu ihrer Kollegin, als sie merkte, dass diese sie neugierig beobachtete. „Ich muss jetzt gehen. Können wir morgen weitermachen?"

Das Erste, was Jay tat, als er im *Pierre,* seinem Hotel in New York, ankam, war ein Anruf bei seiner Sekretärin in London.

„Ist mein Vater da?" fragte er, nachdem er sich vergewissert hatte, dass keine wichtigen Mitteilungen vorlagen.

„Ich glaube nicht", antwortete sie. „Aber ich sehe gern einmal nach."

Gereizt blickte Jay aus dem Fenster nach unten auf das Treiben in Manhattan. Er war mit einer Concorde geflogen und hatte die Zeit genutzt, die Strategie für die Verhandlungen mit den Japanern noch einmal zu überdenken. Dabei war er zu dem Schluss gekommen, dass es immer noch leichter sein konnte, seinen Vater zu einer Meinungsänderung zu drängen und ihm seine Zustimmung abzuringen. Wieder und wieder war er im Geist die Argumente durchgegangen, die er ihm nennen würde, und hatte sich auch genau zurechtgelegt, wie er Brams Einwände entkräften könnte. Deswegen passte es ihm jetzt gar nicht, als er erfuhr, dass sein Vater die Firma verlassen hatte und niemand wusste, wo er sich zur Zeit aufhielt. Fluchend legte Jay den Hörer auf. Die Versuchung war groß, die Japaner einfach anzulügen und darauf zu hoffen, dass er seinen Vater doch noch umstimmen konnte ... Aber nein. Das war zu riskant, das musste er sich sogar selbst eingestehen. Er hatte seinem Vater gar nicht gesagt, dass er vorhatte, ganze zwei Wochen in New York zu bleiben. Jay hatte noch Bekannte aus Harvardzeiten hier, die er besuchen wollte. Viele von ihnen saßen in außerordentlich einflussreichen Positionen, und wenn er seinem Vater vorgaukeln konnte, dass er eventuell zu ihnen überwechseln würde, weil er so stark unter Brams mangelndem Vertrauen litt ...

Zynisch vor sich hin lächelnd, griff er nach seinem Terminkalender und ging die Liste der Verabredungen durch. Auf gar keinen Fall würde er sich das Geschäft mit den Japanern so einfach durch die Finger gehen lassen, und wenn er ein paar ganz subtile Tricks anwenden musste, um seinen Vater zum Nachgeben zu bewegen – auch gut. Ja, in vieler Hinsicht konnte sich sein Aufenthalt in New York als überaus Gewinn bringend erweisen, nicht zuletzt, weil . . . Ein leicht grausames Lächeln spielte nun um seine Mundwinkel, als er in seine Reisetasche fasste und ein kleines Päckchen herausholte. Es war nichts weiter Auffallendes an dem völlig harmlos aussehenden, unbeschrifteten Video. Es sei denn, man wusste, was darauf zu sehen war.

Sein Vater hatte ihn an Plums Geburtstag erinnert. Jetzt musste er lachen. Hoffentlich machte es Plum ebenso viel Freude, dieses Geschenk zu erhalten, wie es ihn freute, es ihr zu übergeben. Bestimmt würde sie nicht zu schätzen wissen, welche Mühen er investiert hatte, um es überhaupt zu bekommen.

Zehn Minuten später verließ er das Hotel und nannte dem Fahrer eine Adresse in SoHo. Stirnrunzelnd sah er auf die Uhr. Er hatte hinterher noch eine Verabredung mit einer Exfreundin, doch mit etwas Glück würde seine jetzige Verabredung nicht allzu lange dauern. Sein Zielort war einer jener großen, ausgebauten Dachstühle, in denen früher einmal Künstler ihre Ateliers gehabt hatten. Die Frau, die inzwischen diese Dachwohnung besaß und bewohnte, war ebenfalls Künstlerin – auf ihre Art. Über fünf Ecken hatte Jay von ihr und ihrer Betätigung erfahren.

Er ließ sich an der Straßenecke absetzen und ging den Rest zu Fuß. Kurz blieb er vor dem diskreten kleinen Messingschild stehen, das verriet, dass er an der richtigen Adresse angekommen war, der Aphrodite Filmgesellschaft. Hinter dieser Gesellschaft verbarg sich die Frau, die Jay aufsuchen wollte. „Aphrodite" selbst . . . Ja, was war sie eigentlich? Zuerst einmal eine Klasse für sich, die einen selbstgeschaffenen Markt betreute, der zwar nichts mit Hollywood zu tun hatte, aber auch nichts mit zwielichtigen Pornofilmstudios, wie Bonnie Howlett ihren Kunden immer wieder beruhigend versicherte. Ihre Kunden kamen zu ihr, weil sie ihnen zwei Dinge ganz fest zusichern konnte. Das eine war, dass sie dort genau das bekamen, was sie wollten – und das andere war absolute Diskretion. Bonnie erklärte ihren Klienten stets, dass sie viel mehr Geld mit den hohen Gebühren verdiente, die sie ihnen sozusagen als Diskretionsgarantie abverlangte, als sie das je durch Erpressung schaffen könnte. Und man glaubte ihr. Man glaubte ihr, vertraute ihr und betrieb Mundpropaganda für sie. Tatsächlich hatte Bonnie in all den Jahren noch nie ihre Zusagen gebrochen. Kein anderer als sie selbst und der Kunde bekam je das fertige Produkt zu sehen, von dem es stets nur eine Kopie gab. Was der Kunde dann damit anstellte, ging nur ihn etwas an, und sie redete nicht darüber.

Frauen kamen zu ihr und bekannten, sie würden sich lieber umbringen, als dass irgend jemand von ihrem Tun erfuhr. Andere gaben ganz offen zu, dass es sich um eine Überraschung für den Freund oder Geliebten handeln sollte. Bonnie hatte es sich schon vor langer Zeit abgewöhnt, schockiert oder überrascht über die verborgenen Wünsche der Menschen zu sein. Manchmal empfand sie so etwas wie Traurigkeit oder Mitleid, aber das behielt sie streng für sich. Ihr Job bestand nicht darin, Mitgefühl für ihre Kunden zu haben, sondern nur dafür zu sorgen, dass diese bekamen, was sie wollten.

Nun führte sie Jay in ihr Büro und betrachtete ihn dabei argwöhnisch. Es war sehr ungewöhnlich, dass sich ein männlicher Kunde an sie wandte, und hätte er nicht so hartnäckig darauf bestanden, dass er nur ein kurzes Video leicht überarbeitet haben wollte, hätte sie wahrscheinlich erst gar keinen Termin mit ihm ausgemacht. Ihre Arbeit war es, Frauen mit anregenden Videos zu versorgen, Videos, in denen die Kundinnen meist selbst mitspielten und auch ihrer eigenen Phantasie freien Lauf ließen. Falls es nötig war, konnte sie den Frauen einen Partner ihrer Wahl beschaffen, natürlich nur solche mit einwandfreien Gesundheitspapieren. Meist waren es junge, arbeitslose Schauspieler, die nur allzu bereitwillig die strengen Diskretionsbedingungen unterschrieben und somit sichergehen konnten, dass niemand je zu sehen bekommen würde, was für einen Film sie da gedreht hatten.

Pornos zu drehen war in der Filmbranche nach wie vor äußerst verpönt, tat man es dennoch, durfte man sich auf keinen Fall erwischen lassen. Bisher war noch niemand, der für Bonnie gearbeitet hatte, erwischt worden. Außerdem zahlte sie gut, besser gesagt, ihre Kundinnen. Eine Frau wollte dabei gefilmt werden, wie sie gleichzeitig die sexuellen Aufmerksamkeiten zweier Männer genoss? Kein Problem, Bonnie arrangierte das. Wünschte die Kundin darüber hinaus, dass diese Männer Kostüme aus dem achtzehnten Jahrhundert trugen, einer von ihnen als Wegelagerer verkleidet war und sie in der Kutsche verführte, die er auf einem abgelegenen Feldweg angehalten hatte – auch das war kein Problem. Bonnie kannte den geeigneten Drehort, wusste, wo die passende Kutsche und die richtigen Kostüme aufzutreiben waren.

Während sie Jay jetzt studierte, versuchte sie, sich ein genaueres Bild von ihm zu machen. Ihr war bereits klar, dass er selbst auf dem Video, das er mitgebracht hatte, nicht zu sehen sein würde. Er wirkte zu zurückhaltend, wachsam und misstrauisch, um sich auf irgendetwas einzulassen, das ihm schaden konnte. Und – er war zu beherrscht. Viel zu beherrscht für einen so eindeutig sexuell attraktiven Mann.

„Was verlangen Sie nun konkret von mir?" fragte sie ihn und nahm ihm die Kassette ab.

„Lassen Sie es professioneller aussehen."

„Professioneller." Sie zog die Augenbrauen hoch beim kühlen, knappen Klang seiner Stimme mit dem unüberhörbar britischen Akzent. „Dazu müsste ich es mir erst einmal ansehen", teilte sie ihm mit.

„Wie lange dauert das?" Er schob den Ärmel seines Jacketts etwas hoch, um auf die Uhr zu blicken, eine schlichte, funktionelle Rolex.

Bonnie bemerkte, dass er sie offenbar schon sehr lange haben musste, jedenfalls sah sie ziemlich alt aus. Wie arrogant er war, wie sehr von sich überzeugt . . . vielleicht ein wenig zu sehr. Sie unterdrückte ein Schmunzeln. „Normalerweise zwei Wochen, doch momentan habe ich sehr viel zu tun, also könnten es im Bestfall drei Wochen werden."

„Ich habe nicht so lange Zeit. Ich bin nur für vierzehn Tage in New York." Er warf ihr einen durchbohrenden Blick zu.

Arrogant, ja, aber wohl nicht gänzlich instinktlos, was die Reaktionen anderer Menschen betrifft, erkannte Bonnie.

„Es soll ein Geburtstagsgeschenk sein. Für das . . . für eine sehr enge Freundin meines Vaters."

Seines Vaters? Wer mag die Frau sein? dachte Bonnie.

„Wann können Sie mir Bescheid geben?"

„Rufen Sie mich in drei Tagen an. Dann kann ich Ihnen sagen, ob sich etwas daraus machen lässt." Bonnie merkte, dass er nicht zufrieden war und sie sicher gedrängt hätte, ihn bevorzugt zu behandeln, wenn sie ihm nicht zu verstehen gegeben hätte, dass er im Moment keine andere Wahl hatte, als auf ihren Vorschlag einzugehen.

Jay bereute bereits, dass er sich schon von London aus mit Nadia zum Essen verabredet hatte. Sie hatten sich damals an der Universität kennen gelernt, und nachdem er sie lange und heftig umworben hatte, waren sie schließlich ein Liebespaar geworden. Aber nicht etwa, weil er es nun ausgerechnet auf sie abgesehen hätte, wie sie ihm später vorwarf, sondern einfach, weil alle anderen auch hinter ihr her waren und er unbedingt das Rennen hatte machen wollen. Zu diesem Zeitpunkt war ihre Beziehung schon wieder vorbei gewesen, beendet von Nadia, die ihm ganz ruhig mitgeteilt hatte, seine einzigen Qualitäten zeigten sich im Bett, nirgends sonst.

Jay hatte das Scheitern dieser Beziehung nicht sonderlich unglücklich gemacht. Nadias messerscharfer Verstand und ihr ausgeprägtes weibliches Gespür hatten ihn zunehmend gereizt und misstrauisch werden lassen. Sie hatte zu viele Fragen gestellt und zu viele Schlüsse gezogen. Jetzt hatte sie einen Spitzenjob bei einem New Yorker Börsenmakler, und Jay hatte gehofft, dass sie ihm ein paar wertvolle Tipps für seine Verhandlungen mit den Japanern geben konnte. Doch inzwischen hatte sein Vater seine Pläne verworfen, und Jays Stimmung war ziemlich auf dem Nullpunkt. Bonnie Howletts spöttisch-belustigter Blick, als sie ihm mitgeteilt hatte, wie lange er auf das Video warten musste, hatte nicht unbedingt zur Besserung seiner Laune beigetragen.

Ihm war noch nicht ganz klar, wie er Plum das ‚Geschenk' überreichen sollte, unter vier Augen oder vor allen anderen. Ersteres würde wahrscheinlich besser sein, obwohl er nicht die geringsten Skrupel hatte, auch die anderen daran teilhaben zu lassen. Schließlich war sie selbst schuld. Wenn sie schon so dumm war, überhaupt so etwas zu machen und das Ding dann auch noch offen herumliegen ließ ... Es ärgerte Jay maßlos, dass sein Vater unentwegt Entschuldigungen für sie fand. Doch natürlich wusste er, warum. Himmel, sein Vater hatte es ihr ja sogar durchgehen lassen, als sie ihm eine Liebeserklärung gemacht und ihm gestanden hatte, dass er der aufregendste Mann schlechthin für sie sei.

„Das tut mir gut, aber jetzt mal ganz im Ernst, Kleines, ich bin viel zu alt für dich!" hatte Bram auf ihre erste Liebeserklärung liebevoll geantwortet.

Das wiederum wusste Jay von Plum selbst, die sich bei ihm ausgeweint hatte, ihr Herz sei gebrochen, weil sein Vater ihr eine Abfuhr erteilt hätte. „Und ich weiß doch, ich hätte ihn glücklich machen können!" hatte sie Jay allen Ernstes beteuert. Nun, vielleicht liebte sie seinen Vater ja wirklich, aber das hielt sie nicht davon ab, gleichzeitig ein sexuell dermaßen ausschweifendes Leben zu führen, dass die Leute sie entweder bewundernd oder angewidert betrachteten – das kam ganz darauf an, von welcher Warte aus. Am meisten wurmte es Jay, dass sie trotz allem immer noch so frisch und unschuldig wirkte, und dass sich an der Zuneigung seines Vaters für sie nichts änderte. Womöglich hing er mehr an ihr als an seinem eigenen Sohn? Er verdrängte den Gedanken und beschloss, eine Entscheidung in puncto Nadia zu fällen. Es hätte ihm gerade noch gefehlt, dass Nadia mit ihrem treffsicheren Instinkt sofort seine schlechte Stimmung witterte und ihn mit Fragen bombardierte. Nein, er würde das Essen auf einen anderen Abend verschieben, an dem er besser mit ihr fertig werden konnte.

Jays Erfahrung nach war die leichteste und sicherste Methode, eine Frau zum Schweigen zu bringen, mit ihr ins Bett zu gehen. Doch das Prickeln einer Eroberung reizte ihn längst nicht mehr so wie früher. Als Teenager und auch noch an der Universität, ja, da hatte er eine Phase durchgemacht, in der Männlichkeit und sexueller Erfolg für ihn gleichbedeutend gewesen waren.

„Es gefällt dir einfach zu gut, immer alles im Griff zu haben", hatte Nadia ihm vorgeworfen, als sie die Beziehung mit ihm beendet hatte. „Es gefällt dir nicht nur, du brauchst es sogar. Nun, ich bin es jedenfalls wirklich leid, dass du mir Orgasmen ‚schenkst', so wie man einem Kind Süßigkeiten schenkt. Lass es dir einmal gesagt sein, ich hätte mehr Vergnügen an der Sache, wenn ich mit einem Mann ins Bett ginge, der mich wirklich will. Du willst doch nur Sex mit mir, weil du weißt, dass du dann völlig die Kontrolle über mich hast. Nein, danke, damit ist jetzt endgültig Schluss."

Seitdem hatte er es nie wieder einer Frau erlaubt, ihn so gut kennen zu lernen, wie Nadia das trotz seiner Gegenwehr geschafft hatte – sowohl im Bett als auch sonst.

3. KAPITEL

In London ging Bram an diesem Abend aus. Dabei handelte es sich nicht etwa um ein Rendezvous mit einer früheren Geliebten, sondern um einen wesentlich formelleren Anlass – er hatte eine Einladung zu einem kleinen Empfang des Außenministers erhalten.

Bram kannte viele der anderen Gäste. Im vergangenen Jahr war er für eine Ehrenauszeichnung vorgeschlagen worden, doch er hatte sofort entschieden zum Ausdruck gebracht, dass er sich zwar sehr geehrt fühlte, die Auszeichnung aber nicht anzunehmen gedachte. Er war der Meinung, dass in der gegenwärtigen wirtschaftlichen Situation die Ansammlung eines beträchtlichen privaten Vermögens nicht unbedingt der Grund für eine Auszeichnung sein sollte, ganz gleich, wie hart und ehrlich es man sich auch erarbeitet haben mochte, oder ob man sogar bereit war, davon größere Beträge in die heimische Wirtschaft zu investieren.

„Du spendest mehr Geld an wohltätige Einrichtungen als die meisten anderen, die für diese Auszeichnung vorgeschlagen worden sind, aber du kannst sicher sein, dass *sie* diese Ehre nicht ausschlagen werden!“ hatte Jay zynisch bemerkt.

„Ich spende vielleicht einen kleinen Prozentsatz meines Einkommens, aber ich *tue* nichts“, hatte Bram ihm erwidert. Materieller Ehrgeiz und Reichtum hatten ihn noch nie besonders motiviert. Er war einfach stets zur rechten Zeit am rechten Ort gewesen und hatte dabei über die rechten Fähigkeiten verfügt. Seiner Ansicht nach begründete sich sein Erfolg einzig auf Zufall und viel Glück. Das kleine Imperium, das er aufgebaut hatte, und seine Angestellten, die von ihm abhängig waren – darin sah er seine Hauptverantwortlichkeit, und diese Verantwortung nahm er sehr ernst, wie er Jay zu erklären versucht hatte. Doch wahrscheinlich hatte

Jay nicht verstanden, dass er das Bedürfnis hatte, seine Angestellten zu beschützen. Sein Sohn zog es wohl eher vor zu glauben, dass Bram ihm absichtlich einen Strich durch alle seine Rechnungen machen wollte.

Bram kam plötzlich der Gedanke, dass es vielleicht nicht so klug gewesen war, Jay an Plums Geburtstag zu erinnern. Jay verhielt sich stets so feindselig ihr gegenüber. Womöglich, weil er nicht sah, wie ähnlich traumatisch ihrer beider Kindheit verlaufen war und somit zu den gefühlsmäßigen Problemen geführt hatte, mit denen sie jetzt beide zu kämpfen hatten? Oder vielmehr gerade weil er das sehr wohl erkannte? War Jay etwa doch klar, dass die Wurzeln für Plums Promiskuität und ihr beinahe zwanghaftes Bedürfnis nach männlicher Anerkennung und Liebe ebenso in ihrer Kindheit zu suchen waren, wie die für Jays übertriebenes Verlangen danach, über alles und jeden die Kontrolle zu haben? Doch, bestimmt wusste er das. Jay war viel zu intelligent, um nicht schon von selbst darauf gekommen zu sein.

Ob es Eltern gab, die es sich nicht zum Vorwurf machten, wenn sie in irgendeiner Hinsicht bei ihren Kindern versagt hatten? Helena mochte ihre Schuldgefühle dadurch verbergen, dass sie sich von Plum distanzierte und jedem erklärte, Plum sei eben völlig nach ihrem Vater geraten. Doch bestimmt gab es Augenblicke, wo sie sich genau wie Bram insgeheim verzweifelt fragte, wie es sein konnte, dass man ein Kind so sehr liebte und dennoch bei ihm versagte.

Wenn Jay aus New York zurückkam, würde Bram ihm noch einmal seine Gründe dafür erklären müssen, weshalb er so gegen diese Expansionspläne war. Es war nie Brams Wunsch oder Ziel gewesen, so erfolgreich zu werden. Er hatte nur immer gerade so viel Geld verdienen wollen, dass er sich davon ein halbwegs anständiges Leben leisten konnte. Nicht einmal seinen engsten Freunden konnte er eingestehen, wie sehr ihn sein Leben inzwischen langweilte, wie schwer ihm bisweilen die Bürde seines Erfolgs auf den Schultern lastete. Es hätte undankbar ausgesehen, wenn er nicht mehr Freude an dem, was er erreicht hatte, zum Ausdruck gebracht hätte.

Und was tat er Jay damit an, dass er ihn quasi zu der Rolle des wartenden Erben verurteilte? Jays Geschäftssinn war wesentlich schärfer ausgeprägt als sein eigener. Er war absolut qualifiziert, die Firma zu übernehmen, und unter seiner Leitung würde das Unternehmen wirtschaftlich sicher aufblühen. Aber – galt das auch für die Angestellten? Jay ... Hatte es in den vergangenen Jahren je einen Tag, ja sogar auch nur eine Stunde gegeben, in der sein Sohn nicht seine Gedanken und häufig auch sein Handeln bestimmt hatte?

Und doch dachte er nicht an Jay, als er sich an jenem Abend unter die anderen Gäste auf dem Empfang des Außenministers mischte – sondern an Taylor. Und das lag nicht nur daran, dass sich auch Sir Anthony und seine Frau unter den Gästen befanden. Es war einfach einer der gesellschaftlichen Anlässe, bei denen das typisch Britische so unverwechselbar zum Ausdruck kam. Es fehlte die steife Förmlichkeit, die auf Pariser Botschaftsempfängen zu spüren war; es fehlten auch der Luxus und der Hang zu schillernden Details, wie sie selbst auf der kleinsten Washingtoner Dinnerparty gang und gäbe waren. Stattdessen waren es die leicht schäbige Eleganz der Räumlichkeiten, die entspannte Haltung der Gäste und das undefinierbare und unnachahmliche Flair von Gelassenheit, Beständigkeit und Tradition, die diesem Empfang seine besondere Atmosphäre verliehen; sie wirkte fast wie jene edle Patina auf wertvollen, antiken Möbeln, die Kenner so zu schätzen wissen. Nur ein Nichteingeweihter hätte dieses Ambiente für alt und verstaubt halten können.

„Bram! Wie geht es dir?“

Er lächelte warm, als er die vertraute Stimme hörte, und drehte sich um.

„Hast du Helena in letzter Zeit gesehen?“ fragte die Frau. „Ich muss mich wirklich mal bei ihr melden.“ Olivia Carstairs und Helena waren zusammen in Roedean gewesen. Ihre Freundschaft hatte die Jahre überdauert, und durch Helena kannte Bram auch Olivia. „Wir haben die Einladung zu Plums achtzehntem Geburtstag erhalten, aber leider muss Gerald am Tag davor nach Russland. Es ist so schade um Plum. Helena tut mir wirklich Leid, aber Mädchen in dem Alter können auch zu schwierig sein.“ Bram hörte ihr deutlich an, wie froh sie war, Mutter von vier Söhnen zu sein. „Und das Problem ist ja“, fuhr Olivia fort, „dass das arme Mädchen längst einen lausigen Ruf haben wird, bis es endlich zur

Vernunft kommt. Ich weiß noch, wie ich . . ." Sie verstummte und entschuldigte sich. „Oh, nein, ich muss weiter. Gerald scheint Schwierigkeiten zu haben. Das Lästige bei solchen Anlässen ist, dass man nie Zeit hat, sich mit denen zu unterhalten, mit denen man wirklich gern plaudern möchte. Grüßt du bitte Helena ganz herzlich von mir?"

„Aber natürlich", versprach Bram. Olivias Bemerkungen über sein Patenkind waren bestimmt nicht böse gemeint gewesen, dennoch runzelte er die Stirn. Unter anderen Umständen hätte er gern selbst einmal mit Plum geredet und sanft versucht, ihr klar zu machen, dass sie die Sicherheit und Geborgenheit, nach der sie sich sehnte, ganz bestimmt nicht durch wahllosen Sex finden würde. Doch leider wusste er nur zu gut, dass Plum glaubte, in ihn verliebt zu sein, schließlich hatte sie ihm das mehr als nur einmal gestanden. Vor zwei Jahren, sie war noch keine sechzehn gewesen, hatte er sie eines Nachts beim Nachhausekommen in seinem Bett vorgefunden. Sie hatte sich selbst als ihr Geschenk zu seinem vierzigsten Geburtstag bezeichnet. Ihre einerseits voll ausgereifte Sexualität und ihr andererseits noch so kindliches Aussehen hatten ihn damals mit einer Mischung aus Verzweiflung und Abscheu erfüllt. Aber wie hätte er ihr erklären sollen, dass seine Liebe zu ihr die eines Erwachsenen zu einem Kind war, und dass ihn ganz allgemein der Gedanke, sexuell von einer Fünfzehnjährigen verführt zu werden, absolut abstieß? Ihre noch viel zu langen, dünnen Beine, ihr kleiner, fester Busen, den sie ihm so erschütternd ungehemmt zur Schau stellte – all das waren Attribute eines Kindes für ihn, nicht die einer Frau. Schließlich hatte er ihr sein Bett überlassen und selbst im Hotel übernachtet. Seither war sie zwar nie wieder so weit gegangen, sich in sein Bett zu verirren, aber dass sie ihn liebte, darauf bestand sie nach wie vor.

Ein gutes Stück von ihm entfernt unterhielt sich Anthony gerade mit dem Berater eines der wichtigsten Förderer seines Wohlfahrtsverbands. Bram näherte sich den beiden.

„Ach, Bram!" Anthony lächelte ihm entgegen und machte ihn mit dem anderen Mann bekannt. „Ich habe Charles soeben von dir erzählt. Es tut mir Leid, dass ich heute Nachmittag unsere Verabredung nicht einzuhalten vermochte, aber Taylor konnte dir bestimmt behilflich sein."

„Absolut“, bestätigte Bram, während sich der Berater abwandte, um mit einem anderen Gast zu sprechen. „Nur ...“

Anthony runzelte die Stirn, als er Brams Zögern bemerkte. „Hat es Probleme gegeben?“

„Nicht mit eurer Archivarin“, versicherte Bram. „Ganz im Gegenteil. Ich muss allerdings zugeben, dass ich nicht auf so viel Material vorbereitet gewesen war. Ich hatte noch nicht die Zeit, einen genaueren Blick darauf zu werfen, doch ich befürchte, dass ich die für mich wichtigen Statistiken nicht ohne sehr kompetente Hilfe aus all den Unterlagen heraussuchen kann.“

„Nun, da dürfte es keine Schwierigkeiten geben“, beruhigte sein Freund ihn. „Taylor selbst ist dazu wohl am besten geeignet. Sie ist schon sehr lange Zeit bei uns, und unser neues Datenerfassungssystem, das wir letztes Jahr installiert haben, hat sie mit ausgearbeitet.“

„Wenn du meinst, dass sie die Zeit dafür erübrigen kann?“ meinte Bram. „Ich muss zugeben, sie scheint für diese Aufgabe geeignet zu sein, zumal sie, wie du sagst, sehr gut mit eurem Computersystem Bescheid weiß.“

Während Anthony ihm versprach, eine zufrieden stellende Zusammenarbeit zu arrangieren, wunderte Bram sich insgeheim über seine bis dato auch ihm selbst unbekannte Fähigkeit, sich zu verstellen. Er hätte nie gedacht, dass er eines Tages zu einem solchen verbalen Taschenspielertrick greifen könnte. Allerdings hatte er das auch noch nie gebraucht. Oder das Verlangen danach gehabt ...

Tief im Innern ahnte er, dass es wahrscheinlich keine gute Idee war, mit Taylor zusammenzuarbeiten, weder was seine Gefühle anging, noch seine Libido. Doch diese überaus verlockende Chance, Taylor näher kennen zu lernen, verdrängte alle seine Zweifel. „Ich nehme an, sie ist direkt von der Universität zu euch gekommen“, hörte er sich scheinheilig fragen.

„Nein. Sie war zwar an der Universität, hat sie dann jedoch ohne Abschluss verlassen. Warum, weiß ich auch nicht.“ Anthony machte ein nachdenkliches Gesicht. „Sie ist äußerst verschlossen und ermutigt einen nicht gerade, ihr persönliche Fragen zu stellen. Mir ist aber bekannt, dass sie irgendwann ihren akademischen Grad über die Fernuniversität erworben hat. Sie ist hochintelligent und darüber hinaus auch humorvoll, wenn sie sich ausnahmsweise mal gestattet, diesen Humor durchscheinen zu lassen. Manchmal allerdings kommt es mir so vor, als hätte sie Angst zu lachen, Angst davor ..."

„Zu leben," warf Bram ruhig ein.

„Wie hoch rechnest du dir die Chancen aus, etwas für uns auf die Beine stellen zu können?" erkundigte Anthony sich.

„Schwer zu sagen", gab Bram ehrlich zu. „Vor allem weil ich das gesamte Material erst einmal analysieren und dann für meine Zwecke neu zusammenstellen muss. Ich hoffe, zunächst einen gemeinsamen Nenner für die diversen Kommunikationsprobleme zu finden und den dann als Basis für ein allgemeines Programm zu verwenden, das anschließend vielleicht den individuellen Bedürfnissen des jeweiligen Benutzers angepasst werden kann. Doch bis dahin ist es noch ein langer Weg."

„Nun, dabei müsste dir Taylors Mitarbeit doch an sich sehr behilflich sein."

„Oh, ja", erwiderte Bram wahrheitsgemäß. „Ganz bestimmt sogar."

„Ich spreche gleich morgen früh mit ihr, eigentlich dürfte es da kein Problem geben. Erst letzte Woche hat sie sich beklagt, durch das neue Computersystem auf einmal zu viel Zeit zu haben. Übrigens habe ich heute Nachmittag mit unserem Schirmherrn über dieses Projekt gesprochen", ergänzte Anthony. „Er war begeistert. Es wäre großartig, wenn du das Programm entwickeln könntest, und sowohl für dich als auch für uns von entscheidendem kommerziellen Vorteil."

„Möglicherweise", stimmte Bram vorsichtig zu und merkte, dass er auf einmal ähnliche Zweifel daran äußerte wie Jay vorher, wenn auch von einem ganz anderen Blickwinkel her.

Es war fast eins, als er den Empfang verließ und nach Hause fuhr. Er ging jedoch nicht sofort zu Bett, sondern zog sich in sein Arbeitszimmer zurück, einen geräumigen rechteckigen Raum im hinteren Teil des Hauses, von dem aus man in einen überraschend großen Garten blicken konnte. Jetzt, wo allerdings die schweren alten Damastvorhänge vor den Fenstern zugezogen waren, konnte Bram sich beinahe der Illusion hingeben, wieder draußen auf dem Land zu sein.

Beinahe. Er lächelte ironisch vor sich hin, als er die kostspielige Eleganz seines jetzigen Zuhauses mit dem kleinen, schäbigen Landhaus verglich, das er früher dort gemietet hatte. Die beiden Orte, die jeweiligen Lebensweisen trennten inzwischen Welten, nur er war immer noch derselbe Mann. Nein. Der war er nicht mehr, wie ihm jetzt bewusst wurde. Er hatte sich in dem Moment verändert, als er Taylors Büro betreten hatte. Sie reizte ihn, interessierte ihn, weckte seine Neugier, sein Mitgefühl – und sein Verlangen. Was war so falsch daran, wenn er sie begehrte? Nun, falsch war es vielleicht nicht, aber ganz sicher töricht. Schließlich war er doch wohl lebenserfahren genug, um zu wissen, wie töricht es war, eine Frau zu begehren, die nichts mit einem zu tun haben wollte.

Er nahm den Ordner zur Hand. Es war keine Lüge gewesen, als er Anthony gesagt hatte, er würde Hilfe beim Zusammenstellen des Materials gebrauchen können. Er argwöhnte allerdings, dass er Taylor zunächst einmal davon überzeugen musste. Und wenn sie sich nicht überzeugen ließ und sich weigerte, mit ihm zusammenzuarbeiten? Zusammenarbeit . . . war das wirklich alles, was ihm vorschwebte? Würde er sich damit denn zufrieden geben können? Natürlich. Er war schließlich über vierzig und sehr wohl imstande, unangebrachtes emotionales oder körperliches Verlangen unter Kontrolle zu halten. Etwa so wie bei seiner ersten Begegnung mit ihr? Er zog voller Unbehagen die Schultern hoch.

4. KAPITEL

Linkerhand unter Jays Hotelfenster lag die Fifth Avenue, Schwaden von Abgasen zogen über sie hinweg. Rechts, im Central Park, verlor das Laub der Bäume bereits das zarte, frische Grün des Frühjahrs. Die Temperaturen stiegen allmählich an, und angesichts des nahenden Sommers kleideten sich die Frauen zunehmend luftiger – ein Anblick, der das Herz eines jeden Mannes eigentlich hätte höher schlagen lassen müssen, wie Jay fand. Flüchtig betrachtete er die langen, schlanken Beine eines Mädchens, das eben die Straße überquerte.

Wenn es ihm bloß gelungen wäre, seinen Vater doch noch umzustimmen, dann hätte er vielleicht dem Vorsommer auch angenehmere Seiten abgewinnen können. Mit einem gewissen Zynismus dachte er, dass die New Yorker offensichtlich nur ein kurzes Gedächtnis hatten. In sechs Wochen schon würden sie stöhnen über die unerträgliche Hitze in der Stadt. In sechs Wochen ...

Oberflächlich betrachtet war das Treffen mit den Japanern recht gut verlaufen. Sie schienen seine vorsichtige, unverbindliche Erklärung akzeptiert zu haben, dass er und sein Vater angesichts eines so bedeutenden Schritts noch etwas Bedenkzeit brauchten. Ja, oberflächlich gesehen ... Sicher, sie waren sehr höflich gewesen, dennoch hatten sie ihn nicht im Zweifel gelassen, dass sie nicht ewig warten würden; dass auch ihre Geldmittel begrenzt wären und es noch andere kleinere Unternehmen gäbe, an denen sie interessiert wären. Genau wie Jay hatten auch sie noch weitere Termine in New York, und ihre Bemerkung hatte sich nach einer unterschwelligen Drohung angehört. In sechs Wochen wollte man ein neuerliches Treffen anberaumen. Sechs Wochen ... ob ihm die Zeit reichen würde, seinen Vater von seinem Standpunkt zu überzeugen? Um ihm klar zu machen, wie verwundbar sie waren und wie dringend sie daher eine Partnerschaft brauchten, wie die Japaner sie anboten?

Jay starrte stirnrunzelnd aus dem Fenster. Was tat oder dachte sein Vater wohl gerade? Bereute er bereits, mit ihm nicht einer Meinung gewesen zu sein? Wie immer, wenn er von seinem Vater getrennt war und andere somit einen stärkeren Einfluss auf Bram hatten als er selbst, wuchs in Jay ein Gefühl der Gereiztheit und der Verärgerung. Allmählich wünschte er, er hätte nicht ganze zwei Wochen für New York verplant. Verdammt. Innerlich verfluchte er sich dafür – und Plum. Trotzdem, allein, um ihr Gesicht sehen zu können, wenn sie ihr Geschenk erhielt, lohnte es sich, so lange zu warten. Ihres und die Gesichter der anderen, sobald sie merkten, was das für ein Geschenk war.

Schon längst bedauerte er es, seine Verabredung mit Nadia auf diesen Abend verschoben zu haben, doch sie hatte gesagt, sie wollte ihn unbedingt sehen. Ihre Beziehung war schon seit mehr als sechs Jahren beendet, und obwohl er über gemeinsame Bekannte immer wieder von ihr und ihrem wahrhaft kometenhaften Aufstieg gehört hatte, war er doch nie mit ihr persönlich in Verbindung geblieben.

Er blickte zum Telefon hinüber und überlegte, ob es wohl zu spät war, sie anzurufen und ihre Verabredung ein zweites Mal zu verschieben. Doch er wusste nur zu gut, welche Schlüsse sie daraus ziehen würde, wenn er das tat.

„Wenn es etwas gibt, was ich nicht ausstehen kann, dann ist das ein nachtragender, beleidigter Mann“, hatte sie ihm einmal nach einem Streit unumwunden erklärt.

„Ich bin weder nachtragend noch beleidigt“, hatte er wütend zurückgegeben, worauf sie ihn spöttisch angesehen hatte.

„Ach, nein? Wenn du das glaubst, dann bist du nicht halb so intelligent, wie du immer tust, Jay. Du bist ein Experte im stillschweigenden Rückzug. Da heißt es immer, Frauen seien raffiniert! In dem Moment, wo du befürchtest, aus einer Situation eventuell nicht als Sieger hervorgehen zu können, möchtest du plötzlich nichts mehr damit zu tun haben. Dann machst du dicht und verkriechst dich in deine sichere kleine Welt.“

Das war nur einer von vielen Streits gewesen, die letztlich zu ihrer Trennung geführt hatten. Charakterlich trennten sie einfach Welten. Nadia war die Urenkelin russischer Einwanderer, die zur Zeit der Revolution nach London geflohen waren. Sie war leidenschaftlich und impulsiv, und wenn sie an etwas glaubte, dann restlos und ausschließlich. Und erwartete dasselbe von den ihr nahe stehenden. Als Jay dazu nicht bereit gewesen war, hatte sie ihm vorgeworfen, er sei zu kalt, zu nüchtern und zu gut darin, Logik einzusetzen, um wahre Gefühle verbergen zu können. Nadia allerdings hatte über eine ganz eigene Logik verfügt, und die hatte dann unweigerlich auch zum Ende ihrer Beziehung geführt. Sie hatte Jay mitgeteilt, dass er zwar ein ausgezeichneter Liebhaber war, von ihr aber einen zu hohen Preis für die Aufrechterhaltung ihres Verhältnisses verlangte, den sie nicht zu zahlen bereit sei.

„Vergleiche unsere Beziehung doch mal mit einer Bank", hatte sie ihn hitzig aufgefordert. „Ich bin diejenige von uns beiden, die gefühlsmäßig dauernd einzahlt, während du nur abhebst. Ich habe zu viel Achtung vor mir selbst, zu viele Pläne für mein Leben, um mich auf Dauer damit zu belasten. Ich bin nicht wie dein Vater, der unermüdlich bereit ist, deine gefühlsmäßige Armut zu beheben. Manchmal muss ich auch etwas vom Gefühlskonto abheben, Unterstützung für mich selbst beanspruchen können. Mit dir zu schlafen ist der Himmel – dich zu lieben die Hölle."

Nein, dachte Jay, sie hatten wirklich nicht die Art von Beziehung geführt, die es ihnen nun erlauben könnte, sich gemütlich zusammenzusetzen und über die gemeinsame Vergangenheit zu reden. Nicht, dass Nadia je der Typ für so etwas gewesen wäre. Sie lebte in der Gegenwart und arbeitete für die Zukunft. Schon an der Universität hatte sie eine ganz klare Vorstellung davon gehabt, was sie wollte, wo ihre Ziele lagen.

„Ich bin eine Weltbürgerin", hatte sie gern von sich behauptet. „Dasselbe Schicksal, das mir eine richtige Heimat verwehrt hat, hat mir gleichzeitig auch die Freiheit geschenkt, überall leben zu können, ohne sentimental an einen Ort oder ein Land gebunden zu sein. Meine Großeltern haben sich zwar hier in England niedergelassen, doch sie sind immer wie Außenseiter behandelt worden. Ich schulde England nicht mehr Anhänglichkeit als jedem anderen Land auch."

„Aber es waren England und die Engländer, die dir Sicherheit, eine gute Ausbildung – und deine Freiheit geboten haben!" hatte Jay sie provoziert.

„Nein", hatte Nadia heftig widersprochen. „Das alles sind Dinge, die ich mir selbst genommen und für die ich hart gearbeitet habe. Ich bin niemandem etwas schuldig." Sie hatte nie einen Hehl aus ihrem Ehrgeiz gemacht, und wie es aussah, war sie nun auf dem besten Weg, ihre ehrgeizigen Ziele zu erreichen.

Als Jay eine halbe Stunde später unter dem kräftigen Strahl der Dusche stand, musste er erneut an Nadia denken. Sie war seine erste wirklich ernsthafte Geliebte gewesen. Sie hatte ihn lange provoziert und verspottet, bis sie ihm endlich gestattet hatte, sie zu erobern – und hinterher hatte sie damit weitergemacht. Er hatte nie herausfinden können, wie und bei wem sie die sexuellen Erfahrungen gesammelt hatte, die sie zu einer so fantastischen Liebhaberin hatten werden lassen. Im Nachhinein vermutete er, dass es ein älterer Mann gewesen sein musste, vielleicht auch mehrere. Auf jeden Fall hatte sie immer das Selbstbewusstsein besessen, ihm klipp und klar zu sagen, wenn er sie einmal nicht so befriedigt hatte, wie sie sich das wünschte. Sie war die erste und tatsächlich auch die einzige Frau bisher in seinem Leben gewesen, die der Meinung war, dass der Cunnilingus nicht nur absolut zum Sex dazugehörte; ja, sie hatte sogar behauptet, dass sie daran erkennen konnte, wie gut ein Mann im Bett war.

„Nur ein Ignorant in Sachen Sex kann glauben, dass alles, was er tun muss, um eine Frau zu befriedigen, darin besteht, in sie einzudringen", hatte Nadia einmal verächtlich erklärt, nachdem sie einen Kommilitonen sich brüsten gehört hatte, wie oft er es in vierundzwanzig Stunden mit seiner Freundin ‚getrieben' hatte. „Für eine Frau bedeutet die Penetration eher wenig. Es ist vielmehr die Art, wie ein Mann in ihrem Duft und ihrem Geschmack schwelgt, wie er sich endlos Zeit nimmt für jedes noch so zarte Lecken oder Liebkosen. Es gibt nichts Erotischeres, als wenn ein Mann irgendwann förmlich darum bettelt, einen nehmen zu dürfen. Gar nichts."

Seitdem hatte Jay gelernt, dass sie teils Recht, teils Unrecht gehabt hatte. Es gab tatsächlich Frauen, für die der Cunnilingus das einzig Wahre war, das einzige Vergnügen, das todsicher zum Orgasmus führte, und es gab wiederum Frauen, die nicht restlos sexuell befriedigt waren, wenn man nicht auch die Penetration vollzogen hatte. Die dritte Kategorie verband beide Auffassungen und genoss generell jede Form von sexueller Intimität. Nach Jays Erfahrung war Sex weniger ein beiderseitiges Vergnügen als vielmehr eine Art Tauschhandel. Das lag nicht an der Ernsthaftigkeit der frühen neunziger Jahre, die mit makaberen Warnungen vor Promiskuität und AIDS die Leute eher dazu brachte, enthaltsam zu leben, statt ihren sexuellen Bedürfnissen jedes Mal wieder nachzugeben. Für ihn lag einfach eine riesige Portion Zynismus in den Motiven, die zum Liebesakt führten – er weigerte sich schlicht zu glauben, dass man Sex aus edleren Beweggründen haben könnte als aus rein selbstsüchtigen.

„Wenn sich früher ein Mann allein zu Hause einen ‚runterholte‘, hielt man ihn für ziemlich fehlgerichtet und gestört“, hatte Jay einmal ein Gespräch im Umkleideraum seines Fitnesscenters mit angehört. „Heute braucht einer nur in aller Öffentlichkeit zu sagen, dass er es vorzieht, selbst die Verantwortung für seine sexuelle Befriedigung zu übernehmen, und schon glaubt jede Frau, er sei ein Halbgott in puncto Feinfühligkeit.“ Nun, so weit ging Jay zwar nicht, aber auch sein Sexualtrieb hatte im Laufe der letzten Jahre deutlich nachgelassen. Hirnlose Schönheiten hatten ihn ohnehin nie gereizt, aber heute . . . Wann hatte er eigentlich zum ersten Mal festgestellt, dass seinen Beziehungen eine gewisse Leere anhaftete, dass irgendetwas fehlte? Gereizt verließ er das Badezimmer. Nadia war schuld an diesen beunruhigenden Selbstbetrachtungen.

Nadia hielt mitten in der Bewegung inne, als sie den dünnen schwarzen Wollstretch ihres Kleides über den schmalen Hüften glattstrich, und trat stirnrunzelnd näher an den Spiegel, um sich kritisch zu begutachten. Wenn eine Frau auf die dreißig zu ging, kam unweigerlich der Zeitpunkt, wo sich beneidenswertes Schlanksein plötzlich in wenig erstrebenswerte Magerkeit verwandeln konnte. Wenn Knochen spitz hervortraten, wenn der Haut nicht mehr der seidige, gesunde Schimmer der Jugend anhaftete, wenn Männer plötzlich etwas rundlichere Frauen bevorzugten. Die Gratwanderung zwischen weicher, jugendlicher Schlankheit und altersbedingter, vertrockneter Dürre war ein Kunststück. Bisher hatte Nadia es meisterhaft zu Stande gebracht. Die Haut ihrer Arme war glatt und samtig, die Farbe und das Material ihres Kleides unterstrichen diese Wirkung noch. Die hauchzarten Strümpfe verliehen ihren makellosen Beinen dieselbe zarte Bräunung, wie sie auch die Arme aufwiesen. Eine Bräunung, die gerade nur so stark war, dass sie die Haut nicht winterbleich, sondern gesund aussehen ließ; keinesfalls so dunkel wie die Sonnenbräune diverser Vertreterinnen der älteren Generation, die zu spät von den schädigenden Wirkungen der Sonnenstrahlen gehört hatten.

Ihr Kleid war schlicht, aber elegant, und es saß perfekt. Es betonte meisterhaft die gertenschlanke Taille, die schmalen, aber doch sanft gerundeten Hüften und die zarte Wölbung ihres Busens. Und wenn ein Mann ein Auge dafür hatte – dessen war sie sich bei Jay ganz sicher – dann konnte er sehen, dass sie keinen BH trug, weil ihre Brüste straff genug waren und sie sich das sehr gut leisten konnte.

All das würde anders werden, wenn sie Alaric heiratete. Er würde sich sehr bald Kinder wünschen, und dann musste sie sich den klischeehaften Anforderungen beugen, die man allgemein an eine anständige Ehefrau und Mutter aus dem gehobenen Bürgertum stellte. *Falls* sie ihn heiratete. Hatte sie daran tatsächlich Zweifel? Er würde in jeder Hinsicht der ideale Ehemann für sie sein. Sie durfte ihre Entscheidung nicht mehr länger hinauszögern. Die Unmutsfalte auf ihrer Stirn vertiefte sich. War Jay etwa zum genau richtigen Zeitpunkt in New York aufgekreuzt? Es hieß ja oft, dass eine Frau niemals ihren ersten Geliebten vergessen könnte. Jay war nun zwar nicht ihr erster Liebhaber gewesen, aber doch ganz bestimmt der erste, der ihre Gefühle angesprochen und den sie geliebt hatte. Sechs Jahre waren vergangen, seit sie sich zum letzten Mal gesehen hatten .... Was würde Jay heute Abend in ihr sehen? Eine begehrenswerte Frau? Die ältere Ausgabe einer Exgeliebten, die er seinerzeit scheinbar ohne größeres Bedauern verlassen hatte? Eine erfolgreiche Karrierefrau, die sich in einer der härtesten Branchen der

Welt einen Namen gemacht hatte? Schon für einen Mann war das Leben an der Wall Street schwer genug, für eine Frau jedoch . . . Es war halb acht, Zeit zu gehen.

Nadia sah Jay, ehe er sie entdeckte. Sie war absichtlich früher in das vereinbarte Restaurant gegangen und hatte sich an den Tisch gesetzt, den er reserviert hatte. Nun beobachtete sie ihn, wie er stehen blieb und sich in dem dämmrig beleuchteten Raum umsah. Er überragte den Restaurantmanager um gute fünfzehn Zentimeter und zog sämtliche weiblichen Blicke auf sich, wie Nadia spöttisch registrierte. Und das war kein Wunder. Natürlich hätte Nadia ihn überall wiedererkannt, schließlich hatten sich seine Züge für alle Zeit unauslöschlich in ihrem Gedächtnis eingeprägt. Doch auch sie musste bewundernd feststellen, wie aus dem jungen, schon damals sehr gut aussehenden Mann ein Erwachsener geworden war, ein richtiger Mann mit den geschmeidigen Bewegungen eines Raubtiers, ein Mann auf dem Höhepunkt seiner Macht. An ihm war nichts Schlaksiges, Jungenhaftes mehr, sein Körperbau war maskuliner und muskulöser geworden. Nadia war klar, dass er mühelos die meisten Frauen im Restaurant hätte verführen können, und man sah ihm an, dass auch er sich dessen sehr wohl bewusst war.

Jetzt hatte er sie entdeckt. Mit zielstrebigen Schritten kam er auf sie zu. „Nadia . . ."

Sogar seine Stimme war tiefer, männlicher und selbstbewusster geworden, und Nadia lief ein sinnlicher Schauer über den Rücken. Sehr beeindruckend, dachte sie, als er ihr gegenüber Platz nahm. Dennoch war sie fest entschlossen, sich nichts von ihren Gedanken anmerken zu lassen, schließlich wollte sie diesmal diejenige sein, die die Zügel fest in der Hand hielt. „Einen Drink?" fragte sie und fügte sanft hinzu: „Ich habe gehört, die Sache mit den Japanern ist nicht allzu gut verlaufen . . ."

Jay zog die Brauen hoch, in seinen grünen Augen spiegelte sich kaum merklich Überraschung wider. Dann zuckte er nachlässig mit den Schultern. „Nun, ich hatte das Gefühl, es sei ganz gut gelaufen, aber es kommt da wohl ganz auf den Standpunkt an."

„Du konntest ihnen keine festen Zusagen machen", stellte Nadia fest.

„Nein, ich wollte das nicht“, verbesserte Jay. „Ihr Angebot ist nur eine von mehreren Optionen, die wir zurzeit in Erwägung ziehen.“

„Wir?“ tat Nadia verwundert. „Ach, ja, natürlich, dein Vater. Er hat das letzte Wort, nicht wahr?“

„Warum wolltest du nun mit mir essen gehen, Nadia? Doch bestimmt nicht, um mit mir über Geschäfte zu reden.“

Sie hatte seinen empfindlichen Nerv getroffen, obwohl er sich große Mühe gab, das nicht zu zeigen. Nadia fragte sich, was er wohl sagen würde, wenn er wüsste, dass sie ebenfalls in Verhandlungen mit den Japanern stand, und dass sie zum ersten Mal in ihrem Berufsleben eins ihrer eisernen Prinzipien gebrochen hatte. Sie hatte ihren Klienten eine wichtige Information vorenthalten, nämlich die, dass es gar keine Rolle spielte, was Jay ihnen erzählen mochte, weil nicht er, sondern sein Vater die endgültige Entscheidung treffen würde. Was sie allerdings noch mehr beunruhigte, war die Tatsache, *warum* sie das für sich behalten hatte. „Nein, natürlich nicht“, bestätigte sie nun lächelnd. „Wir sind alte Freunde und haben uns sehr lange nicht gesehen . . .“

„Alte Freunde?“ wiederholte Jay. „Nadia, du und ich sind nie Freunde gewesen. Ein Liebespaar, ja, aber keine Freunde. Übrigens, ich hörte, du hättest vor zu heiraten?“

Wenn er erwartet hatte, sie damit aus der Fassung bringen zu können, so wurde er enttäuscht. „Die Möglichkeit besteht, ja“, erwiderte sie gelassen und dankte kurz dem Kellner, der die Drinks brachte.

„Eine Möglichkeit“, spottete Jay. „Wie überaus romantisch!“

„Eine Ehe sollte nie aus romantischen Motiven geschlossen werden“, teilte sie ihm entschieden mit. „Romanzen sind . . .“

„Etwas für Verliebte?“ vollendete Jay ihren Satz. Es machte ihm Spaß, sie zu reizen und an ihr die Anspannungen der letzten Tage abzureagieren.

Flüchtig blitzte so etwas wie Zorn in ihren Augen auf, doch sie hatte sich sofort wieder in der Gewalt. „Romanzen sind eine Illusion, wollte ich sagen. Verlockend süß am Anfang, doch leider werden sie sehr schnell klebrig.“

„Also nichts Romantisches an deiner Heirat . . . Aber Liebe doch ganz bestimmt, wie ich hoffe?“ Ihm war selbst klar, dass er sich auf gefährlichem Terrain bewegte, sowohl was Nadia als auch was ihn selbst betraf.

„Oh, ja, Liebe schon", versicherte sie, verschwieg ihm aber, dass Alaric sie eindeutig mehr liebte als umgekehrt. „Wie geht es eigentlich deinem Vater?" erkundigte sie sich gespielt unschuldsvoll. Über seinen Vater zu sprechen war immer schon ein gutes Mittel gewesen, ihn in Rage zu bringen.

„Gut", antwortete er widerstrebend. „Hör mal, Nadia . . ."

„Und er ist nach wie vor unverheiratet", vermutete Nadia aufs Geratewohl und ignorierte dabei geflissentlich alle Alarmsignale, die Jay auszusenden schien. „Ein Jammer. Weißt du, Jay, es ist schade, dass wir uns kennen gelernt haben, als ich noch so jung war. Wären wir uns heute erstmals begegnet und du hättest mich deinem Vater vorgestellt . . . wahrscheinlich hätte ich ihn gewollt, und nicht dich." Leicht überrascht stellte Nadia fest, dass das sogar die Wahrheit war. Sie war einundzwanzig gewesen, als sie Jay kennen gelernt hatte. Er war ein wenig jünger als sie, und sie hatte die Nase voll gehabt von älteren Liebhabern. Jays Vater war sie zweimal begegnet, als er Jay an der Uni besucht hatte. Beide Male hatte Jay sie nur höchst widerwillig mit seinem Vater zusammentreffen lassen wollen. Das erste Mal hatte sie noch sehr naiv angenommen, das käme daher, weil Jay so Besitz ergreifend sei und Angst hätte, sie könnte seinen Vater ihm vorziehen. Was seine besitzergreifende Art betraf, so hatte sie Recht gehabt, aber das war auch das Einzige. Denn Jay hatte nicht etwa befürchtet, sie würde die Gesellschaft seines Vaters vorziehen, sondern seinem Vater könnte ihre Gesellschaft lieber sein als die seines Sohns. Sobald Nadia das begriffen hatte, hatte sie Jay unbarmherzig damit aufgezogen. Im Gegensatz zu heute hatte sie damals nicht erkannt, dass sie ebenfalls entsetzlich eifersüchtig gewesen war. Und zwar darauf, dass Jay so offensichtlich lieber mit seinem Vater zusammen war als mit ihr, dass sein Vater ihm eindeutig mehr bedeutete als sie.

„Ich merke, du hast deinen Vaterkomplex noch immer nicht überwunden, Jay", meinte sie betont freundlich. „Aber, nun gut, er ist ja schließlich auch etwas ganz Besonderes, dein Vater. Obwohl du wohl nie eine Frau nahe genug an ihn herankommen lassen würdest, so dass sie sich selbst davon überzeugen kann. Weißt du, manchmal tut er mir furchtbar Leid. Es muss nicht leicht sein, einen so Besitz ergreifenden Sohn zu haben ..." Sie erstarrte innerlich, als er Anstalten machte aufzustehen. Seine Augen waren ganz dunkel geworden vor Zorn. Er würde sie doch nicht einfach hier sitzen lassen und gehen? Erleichtert stellte sie fest, dass er nur den Kellner herbeiwinken wollte, und augenblicklich empfand sie Wut auf sich selbst. Das alles lief ganz anders als geplant. Sie sollte doch eigentlich diejenige sein, die die Oberhand behielt, nicht Jay. Sie sah seinem Gesichtsausdruck an, dass er ihre Gedanken erraten hatte.

„Was versprichst du dir von diesem Treffen, Nadia?" fragte er sanft. „Wenn du an mir nur die Aggressionen auslassen willst, die du bei deinem zahmen, unterwürfigen und geschlechtslosen Ehemann nicht abreagieren kannst, so hättest du dir einen etwas intimeren Ort dazu aussuchen müssen. Ich bin sicher, die anderen Gäste hier wären fasziniert, mal eine deiner virtuosen Szenen mitzuerleben. Schließlich haben sie so etwas noch nie mitbekommen, im Gegensatz zu mir. Und wenn du ein ganz anderes Bedürfnis befriedigen wolltest, so gilt im Grunde dasselbe. Sex an öffentlichen Orten hat mich nie angetörnt, wie du eigentlich noch wissen solltest."

Nur mit äußerster Mühe unterdrückte Nadia ihren Wunsch, ihn anzuschreien. Sie spürte, wie alles Blut aus ihren Adern zu weichen schien, nur um im selben Moment auch schon wieder glühend heiß zurückzuströmen. Sie hatte völlig vergessen, wie geistesgegenwärtig und schlagfertig Jay sein konnte, wie grausam präzise er seine messerscharfen Worte zu platzieren vermochte. Offenbar war er besser über sie unterrichtet, als sie gedacht hatte. Irgendjemand musste ihm Alarics Charakter sehr zutreffend beschrieben haben. Wie dumm von ihr, damit hätte sie rechnen müssen.

„Nun?" beharrte er.

„Nun – was?" gab sie zurück. „Du irrst dich, Jay. Ich will weder mit dir streiten noch mit dir ins Bett gehen."

„Lügnerin. Ach, komm schon, Nadia", fuhr er fort, als sie schwieg. „Warum hättest du dich sonst mit mir treffen wollen? Was haben wir im Grunde denn je anderes getan als streiten und vögeln?"

Was sie sonst noch getan hatten? Sie hatten gelacht, sich geliebt, gestritten, miteinander gespielt . . .

„Ist dein Verlobter gut im Bett?"

„Er liebt mich sehr", erklärte Nadia ausweichend. Der Kellner brachte das Essen. Während sie angewidert auf ihren Teller starrte, begann Jay bereits, mit großem Appetit zu essen.

„Er liebt dich!" Jay lachte, und prompt erntete er erneut schmachtende Blicke von den anderen weiblichen Gästen. „Das mag ja alles sein, Nadia, aber danach habe ich nicht gefragt! Bringt er dich dazu, dass du vor Lust aufschreist, wenn er dich berührt? Dass du ihn förmlich anbettelst, dich zu umarmen, zu streicheln, zu lecken, bis du . . ."

„Hör auf!" stieß sie heftig hervor. Jetzt war ihr der Appetit endgültig vergangen.

„Immer noch ganz die alte Nadia", zog Jay sie auf, sichtlich mit sich selbst zufrieden, weil er die Oberhand gewonnen hatte.

„Geh zur Hölle."

Er lachte erneut. „Hast du nicht immer behauptet, dass unsere Beziehung genau das für dich werden würde? Also, Nadia, was willst du nun von mir?"

„Gar nichts. Ich habe bereits, was ich wollte", teilte sie ihm mit, und das entsprach der Wahrheit. „Der Grund, warum ich eingewilligt habe, mit dir essen zu gehen, war nicht der, dass ich noch einmal alte Erinnerungen aufwärmen und mit dir ins Bett gehen wollte." Sie lächelte kalt. „Ich wollte mir nur noch mal ins Gedächtnis rufen, warum ich so froh bin, dass ich einen Mann wie Alaric heiraten werde."

Jay zog die Augenbrauen hoch. „Das musstest du dir erst ins Gedächtnis rufen?" Sein Lächeln war nicht unbedingt freundlich. „Und nur das? Nicht vielleicht noch etwas anderes?"

„Nichts anderes, nein", erwiderte sie entschieden. „Außerdem will ich einen Mann, der wirklich zu mir gehört und der durch und durch erwachsen ist – nicht einen, der so fixiert auf seinen Vater ist, dass es ihm schwer fällt, ihn auch nur kurzfristig aus den Augen zu lassen. Solltest du jemals heiraten, Jay, dann tut mir die Frau jetzt schon Leid. Sie wird stets nur die zweite Geige spielen, nach deinem Vater. Und noch etwas. Was würdest du denn tun, wenn er noch einmal heiraten sollte? Schließlich ist er nicht wie du. Er ist zu wahrer Liebe fähig."

„Mein Vater wird nicht heiraten."

Mehrere Gäste hoben erstaunt den Kopf, weil er so laut und schroff widersprochen hatte. „Du meinst, du würdest das nicht zulassen", konterte Nadia. „Doch wie kannst du ihn davon abhalten, wenn er das wirklich möchte? Er ist immer noch relativ jung, Jay, gerade Anfang vierzig, schätze ich. Es ist eine bekannte Tatsache, dass reifere Männer ein ganz besonders inniges Verhältnis zu ihren Kindern haben, vor allem, wenn diese aus einer späteren Ehe stammen. Für sie bringen sie dann die Zeit auf, die sie für ihre älteren Kinder niemals hatten. Wie fändest du das, Jay?"

„Mein Vater wird nicht heiraten. Das Letzte, was er sich wünscht, ist ein weiteres Kind oder gar einen zweiten Sohn."

„Ach, ja? Hat er dir das gesagt? Hat er Angst, der zweite Sohn könnte auch so werden wie du?" Nadia war nicht mehr aufzuhalten, sie wusste, dass ihre spitzen Pfeile ihn mitten ins Herz trafen. Was Jay hingegen nicht ahnen konnte war, dass diese Pfeile auch sie selbst trafen, denn dadurch wurde Nadia an ihren Schmerz erinnert, als sie erkannt hatte, dass sie bei Jay niemals die Hauptrolle spielen würde. Den wichtigsten Platz in seinen Gefühlen nahm in der Tat sein Vater ein, und für Nadia hatte es sogar nicht einmal zur zweiten Geige gereicht. Ein Segen, dass sie Alaric hatte, für ihn würde sie stets das Wichtigste im Leben sein. Alaric, der sie liebte und vergötterte. Alaric, den es gleichgültig ließ, dass seine Familie sie nicht mochte. Alaric, der Berge für sie versetzen würde, wenn sie das wollte. Alaric, dessen ernste, bedächtige Art mit ihr zu schlafen sie zwar körperlich befriedigte, sie aber niemals in jene unvorstellbaren, gefühlsmäßigen Höhen entführte, wie Jay das gelungen war . . . Und wie Jay das sicher auch heute noch gelingen würde. Sofort verdrängte sie diesen Gedanken wieder. Sie hatte sich entschieden. Und selbst wenn Jay sie gewollt hätte . . . oder gar geliebt . . . Die Vorstellung, Jay könnte jemanden lieben und seine eigenen Bedürfnisse denen eines anderen unterordnen, entlockte ihr unwillkürlich ein verbittertes Lächeln.

„Das braucht er mir gar nicht zu sagen", brauste Jay

auf, den zweiten Teil ihrer Provokation überging er geflissentlich. „Es versteht sich von selbst, dass ein Mann seines Alters . . ."

Nadia unterbrach ihn lachend. „Ein Mann seines Alters . . . ach, komm, Jay! Wie alt ist er denn genau?"

„Zweiundvierzig", antwortete Jay schroff. Es war ihm deutlich anzuhören, dass das Thema ihm ganz und gar nicht behagte.

Nadia kannte das noch von früher, seinen Widerwillen, seinen Ärger, wenn sie ihm Fragen über seinen Vater stellte; wie unangenehm es ihm war, den ungewöhnlich geringen Altersunterschied zu enthüllen. „Zweiundvierzig, das ist doch gar nichts!" stichelte sie.

„Er ist jedenfalls in einem Alter, in dem er bereits längst verheiratet sein könnte, wenn er das wirklich gewollt hätte", gab Jay zurück.

„Hätte er das gekonnt, Jay? Hätte er tatsächlich heiraten können?" fragte sie sanft. „Oder hättest du immer einen Weg gefunden, ihn daran zu hindern?"

„Mein Vater lebt sein eigenes Leben, und daher . . ."

„Tut er das? Oder lebt er ein Leben, wie du es ihm aufgezwungen hast?"

„Er ist erwachsen, Nadia, der Begründer eines millionenschweren Unternehmens. Er trifft seine eigenen Entscheidungen."

„Oh, ich stelle weder seine Fähigkeiten noch seine Intelligenz infrage, daran besteht nicht der geringste Zweifel. Auch halte ich ihn nicht für zu schwach, sein Leben selbst im Griff zu haben. Vergiss nicht, Jay, ich habe ihn persönlich kennen gelernt. Ich weiß sehr wohl, dass dein Vater ein ganzer Mann ist – und darüber hinaus ein sehr einfühlsamer Vater. Wenn ich eine Frau wäre, die einen guten Vater für ihre Kinder sucht, dann würde ich mich sicher für einen Mann wie ihn entscheiden – jede Frau würde das wohl. Aber schließlich weißt du das alles sehr gut, und deswegen bist du ja auch so Besitz ergreifend, was ihn betrifft. Deswegen willst du ihn auf keinen Fall mit irgendeinem Halbbruder oder einer Halbschwester teilen müssen."

„Du weißt doch gar nicht, wovon du redest." Jay rückte wütend seinen Stuhl zurück und stand auf.

Wie gelähmt registrierte Nadia, dass er sie nun tatsächlich

hier sitzen lassen würde, und sah zu, wie er ein paar Geldscheine auf den Tisch warf. Um seinen Mund zeichnete sich eine harte Linie ab, so sehr bemühte Jay sich um Beherrschung. Und während er sich auf dem Absatz umdrehte und ging, wurde Nadia eins klar. So intensiv und leidenschaftlich ihre Beziehung auch je gewesen war, sie hatte nie solche heftigen Reaktionen zur Folge gehabt wie sie immer wieder auf Grund seines Verhältnisses zu seinem Vater aufgeflammt waren. Ob es jemals einer Frau gelingen würde, seine Gefühle um ihrer selbst willen derart aufzuwühlen? Nun, und wenn, dann bin ich es bestimmt nicht, gestand Nadia sich ehrlich ein. Der Kellner kam an den Tisch. „Mein Freund musste unerwartet gehen", teilte sie ihm kühl mit und zwang sich, ihm gelassen dabei in die Augen zu sehen.

Als sie eine halbe Stunde später auf dem Rückweg in ihre Wohnung war, wurde ihr bewusst, dass sie sich das Ende dieses Abends doch etwas anders vorgestellt hatte. Aber – was hatte sie denn nun erwartet? Doch Sex? Eine letzte schnelle Nummer, ehe sie ein gesetzteres Leben anfing? Eine nostalgische Reise in die Vergangenheit, zurück in eine Zeit, in der sich ihre ganze Welt nur um ihn und ihre Liebe zu ihm gedreht hatte? *Ihre* Welt . . . nicht seine. Es war niemals seine gewesen, und deshalb hatte sie die Beziehung ja auch beendet. Wie konnte eine Frau nur so dumm sein, ausgerechnet so einen Mann zu lieben? Warum? Eben weil sie eine Frau war, und weil Jay, trotz all seiner Fehler, genau über jene gefährliche männliche Ausstrahlung verfügte, nach der Frauen sich von Natur aus nun einmal insgeheim sehnten, und zwar auf eine Art, wie sie sich nie nach einem guten, freundlichen und wertvollen Mann wie Alaric sehnen würden. Zur Hölle mit Jay. Zur Hölle. Erst jetzt merkte Nadia, dass sie weinte.

Als Jay das Restaurant verließ, hielt neben ihm ein Taxi an, doch er schickte es weg. Ihm war nicht nach Gesellschaft zu Mute, nicht einmal nach der eines Taxifahrers. Jay war kein gewalttätiger Mann. Noch nie hatte er auch nur annähernd den Wunsch verspürt, eine Frau zu schlagen, doch wenn er noch eine Minute länger in diesem Restaurant geblieben wäre und sich Nadias Spitzen hätte anhören müssen . . . Sie hatte es schon immer blendend verstanden, seine wundesten

Punkte aufzuspüren und sich tief in seine geheimsten Gedanken und Gefühle zu drängen. Was hatte sie bloß damit gemeint, als sie unterstellt hatte, sein Vater könnte heiraten und Kinder haben wollen? Flüchtig schloss er die Augen, und für eine Weile fiel ein dämpfender Schleier über den Großstadtlärm, als er eine Stimme aus der Vergangenheit zu hören glaubte; die Stimme eines zornigen Siebenjährigen, der seinem Vater vorwarf: „Du hast mich nicht lieb!"

„Natürlich habe ich dich lieb, Jay", hatte sein Vater ruhig und freundlich erwidert.

„Aber du hast mich nicht gewollt. Du hast nie gewollt, dass ich auf die Welt komme", hatte Jay beharrt. Schließlich hatte er oft genug die grausamen Bemerkungen seiner Großeltern gehört. Und Bram, wahrheitsliebend wie er nun einmal war, hatte auf diesen Vorwurf nichts zu sagen gewusst.

Sein Vater, der heiratete . . . Kinder bekam . . . Kinder, die geplant und erwünscht waren, auf die er sich freuen und die er lieben würde, die ihm nicht aufgezwungen worden waren wie Jay. Kinder, die ihm glauben würden, wenn er ihnen sagte, dass er sie lieb hätte; Kinder, die nie erfahren würden, was es bedeutete, Zweifel zu haben an ihrem Recht auf die Liebe ihres Vaters. So wie Jay.

Aber immerhin hatte Jay die Wahrheit über seine ‚Entstehung' schon lange Zeit gewusst, bevor Bram überhaupt in sein Leben getreten war. Brams Eltern und Jays Großeltern mütterlicherseits waren Nachbarn gewesen in jener gehobenen Wohngegend der Stadt, wo es fast nur große Einfamilienhäuser mit Garten gegeben hatte. Jays Großvater mütterlicherseits hatte einen wichtigen Regierungsposten in der Grafschaft gehabt, Jays Mutter war ein Einzelkind und Brams Vater war Architekt gewesen, Seniorpartner in einem angesehenen Architekturbüro. Auch Bram hatte keine Geschwister gehabt. Beide Ehefrauen waren zu Hause geblieben, beide Elternpaare hatten gelegentlich gesellschaftlich miteinander verkehrt. Die Männer beim Golf, die Frauen bei den gleichen Wohltätigkeitsvereinen. So war es unvermeidlich gewesen, dass Bram und Jays Mutter sich kennen lernten, obwohl sie in verschiedene Schulen gingen und sie zwei Jahre älter war als er.

Jays früheste Erinnerungen an seine Mutter beschworen das Bild einer jungen, hübschen und liebevollen Frau herauf, aber auch das eines Menschen, der sich nie durchzusetzen vermocht hatte. Seine Großeltern, und vor allem sein Großvater, bestimmten, wie ihrer aller Leben zu verlaufen hatte. Seine Mutter schmollte und umgarnte ihren Vater dahingehend, dass er ihr neue Kleider kaufte oder kostspielige Urlaube finanzierte. Doch wenn es um ihren Sohn ging . . . Jay hatte rasch begriffen, dass der rasche, fast ängstliche Blick, den sie ihrem Vater zuwarf, besagte, dass Jay etwas getan hatte, was seinem Großvater nicht gefiel. Und dass er das seiner Mutter zuliebe nie wieder tun dürfte.

Als er älter wurde, hatte Jay manchmal das Gefühl, seinen Großvater allein durch die Tatsache zu verärgern, dass er überhaupt auf der Welt war. Zwar überschütteten seine Großeltern ihn mit Aufmerksamkeiten, solange andere zugegen waren, doch waren sie dann wieder allein mit ihm, wurde es ganz offensichtlich, dass sie ihn nicht besonders mochten. Sein Großvater reagierte oft sehr gereizt und sprach dann nur von „dem Bastard, der uns das alles eingebrockt hat".

Im Kindergarten schließlich fiel Jay auf, dass andere Kinder etwas hatten, was er nicht hatte – oder besser gesagt, jemanden. Er wusste noch genau, wie ihn einmal ein anderer Junge wichtigtuerisch gefragt hatte: „Mein Daddy ist Arzt, und deiner?" Jay hatte ihn nur verblüfft angestarrt, doch zu Hause hatte er seine Mutter sofort zur Rede gestellt. „Wo ist mein Daddy?" Daraufhin war sie so heftig in Tränen ausgebrochen, dass schließlich seine Großmutter dazugekommen war. Das Weinen seiner Mutter und der Zorn seiner Großmutter hatten ihn völlig eingeschüchtert. Seine Großmutter hatte dann darauf bestanden, dass er dieselbe Frage abends noch einmal seinem Großvater stellen sollte. Bis dahin war er so verängstigt gewesen, dass er die Worte kaum herausbekommen hatte.

„Wo dein Daddy ist? Du hast keinen Vater. Deinem Vater bist du völlig gleichgültig, so wie alle anderen Menschen auch, Hauptsache er . . ."

„Daddy, bitte . . .", hatte sich Jays Mutter eingemischt, doch sein Großvater war über ihren Einwand einfach hinweggegangen.

„Nein. Wenn er alt genug ist, Fragen zu stellen, ist er auch alt genug, die Wahrheit zu erfahren. Zu erfahren, wie sein großartiger Vater unser aller Leben ruiniert hat.“

Erst Jahre später sollte Jay dann die ganze Wahrheit erfahren. Nach einer seiner Auseinandersetzungen mit Helena hatte diese wütend zu ihm gesagt: „Du solltest verdammt froh sein, dass du so einen Vater wie Bram hast! Wenn ich bedenke . . . er war vierzehn, als du gezeugt wurdest. Vierzehn! Noch minderjährig, während deine Mutter . . . Natürlich ist Bram viel zu anständig, um es zuzugeben, aber es hat doch deutlich den Anschein, dass sie diejenige war, die . . . Dein Großvater, ihr Vater also, wollte eine Abtreibung, als sich herausstellte, dass sie schwanger war. Doch dafür war es bereits zu spät. Brams Eltern boten an, dich zu adoptieren, aber davon wollten ihre Eltern wiederum nichts wissen. Nein. Bram musste versprechen, jeden Kontakt zu ihr und zu dir abzubrechen; als Gegenleistung gestatteten sie – man höre und staune! – Brams Eltern, deiner Mutter zehntausend Pfund zu zahlen, damit sie dich großziehen könnte! Wenn du mich fragst . . .“ hatte Helena hämisch hinzugefügt, „so ist es durchaus möglich, dass Bram gar nicht dein Vater ist. Deine Mutter hatte damals eine Beziehung mit einem anderen, und als die zu Ende ging, hat sie sich mit deinem Vater getröstet. Dabei bist du angeblich gezeugt worden. Sagt sie. Ich persönlich wäre nicht überrascht, wenn . . .“

Jay hatte sich das nicht weiter anhören wollen. Er hatte Helena einfach stehen gelassen, so wie Nadia an diesem Abend, und war gegangen. Damals war er dreizehn gewesen. Jetzt war er siebenundzwanzig – und somit eigentlich alt genug, um zu wissen, dass Weglaufen nie eine Lösung war. Außer Helena hatte niemand je bezweifelt, dass Bram sein Vater war, am allerwenigsten Bram selbst. Abgesehen davon sahen sie sich ja auch äußerlich so unglaublich ähnlich. So wie Jay Helena kannte, ahnte er, dass das Ganze nur eine Spontanbemerkung gewesen war, entstanden aus ihrem Frust, weil sie glaubte, er stünde zwischen ihr und seinem Vater. Bestimmt hätte sie es energisch abgestritten, doch Jay wusste, dass ihre Gefühle für Bram weit über ein freundschaftliches Maß hinausgingen. Wahrscheinlich hatte sie den bösen Verdacht, den sie Jay damals impulsiv entgegengeschleudert hatte, längst vergessen. Jay hatte das bis heute nicht gekonnt.

Das grelle Hupen eines Autos riss ihn aus seinen Gedanken. Er war kein Kind mehr, sondern ein erwachsener Mann. Es war eine ausgesprochene Dummheit von ihm gewesen, sich von Nadia dermaßen zusetzen zu lassen. „Du bist viel zu hart zu Nadia, Jay“, hatte sein Vater einmal gesagt, als er Zeuge eines Streits zwischen den beiden geworden war. „Merkst du denn nicht, wie sehr sie dich liebt?“

Liebe – was war das? Jay war sich nicht sicher, ob er es wusste. Oder ob er es überhaupt wissen wollte. Er runzelte die Stirn und hatte es plötzlich sehr eilig, ins Hotel zurückzukommen und seinen Vater anzurufen.

5. KAPITEL

„Ich soll mit Bram Soames zusammenarbeiten? Aber was ist mit meiner Arbeit hier?“ fragte Taylor aufgebracht. Stirnrunzelnd sah sie Sir Anthony an, der an seinem Schreibtisch saß, und versuchte krampfhaft, sich nicht anmerken zu lassen, wie entsetzt sie über seine Mitteilung war.

„Sie sagten selbst, Sie hätten mehr Zeit, seit wir das neue Computersystem haben“, erinnerte er sie.

„Schon, teilweise, ja, aber es gibt doch noch Verschiedenes, was ... Ich meine, es findet sich sicherlich jemand anderes, der ...“ Jemand anderes, irgendjemand anderes, dachte Taylor panikerfüllt. Als ihr Chef sie zu sich gebeten hatte, weil er etwas mit ihr besprechen wollte, hatte sie alles Mögliche erwartet, aber nicht das. Allein der Gedanke, eng mit einem fremden Mann zusammenzuarbeiten, erfüllte sie mit Angst. Und ihre Befürchtung, jemand könnte ahnen, was in ihr vorging, war beinahe genauso groß.

„Es gibt keinen anderen“, widersprach Sir Anthony jetzt. „Wenigstens niemanden mit Ihrer Erfahrung. Mir ist völlig klar, dass meine Bitte nichts mit Ihrem übrigen Tätigkeitsbereich zu tun hat, aber wenn es Bram gelingt, ein realisierbares Arbeitsprogramm zu entwickeln ...“ Er zuckte leicht mit den Schultern.

„Falls es ihm gelingt“, gab Taylor zu bedenken. „Es sind schon zahlreiche Versuche in dieser Richtung unternommen worden, aber bisher stets ohne Erfolg.“

„Ja, das weiß ich, und Bram weiß es auch, aber da er nun mal bereit ist, nichts für seine Bemühungen zu verlangen ...“

„Nichts? Umsonst ist der Tod!“ bemerkte Taylor zynisch. „Irgendetwas wird er sich doch schon davon versprechen.“

„Nein, nicht Bram“, beharrte Sir Anthony.

„Warum? Was macht ausgerechnet ihn so anders als andere Leute?“ fragte Taylor beinahe widerwillig. Sie hatte keine Lust, über einen Mann zu diskutieren, den sie sich schon jetzt nicht zu mögen vorgenommen hatte.

„Nun, Jay, zum Beispiel“, meinte er, als er ihr Stirnrunzeln wahrnahm. „Jay ist sein Sohn. Bram nahm ihn zu sich, als Jays Mutter bei einem Autounfall ums Leben kam. Er ging damals noch zur Universität. Brams Eltern boten an, den Jungen zu adoptieren, doch Bram wollte nichts davon wissen. Er sagte, Jay wäre sein Sohn, also hätte er auch die Verantwortung für ihn. Viele Männer wären nur zu froh über dieses Angebot gewesen . . . Auch Brams Dozenten versuchten nach Leibeskräften, ihm sein Vorhaben auszureden. Sie prophezeiten ihm eine glänzende Karriere, denn er war überdurchschnittlich intelligent. Aber Bram blieb dabei. Jay kam für ihn an erster Stelle.“

„Macht ihn das gleich zum Heiligen?“ begehrte Taylor bissig auf. „Unzählige Frauen und Mädchen bringen tagtäglich das gleiche Opfer, ohne dass das sonderlich rühmend erwähnt wird.“

„Vielleicht“, gab Sir Anthony zu, „aber es ist ihre Entscheidung, ob sie Mutter werden wollen oder nicht. Bram hatte keine Wahl, er ist nie gefragt worden, ob er Vater werden wollte.“

„So ein Blödsinn!“ brauste Taylor wütend auf. „Natürlich hatte er eine Wahl. Jays Mutter hat ihn ja wohl kaum ans Bett gefesselt und ihn gezwungen, sie zu schwängern!“ Taylor sah Sir Anthony an, dass er über ihre unerwartete Direktheit ziemlich verblüfft war. Sie war ja selbst von sich überrascht. Normalerweise mied sie Diskussionen, die auch nur im weitesten Sinne etwas mit Sexualität zu tun hatten, wie die Pest. Die Einstellung und die Bemerkungen ihres Chefs hatten sie jedoch so in Rage gebracht, dass sie nicht mehr hatte an sich halten können.

„Bram war erst vierzehn, als Jay gezeugt wurde“, erklärte Sir Anthony ruhig. „Er hat nie gern über dieses Thema gesprochen . . .“

„Trotzdem hat er dafür gesorgt, dass alle einhellig *ihn* für das Opfer hielten“, fiel Taylor ihm verbittert ins Wort. Sie wusste selbst, dass sie übertrieben reagierte, doch die Empfindungen, die sich hinter ihren Worten verbargen, ließen sich nicht zurückhalten, obgleich Taylor klar war, dass sie ihren Ausbruch später bereuen würde.

„Bram hat uns gar nicht selbst von der Sache erzählt, sondern sein Vater“, antwortete Sir Anthony. „Es hatte ihn sehr mitgenommen, wie die Familie des Mädchens Bram behandelt hatte. Es bedrückte ihn auch, sich vorzustellen, dass Brams ganzes weiteres Leben dadurch überschattet sein würde. Bram war stets ein Mensch, für den die Bedürfnisse anderer Vorrang vor seinen eigenen hatten.“

Taylor sah allmählich ein, dass sie nur ihre Zeit vergeudete, wenn sie weiterhin dagegen protestierte, mit Bram zusammenzuarbeiten – ganz gleich, wie schwer ihr das auch fallen mochte. Schwer fallen? Abscheu war wohl das korrektere Wort für das, was sie empfand. Abscheu, Panik, Zorn und in erster Linie Angst. Angst vor dem Gedanken, intensiv mit einem Mann zusammenzuarbeiten, den sie nicht kannte. Angst vor der Vorstellung, seinem Willen unterworfen zu sein, mit ihm allein sein zu müssen; Angst in ihrer ursprünglichsten, schlimmsten und erniedrigendsten Form – die Angst einer Frau vor einem Mann, einfach aus dem Grund, weil dieser eben ein Mann war. Aber natürlich konnte sie mit Sir Anthony über diese Empfindungen nicht sprechen, das konnte sie mit niemandem. Wenn sie in Zeitungen von Leuten las, die sich mit dem HIV-Virus infiziert hatten und sich vor den Folgen fürchteten, davor, dass ihre Verwundbarkeit allgemein bekannt wurde, dann konnte Taylor immer ganz genau nachvollziehen, wie es in ihnen aussehen musste. Das Gleiche machte sie seit zwanzig Jahren durch, wenn auch in ganz anderer Hinsicht. Sie wusste genau, wie sie sich anfühlten – diese Angst, der Schmerz, die Isolation, das Gefühl, anders zu sein als alle anderen. Sie wusste, wie es war, wenn man jedes seiner Worte vorher sorgfältig abwägen musste, um sich ja nicht aus Versehen zu verraten; wenn man jeden körperlichen oder gefühlsmäßigen Kontakt zu anderen Menschen meiden musste – einerseits, um diese vor den Folgen einer Vertrautheit mit ihr zu schützen, andererseits aber auch aus Selbstschutz. Ihre Vergangenheit ließ sie niemals los, war immer bei ihr, eine beständige Erinnerung und Warnung . . .

„Sehen Sie, ich verstehe ja, dass Sie von der Idee, mit Bram zusammenzuarbeiten, nicht allzu begeistert sind, aber . . .“

„Nein, das bin ich absolut nicht“, fiel sie Sir Anthony ins Wort. Sie ahnte, dass er im Begriff war, ihr eine andere Alternative anzubieten. Doch wie sollte sie ihm erklären, dass ihre Abneigung vor einer engen Zusammenarbeit gar nicht einmal unbedingt mit Bram Soames zu tun hatte, sondern dass sie ganz generell überhaupt nicht mit einem Mann zusammenarbeiten wollte. Es hatte auch fast zwei Jahre gedauert, bis sie ihre Angst so weit überwunden hatte, dass sie sich bei der Arbeit mit Sir Anthony einigermaßen unbefangen und wohl fühlte; bis es in ihren Köpf vorgedrungen war, was ihr Instinkt bereits gesagt hatte – dass nämlich Sir Anthony tatsächlich so glücklich verheiratet war, wie er immer behauptete; und dass seine Freundlichkeit den weiblichen Mitarbeiterinnen gegenüber einer altmodischen, beschützerischen Einstellung zu Frauen generell entsprang. Nun, sich in Gegenwart von Sir Anthony wohl zu fühlen, war eine Sache. Aber was Bram Soames oder jeden anderen x-beliebigen Mann betraf . . .

„Ich weiß nicht, ob Sie das beruhigt, aber ich vermute, Bram sieht einer Zusammenarbeit mit Ihnen ebenso widerwillig entgegen wie Sie.“

„Ach, vermuten Sie das?“ fragte Taylor gereizt. Unerklärlicherweise fühlte sie sich durch diese Bemerkung in ihrer Weiblichkeit verletzt. Aber warum eigentlich? Warum sollte sie sich darüber ärgern, dass Bram Soames nicht mit ihr zusammenarbeiten wollte? Schon vor Jahren hatte sie gelernt, auf Männer nicht zu reagieren und sie so zu behandeln, als seien sie Luft für sie. Es war einfacher so, sicherer für beide Seiten.

„Nun, Bram versteht es wesentlich besser als Sie, seine Gefühle zu verbergen“, gab Sir Anthony trocken zurück. „Versuchen Sie es doch mal so zu sehen – meine Bitte an Sie soll eher ein Kompliment sein als eine Strafe“, fuhr er einschmeichelnd fort. „Und das meine ich ernst. Ich weiß, wie Sie zu ihrer Arbeit stehen, Taylor. Schließlich habe ich mich in der Vergangenheit intensiv bemüht, Sie aus Ihrem geliebten Archiv herauszulocken und Sie dazu zu bringen, eine aktivere Rolle im Bereich Public Relations zu übernehmen. Die erforderliche Intelligenz und Erfahrung bringen Sie mit, auch haben Sie großes Talent, Ihre Argumente treffend herüberzubringen.“

Taylor spürte, wie ihre Panik überhand zu nehmen drohte. Public Relations, überhaupt jede Arbeit, die sie mehr in die Öffentlichkeit rückte, jagte ihr große Angst ein. Wenn sie mit Bram Soames zusammenarbeitete, hatte sie es wenigstens nur mit ihm zu tun, und das auf einem Bereich, von dem sie eine Ahnung hatte und in dem sie sich halbwegs sicher fühlte.

„Niemand kennt die Geschichte unseres Verbands so gut wie Sie", ergänzte Sir Anthony. „Daher möchte ich Sie Bram zur Seite stellen. Dieses Projekt ist einfach zu wichtig, es darf deshalb auch nicht unter persönlichen Kriterien leiden. Mir ist klar, dass Sie beide vielleicht nie einen engeren Draht zueinander finden werden, aber . . ."

„Aber zum Wohle der guten Sache sollte ich doch das Opfer bringen", vollendete Taylor spöttisch seinen Satz.

„Nein, das meinte ich nicht", widersprach Sir Anthony sanft. „Ich wollte nur andeuten, dass Sie Bram gegenüber vielleicht nicht ganz fair sind. Wissen Sie, er ist ein sehr sympathischer Mensch. Freundlich, zuvorkommend. Die meisten Frauen . . ." Er verstummte, als ahnte er, dass er sich auf ein ziemlich gefährliches Terrain vorwagte.

„Was würden die meisten Frauen?" fragte Taylor prompt. „Froh sein, wenn sie mit einem so gut aussehenden, vermögenden und obendrein ledigen Mann zusammenarbeiten dürften?" Wie sollte sie ihrem Chef klarmachen, dass genau diese Eigenschaften, die die meisten Frauen überaus anziehend finden mochten, ihr Angst einjagten? Vor allem, weil er ein Attribut in seiner kurzen Beschreibung vergessen hatte, das für sie das Entscheidende war – nämlich *Macht*. Kein Mann konnte über all die Eigenschaften verfügen, die Sir Anthony genannt hatte, ohne ganz genau zu wissen, wie viel Macht sie ihm verliehen. Macht über die Frauen, also auch Macht über sie, Taylor. Und Macht konnte missbraucht werden, wie sie selbst nur zu gut wusste.

„Es ist also abgemacht", hörte sie ihren Chef energisch sagen. „Ich habe Bram schon gesagt, dass es seine Aufgabe sein wird, sich mit Ihnen in Verbindung zu setzen. Und ich weiß, dass Sie ihm bestmöglich helfen werden." Er stand auf, und Taylor blieb nichts anderes übrig, als sich von ihm zur Tür begleiten zu lassen.

Später, in der sicheren Umgebung ihres eigenen Büros,

setzte dann die Schockwirkung ein. Sie hätte entschlossener auftreten müssen, sich strikt weigern sollen, mit Bram Soames zusammenzuarbeiten. Aber wie? Indem sie mit der Kündigung gedroht hätte? Sie war finanziell nicht so unabhängig, als dass sie sich das hätte leisten können; an Stellen wie diese kam man nicht so leicht wieder heran. Außerdem gefiel ihr ihre Arbeit; sie mochte die Einsamkeit, die Sicherheit und Geborgenheit, die dieser Job ihr vermittelte. Sie mochte die beruhigende Routine, die sie sich aufgebaut hatte. Der Gedanke, irgendwo ganz neu anfangen zu müssen, war womöglich noch Furcht einflößender. Zur Hölle mit Bram Soames! Mit ihm und seinem wichtigen Programm! Doch obwohl sie ihn innerlich verfluchte, war ihr klar, wie selbstsüchtig und unfair sie sich verhielt. Sollte es ihm wirklich gelingen, ein solches Programm zu entwickeln, dann würde dies das Leben so vieler Menschen einschneidend zum Positiven verändern. Vielleicht, wenn sie sich genau das stets fest vor Augen hielt . . . vielleicht schaffte sie es dann ja.

Ihr Büro befand sich im obersten Stock des Gebäudes, Tageslicht fiel nur durch ein schmales und mit Eisenstäben versehenes Fenster. Vor einiger Zeit hatte man Taylor angeboten, in ein größeres Büro mit größeren Fenstern in einer der unteren Etagen umzuziehen, doch sie hatte abgelehnt. Es hatte auch keinen Sinn, den anderen zu erklären, dass sie die Enge ihres jetzigen Büros mit dem kleinen vergitterten Fenster jedem größeren Raum vorzog, in den man leichter hätte hineinsehen oder gar von draußen einsteigen können. Allein die Vorstellung verursachte ihr eine Gänsehaut. Und von hier weggehen und woanders neu anfangen? Ein unerträglicher Gedanke. Hier hatte sie jahrelang gearbeitet, man tolerierte ihre kleinen ‚Marotten', wie ihre Kollegen das zu nennen pflegten. Woanders hingegen . . .

Sie schloss die Augen und schrak zusammen, als plötzlich ihr Telefon läutete. Eine innere Stimme hatte sie bereits gewarnt, wer der Anrufer sein könnte, dennoch war es wie ein neuerlicher Schock, Bram Soames' unverwechselbare, warme Männerstimme am anderen Ende zu hören.

„Ich hoffe, dass ich den Ereignissen nicht vorgreife, indem ich Sie schon so bald anrufe", hörte sie ihn sagen, nachdem er sich mit Namen gemeldet hatte. „Aber Sir Anthony hatte mir versprochen, schnellstmöglich mit Ihnen über eine eventuelle Zusammenarbeit zu sprechen, und da wollte ich gern wissen, ob ..."

„Ja", unterbrach Taylor ihn steif. „Ja, er hat mir bereits davon erzählt." Ihre Hand, die den Hörer hielt, war bereits feucht vor Angst.

Bram hörte Taylor an, wie angespannt sie war, und er hoffte nur, dass sie nicht ebenfalls merkte, wie wenig ihm die ganze Geschichte behagte. Energisch redete er sich ein, dass es überhaupt keinen logischen Grund gab, warum er nicht mit ihr zusammenarbeiten sollte ... Trotzdem warnte ihn sein Instinkt, und er hatte das undefinierbare Gefühl, dass es sicherer wäre, den Rückzug anzutreten. Taylors beharrliches Schweigen am anderen Ende machte ihn allmählich nervös; wäre da nicht ihr Atmen zu hören gewesen, hätte er fast glauben können, sie hätte den Hörer aufgelegt. Er gab sich einen Ruck und verdrängte alle persönlichen Gedanken. „Ich finde, ehe wir uns ernsthaft an die Arbeit machen, sollten wir vorher ein vorbereitendes Gespräch führen. Hätten Sie vielleicht morgen Nachmittag Zeit?"

Taylor blätterte die Seite in ihrem Terminkalender um – sie war völlig leer. „Nein, tut mir Leid, da habe ich bereits einen Termin." Ob ihm ihr Tonfall ebenso wenig überzeugend vorkam wie ihr selbst? Fast hoffte sie, er würde ihre Lüge durchschauen und Sir Anthony bitten, er solle ihm doch einen anderen Mitarbeiter zur Verfügung stellen. Atemlos wartete sie auf seine Antwort.

„Ach so ... Nun ja, wenn das so ist ... Wissen Sie, ich würde gern so bald wie möglich mit diesem Projekt beginnen. Momentan habe ich etwas Zeit, aber ..." Er schwieg nachdenklich, und Taylor dachte kühl, dass er nur seine Zeit vergeudete, wenn er ihr den viel beschäftigten, erfolgreichen Geschäftsmann vorspielen wollte. „Normalerweise würde ich Sie nicht bitten, außerhalb der üblichen Geschäftszeiten zu arbeiten, aber könnten wir uns möglicherweise dann morgen Abend etwa gegen halb sieben treffen?"

Halb sieben ... dann waren alle anderen Kollegen fort und nur noch die Putzfrauen da. Taylor hätte sich ohrfeigen können, dass sie sich selbst eine Falle gebaut hatte. „Hier im Büro? Ich glaube, das Gebäude wird um sechs abgeschlossen", teilte sie ihm hastig mit.

„Wir könnten unser Gespräch auch hier führen", schlug Bram nach einer Weile vor. „Ich schicke Ihnen einen Wagen, und ..."

„Nein, nein ... das ist nicht nötig, ich ..."

Die grenzenlose Panik in ihrer Stimme überraschte Bram. Sie hatte einen so beherrschten, ja, fast übertrieben beherrschten Eindruck auf ihn gemacht, wenigstens oberflächlich betrachtet, so dass ihre Reaktion ihn völlig unerwartet traf.

„Ich ... ich werde meinen Termin morgen Nachmittag einfach verschieben", bot Taylor ihm nervös an. „Welche Uhrzeit dachten Sie sich denn?"

„Gegen halb drei?" schlug Bram diplomatisch vor.

„Ja ... sehr gut ... also dann ..." Ihre Kehle war wie zugeschnürt, ihre Nackenmuskeln schmerzten vor Anspannung, und ihr stand der kalte Schweiß auf der Stirn. Kaum gelang es ihr, den Hörer wieder richtig aufzulegen. Wenn schon ein Telefonat mit Bram Soames sie so aus dem Gleichgewicht brachte, wie würde es dann erst sein, wenn sie tatsächlich mit ihm arbeitete? Es nutzte nichts, dass sie sich einredete, dass ein Mann mit seiner sinnlichen Anziehungskraft, mit seiner Ausstrahlung bestimmt nicht das geringste Interesse an ihr haben könnte. Doch die Tatsache, dass Bram Soames jede Frau haben konnte, die er wollte, war nicht das Problem. Das Problem war, dass er ein Mann war.

Während sie benommen auf das schmale, rechteckige, vergitterte Fenster starrte, kam ihr zu Bewusstsein, dass dieses Fenster in vieler Hinsicht symbolisch für ihr Leben war. Was für andere Frauen einengend wirken mochte, war für sie schützend. Sie brauchte diesen Schutz. Taylor war nicht verborgen geblieben, dass ihre Kollegen heimlich Spekulationen über ihre sexuelle Veranlagung anstellten. Da sie männliche Gesellschaft so vehement ablehnte, hatte es unweigerlich zu solchen Vermutungen kommen müssen. Doch Taylor hegte keine Vorliebe für ihr eigenes Geschlecht. Ein verbittertes Lächeln huschte über ihre Züge. So unglaublich es auch scheinen mochte, aber auch sie hatte einmal davon geträumt, sich zu verlieben, zu heiraten und Kinder zu bekommen; auch sie war einmal völlig unbefangen und neugierig in sexueller Hinsicht gewesen. Und wenn sie ganz ehrlich zu sich selbst war, dann spürte sie dieses Verlangen auch heute noch manchmal, ganz tief im Innern; nachts, wenn sie wach im Bett lag und nicht nur von Ängsten gequält wurde, sondern auch bitteren Zorn empfand. Zwanzig Jahre waren es her. Zwanzig Jahre, in denen kein Tag vergangen war, an dem sie nicht an die Vergangenheit gedacht oder sich davor gefürchtet hatte, sie könnte wieder zum Leben erweckt werden; zwanzig Jahre, in denen sie niemals aufgehört hatte, plötzlich innezuhalten, sich prüfend umzusehen, zu beobachten . . . zu warten. Zwanzig Jahre. Fast wie ein lebenslanger Schuldspruch, dachte sie unglücklich. Doch ihr Leben war noch lange nicht vorbei. Ihre Großeltern waren alle sehr alt geworden. Ihre Eltern hingegen . . . Sie schluckte krampfhaft. Ihre Eltern waren beide keine fünfzig geworden. Ihr Tod verfolgte sie noch immer, und daran würde sich auch nie etwas ändern. „Du darfst dir keine Vorwürfe machen, du kannst doch nichts dafür", hatte man ihr gesagt.

Ihr Kopf fing an zu schmerzen, der Knoten, zu dem sie ihr Haar straff zusammengesteckt hatte, förderte das noch. Was für eine Wohltat war das immer abends, wenn sie den Knoten löste und das schwere Haar offen tragen konnte. Vielleicht sollte sie es wieder kurz schneiden lassen. Das letzte Mal hatte sie das an ihrem sechzehnten Geburtstag getan. Der Besuch beim Friseur ihrer Mutter war ein Geschenk ihres Vaters gewesen, ein symbolhafter Schritt ins Erwachsenendasein. Sie wusste noch, wie nervös sie im Spiegel verfolgt hatte, wie der Friseur ihre schweren, kindlich wirkenden Zöpfe abgeschnitten hatte. Durch den frechen, hübschen Kurzhaarschnitt waren die feinen Züge ihres Gesichts wesentlich besser zur Geltung gekommen, und ihre Augen hatten viel größer gewirkt. Ihre Mutter hatte die Stirn gerunzelt und gemeint, dass sie eigentlich noch zu jung für so eine Frisur wäre, doch Taylor hatte den typisch männlichen, anerkennenden Blick ihres Vaters sehr wohl bemerkt. Plötzlich war sie kein Kind mehr gewesen, sondern eine Frau.

Mehrere Jahre lang hatte sie diese Frisur beibehalten; und kurz bevor sie zur Universität ging, hatte sie dem Friseur erlaubt, mit ein paar blonderen Strähnen zu experimentieren. Ihre Mutter hatte das zu extravagant gefunden, ihrem Vater war die Veränderung nicht einmal aufgefallen. Beide waren damals schon viel zu sehr mit Taylors Schwester beschäftigt gewesen, die gerade aus Australien geschrieben und von ihrer bevorstehenden Hochzeit berichtet hatte.

„Wir wollen kein großes Fest, nur eine ganz kleine, schlichte Feier für uns“, hatte sie Taylor in einem Brief verraten. „Abgesehen davon weiß ich ohnehin, dass unsere Eltern mein Tun nicht billigen.“

Das war die Untertreibung schlechthin gewesen. Entsetzt hatte Taylor ihre Eltern sagen hören, dass sie nichts mehr mit ihrer Schwester zu tun haben wollten. Es sei denn, sie käme wieder zur Vernunft und kehrte nach Hause zurück – und zwar allein.

Im Unterbewusstsein hatte Taylor schon immer gespürt, dass im übertragenen Sinn an der Liebe ihrer Eltern stets irgendwie ein Preisschild zu haften schien. Als sich ihr Verdacht damals dann so augenscheinlich bestätigt hatte, war sie sich mit einem Mal sehr hilflos und verletzlich vorgekommen, und das war auch der Grund gewesen, warum . . .

Das Telefon läutete erneut, und Taylor griff nach dem Hörer. Sie war froh, von ihren schmerzvollen Erinnerungen abgelenkt zu werden.

Die Taxifahrerin lächelte Taylor flüchtig zu, als sie vor dem Haus anhielt, in dem Taylor lebte. Die Fahrerin war noch relativ neu im Taxiunternehmen; die meisten ihrer Passagiere waren wesentlich älter als Taylor, die sie für etwa gleichaltrig mit sich selbst und darüber hinaus für körperlich absolut fit hielt. Als sie sich daraufhin neugierig in der Zentrale nach Taylor erkundigte, hatte ihr niemand Genaueres über sie sagen können, außer, dass sie schon seit einigen Jahren Stammkundin war.

Das Haus war umgeben von einer gepflegten Gartenanlage, Bäume und Sträucher versperrten den Einblick von der Straße her. Als Taylor ihre Wohnung damals besichtigt hatte, war das fast ein Grund für sie gewesen, nicht dort einzuziehen. Wenn man das Haus von der Straße aus kaum sehen konnte, dann konnte man auch kaum sehen, wenn jemand sich unbefugt Zugang zu der Wohnung verschaffen wollte. Doch schließlich war sie gezwungen gewesen, ihr Unbehagen zu überwinden und die Tatsache zu akzeptieren, dass sie wohl kaum etwas Besseres finden würde. Schließlich entsprach die Wohnung selbst ganz und gar ihren Vorstellungen. In der ehemaligen Villa im viktorianischen Stil waren sorgfältig und geschmackvoll sechs geräumige Apartments untergebracht worden, alle den Bedürfnissen älterer Ehepaare entsprechend. Darüber hinaus verfügten sie über modernste Sicherheitsvorkehrungen, von abschließbaren Fenstern bis zu Gegensprechanlagen in sämtlichen Räumen. Außerdem gefiel es Taylor gut, dass die anderen Hausbewohner großen Wert auf Privatsphäre und Zurückgezogenheit legten; die ruhigen Rentnerehepaare und die paar allein Stehenden tauschten höflich Grüße aus, wenn sie sich begegneten, und verschwanden dann gleich in ihren Wohnungen.

Taylors Wohnung war etwas billiger als die anderen, obwohl sie ein paar Quadratmeter größer war. Das lag daran, dass sie sich im ausgebauten Dachgeschoss befand. Es gab zwei Schlafzimmer, jedes mit eigenem Bad, ein großes, geräumiges Wohnzimmer, ein kleines Esszimmer, ein noch kleineres Arbeitszimmer, in dem Taylors Schreibtisch und ihre Bücherregale untergebracht waren, sowie eine kleine, aber hochmoderne Küche.

Da außer Taylor nie jemand die Wohnung betrat, fielen auch nie Bemerkungen darüber, dass dem gesamten Ambiente ein gewisser heimeliger Touch fehlte. Nirgends standen Grünpflanzen, weder auf der sonnigen Küchenfensterbank noch im Wohnzimmer; auch fehlten die typischen Erinnerungsstücke, die materiell zwar wertlos, ideell aber unersetzbar sein konnten. Das Wohnzimmer war elegant und perfekt eingerichtet, ganz in zarten Cremetönen gehalten; aber es wirkte ebenso anonym wie das pastellgrüne Schlafzimmer. Es war, als hätte die Bewohnerin Angst, den Räumen eine zu persönliche Note zu verleihen, die dann womöglich irgendetwas von ihr preisgeben konnte.

Ehe Taylor den Lift betrat, sah sie sich automatisch um. Der Flur war menschenleer. Hastig stieg sie in die Kabine und drückte auf den Knopf. Oben angekommen, spähte sie erneut wachsam nach draußen, bevor sie den Fahrstuhl verließ und mit raschen Schritten über den taubengrauen Teppichboden zu ihrer Wohnung eilte. Es dauerte eine Weile, bis sie das doppelte Sicherheitsschloss geöffnet hatte. Taylor stand dabei etwas seitlich neben der Tür, was das Öffnen nicht unbedingt leichter machte, doch auf die Art hatte sie wenigstens den Lift und das Treppenhaus im Auge. Als sie dann endlich in der Wohnung war, schloss sie die Tür sofort wieder hinter sich ab. Und dann ging sie wie immer ganz langsam und vorsichtig durch jedes einzelne Zimmer, um die verschlossenen Fenster zu überprüfen und in alle Ecken zu sehen. Erst danach entspannte sie sich so weit, dass sie in ihr Schlafzimmer gehen, die schweren, blickdichten Vorhänge zuziehen, das Licht einschalten und ihre Kostümjacke ausziehen konnte. Dann fing sie an, die Haarnadeln aus ihrem Knoten zu ziehen. Sie öffnete die Schublade ihrer Frisierkommode, in der sie die Schachtel für die Nadeln aufbewahrte. Mitten in der Bewegung hielt sie zögernd inne, doch dann griff sie blitzschnell, fast als hätte sie Angst vor ihrem Vorhaben, hinein und zog einen schweren silbernen Bilderrahmen hervor. Atemlos drehte sie ihn um und starrte beinahe gierig auf das Foto darin.

Es war das Bild eines Mädchens mit offenem, warmem Lächeln; seine Gesichtszüge verrieten Intelligenz und Zuversichtlichkeit. Es hatte blaugraue Augen und eine dichte dunkelrote Lockenmähne. Das Foto war nur eine Porträtaufnahme, dennoch konnte man ahnen, dass das abgebildete Mädchen schlank und sportlich war, ein richtiges Energiebündel. Obwohl noch ein Teenager, hatte es bereits eine bemerkenswert überlegene und selbstsichere Ausstrahlung. Dazu leuchtete ihm die Lebensfreude geradezu aus den Augen.

Als Taylor das Bild wieder in die Schublade legte, brannten ihre Augen, und ihre Kehle war wie zugeschnürt. Energisch wischte sie sich die Tränen weg. Es war eine völlig unangebrachte, egoistische Gefühlsregung, die dem Mädchen auf dem Foto nichts weiter bedeutet hätte. Warum auch.

6. KAPITEL

„Die Akte Gibbons liegt auf Ihrem Schreibtisch; Mike Gibbons ruft wahrscheinlich im Laufe des Nachmittags noch einmal an. Seine Sekretärin hat jedenfalls versprochen, sie wolle versuchen, ihn unterwegs zu erreichen. Ach, ja, und die Firma Franklins hat ein paar Mal für Jay angerufen. Als sie hörten, dass er in New York ist, fragten sie, ob sie auch mit Ihnen sprechen könnten."

„Marcia, beruhigen Sie sich, ja? Ich komme schon zurecht. Ab mit Ihnen ins Krankenhaus, Richard fährt Sie. Der Wagen wartet bereits." Bram schüttelte energisch den Kopf, als seine Sekretärin protestieren wollte. „Keinen Widerspruch! Mit ihm kommen Sie schneller hin als mit dem Taxi."

Obwohl er bewusst ruhig und aufmunternd mit ihr gesprochen hatte, runzelte er doch die Stirn, nachdem seine Sekretärin aus dem Zimmer geeilt war. Vor etwa einer halben Stunde hatte sie den Anruf erhalten, ihr Mann sei mit Verdacht auf einen Herzinfarkt ins Krankenhaus eingeliefert worden. Begreiflich, dass sie jetzt in Panik war. Sie und ihr Mann waren Mitte vierzig, ihre beiden Kinder studierten. Marcia arbeitete nun bereits seit schon fast zehn Jahren für Bram, sie kannte alle seine kleinen Eigenheiten und sorgte gewissenhaft dafür, dass der Bürobetrieb reibungslos verlief. Sie war eine absolute Spitzenkraft, und als solche war sie nun nicht nur wegen ihres Manns beunruhigt, sondern in gewissem Maße auch wegen Bram. Marcia war mehr als nur seine Sekretärin, im Grunde hätte man sie als seine Büromanagerin bezeichnen können. Sie kannte alle wichtigen Kunden persönlich, ganz im Gegensatz zu der jungen Sekretärin, die sie nun würde vertreten müssen. Schade, dass Louise, Jays Sekretärin, gerade Urlaub hatte. Bram ging seufzend seinen Terminkalender für die kommenden Tage durch. Er würde viele Außentermine absagen, beziehungsweise verschieben müssen, damit er möglichst immer im Büro zu erreichen war. Die Unmutsfalte auf seiner Stirn vertiefte sich, als ihm klar wurde, dass einer der zu verschiebenden Termine der mit Taylor Fielding war. Taylor Fielding . . . Er fragte sich, was der Grund für die unüberhörbare Angst in ihrer Stimme gewesen sein mochte, als er mit ihr gesprochen hatte. Doch wohl ganz sicher nicht er selbst, oder? Taylor war ihm nicht wie eine Frau vorgekommen, die sich von Rang und Vermögen eines Menschen einschüchtern ließ, ganz im Gegenteil. Allenfalls hatte er den Eindruck bei ihrem Treffen gewonnen, dass sie ihn als Menschen nicht mochte. Sie hatte in der Tat eher Geringschätzung als Bewunderung gezeigt. Nachdenklich trommelte er mit den Fingern auf der Schreibtischplatte. Fast fühlte er sich versucht, den Termin mit ihr ganz abzusagen. Aber – was dann? Sollte er Anthony bitten, jemand anderen zu beauftragen, mit ihm zusammenzuarbeiten? Das Projekt ganz und gar aufgeben? Nein, er konnte weder das eine noch das andere tun, es wäre ihm wie eine Flucht vorgekommen. Leider – und wahrscheinlich auf seine eigene Anregung hin – schien das Schicksal für ihn und Taylor Fielding eine Art Kollisionskurs vorgesehen zu haben. Grimmig ging Bram ins Vorzimmer und bat Marcias Vertretung, eine Verbindung mit der Zentrale des Wohltätigkeitsverbands für ihn herzustellen.

Taylor sprach gerade mit Sir Anthony in ihrem Büro, als der Anruf durchgestellt wurde. In dem winzigen Raum blieb es gar nicht aus, dass ihr Chef das Telefonat mit anhören konnte, auch wenn er sich taktvoll zum Fenster hin umgedreht hatte, als er gemerkt hatte, dass Bram Soames am Apparat war.

Taylor wurde flau im Magen bei Brams Erklärung, dass er sein Büro unmöglich verlassen konnte. „Es tut mir Leid, dass ich unsere Pläne so kurzfristig auf den Kopf stellen muss, aber wäre es Ihnen eventuell möglich, stattdessen am späten Nachmittag zu mir zu kommen? Ich könnte Ihnen einen Wagen schicken."

Taylor schloss die Augen. In Sir Anthonys Gegenwart konnte sie nicht ablehnen, er hätte ihre Antwort gehört und ihr sofort unangenehme Fragen gestellt. Ihr war übel. Schließlich nickte sie und murmelte gepresst, dass sie einverstanden war.

„Es war wirklich völlig unnötig, mir einen Wagen zu schicken. Ich bin sehr wohl imstande, die halbe Meile zu Fuß zu gehen! Oder sollte das weniger ein verlockendes Angebot als vielmehr eine versteckte Drohung sein?“ meinte Taylor aggressiv, als Bram sie in sein Büro führte.

Bram hatte einen frustrierenden Nachmittag hinter sich. Marcias Vertretung war noch relativ neu in der Firma, und sie behandelte ihn spontan mit einer Mischung aus Ehrfurcht und doch typisch weiblichem Interesse. Das hatte ihm nicht geschmeichelt, sondern ihn gereizt gemacht. So gereizt, dass er jetzt mit für ihn ungewohnter Heftigkeit auf Taylors Bemerkung reagierte. „Ich glaube kaum, dass das Schicken eines Wagens eine Drohung darstellt!“ fuhr er sie an und rückte ihr einen Sessel zurecht.

„Das kommt ganz darauf an, wie man es sieht“, konterte sie zornig. „Dahinter könnte sich auch die Absicht der Nötigung oder einer Entführung verbergen!“

„Entführung?“ Bram stutzte und lächelte plötzlich belustigt. „Am helllichten Tag, im dichten Londoner Straßenverkehr?“

„Das ist alles schon mal da gewesen.“ Taylor wurde rot, gleichzeitig ärgerte sie sich maßlos darüber, dass er sich über sie lustig machte, und dass sie immer noch mit den Schatten der Vergangenheit kämpfen musste.

„Ah, ja. Dann helfen Sie mir doch bitte mal weiter. Ich habe Sie also entführt und gegen Ihren Willen hierher gebracht. Was führe ich Ihrer Meinung nach als Nächstes im Schilde? Wie Sie selbst sehen können, ist dieses Büro kaum der Ort, den man sich für eine leidenschaftliche Verführung aussuchen würde und . . .“

Taylor stand wie erstarrt da, ihre Augen sprühten Blitze. Ihr Zorn war so groß, dass sie ihre sonstige Selbstbeherrschung vollends verlor. Wie konnte er es wagen, sie auf diese Art lächerlich zu machen! Schließlich wusste er sehr gut, dass sie nicht an Sex gedacht hatte! „Ich lasse mir von Ihnen nicht die Worte im Mund herumdrehen!“ teilte sie ihm aufgebracht mit. „Auch bin ich nicht bereit, Ihrem Ego zu schmeicheln. Wenn es sich für Sie nicht mit Ihrer Einstellung verträgt, dass Sie zu mir kommen, dann ist das nicht mein . . ."

Bram starrte sie verblüfft an, dann fuhr er sich resigniert mit der Hand durchs Haar. „Hören Sie, Sie haben das alles völlig falsch verstanden", sagte er ruhig. „Ich habe unseren ursprünglichen Termin deswegen geändert, weil sich für meine Sekretärin ein privater Notfall ergeben hat. Ihr Mann musste ins Krankenhaus gebracht werden. Selbstverständlich wollte sie sofort zu ihm, und das bedeutete für mich, dass ich das Büro vorerst nicht verlassen konnte."

Jetzt war es an Taylor, ihn fassungslos anzusehen. Ihre Wut wich großer Verlegenheit. Es hatte sie in der Tat geärgert, dass Bram einen Wagen geschickt hatte, um sie holen zu lassen; es hatte sie erinnert an . . . Sie verdrängte die Gedanken an die Vergangenheit und biss sich hilflos auf die Unterlippe. Anscheinend hatte sie die Situation wirklich ganz falsch eingeschätzt.

„So. Und jetzt fangen wir am besten nochmal ganz von vorn an", schlug Bram entschlossen vor. „Ich schwöre Ihnen, dass ich keine Hintergedanken hatte, als ich Richard zu Ihnen schickte. Ich dachte mir nur, dass es Zeit sparen würde – für Sie und für mich. Ich wäre nie darauf gekommen, dass Sie mir das als Nötigung oder Ähnliches auslegen könnten, und ich entschuldige mich für meine Gedankenlosigkeit."

Aber nicht für die sexistischen Bemerkungen auf meinen Ausbruch hin, registrierte Taylor für sich.

Bram fand, dass Taylor inzwischen wesentlich ruhiger aussah. Er beobachtete sie, während sie seine Erklärung verarbeitete. Ja, sie wirkte ruhiger, aber auch sehr wachsam. Wahrscheinlich hatte ihr Ausbruch sie ebenso schockiert, wie ihn seine zweideutige Anspielung daraufhin entsetzt hatte. Offenbar hatten die letzten Auseinandersetzungen mit Jay, sowie sein brennender Wusch, dieses besondere Computerprogramm dennoch zu entwickeln, tiefere Spuren bei ihm hinterlassen, als er geahnt hatte.

„Eine Zusammenarbeit wird nicht leicht werden, für keinen von uns beiden", meinte er sachlich und vergaß dabei ganz, dass er eigentlich gar nicht auf die offensichtliche Feindseligkeit zwischen ihnen zu sprechen hatte kommen wollen, damit sie nüchterner und verantwortungsbewusster an das Projekt herangehen konnten. „Ich glaube jedoch, ich kann zu Recht behaupten, dass wir im Grunde beide dasselbe wollen – nämlich einen erfolgreichen Ausgang des Projekts.“

„Wenn es denn einen geben kann“, warf Taylor missmutig ein.

„Haben Sie Zweifel daran?“

„Schließlich sind schon viele erfolglose Versuche in der Hinsicht unternommen worden.“

„Was aber nicht heißt, dass wir es nicht schaffen könnten.“

Ganz wider ihre Vernunft und besseres Wissen spürte Taylor, dass dieses unerwartete ‚wir‘ ihr gut tat. Aber nun gut, offenbar war er einfach ein Mann, der es blendend verstand, Teamgeist heraufzubeschwören und anderen das Gefühl zu geben, sie seien von großer Wichtigkeit.

„Trotzdem, Sie stehen nicht allein da mit Ihren Zweifeln“, fuhr Bram fort. „Mein Sohn, zum Beispiel, teilt Ihre Bedenken absolut.“ Er warf ihr einen spröden Blick zu. „Mir bleibt also wohl nichts anderes übrig als zu versuchen, Sie beide vom Gegenteil zu überzeugen. Ach, da fällt mir ein – kann ich Ihnen vielleicht etwas zu trinken holen? Tee, Kaffee? Die Getränke kommen zwar leider aus dem Automaten, aber wenn Sie das nicht stört?“

Taylor staunte erneut. So väterlich Sir Anthony sich auch zu geben pflegte – er hätte niemals angeboten, einem jüngeren Mitarbeiter ein Getränk aus dem Automaten zu holen. Argwöhnisch betrachtete sie Brams Miene, doch sie konnte keinerlei Anzeichen von Spott oder Wichtigtuerei darin entdecken. Vielleicht habe ich mich wirklich in ihm getäuscht, gestand Taylor sich zögernd ein. Sie empfand ein schlechtes Gewissen, weil sie so übertrieben reagiert und zugelassen hatte, dass Vorurteile ihre Logik und ihren Realitätssinn hatten überschatten können. „Ich . . . ja, gern, einen Kaffee, bitte“, nahm sie an.

Taylor rutschte unbehaglich in ihrem Sessel hin und her, weil sie spürte, dass ihr Magen zu knurren anfing. Es war inzwischen fast sieben, doch die Zeit war so schnell vergangen, dass sie jetzt, beim verstohlenen Blick auf die Uhr ganz erstaunt war. Sobald es ihr gelungen war, ihre Ängste und

Vorurteile zu verdrängen, hatte sie festgestellt, dass Bram überraschend gut informiert war über die Schwierigkeiten, auf die er beim Entwickeln seines Programms stoßen würde. Noch unerwarteter war sein aufrichtiges Mitgefühl für die Menschen gewesen, denen er mit seinem Programm helfen wollte.

„Es tut mir Leid, ich hatte nicht vor, Sie so lange aufzuhalten“, entschuldigte er sich jetzt. „Mir war gar nicht bewusst, dass es schon so spät ist. Es gibt hier gleich um die Ecke einen sehr guten Italiener, bei dem ich häufig esse, wenn ich lange gearbeitet habe. Warum begleiten Sie mich nicht einfach? Und behaupten Sie ja nicht, Sie hätten keinen Hunger!“

Taylor unterdrückte den kurzen Anflug von Panik. Energisch sagte sie sich, dass sie von diesem Mann nichts zu befürchten hatte. Er hatte nicht das geringste Interesse an ihr als Frau, er war einfach nur höflich. Wenn sie jetzt protestierte oder ablehnte, würde sie nur sein Misstrauen wecken und sich darüber hinaus vollends zum Narren machen. Seine Bemerkung von vorhin wurmte sie noch immer. Nein, es war wesentlich leichter und auch sicherer, gegen ihr Unbehagen anzukämpfen und seinen Vorschlag anzunehmen. Ihr gesunder Menschenverstand sagte ihr ebenfalls, dass sie nicht in Gefahr war. Bram war ganz eindeutig kein Schürzenjäger, und schon gar nicht einer, der so verzweifelt auf Sex aus war, dass er seine Zeit damit vergeuden musste, ausgerechnet sie zu verführen. Ohne Zweifel gab es zahllose Frauen, die ohne große Umschweife bereitwillig mit ihm ins Bett gegangen wären.

„Ich fürchte allerdings, wir müssen zu Fuß gehen“, erklärte er schmunzelnd, als sie dankend angenommen hatte. „Richard hat inzwischen nämlich Feierabend.“

Taylor brachte es fertig, ihm trotz ihrer tödlichen Verlegenheit in die Augen zu sehen.

Er wollte eben die Bürotür öffnen, als sie von draußen aufgestoßen wurde. Ein weiblicher Wirbelwind stürzte ins Zimmer, fiel Bram um den Hals und rief atemlos: „Oh, du bist noch da . . . das ist gut! Bram, sei ein Schatz und geh heute Abend mit mir essen, ja? Ich habe dich schon seit Ewigkeiten nicht mehr gesehen, und es wäre super, mit dir auszugehen! Noch toller wäre es allerdings, wenn wir das Essen ausfallen lassen und stattdessen gleich ins Bett gehen würden", fügte sie verführerisch hinzu, und ihre Stimme hatte einen so sinnlichen, heiseren Unterton angenommen, dass sich Taylor spontan die Nackenhaare sträubten.

Sie konnte jedoch auch beobachten, dass Bram das Mädchen nicht umarmte, obwohl sie fest damit gerechnet hatte – schließlich verkörperte es wohl für die meisten Männer die absolute Traumfrau; sie war jung, auffallend hübsch, anschmiegsam und sehr sexy. Stattdessen hielt Bram sie auf Armeslänge von sich entfernt und sah sie mit beinahe väterlicher Strenge an.

„Tut mir Leid, Plum, aber das geht nicht. Ich habe bereits eine Verabredung zum Essen."

„Wie bitte?" Zum ersten Mal schien sich Plum Taylors Gegenwart bewusst zu werden. Sie zog die Mundwinkel leicht herab und musterte Taylor kritisch. Doch ganz eindeutig sah sie keine ernsthafte Konkurrentin in ihr, wie Taylor insgeheim ironisch registrierte. Schmollend wandte sich Plum wieder an Bram. „Aber . . ."

„Kein Aber", unterbrach er sie bestimmt.

„Bram, ich muss aber mit dir reden!"

„Nicht jetzt, Plum. Wie du siehst, bin ich beschäftigt."

„Rufst du mich denn wenigstens an? Und gehst ein anderes Mal mit mir essen?"

„Ich will es versuchen."

„Na ja, wenn du denn wirklich zu beschäftigt bist . . ." Sie sah Taylor mit solch unverhohlener Feindseligkeit an, dass dieser ganz unbehaglich zu Mute wurde. Doch ehe sie noch etwas sagen konnte, schob Bram Plum bereits nach draußen in den Flur.

„Hören Sie, Sie müssen nicht mit mir zum Essen gehen", sagte sie hastig, als Bram zurückkehrte. „Ich möchte nicht, dass Sie meinetwegen Probleme mit Ihrer . . . Ihrer Freundin bekommen." Obwohl sie sich trotz aller Eile ihre Worte sorgfältig zurechtgelegt hatte, geriet sie doch ein wenig ins Stocken. Es überraschte sie, wie sehr die unmissverständliche, sexuell Besitz ergreifende Art des Mädchens sie getroffen hatte. Nun gut, es war auch schon lange her, seit sie zum letzten Mal mit einer so intensiven Sexualität konfrontiert worden war. Das Mädchen schien sie fast wie eine Waffe zu benutzen, wie einen Fehdehandschuh, den sie Taylor aggressiv vor die Füße warf, sozusagen als Warnung. Dabei hatte sie das doch gar nicht nötig. Das Letzte, was Taylor wollte, war . . .

„Plum ist nicht meine Freundin, und schon gar nicht meine Geliebte, falls Sie das vermutet haben“, unterbrach Bram sie in ihren Gedanken. „Sie ist mein Patenkind.“

„Ihr – Patenkind!“ Es gelang ihr nicht, ihre Stimme neutral zu halten, und sie wusste, dass wahrscheinlich auch ihre Miene Bände sprach.

„Sie macht zurzeit eine schwierige Phase durch“, fuhr Bram ruhig fort. „Was sie jetzt mehr als alles andere braucht, ist jemand, an den sie sich anlehnen, dem sie vertrauen kann, und der sie als Mensch lieb hat. Es ist jammerschade, dass sie und Jay sich nicht besser verstehen, denn . . .“

„Jay?“ fragte Taylor interessiert nach, während sie mit Bram das Büro verließ. Es war nicht ihre Art, Interesse an anderen Menschen zu zeigen; sie hatte das stets für zu riskant und gefährlich gehalten. Um so mehr irritierte es sie, dass sie es jetzt getan hatte. Doch es war zu spät, Bram antwortete bereits.

„Jay ist mein Sohn. Er und Plum kennen sich von Geburt an, das heißt, seit Plums Geburt. Jay ist siebenundzwanzig, und sie wird demnächst erst achtzehn.“

„Siebenundzwanzig.“ Obwohl sie das schon von Sir Anthony erfahren hatte, war sie doch ein wenig erschrocken. Ein verstohlener Blick zu Bram bestätigte ihr nur, was sie ohnehin wusste. Selbst im grellen, wenig schmeichelnden Licht des Fahrstuhls wirkte Bram viel zu jung, um Vater eines siebenundzwanzigjährigen Sohns sein zu können. Und er versuchte nicht einmal, sich bewusst jünger zu machen, im Gegenteil, sein dunkler Anzug war vom Stil her eher konservativ, ebenso das schlichte weiße Oberhemd und die Krawatte. Nur, wenn man ganz nahe vor ihm stand, so wie jetzt Taylor gezwungenermaßen, konnte man in seinem dichten dunklen Haar die ersten silbergrauen Strähnen entdecken. Die feinen Falten um seine Augen verstärkten seine sinnliche Ausstrahlung eher noch, und seine geschmeidige Art, sich zu bewegen . . . Taylor musste plötzlich schlucken, ihr wurde heiß.

Es war Jahre her, seit sie körperlich so intensiv auf einen Mann reagiert hatte, und genauso lange, seit sie dieser Reaktion nachgegeben hatte. *Du bist wie geschaffen für die Liebe, für Sex.* Unbemerkt durchbrachen diese Worte den Wall, den sie zum Schutz vor solchen Erinnerungen um sich errichtet hatte, und als sie unwillkürlich nun auch an den Mann denken musste, der jene Worte gesagt hatte, wurde ihr mit einem Mal übel vor Entsetzen.

Stirnrunzelnd beobachtete Bram, wie sie zu zittern anfing und erschreckend blass wurde. Für einen kurzen Augenblick hatte es den Anschein gehabt, als entspannte sie sich. Ihr Interesse hatte so aufrichtig gewirkt, als sie sich nach Jay erkundigt hatte, es war ein solcher Gegensatz zu ihrer vorherigen misstrauischen Reserviertheit gewesen, dass Bram überraschend den Wunsch verspürt hatte, weiterzuerzählen, um diese veränderte Stimmung so lange wie möglich anhalten zu lassen. Es war, als erwachte ein Wesen plötzlich zum Leben, als sähe er sie tatsächlich zum ersten Mal richtig, als Menschen aus Fleisch und Blut.

Der Fahrstuhl hielt an, und sie durchquerten die Eingangshalle. Draußen auf der Straße blieb Bram stehen, weil ihm ein junges Paar auf der gegenüberliegenden Straßenseite auffiel. Die beiden hatten offensichtlich gestritten, und jetzt weigerte sich das Mädchen, ins Auto einzusteigen. Der junge Mann war es anscheinend leid, ihr dauernd vergeblich zuzureden, denn unvermittelt trat er einen Schritt auf sie zu und hob sie kurzerhand hoch, um sie ins Auto zu setzen. Das Mädchen wehrte sich heftig und protestierte empört.

Taylor war ebenfalls stehen geblieben, aber als Bram auf einmal amüsiert auflachte, fuhr sie zu ihm herum. Sie war kreidebleich, und ihre Augen wirkten so dunkel vor Zorn und Schmerz, dass Bram den Atem anhielt. „Natürlich halten Sie das für komisch. Sie sind ja auch ein Mann!“ stieß sie verbittert hervor. „Und weil Sie ein Mann sind, finden Sie es völlig richtig, wenn ein anderer Mann eine Frau auf Grund seiner kräftemäßigen Überlegenheit dazu zwingt, etwas zu tun, das sie nicht will!“ Taylor zitterte inzwischen am ganzen Leib, und Bram fühlte sich hin- und hergerissen zwischen dem Bedürfnis, sich zu verteidigen, und seinem Mitgefühl für die offensichtlichen Qualen, die sie ausstand.

Aus dem Augenwinkel verfolgte er, wie der junge Mann

das Mädchen wieder sanft auf den Boden stellte, und wie sie aufhörte zu schimpfen und stattdessen die Arme nach ihm ausstreckte. „Da, sehen Sie", forderte Bram Taylor ruhig auf und drehte sie mit festem Griff in die Richtung des vorhin noch streitenden Paares.

Das Mädchen hatte nun die Arme um den Nacken seines Freundes geschlungen; es hob erwartungsvoll das Gesicht, zog mit einer Hand den Kopf des jungen Mannes zu sich und begann, ihn leidenschaftlich zu küssen. Taylor hatte sich spontan aus Brams Griff befreien wollen, doch nun blieb sie reglos wie eine Statue stehen und sah wie gebannt zu dem Paar hinüber. Eine beinahe schmerzhafte Sehnsucht stieg in ihr auf, und in ihren Augen brannten Tränen, als Taylor plötzlich von Empfindungen durchströmt wurde, die sie schon seit so langer Zeit vergessen zu haben glaubte. Der Anblick dieser innigen, leidenschaftlichen Umarmung, dieses unverhohlenen Verlangens der jungen Frau nach ihrem Geliebten war mehr, als sie ertragen konnte. Irgendwann einmal hatte sie sich auch so gefühlt, genauso geliebt, doch gerade dadurch hatte sie sich nicht nur selbst verraten, sondern auch verursacht, dass . . .

Der erstickte Laut, den sie ausstieß, als sie sich umgedreht und sich gegen Brams Griff zur Wehr gesetzt hatte, erinnerte ihn irgendwie an ein Tier, das in eine Falle geraten war. Dieser Ton hatte so qualvoll und verängstigt geklungen, dass Bram sie in einer Spontanreaktion noch fester an sich gezogen hatte, um sie vor ihrem Schmerz abzuschirmen und zu beschützen. Dennoch haderte er jetzt mit dieser Reaktion. Schließlich war Taylor eine Fremde für ihn, eine Frau, die er kaum kannte, eine Frau, vor der ihn sein Selbsterhaltungstrieb außerdem intensiv warnte. Unter seiner Hand spürte er ihre Taille, die so viel zierlicher war, als es ihre Kleidung ahnen ließ. Taylor war nicht eigentlich dünn, sie hatte eine durchaus weibliche Figur. Aber ihr Knochenbau war sehr zart, und sie hätte in der Tat ein paar Pfund mehr wiegen können. Schuld daran war wahrscheinlich die tief verwurzelte Angst, die auch ihren Augen stets den überschatteten Ausdruck verlieh. So wie sie auf das Paar reagiert hatte, vermutete er, dass es irgendwann einmal früher in ihrem Leben einen Mann, eine Beziehung gegeben hatte, die dieses Trauma verursacht hatte. Diesen Schmerz, der sie dazu brachte, Vertretern seines Geschlechts grundsätzlich zu misstrauen und ihnen gegenüber stets wachsam und zurückhaltend zu sein. Er sagte sich, dass er froh darüber war.

Entschlossen ließ er die Hand sinken und trat einen Schritt zurück. Das Pärchen stieg gerade in aller Eintracht ins Auto, der kleine Streit schien vollkommen vergessen. Nachdenklich betrachtete Bram Taylor, als sie das Gesicht abwandte, um sich nichts von ihren Emotionen anmerken zu lassen. Ruhig folgte sie ihm, als er weiterging, und er wartete irgendwie darauf, dass sie eine Bemerkung machen, eine Erklärung für ihr Verhalten abgeben würde. Doch ein Blick in ihr verschlossenes Gesicht riet ihm, keinerlei Fragen zu stellen.

Taylor indessen versuchte, ihre aufgewühlten Empfindungen unter Kontrolle zu bringen. Der kleine Zwischenfall mit dem streitenden Paar hatte sie mehr aufgewühlt, als sie sich eingestehen wollte; er hatte die Geister der Vergangenheit wieder heraufbeschworen und Ängste erneut zum Leben erweckt, die sie längst verbannt gehabt zu haben glaubte. Sie fühlte sich entsetzlich matt und sehr verwundbar; außerdem war sie wütend auf sich selbst, zum einen wegen ihrer übertriebenen Empfindlichkeit, zum anderen, weil Bram Zeuge dieser übersensiblen Reaktion geworden war. Ihr war durchaus klar, dass sie ihm eigentlich dankbar sein sollte für sein taktvolles Schweigen, für seinen Mangel an unangenehmer Neugier.

Doch das Wissen, dass er ihre intensive Reaktion durchaus mitbekommen und daraus den Schluss gezogen hatte, er müsse sie nun mit noch mehr Vorsicht und Mitgefühl behandeln, schürte ihren Zorn und ihre Panik nur noch. Sie wollte nicht, dass sie ihm Leid tat, dass er wusste, wie verwundbar sie sich fühlte. Sie wollte imstande sein, Antipathie und Widerwillen für ihn zu empfinden, weil er über genau die Charakterzüge verfügte, die sie am meisten fürchtete. Stattdessen . . . Stattdessen war er Zeuge ihrer Reaktion auf eine Szene geworden, die nicht nur ihre schlimmsten Erinnerungen und Ängste geweckt, sondern auch noch weitaus gefährlichere und gänzlich unerwünschte andere Emotionen und Bedürfnisse in ihr zum Vorschein gebracht hatte. Als sie diese unverhohlen leidenschaftliche Umarmung mit angesehen und dazu Brams Hand auf ihrer Taille, auf ihrem Körper gespürt hatte, da ... Sie fiel automatisch einen Schritt zurück, weil sie plötzlich den dringenden Wunsch verspürte, ihm zu sagen, dass sie es sich anders überlegt hätte, dass sie gar nicht essen gehen wollte, dass sie eigentlich keine Zeit mehr mit ihm verbringen wollte. Doch es war bereits zu spät dafür.

Er führte sie zum Eingang des Restaurants, und ihr Verstand sagte ihr, dass sie sich ohnehin schon mehr als genug zum Narren gemacht hatte.

7. KAPITEL

„Verzeihung, ich langweile Sie bestimmt." Bram lächelte Taylor über den Tisch hinweg zu. „Wenn es um dieses Projekt geht, gerate ich leicht ins Schwärmen."

„Es ist ja auch ein sehr herausforderndes Projekt", räumte Taylor ein und kostete erneut von den perfekt zubereiteten Nudeln à la Carbonara. Sie war sich nicht ganz sicher, was für eine Art Restaurant sie erwartet hatte. Etwas Exklusives vielleicht, etwas, das aus dem Rahmen fiel? Jedenfalls hatte sie sich gründlich falsche Vorstellungen gemacht. Das Lokal war eher gemütlich als elegant, offensichtlich ein reiner Familienbetrieb. Das und das hervorragende Essen erinnerten sie unwillkürlich an die letzten Ferien, die sie mit ihren Eltern und ihrer Schwester verbracht hatte, damals, ehe plötzlich alles schief gegangen war. Die Toskana war zu der Zeit noch nicht so von Touristen überlaufen gewesen, und Taylor, als Teenager, hatte all die neuen Eindrücke und Empfindungen, die dieser Urlaub mit sich brachte, begierig in sich aufgesogen. Sie glaubte, noch den heißen, trockenen Sommerduft wahrnehmen, ihre Begeisterung für die mittelalterlichen Städte und ihre Geschichte nachvollziehen zu können. Sie hatte nur die Augen schließen müssen, um sich vorzustellen, in die Zeit der Borgias zurückversetzt zu sein, als Italien sich noch in der Blüte seiner politischen und finanziellen Macht befunden hatte. Und dann das Essen . . .

Hastig zwang sie sich in die Gegenwart zurück und beobachtete Brams Gesichtsausdruck, als er auf ihre Bemerkung antwortete.

„Ja, das stimmt. Jay meint zwar, wir sollten mehr Gewicht auf Expansion legen und nicht . . ." Er unterbrach sich selbst. „Er und ich machen gerade eine schwierige Zeit durch. Unsere Beziehung war nie sonderlich einfach, was sicher mehr meine Schuld ist als seine." Er sah sie jetzt direkt an, und Taylor versuchte rasch, ihre Neugier zu verbergen, doch es war zu spät, er hatte sie ihr bereits angesehen. „Ich habe Jay mit vierzehn gezeugt", erklärte er. „Er war das Ergebnis einer . . . nun, sagen wir einfach, er war nicht gerade geplant, weder von seiner Mutter noch von mir. Und was meine persönliche Meinung betrifft, so finde ich, dass kein Kind mit dem Wissen aufwachsen sollte, nicht erwünscht gewesen zu sein."

„Vierzehn!" rief Taylor aus; sie war in der Tat nicht mehr fähig, ihre Betroffenheit zu verbergen.

„Ja, zugegeben nicht das ideale Alter, um Vater zu werden", gab Bram zu. „Weder für mich, und schon gar nicht für Jay."

„Vierzehn . . ." wiederholte Taylor. Sie dachte gar nicht mehr an ihr Essen, als sie sich auszumalen versuchte, wie sie in dem Alter gewesen war und wie es gewesen wäre, wenn sie damals auf einmal Mutter geworden wäre. „Sie waren bestimmt . . ."

„Was?" fiel Bram ihr grimmig ins Wort. „Ein Triebmensch? Ein rücksichtsloser Macho?" Er schüttelte den Kopf. „Nein, nichts von alledem. Das Ganze war buchstäblich ein Unfall. Jays Mutter war die Tochter unserer Nachbarn. Wir waren sozusagen miteinander aufgewachsen. Sie war zwei Jahre älter als ich. Sie ging mit einem anderen Jungen. Ich kannte ihn nicht, und dann hatten sie Streit, und sie kam zu mir. Um sich auszuweinen. Das Ganze geriet dann leider etwas außer Kontrolle. Keiner von uns beiden hatte es vorgehabt; für mich war es das erste Mal, und ich weiß noch, dass ich mich hinterher ziemlich elend fühlte und mich fragte, warum um diese Angelegenheit immer so ein großes Aufheben gemacht wurde. Ich besuchte damals eine reine Jungenschule, und natürlich hatte es dort die typischen Jungens prahlereien gegeben. Meine einzige Erfahrung bis dahin jedoch war ein unbeholfener Kuss auf einer Schulfete, während Tara . . ." Er blickte abrupt zur Seite. „Ihre Eltern waren sehr streng. Zu streng, wie meine Eltern immer meinten. Und so lehnte sie sich ganz zwangsläufig gegen sie auf. Ihr Freund, der, mit dem sie sich dann zerstritten hatte, wurde von ihren Eltern nicht akzeptiert. Sie hatten ihr bereits verboten, sich weiter mit ihm zu treffen, doch sie hatten wohl keine Ahnung, wie weit die Beziehung inzwischen fortgeschritten war. Ich gebe zu, ich war etwas schockiert, als Tara mir davon erzählte. Wahrscheinlich hatte sie sonst niemanden, dem sie sich anvertrauen konnte. Wie ich besuchte sie ein Internat und hatte am Ort keine Freundinnen, mit denen sie hätte reden können. Als sie merkte, wie geschockt ich war, fing sie an, mich aufzuziehen. Sie fragte mich, ob ich es schon mal getan hätte – und zwang mich zuzugeben, wie unerfahren ich war. Es hatte ihr von jeher Spaß gemacht, mich aufzuziehen. Ich weiß noch, wie verlegen ich war, als sie anfing, sich lobend über die körperlichen Vorzüge ihres Freundes zu äußern. Ich denke, das gab letztlich den Ausschlag. Da war dieses Bedürfnis, mich selbst zu beweisen. Ich bezweifle, dass sie ursprünglich mehr im Sinn gehabt hatte, als mich einfach aufzuziehen. Sie konnte meine körperliche Reaktion auf ihre Worte sehen, und als sie nach dem Reißverschluss meiner Hose griff, machte sie sich wahrscheinlich erst auch nur lustig über meine Erregung. Doch dann kam eins zum anderen, und obwohl wir es eigentlich gar nicht vorgehabt hatten, wurden wir ein Liebespaar . . .“

Bram verzog leicht den Mund. „Ein Liebespaar! Nein, das waren wir im Grunde nie. Jays Zeugung war in Wirklichkeit ein unbeholfener, peinlicher Akt, und noch heute bin ich überrascht, dass daraus tatsächlich ein Kind entstehen konnte. Ich hatte nicht die geringste Ahnung, was ich eigentlich tun sollte, und Tara war, trotz ihrer Angeberei, auch nicht viel erfahrener. Danach kehrte ich wieder in die Schule zurück. Als mich meine Eltern fünf Monate später unerwartet besuchten, fiel ich aus allen Wolken, als ich hörte, Tara sei von mir schwanger. Ich denke, bis zu dem Zeitpunkt hatten meine Eltern der Sache keinen Glauben geschenkt, doch als sie mein Gesicht sahen, wurden sie wohl eines Besseren belehrt. Natürlich kam eine Heirat nicht infrage, eine Abtreibung allerdings auch nicht, dafür war es längst zu spät. Meine Eltern boten daraufhin an, das Kind zu adoptieren, aber ihre Eltern weigerten sich. Andererseits war ihr Vater nur bereit, ihr das Kind zu lassen, wenn sie versprach, mich nie wieder zu sehen, und wenn ich gelobte, nie Kontakt zu meinem Kind aufzunehmen. Sie sagten, ich hätte schon genug angerichtet und ihrer Tochter und ihnen diesen unerträglichen Kummer bereitet . . .“

„Sie haben das Ganze *Ihnen* zum Vorwurf gemacht?" rief Taylor ungläubig.

„Nun, ich war ja auch schuld daran", gab Bram zurück. „Jay war – ist mein Sohn. Damals wusste ich allerdings nicht, dass sie die Dinge so verdrehen und Jay weismachen würden, ich hätte mich geweigert, ihn anzuerkennen. Dass sie ihm das Gefühl geben würden, er ..." Bram schüttelte den Kopf. „Verzeihung, ich langweile Sie sicher."

„Nein. Ganz und gar nicht!" beteuerte Taylor aufrichtig. Noch nie hatte sie die Erfahrung gemacht, dass ein Mann ihr gegenüber so offen sprach. Ihr Vater hatte sich stets in gewisser Distanz zu ihr und ihrer Schwester gehalten, und der einzige andere Mann, der ihr je nahe gestanden hatte ... Sie schloss kurz die Augen und kämpfte erneut gegen die Erinnerungen an. „Sir Anthony erzählte mir, Sie hätten Ihren Sohn allein großgezogen, aber irgendwie habe ich das gar nicht so sehr verinnerlicht. Sie beide müssen ein sehr enges Verhältnis zueinander haben." Als sie sah, wie sich seine Miene veränderte, wusste sie, dass sie einen wunden Punkt berührt hatte. Doch anstatt zu triumphieren, weil sie bei einem scheinbar unverwundbaren Mann Schwächen gefunden hatte, empfand sie nun unerwartetes und gänzlich ungeahntes Mitgefühl für ihn.

„In mancher Hinsicht, ja", stimmte Bram zu. „Doch sonst ..." Er verstummte. Es sah ihm gar nicht ähnlich, so offen mit jemandem zu reden, den er erst seit so kurzer Zeit kannte. Er hatte es nie für nötig gehalten, gewisse Aspekte seiner Persönlichkeit oder seines Lebens kundzutun oder mit seinem Einfluss und seiner Tüchtigkeit anzugeben. Ebenso wenig neigte er dazu, spontan über allzu Vertrauliches zu sprechen. „Jay war sechs, als er zu mir zog. Er war in dem Glauben großgeworden, dass ich ihn nicht gewollt und verstoßen hätte. Er war sehr, sehr unsicher. Er weigerte sich zu glauben, dass ich ihn liebte, dass ich ihn nicht belog, wenn ich ihm sagte, dass ich ihn nie im Stich lassen würde. Ich vermute, im Unterbewusstsein gab er mir die Schuld daran, dass er von klein auf so unglücklich gewesen war – zu Recht, wahrscheinlich. Als Kind erwies er sich in Bezug auf mich und auf unsere Beziehung als überaus Besitz ergreifend." Er verstummte erneut. Er sprach selten darüber, welche Gefühle Jays Besitz ergreifende Art in ihm auslösten.

Besitz ergreifend. Taylor konnte ihren Schauder bei dem Wort nicht verbergen.

„Was ist?“ fragte Bram, als sie plötzlich blass wurde und ihren Teller wegschob. „Schmeckt es Ihnen nicht? Ich könnte Ihnen . . .“

„Nein. Nein, ich habe nur einfach keinen Hunger mehr“, widersprach Taylor heiser. „Das muss . . . sehr schwer für Sie gewesen sein, damit fertig zu werden, dass Ihr Sohn Ihnen gegenüber so . . . Besitz ergreifend war.“ Taylor wusste, dass sie sich auf gefährliches Terrain vorwagte, doch sie war außer Stande, etwas dagegen zu tun. Sie fühlte sich wie ein Kind, das sich trotz ausdrücklicher Warnung auf brüchiges Eis begibt, voller Angst, aber gleichzeitig auch mit dem angenehmen Nervenkitzel, den eine gefahrvolle Situation mit sich bringt.

„Es war nicht immer leicht“, räumte Bram ein und sah nach wie vor stirnrunzelnd auf ihren kaum angerührten Teller. Tayior spürte, dass er es bereute, sich ihr anvertraut zu haben, und dass er angestrengt versuchte, seine, aber auch ihre Aufmerksamkeit in eine andere Richtung zu lenken. Sie fügte sich still. Schließlich wusste sie selbst nur allzu gut, wie es war, wenn man nicht reden, nicht erklären wollte, wenn die Neugier und das Interesse eines anderen Menschen plötzlich bedrohlich wirkten. „Und Sie?“ erkundigte er sich jetzt. „Ist Ihre Familie . . .“

„Ich habe keine mehr“, fiel Taylor ihm hastig ins Wort. „Sie sind alle . . . meine Eltern kamen bei einem . . . Unfall ums Leben, als . . . vor ein paar Jahren.“

„Als Sie noch auf der Universität waren?“ mutmaßte Bram ins Blaue. Ihm fiel ein, dass Anthony ihm erzählt hatte, sie hätte die Uni vorzeitig verlassen.

Sie sah ihn so entsetzt an, dass er sich fragte, was um alles in der Welt sie so erschreckt haben mochte. „Woher . . . woher wissen Sie das?“ stammelte sie. „Dass ich die Universität verlassen habe. Wann . . . wann der Unfall passiert ist?“

„Das wusste ich nicht“, erwiderte Bram verwirrt. „Ich habe es nur vermutet, weil Sir Anthony mir einmal sagte, Sie hätten die Uni ohne Abschluss verlassen. Ich nehme an, Sie waren ein Einzelkind. Der Tod Ihrer Eltern muss sehr schmerzlich für Sie gewesen sein.“ Sie wirkte jetzt so erstarrt, so feindselig, ganz anders als vorhin, als sie über Jay gesprochen hatten, so dass Bram völlig aus der Fassung geriet. Wie hatte seine harmlose Bemerkung nur eine so dramatische Reaktion hervorrufen können? Doch sicher nicht deshalb, weil sie sich schämte, keinen Abschluss gemacht zu haben!

Während Bram noch versuchte, sich einen Reim auf ihr Verhalten zu machen, griff Taylor nach ihrer Handtasche. „Ich ... ich muss jetzt gehen", erklärte sie, als er sie ansah. „Ich ..."

„Aber Sie haben doch noch gar nicht fertig gegessen", protestierte er.

„Ich habe keinen großen Hunger", hörte er Taylor antworten. „Außerdem wird es langsam dunkel und ..."

Wäre sie eine andere gewesen, dann hätte er sich vielleicht versucht gefühlt, sie wegen ihrer Überreaktion ein wenig aufzuziehen. Doch weil Bram spürte, wie ehrlich aufgewühlt und erregt sie war, hielt er lieber den Mund. „Dann lassen Sie mich Ihnen wenigstens ein Taxi bestellen", bot er ruhig an. „Wie Sie sagen, es wird dunkel. Und das ist meine Schuld. Ich habe mich so intensiv über mich selbst ausgelassen, dass ich gar nicht gemerkt habe, wie spät es geworden ist. Sie sind eine sehr gute Zuhörerin", fügte er warm hinzu.

„Ich ... ich muss wirklich gehen." Bram merkte, dass sie es vermied, ihn anzusehen. „Und wenn Sie nichts dagegen haben, würde ich gern das Taxiunternehmen bitten, das ich immer in Anspruch nehme. Die Fahrer dort sind ausnahmslos Frauen und ..."

Ihm war völlig klar, dass sie es hasste, selbst Kleinigkeiten über ihr Privatleben preiszugeben. Aber warum nur? Glaubte sie, er würde sich über sie lustig machen, sie wegen ihrer offensichtlichen Angst verspotten? Hielt sie ihn wirklich für einen so gefühllosen, groben Mann? Natürlich verstand er, dass Frauen oft Angst hatten, sich einem fremden Mann anzuvertrauen. Man brauchte ja nur die Nachrichten zu hören oder die Zeitungen zu lesen. Doch er war fest davon überzeugt, dass Taylors Ängste tiefer gingen. Das war nicht die unterbewusste, undefinierbare Angst einer sexuell unerfahrenen Frau, einer alten Jungfer, wie man früher zu sagen pflegte. Nein, ihre Angst war wesentlich konkreter. „Nun, dann lassen Sie mich wenigstens den

Kellner holen, damit er für Sie bei Ihrem Taxiunternehmen anrufen kann", schlug er vor.

Widerstrebend gab Taylor ihm die Telefonnummer. Sie wusste, dass er nur versuchte, freundlich und ihr behilflich zu sein; dass sie von Bram nichts zu befürchten hatte. Aber alte Gewohnheiten ließen sich eben nur schwer ablegen, und alte Ängste womöglich noch schwerer. Ohnehin hatte sie ihre übliche Reserve schon viel zu sehr fallen lassen, indem sie ihm vorhin zugehört hatte, als er so offen von seinem Leben erzählte. Und so war sie nicht darauf gefasst gewesen, als er sie plötzlich auf ihr abgebrochenes Studium angesprochen hatte.

„Es muss sehr hart für Sie gewesen sein, Ihre Eltern zu verlieren", sagte er jetzt, während er mit ihr zur Tür ging. „Ich weiß noch, wie schlimm Jay der Verlust seiner Mutter und seiner Großeltern getroffen hat, obwohl er natürlich . . ."

„Noch ein Kind war, während ich praktisch erwachsen war", vollendete Taylor schroff seinen Satz.

„Kein Mensch ist je so erwachsen, dass er nicht unter dem Tod eines geliebten Menschen leidet", widersprach Bram sanft. „Und wenn Sie sonst keine anderen nahen Verwandten hatten, mit denen Sie ihren Kummer hätten teilen können, dann . . ."

„Ich möchte nicht darüber sprechen." Bram hörte die Panik aus ihrer Stimme heraus, spürte ihre innere Anspannung, als sie an der Tür stand und verzweifelt Ausschau nach dem Taxi hielt. „Vielleicht gefällt es Ihnen, in der Vergangenheit zu schwelgen – ich jedenfalls mag das nicht", fügte sie hinzu. „Das, was gewesen ist, lässt sich nun mal nicht mehr rückgängig machen, durch nichts und niemanden." Bram stellte mitfühlend fest, dass sie kurz davor war zu weinen. Er streckte die Hand aus, um sie zu berühren, um ihr zu versichern, dass er keineswegs vorgehabt hatte, sie traurig zu machen, doch in dem Moment tat sie einen Schritt nach hinten und meinte mit offenkundiger Erleichterung: „Mein Taxi ist da . . . Ich muss gehen!"

Kurze Zeit später, als er sich selbst auf dem Heimweg befand, grübelte Bram nochmals über die Ereignisse des Abends nach. Er hatte weder gelogen noch übertrieben, als er Taylor gesagt hatte, dass es angenehm wäre, mit ihr zu reden. Das entsprach absolut der Wahrheit. Wenn sie einmal ihre Maske fallen ließ und sich entspannte, dann strahlte sie eine Sanftheit und Ruhe aus, die zum Reden und Anvertrauen ermutigte. Er hätte es nur gern gehabt, wenn sie sich in seiner Gegenwart ebenso sicher und behaglich gefühlt hätte wie er sich in ihrer. Vorsicht, mahnte er sich selbst. Bisher hatte er eine gekonnte Gratwanderung zwischen seinem körperlichen Verlangen nach ihr und seinen Gefühlen vollzogen, doch nun drohte das Pendel gefährlich in die gefühlsmäßige Richtung auszuschlagen. Das körperliche Verlangen nach Taylor war etwas, womit er umgehen, was er unter Kontrolle halten konnte. Sie zu lieben . . . Lieben? Er runzelte die Stirn. Wie kam er denn darauf? Er musste völlig von Sinnen sein, wenn er sich ausgerechnet in Taylor verliebte. Und das war er doch nicht. Oder?

„Oh, nein, Bram! Komm und sieh dir das mal an! Hast du je schon mal ein so grellbuntes Arrangement gesehen? Wer würde wohl auf die Idee kommen, so etwas zu pflanzen?“ Helena zog Bram zu einem in der Tat sehr farbenfrohen, dicht mit einjährigen Gewächsen bepflanzten Beet.

„Zugegeben, das ist ausgefallen“, stimmte Bram zu. Sein und Helenas jährlicher Besuch der Chelsea Blumenausstellung hatte Tradition, schon seit Beginn ihrer Freundschaft. Keiner von Helenas beiden Ehemännern hatte sich für Gartenbau interessiert, ganz im Gegensatz zu Bram, der sich immer mit Hingabe vor allem seinem Nutzgarten gewidmet hatte, der zum Haus auf dem Land gehört hatte. Weder die Größe seines Londoner Gartens noch seine viele Arbeit erlaubten ihm heute, diesem Vergnügen weiter nachzugehen, trotzdem genoss er nach wie vor diesen jährlichen Pilgergang zum Mekka aller Gartenliebhaber. Allerdings weigerte er sich, ganz anders als Helena, beinahe sklavisch den verrückten Arrangements zu folgen, die entsprechend der einschlägigen, leicht versnobten Zeitschriften gerade extrem in Mode waren. Er hatte dicht bepflanzte, knallbunte Gärten gesehen, die Auge und Herz ebenso erfreut hatten wie die Gärten, die streng nach gartenarchitektonischen Maßstäben angelegt worden waren.

Brams Meinung nach kam es einfach darauf an, wie man die Dinge sah. Ob man sich nun einfach an der üppig sprießenden Pflanze an sich freute, oder ob man sie als Teil eines pedantisch geplanten Ganzen sah. Ob man sich mehr daran erfreute, was die Natur zu Stande brachte, oder an dem, was Menschen gezüchtet oder entworfen hatten.

Natürlich war er viel zu taktvoll, als dass er Helena das gesagt hätte. Helena schien es immer als persönliche Beleidigung aufzufassen, wenn es einem der Aussteller nicht gelang, ihren strengen Maßstab in Bezug auf guten Geschmack zu befriedigen. Bram beobachtete sie liebevoll, als sie sich eins der Ausstellungsstücke näher ansah. Plötzlich jedoch entdeckte er aus dem Augenwinkel heraus ein bekanntes Gesicht in der Menge. Seine Stimme klang so warm vor Freude und noch etwas anderem, Undefinierbaren, dass Helena ihn überrascht ansah, als er ausrief: „Taylor!" Und dann: „Entschuldige mich kurz, Helena, ich habe gerade jemanden getroffen, den ich kenne."

Sie sah ihm nach, als er auf eine große rothaarige Frau zuging, die ganz allein und beinahe wie erstarrt dastand und ihm fast misstrauisch entgegenblickte. Stirnrunzelnd begann Helena zu ahnen, dass das die Frau war, von der Plum ihr erzählt hatte. „Sie ist viel zu alt für Bram", hatte Plum geschimpft. „Noch dazu ist sie überhaupt nicht hübsch!" Jetzt erkannte Helena, dass Plum sich gleich zweifach geirrt hatte, wenngleich hübsch nicht die richtige Beschreibung für Taylor war. Diese Bezeichnung war schlicht untertrieben, denn die Frau war – schön. Sie hätte nur ein wenig mehr aus sich machen müssen. Wie Bram sie fand, darüber gab es gar keinen Zweifel. Seine Freude, ihr zu begegnen, war nicht zu übersehen.

Nach zwei Ehen und einer fast zwanzig Jahre währenden Freundschaft hatte Helena geglaubt, ihre frühere Verliebtheit in Bram endgültig überwunden zu haben. Doch, ja, ich habe sie überwunden, sagte sie sich streng. Bram war ihr Freund, das war alles, und wenn sie jetzt ganz leicht argwöhnisch und skeptisch war, was die Frau betraf, mit der er sich nun unterhielt, dann beruhte es auf ihrer rein freundschaftlichen Anteilnahme für ihn. Nur darauf.

Als sie sich zu den beiden gesellte, hörte Helena, wie er gerade sagte: „Wissen Sie was, Taylor, da Sie offensichtlich allein hier sind – warum kommen Sie nicht einfach mit uns? Helena und ich wollten eben am Ausstellerstand einen Kaffee trinken, nicht wahr, Helena?"

Helena war so loyal, diese Behauptung zu bestätigen, doch gleichzeitig fragte sie sich, weshalb sich Bram bloß solche Mühe geben musste, diese Frau zum Mitgehen zu überreden. Normalerweise waren es die Frauen, die Bram zu irgendetwas einluden, nicht umgekehrt. Aber während sie Taylor noch um Brams offensichtliches Interesse an ihr beneidete, musste sie auch widerwillig das Verhalten der anderen Frau bewundern. Ganz gleich, welche Beziehung auch zwischen den beiden bestehen mochte, es war eindeutig nicht Taylor, die hinter Bram her war. Das wurde Helena klar, als sie sah, wie widerwillig Taylor sich ihnen anschloss. Und – sie ging neben Helena, nicht neben Bram.

„Ich wusste gar nicht, dass Sie auch Hobbygärtnerin sind", meinte er zu Taylor und überlistete sie bezüglich ihres Ausweichmanövers, indem er kurz stehen blieb und sich dann von der anderen Seite her zu ihr gesellte.

„Das bin ich auch nicht", gab sie knapp zurück. „Ich sehe mir das alles hier nur gern an." Jedes Jahr gönnte sie sich den kleinen Luxus, diese Ausstellung zu besuchen, und sie freute sich immer sehr darauf. Da sie in einer Wohnung lebte, hatte sie keinen Garten, und ihre Eltern hatten nichts davon gehalten, einem Kind die Freude an der Gartenarbeit zu vereiteln, weil so etwas zu viel Dreck und Unordnung mit sich brachte.

„Welcher ist denn Ihr Lieblingsstand?" hörte sie Bram fragen. „Kommen Sie, Sie können es uns ruhig verraten!" scherzte er freundlich. „Ehrenwort, wir sagen es auch nicht weiter, falls Sie eine Vorliebe für etwas haben, das nicht gesellschaftsfähig oder gar unmodern ist!"

„Das sagt er nur, weil er eine Schwäche für die schrecklichsten, üppigsten Arrangements an Einjahresgewächsen hat!" warf Helena verschnupft ein.

„Während du keinen einzigen Blick hast für Arrangements, die keine ornamental beschnittenen Sträucher und keine faden weißen Blumen enthalten!" konterte Bram.

„Ich mag Kräutergärten . . ." gestand Taylor schüchtern. „Heilkräuter haben etwas so . . . so . . ."

„Beruhigendes und Linderndes", half Bram einfühlsam aus.

Taylor warf ihm einen argwöhnischen Blick zu. „Ja, das spielt eine große Rolle. Aber es ist auch die Tatsache, dass sie schon seit so vielen Jahrhunderten gepflanzt und angewendet worden sind. Sie haben etwas Zeitloses, Ewiges an sich. Wenn man bedenkt, dass die Menschen sie seit Urzeiten auf dieselbe Art und Weise für sich nutzbar machen ..." Sie zuckte mit den Schultern.

„Kommt, der Ausstellerstand ist dort drüben", machte Bram sie jetzt aufmerksam. Als er in die entsprechende Richtung zeigte, berührte er Taylor ganz leicht am Arm.

Es war die denkbar harmloseste, flüchtigste Geste, dennoch konnte Helena förmlich spüren, wie es zwischen Bram und Taylor knisterte. Intuitiv kam sie zu dem Schluss, dass die beiden zwar noch kein Liebespaar waren, es aber sicher bald sein würden – wenn es nach Bram ging. Und Taylor? Erwiderte sie seine Gefühle, sein Verlangen? Oberflächlich betrachtet machte es nicht den Anschein, aber ihre unübersehbare Anspannung musste irgendeinen Grund haben. Außerdem – welche halbwegs vernünftige Frau würde einem Mann wie Bram wohl einen Korb geben?

Obwohl es am Ausstellerstand vor Menschen nur so wimmelte, gelang es Bram doch noch, einen kleinen Tisch ausfindig zu machen. Sobald die beiden Frauen Platz genommen hatten, machte er sich auf den Weg zum Ausschank.

„Kennen Sie Bram schon lange?" erkundigte Helena sich, als sie mit Taylor allein war. Natürlich fragte sie nicht aus reiner Neugier, wie sie sich selbst einredete. Schließlich war Bram einer ihrer ältesten Freunde. Sie hatte ein gutes Recht, ein wenig auf ihn aufzupassen und jeder neuen Frau in seinem Leben gleich klar zu machen, wie glücklich sie sich schätzen konnte, einem so besonderen Menschen wie Bram begegnet zu sein.

„Eigentlich nicht", erwiderte Taylor etwas abweisend. „Wir sind Geschäftskollegen, das ist alles. Man hat mich gebeten, bei einem wichtigen Projekt mit ihm zusammenzuarbeiten."

Helena runzelte kaum merklich die Stirn. Taylor schien fest entschlossen, jede persönliche Beziehung zwischen ihr und Bram abzustreiten, doch das war nicht der Eindruck, den Bram vermittelt hatte. „Ah, ich verstehe", gab Helena zurück. „Dann haben Sie auch schon Jay, Brams Sohn, kennen gelernt."

„Nein, bisher noch nicht."

„Aber Bram hat Ihnen doch bestimmt von ihm erzählt“, beharrte Helena.

„Ein wenig“, gab Taylor zu.

„Und wie ich Bram kenne, hat er Jay natürlich nur in den leuchtendsten Farben beschrieben“, fuhr Helena fort und ignorierte völlig Taylors offensichtlichen Widerwillen, weiter über dieses Thema zu sprechen. „Bram vergöttert Jay und hält ihn für absolut fehlerfrei. Ganz gleich, was Jay auch tut, Bram macht ihm niemals Vorwürfe und übernimmt stets selbst die Verantwortung. Hat er ihnen die Geschichte von seinem Sohn erzählt?“

„Ja, das hat er“, antwortete Taylor. Sie musste sich widerstrebend eingestehen, dass sie neugierig war, was Helena über Bram dachte. Zweifelsohne war sie eine alte, enge Freundin von ihm – und wer wusste, vielleicht war sie irgendwann auch einmal mehr für ihn gewesen?

„Meiner Meinung nach hat Jay ein Riesenglück gehabt. Bram hingegen ist ein Narr, weil er ihm erlaubt, solchen Einfluss auf sein Leben auszuüben.“ Helena zuckte verächtlich mit den Schultern. „Schon vor Jahren, als er Jay gerade zu sich genommen hatte, sagte ich ihm, es wäre das allerbeste, wenn er Jay zu guten Pflegeeltern oder in ein Internat geben würde. Tatsache ist, dass Jay immer auf seinen Vater eifersüchtig war und es auch stets sein wird. Seit er erwachsen ist, befindet er sich in permanentem Konkurrenzkampf mit Bram. Gleichzeitig manipuliert er ihn so geschickt, dass Bram im Grunde keine Chance hat, je ein ganz eigenständiges Leben zu führen.“

„Wenn das wahr ist, so ist es zweifelsohne Brams Aufgabe, etwas daran zu ändern – falls er es will“, urteilte Taylor kühl. „Manche Menschen genießen es, dass andere von ihnen abhängig sind. Sie brauchen dieses Gefühl von Macht und Einfluss, selbst wenn sie sich über die, die von ihnen abhängig sind, ständig beklagen.“

„Manche Menschen vielleicht“, stimmte Helena zu. „Bram jedoch nicht. Er verfügt einfach nicht über die dazu erforderliche Charakterschwäche. Ich kenne ihn schon sehr lange. Wir waren bereits Freunde, als Jays Mutter und deren Eltern noch am Leben waren. Bram lässt Jay deshalb alles durchgehen, weil er ein schlechtes Gewissen hat. Er glaubt, es Jay schuldig zu sein, dass er ihn für all das entschädigt, was er seiner Meinung nach verloren hat. In Wirklichkeit hat Jay gar nichts verloren.“ Helena fing Taylors Blick auf und zuckte erneut mit den Schultern. „Tut mir Leid, aber es ist wahr. Jays Mutter war kurz davor zu heiraten, und ich bezweifle, ob ihr Mann Jay gegenüber so nachsichtig gewesen wäre wie Bram. Sie müssen sich in Acht nehmen, wenn Sie Jay kennen lernen. Er wird nicht erfreut sein, dass Bram Sie kennt. Jay hat bisher jede Beziehung ruiniert, die Bram einzugehen versucht hat, und er wird es auch bei Ihnen tun, wenn er eine Möglichkeit findet“, warnte Helena Taylor düster.

„Bram und ich haben keine Beziehung“, widersprach Taylor impulsiv und wurde rot. Sie hätte Helena wirklich nicht zum Reden ermutigen dürfen. Nur weil sie ihre dumme, gefährliche Neugier hatte befriedigen wollen, hatte sie der anderen Frau einen völlig falschen Eindruck von der Situation vermittelt.

„Entschuldigt, dass es so lange gedauert hat.“ Bram lächelte beiden Frauen warm zu, als er mit den Getränken zurückkehrte. „Ihr glaubt ja gar nicht, was für ein Gedränge an der Bar herrscht.“

Eine halbe Stunde später erklärte Taylor, sie müsse jetzt gehen, und Helena registrierte, wie Bram mit ihr zusammen aufstand. Als sie seinen Blick auffing, stockte ihr fast der Atem. Ob Bram eigentlich wusste, wie gefährlich nahe er daran war, sich in Taylor zu verlieben? Ob sie es beide wussten? Bram verliebt . . . Helena überlief ein Schauer. Doch dann sagte sie sich energisch, dass sie mit ihrem Leben und ihrer Ehe sehr zufrieden war. Dieser Schmerz, der sie eben durchzuckt hatte, hatte nichts damit zu tun, dass sie etwa verpassten Chancen nachtrauerte. Jay würde immer jeden Menschen – ganz gleich, ob Mann oder Frau, früher oder später – verdrängen, der es wagte, seinem Vater zu nahe zu kommen.

8. KAPITEL

Plums Stimmung war auf dem Nullpunkt. Finster und mit zusammengezogenen Brauen starrte sie in den abgestandenen Rest ihres Cocktails. Einen Drink muss man genießen, hatte ihr Vater immer gesagt, und allmählich begriff sie, was er damit gemeint hatte. Ihr Drink hatte, ganz im Gegensatz zu den Versprechungen des Bartenders, nicht dazu beigetragen, ihre schlechte Laune seit ihrer letzten Begegnung mit Bram aufzubessern.

Es war doch einfach ungerecht. Nur weil er ein paar Jahre älter war . . . na ja, etwas mehr als zwanzig, genau genommen. Und? Es gab Männer, die gut noch zehn Jahre älter waren als er und die dennoch keinerlei Hemmungen hatten, ihr Verlangen nach ihr deutlich zum Ausdruck zu bringen. Nur weil er ein Freund ihrer Mutter war, schien Bram der lächerlichen Ansicht zu sein, er müsste sich ihr gegenüber wie ein Onkel benehmen und standhaft zu bleiben, wenn sie ihm zeigen wollte, wie schön alles sein könnte, wenn . . .

Und es würde schön sein. Bram mochte nicht so eklatant sexy wirken wie Jay, aber die Ausstrahlung war dennoch da. Oh, ja, ganz eindeutig sogar. Sie brauchte sich nur auszumalen, wie es sein würde, wenn er sie küsste, und schon wurde es Plum ganz schwindelig vor Sehnsucht. Wie konnte er ihr nur *diese* Frau vorgezogen haben? Sie war doch steinalt – gut über dreißig! Okay, sie hatte eine tolle Figur, das musste Plum widerwillig zugeben. Aber ihre Art sich zu kleiden, ihre Frisur, ihr absolutes Unvermögen, wenigstens ein bisschen etwas aus sich zu machen . . . ! Wie konnte Bram nur lieber mit ihr zusammen sein wollen als mit ihr, Plum? Sie rührte missmutig mit dem Strohhalm in ihrem Glas. Dafür konnte es nur einen Grund geben. Er musste in sie verliebt sein. Allein diese Vorstellung machte ihr Herz bleischwer.

Wie konnte er nur in eine andere verliebt sein, wenn sie selbst ihn doch so heiß und innig liebte?

„Hey, Plum, noch einen Drink?"

Ihre Miene hellte sich ein wenig auf, als sie die Stimme eines ihrer Freunde hinter sich hörte. Vor ein paar Monaten hatte sie mal einen kurzen Flirt mit Justin gehabt, den sie allerdings selbst beendet hatte, noch ehe das Ganze im Schlafzimmer hätte enden können. So wie Justin sie jetzt allerdings ansah, lag die Vermutung nahe, dass er sich in der Hinsicht immer noch Hoffnungen machte. Nun, warum eigentlich nicht? fragte sie sich trübsinnig. Nachdem ihr heiß geliebter Bram ihr einen Korb gegeben und sich einer anderen zugewandt hatte, konnte sie sich genauso gut mit Justin trösten. Als sie nickend seine Einladung annahm, bemerkte sie, dass er jemanden bei sich hatte – einen breitschultrigen, recht kräftig gebauten Mann mittlerer Größe. Er hatte eher nichts sagend braunes Haar und einen ebensolchen Haarschnitt, was irgendwie zu seinem wettergegerbten Gesicht passte.

„Übrigens, Plum, das ist McKenzie", teilte Justin ihr mit leicht schleppender Stimme mit. *Der* McKenzie", betonte er. „Das Oberhaupt des McKenzie Clans. Wie ich leider feststellen muss, nimmt er diesen Rang außerordentlich ernst. McKenzie, das ist Plum. Oh, und außerdem ist er mein Cousin. Pech für mich, denn meine Eltern stellen ihn mir immer als leuchtendes Vorbild hin. Er verbringt fast die ganze Zeit in Schottland bei seinen Schafen und leistet gute, solide Arbeit. Deshalb habe ich ihn heute Abend auch mitgenommen, damit er mal eine Ahnung bekommt, was das wahre Leben ist."

Plum sah McKenzie an, dass Justins Kommentare ihn nicht allzu sehr erfreuten. Auch schien er nicht begeistert darüber, dass sie ihm vorgestellt worden war. Der flüchtige Blick seiner braunen Augen zeigte nicht nur Desinteresse, sondern vor allem abgrundtiefe Missbilligung. Den Blick erkannte Plum immer sofort; schließlich hatte sie ihn oft genug in den kühlen blauen Augen ihrer Mutter wahrgenommen.

„Gil ist geschäftlich für ein paar Tage in London", fuhr Justin fort. „Also habe ich ihm angeboten, ihm ein wenig das Nachtleben hier zu zeigen. Ich wette, bei euch da oben in der Wildnis habt ihr nichts dergleichen, nicht wahr, alter Junge?"

„Nein, dergleichen nicht", lautete die beinahe grimmige Antwort.

Plum kicherte; sie hatte ihre eigenen Sorgen auf einmal völlig vergessen beim Anblick dieser geballten Ladung männlichen Missfallens. Gils Kleidung wirkte ebenso deplaziert wie sein Gesichtsausdruck – er trug ein schweres Tweedsakko, genau die Art, die ihrer Mutter so gut gefiel. Während Justin die Getränke bestellte, schenkte Plum seinem Cousin eins ihrer berühmten betörenden Lächeln und fragte ihn: „Wenn du dich an solchen Orten so gar nicht wohl fühlst – warum bist du dann hergekommen?"

„Meine Tante hat mich gebeten, ein wenig auf Justin aufzupassen", erklärte er unverblümt. Stirnrunzelnd fügte er hinzu: „Sie ist etwas besorgt über den Umgang, den er in letzter Zeit pflegt."

„Ist Justin nicht schon ein bisschen zu alt für so etwas?" spöttelte sie.

„Seine Mutter findet das nicht", konterte er abweisend.

„Du musst große Stücke auf sie halten, wenn du dich bereit erklärst, für Justin den Aufpasser zu spielen!"

„Sie ist meine Tante. Familie eben", gab er knapp zurück.

Familie. Das hatte er so betont, als sei damit alles gesagt. Und Plum sagte es tatsächlich alles. Plötzlich spürte sie einen dicken Kloß im Hals, und sie wandte das Gesicht ab, damit Gil nicht sehen konnte, wie ihr die Tränen in die Augen stiegen. Wo war ihre Familie, wenn sie sie brauchte? Ihrer Mutter bedeutete ihre zweite Familie wesentlich mehr, als Plum ihr je bedeutet hatte. Plum war ein permanentes Ärgernis, eine ständige Erinnerung an eine Ehe, die Helena aus tiefstem Herzen bereut hatte; Plum war durch und durch die Tochter ihres Vaters, zumindest hatte man ihr das immer wieder vorgehalten. Und was nun ihren Vater betraf . . . Er würde niemals auf die Idee kommen, ihr einen strengen Aufpasser zur Seite zu stellen. Er glaubte an unbegrenzte Freiheit, sowohl für sie als auch für sich selbst. Freiheit für sie . . . womöglich auch von ihr?

Armer Justin. Ich bin froh, dass ich nicht in seiner Haut stecke und nicht dauernd diesen strengen, missbilligenden und langweiligen jungen Mann um mich habe, sagte sie sich hastig. Armer Justin ... Abrupt griff sie nach ihrem Glas. „Los, Gil, du übernimmst die nächste Runde."

Benommen hob Plum den Kopf von Justins Schulter und nickte zustimmend.

„Ich glaube, ihr habt beide mehr als genug gehabt. Es ist schon spät und ..."

Ihr beide! Plum richtete sich empört auf und warf ihm einen vernichtenden Blick zu. Justin mochte er ja vielleicht Vorschriften machen können, aber ihr nicht! Sie wollte ihm das gerade mitteilen, als ihr Blick zufällig auf ihre neuen Seidenshorts fiel. Irgendwann im Lauf des Abends musste sie etwas von ihrem Drink verschüttet haben, der prompt einen hässlichen Fleck darauf hinterlassen hatte. „Oh, nein!" jammerte sie los. „Seht euch das an! Diese Shorts haben ein Vermögen gekostet! Sie sind nagelneu, und der Fleck geht wahrscheinlich nicht mehr heraus!"

„Nicht anzunehmen", stimmte Gil McKenzie ungerührt zu.

Sein Tonfall hatte so verächtlich geklungen, dass Plum ihn misstrauisch ansah. „Was sollte das denn jetzt?"

Er unternahm gar keinen Versuch, sie zu besänftigen, und das war eine ganz neue Erfahrung für Plum. Für gewöhnlich gelang es ihr, aus Männern innerhalb kurzer Zeit lustgeschüttelte, willenlose Geschöpfe zu machen.

„Damit wollte ich sagen, dass es unweigerlich zu so etwas kommen muss, wenn man solch lächerliche, nicht strapazierfähige und unpraktische Kleidungsstücke trägt und gleichzeitig Unmengen knallbunte alkoholische Getränke in sich hineinschüttet."

„Nein, was du nicht sagst!" Plum bedachte ihn mit ihrem falschesten, bezauberndsten und aufreizendsten Kleinmädchenlächeln, das die meisten Männer völlig um den Verstand brachte. „Aber Männer sind nun mal einfach viel klüger. Diese männliche Logik ... ob das an den Hormonen liegt? Ich gestehe, so klug bin ich nicht." Plum sah jetzt die offene Antipathie in seinem Blick. Und auf einmal wurde sie wütend. Mit wesentlich klarerer, schärferer Stimme fuhr sie fort: „Nur schade, dass du nicht klug genug bist, um zu wissen, dass Frauen Alleskönner und Besserwisser nicht ausstehen können. Mehr noch, solche Typen machen uns fuchsteufelswild, und wenn wir wütend sind, zeigen wir das auch. So etwa." Sehr bedächtig nahm sie ihr Glas und schüttete Gil den Inhalt über sein Oberhemd. Die enorme Befriedigung, die sie dabei empfand, tröstete sie über den darauf folgenden Tumult und die Tatsache hinweg, dass sie kurzerhand alle drei aus der Bar geworfen wurden.

„Du bist bescheuert, Plum", stellte Justin draußen auf der Straße fest. Er war ziemlich stark betrunken. „Jetzt bekommen wir nirgends mehr einen Drink."

„Oh, doch", widersprach Plum. „Bei mir zu Hause."

„Gute Idee!" stimmte Justin zu. „Kommt, wir rufen uns ein Taxi."

Gil McKenzie war deutlich anzusehen, dass er Plum am liebsten den Hals umgedreht hätte. Natürlich versuchte er, Justin zu überreden, Plum gehen zu lassen und stattdessen heimzufahren, doch zu Plums Schadenfreude weigerte dieser sich strikt. „Du kannst ruhig gehen, alter Junge", forderte Justin ihn auf. „Mach dir um mich keine Sorgen. Notfalls kann ich immer bei Plum pennen, nicht wahr, altes Mädchen?"

„Aber sicher", bestätigte Plum mit boshaftem Grinsen. „Platz gibt es genug. Ich habe sogar ein Doppelbett." Sie hatte auch ein Gästezimmer, aber das wollte sie Gil McKenzie nicht auf die Nase binden.

„Hübsche Wohnung", lobte Justin lallend, nachdem das Taxi sie vor Plums Haus abgesetzt und Plum die Tür aufgeschlossen hatte.

„Was meinst du, Gil?" erkundigte sie sich. „Gefällt sie dir auch?"

„Sie sieht sehr teuer aus."

„Ist sie auch", bestätigte Plum. „Ein Glück, dass ich sie nicht bezahlen muss."

Seine schockierte Miene amüsierte sie, um so ärgerlicher wurde sie, als Justin neidisch sagte: „Ja, ich wünschte, meine Eltern würden mir auch so eine schicke Wohnung mieten. Du bist wirklich ein Glückspilz, Plum."

„Mein Stiefvater hat das Apartment als Geldanlage gekauft", erklärte sie lässig, doch ihre Augen wirkten plötzlich traurig. Plum war sich ziemlich sicher, dass er die Wohnung auch deshalb gekauft hatte, um sie aus dem Haus loszuwerden, das er mit ihrer Mutter und ihren gemeinsamen Kindern bewohnte. Oh, nach außenhin tat er immer, als liebte er Plum innig. Wie oft hatte sie Leute schon sagen hören, dass er wirklich ein gütiger, fürsorglicher Stiefvater sei, und tatsächlich fehlte es ihr in materieller Hinsicht an gar nichts. Nur – er hatte sie nie so umarmt wie ihre Stiefschwestern. Weder er noch ihre Mutter lächelten sie je so warm an wie die beiden anderen Mädchen. Doch schließlich war sie ja auch nicht wie ihre Stiefschwestern, nicht war? Die beiden waren brav und liebenswert, während sie schon immer ein böses, schwieriges Kind gewesen war. Sogar in der Schule hatten sie sie so genannt . . . Sie verdrängte diesen Gedanken. Ihre Eltern mochten sie vielleicht nicht, doch dafür fand sie woanders Anerkennung und Sympathie. Bei Männern . . . nun ja, bei den meisten jedenfalls. Gil McKenzie würde wohl eher der Meinung ihrer Eltern zustimmen.

„Also gut, was wollen wir trinken?" fragte sie nun. „Ich finde, ihr solltet beide nichts mehr trinken. Es reicht", wandte Gil grimmig ein.

„Ach, was, du Miesepeter", wies Plum ihn zurecht. „Komm, Justin. Dort steht die Hausbar. Lass uns mal nachsehen, was ich noch habe."

Gil McKenzie sah sich in Plums Wohnzimmer um. Es war drei Uhr nachts. Er hatte eine Woche voller wichtiger und schwieriger Geschäftsverhandlungen vor sich, und deshalb passte es ihm gar nicht, dass seine Tante ihn zum Aufpasser für seinen verdammten Cousin bestimmt hatte. Und dann hatte Justin ihn auch noch dazu gebracht, mit in die Wohnung dieser fürchterlichen Frau zu kommen . . . Seufzend blickte er zu Plum hinüber, die in völlig unbequemer Haltung im Sessel schlief. Eine Frau? Eher ein Mädchen, fast noch ein Kind. Ein Kind hätte ihn allerdings niemals derart zur Weißglut bringen können wie sie an diesem Abend; und schon gar nicht hätte ein Kind eine solch schamlos freizügige Ausstrahlung haben können. Ob Justin mit ihr geschlafen hatte? Hatten sie immer noch ein Verhältnis? Diese Vorstellung erfüllte ihn mit unerwarteter Bitterkeit, und er ärgerte sich darüber. Schließlich konnte ihm das doch vollkommen gleichgültig sein.

Justin war ebenfalls eingeschlafen, er lag laut schnarchend auf dem Sofa.

„Du brauchst nicht bei ihm Wache zu halten, ihm passiert schon nichts."

Die Unmutsfalte auf Gils Stirn vertiefte sich, als er merkte, dass Plum aufgewacht war und ihn beobachtete. „In dem Zustand bringe ich ihn nie nach Hause", stellte er schroff fest.

Plum zuckte mit den Schultern und gähnte herzhaft, wobei ihre schönen weißen Zähne sichtbar wurden. „Na und? Lass ihn doch weiterschlafen, wo er ist. Du kannst das Gästezimmer haben. Die Tür da. Es hat ein eigenes Bad, und ich kann dir sogar mit einem Schlafanzug und einer Zahnbürste aushelfen", fügte sie hinzu. Ihr Schmunzeln verriet, dass es ihr Spaß machte, ihn zu provozieren. „Ich habe so etwas und auch noch andere Dinge immer parat, für den Fall, dass ein . . . Besucher sie brauchen könnte." Sein strenger Blick besagte, dass er nicht im mindesten beeindruckt war. Plum wurde etwas nüchterner, und Gils offensichtlicher Mangel an Interesse versetzte ihr einen kleinen Stich. Nicht, dass sie sich auch nur im Geringsten zu ihm hingezogen gefühlt hätte, wie sie sich sofort energisch einredete. Schließlich gab es nur einen Mann, den sie wirklich wollte, aber wenn sie den nicht haben konnte, dann . . .

Gil wandte den Blick von ihr und stand auf. Unter halb gesenkten Lidern, die das durchtriebene Funkeln ihrer Augen verbergen sollten, betrachtete sie ihn nachdenklich.

„Wenn du dir natürlich Sorgen machst, dass es auf dem Sofa zu unbequem für Justin ist, dann könntest du ihn ja auch ins Gästezimmer bringen und bei mir in meinem Bett schlafen."

Seine eisige Miene machte sie etwas nervös. Normalerweise fielen die Reaktionen auf solche Anspielungen von ihr völlig anders aus.

„Nein, danke, ich treibe mich nicht wahllos in irgendwelchen Betten herum, und der Gedanke, ein Verhältnis für eine Nacht mit jemandem anzufangen, der das sehr wohl tut, reizt mich nicht sonderlich."

Sonst hätte eine solche selbstgerechte Bemerkung allenfalls hilfloses Gelächter bei Plum ausgelöst, doch aus einem unerfindlichen Grund fühlte sie sich jetzt plötzlich den Tränen nahe. „Ich habe dir ja auch keinen Sex angeboten", stritt sie gekränkt ab. „Das Ganze sollte bloß ein Scherz sein."

„Ein ziemlich gefährlicher Scherz", fand Gil. „Hast du je daran gedacht, in welche Gefahr du dich mit solchen Bemerkungen bringen könntest? Du bist nur eine halbe Portion, und wenn sich ein Mann plötzlich in den Kopf setzt, gegen deinen Willen mit dir zu schlafen ..."

„Mich zu vergewaltigen, meinst du?" Ein Schatten huschte über ihr Gesicht. Es hatte durchaus Männer gegeben, die etwas ... schwierig geworden waren, als sie ihnen erklärt hatte, dass sie sich wohl falschen Erwartungen hingegeben hätten. Sie hatte jedoch schon vor langer Zeit eine wirkungsvolle Methode gefunden, ihnen über ihr angeknackstes Selbstbewusstsein hinwegzuhelfen. „Nur ein perverser oder sexuell völlig frustrierter Mann würde so etwas tun", erklärte sie leichthin. „Ich vermute mal, auch du musst etwas frustriert sein, wenn du so selten Sex hast. Es sei denn natürlich, du bist noch unerfahren. Einem Mann in deinem Alter fällt es sicher schwer, einer Frau zu gestehen, dass er noch nie Sex gehabt hat."

„Ich bin weder unerfahren noch sexuell frustriert", widersprach er zähneknirschend. „Und jetzt würde ich gern etwas schlafen, falls du nichts dagegen hast!"

„Du hast sehr hohe Moralvorstellungen, nicht wahr?" beharrte Plum ungerührt. „Hat das irgendetwas mit Religion zu tun, oder ..."

„Nein, hat es nicht!" Seine Gereiztheit nahm sichtlich zu. „Ich schlafe nur einfach nicht wahllos mit jeder Frau, die mir über den Weg läuft."

„Ach so, du meinst, du hast einen nur schwach ausgeprägten Sexualtrieb. Nun, dagegen kann man aber etwas tun", versicherte Plum mitfühlend. „Du müsstest ..."

„Mit meinem Sexualtrieb ist alles in Ordnung!" fuhr Gil sie an. „Obwohl ich zugeben muss, verglichen mit deinem ..."

„Aber ich tue doch gar ..." Gerade noch rechtzeitig biss Plum sich auf die Zunge. Verblüfft erkannte sie, dass sie um ein Haar diesem Mann, der nur unfreundlich zu ihr gewesen war und den sie überhaupt nicht leiden konnte, eins ihrer bestgehüteten Geheimnisse verraten hätte. Etwas, dass sie sich bisweilen sogar selbst nicht gern eingestand ...

„Ich gehe jetzt schlafen", verkündete Gil.

Nun gut, er mochte sie also nicht. Plum zuckte mit den

Schultern. Er war ohnehin nicht ihr Typ. Sie stand auf große, gut aussehende Männer, die meisterhaft flirten konnten; Männer, die wussten, wie man ein Mädchen dazu brachte, sich rundherum wohl zu fühlen. Männer, die ihre sexy Ausstrahlung wunderbar fanden und es kaum abwarten konnten, sie zu verführen. Männer, die nur zu gern ihre eigenen Versuche, sie in Stimmung zu bringen, aufgaben und sich stattdessen bereitwillig den erfahrenen Liebkosungen ihres Mundes überließen. Es war viel besser so. Sie hatte dadurch so viel mehr Macht und Kontrolle, und das unangenehme Eindringen in ihren Körper blieb ihr auch erspart. Und hinterher waren die Männer meist noch begeisterter von ihr als vorher. Gil McKenzie wusste gar nicht, was ihm entging.

Nun, ihr konnte das egal sein. Er war genauso unerträglich selbstgerecht und missbilligend wie ihre Mutter. Plötzlich fröstelnd schlang Plum die Arme um sich und ging in ihr Schlafzimmer. Zornig wischte sie sich ein paar Tränen fort. Sie zog sich müde aus und legte sich ins Bett, doch auf einmal konnte sie nicht einschlafen. Gil McKenzies Verhalten hatte zu viele unliebsame Erinnerungen wieder heraufbeschworen. Sie zog die Schublade ihres Nachttischs auf und durchstöberte sie, bis sie das Gesuchte gefunden hatte. Der Vibrator brauchte demnächst neue Batterien, aber noch reichten sie für das, was Plum wollte. Sie fühlte sich so viel sicherer, wenn sie das tat, nicht so verwundbar und exponiert. Als ihre Mutter sie zum ersten Mal beim Masturbieren erwischt hatte, war Plum gerade vier gewesen, und sie hatte Helenas Reaktion gar nicht begreifen können. Ihr gefiel es, wenn sie sich auf diese Art berührte, es war gleichermaßen beruhigend und tröstend. Die kalte Wut und der Abscheu ihrer Mutter hatte sie so hart getroffen, dass sie danach diesen Trost noch viel intensiver gebraucht hatte. Ihre Mutter hatte ihr auf die Finger geschlagen und gesagt, was sie da getan hatte, wäre abstoßend und schmutzig. Plum hatte das damals nicht verstanden, doch selbst ihre Mutter gab inzwischen zu, dass Plum wohl nichts für ihre Sexbesessenheit könnte. Plum hatte vor Jahren einmal mit angehört, wie sie zu ihrem Stiefvater gesagt hatte, diese Veranlagung hätte sie wohl von ihrem Vater geerbt.

Sie schloss die Augen, und ihr Körper spannte sich an, als

sie den Höhepunkt erreichte und zuckend den Orgasmus erlebte. Beruhigt und entspannt drehte sie sich auf die Seite und schlief ein.

Gil schlug die Augen auf. Im Zimmer war es unerträglich heiß, seine Kehle war wie ausgedörrt, und seine Augen brannten. Er schlug das Federbett zurück und verzog das Gesicht, als er an die Ereignisse des vergangenen Abends dachte.

Er hasste Großstädte, er hasste es überhaupt, von zu Hause fort zu sein, aber das hier ... Zur Hölle mit Justin. Kein Wunder, dass seine Tante sich solche Sorgen um ihn machte. Gil konnte sich gut ihre Reaktion vorstellen, wenn Justin ihr jemanden wie Plum als zukünftige Schwiegertochter ins Haus bringen würde. Aber wahrscheinlich wäre wohl jede Mutter in dem Fall entsetzt gewesen.

Es schien außer Zweifel, dass Plum nicht den geringsten Funken gesunden Menschenverstand hatte – ganz zu schweigen von einem gesunden Selbsterhaltungstrieb. Gil musste nur daran denken, wie sie sich ihm letzte Nacht buchstäblich angeboten hatte. Was hätte sie wohl gemacht, wenn er darauf eingegangen wäre? Kümmerte sie sich denn gar nicht um die Risiken, die so etwas mit sich bringen konnte? Kümmerte sich denn niemand – um sie?

Er sah auf die Uhr. Halb sieben. Justin hatte bestimmt etwas dagegen, jetzt schon geweckt zu werden, aber Gil hatte Hunger und wollte sich frische Kleidung anziehen. Der Teufel sollte ihn holen, wenn er in diesem Treibhaus von einer Wohnung darauf wartete, bis Justin irgendwann von selbst aus seinem Rausch aufwachte. Er öffnete seine Zimmertür und seufzte, als er seinen Cousin schnarchen hörte. Die Tür zu Plums Schlafzimmer stand halb offen. Von dort aus, wo er stand, konnte er geradewegs das Bett sehen. Plum lag da, zusammengerollt wie ein kleines Kind, die Bettdecke war halb zu Boden gerutscht. Und – sie war nackt.

Gil versuchte, Plum nicht anzusehen, als er näher trat, um die Tür zu schließen. Doch dann erschauerte sie, bewegte sich im Schlaf, als suchte sie nach der wärmenden Decke. Gil war es schleierhaft, wie jemand bei der Hitze in der Wohnung frieren konnte, dennoch reagierte er spontan und ging, um die Decke aufzuheben. Dabei fiel der Vibrator auf den

Fußboden. Er warf nur einen unwilligen Blick darauf, dann wandte er sich dem Bett zu und wollte Plum zudecken.

Sie schlief jedoch nicht mehr ... „Du hast deine Meinung also geändert“, schnurrte sie behaglich. „Hmmm ... gut! Ich finde auch, Sex am frühen Morgen ist immer am schönsten.“ Weil normalerweise der jeweilige Mann es eilig hatte, zur Sache zu kommen und danach zu verschwinden. „Komm und lass mich dir etwas zeigen, was dir sicher viel Spaß machen wird!“ lud sie ihn ein und klopfte neben sich auf die Matratze. Als sie sich genüsslich vor seinen Augen ausstreckte, fiel Gil auf, dass ihr Körper unerwartet sinnlich, weich und feminin war. Jetzt fuhr sie sich in einer eindeutigen Geste mit der Zungenspitze über die Lippen und richtete den Blick ganz gezielt auf seinen Schritt.

Nachdem ihn zwar zunächst eine gänzlich ungewollte, spontane Reaktion darauf durchzuckte, wurde er allerdings plötzlich so wütend, dass er nur mit Mühe sein Bedürfnis unterdrückte, Plum zu packen und zu ohrfeigen.

„Was ist?“ fragte sie. „Mach dir keine Gedanken, wenn du noch nicht steif bist. Ich verspreche dir, das wird sich sehr bald ändern.“

Im Wohnzimmer hörte man Justin husten. Plum sah, wie Gil sich wortlos umdrehte und den Raum verließ. Der Mann war ganz offensichtlich impotent, geschlechtslos. Na und? Das war sein Problem, nicht ihres. Sie warf den Kopf in den Nacken und unterdrückte den Anflug von Panik, der in ihr aufzusteigen drohte. Schließlich war für sie nur eins von Bedeutung – sie musste endlich einen Weg finden, um Bram zu verstehen zu geben, wie sehr sie ihn liebte. Es hatte ihr wirklich einen Schock versetzt, ihn mit dieser Frau zu sehen. Wer war sie? Seit wann kannte sie Bram schon? Wie ernst war es ihm mit ihr? Stellte sie eine ernst zu nehmende Bedrohung dar? Wusste Jay von ihr?

Wenn sie sich sehr angestrengt auf Bram konzentrierte, dann konnte sie fast die Stimmen aus dem Wohnzimmer ignorieren und das Gefühl ausschalten, das Gil McKenzie mit seiner Abfuhr in ihr ausgelöst hatte. Fast.

9. KAPITEL

„Kein Interesse?“ fragte Oliver St. Charles seine Tochter mitfühlend, als sie stirnrunzelnd den soeben geöffneten Brief überflog.

„Doch, schon ... Bram Soames ist mit einem Interview zwar einverstanden, aber zuerst soll ich seiner PR-Abteilung genauer von meinem Projekt erzählen. Wahrscheinlich, damit die dann ablehnen können, wenn sie der Meinung sind, dass ich ihn zu sehr damit nerve.“

„Und? Wirst du das tun?“ erkundigte Oliver sich belustigt.

Fate bedachte ihn mit einem tadelnden Blick. „Das kommt ganz darauf an. Du weißt, worauf ich mit meiner Arbeit hinaus will, Dad. Ich will eine ehrliche Abhandlung darüber schreiben, wie sehr finanzieller Erfolg und Macht mit wahrem Glück gleichzusetzen sind; nicht nur für die Betroffenen selbst, sondern auch für die Menschen in ihrer engsten Umgebung.“

„Hm. Wenn du das erreichen willst, musst du dich darauf verlassen können, dass die Befragten dir wirklich ehrlich antworten.“

„Nicht unbedingt. Ich bin durchaus imstande, meine eigenen Schlussfolgerungen zu ziehen.“

„Die sehr wohl von deinen Vorurteilen beeinflusst sein können“, gab ihr Vater zu bedenken.

Fate verzog das Gesicht.

Mit einundzwanzig war sie eine außergewöhnlich reife junge Frau mit so solider, ausgeglichener Lebenseinstellung, dass die St. Charles‘ oft von Freunden beneidet wurden, deren Sprösslinge sich nicht ganz so viel versprechend entwickelt hatten. Fate selbst war auf die Idee gekommen, weiterhin in ihrem Elternhaus zu wohnen, während sie an der Abschlussarbeit für die Universität schrieb. Nicht etwa aus finanziellen Gründen, im Gegenteil, sie bestand unnachgiebig darauf, etwas zum Haushalt beizusteuern. Vielmehr hatte sie ihren Eltern freudestrahlend erklärt, dass es nichts und niemanden gab, wo und bei wem sie lieber gewohnt hätte. Oliver war klar, dass sie mit ihrem einzigen Kind wirklich den ganz großen Glückstreffer gezogen hatten. Sie liebten sie nicht nur, weil sie nun mal ihre Tochter war, sondern auch als eigenständigen Menschen. Und das beruhte auf Gegenseitigkeit.

Rein äußerlich sah Fate ihren Eltern, die beide blond waren, gar nicht ähnlich. Oliver war groß und langgliedrig, während Caroline eher zierlich und klein war. Fate wiederum überragte ihre Mutter fast um einen Kopf. Während sie die Größe möglicherweise von ihrem Vater geerbt haben konnte, war nicht ersichtlich, von wem sie den zarten, sehr weiblichen Knochenbau und das schmale, klassisch geschnittene Gesicht hatte. Dazu kam das ungewöhnlich dichte dunkelrote Haar, dessen Struktur und Farbe ebenso leuchtend und Leben sprühend wirkten wie Fate selbst.

Ja, Fate leuchtete, anders konnte Oliver es nicht beschreiben. Jedes Mal, wenn er seine Tochter betrachtete, empfand er eine geradezu berauschende Mischung aus Liebe und Stolz; Liebe zu ihr und Stolz darauf, dass er ihr Vater war. Darüber hinaus war sie im Studium sehr erfolgreich, und so freute es Oliver natürlich, dass sie die Fähigkeit hatte, ihr Leben nicht nur geistig, sondern auch materiell zu bereichern. Am meisten freute ihn jedoch die Tatsache, dass sie eine Frau war. Und dass er sie nie im Stich gelassen hatte, trotz seiner häufigen Befürchtung, genau das könnte ihm passieren.

Olivers Hintergrund war außergewöhnlich maskulin geprägt. Vater einer Tochter zu sein, nachdem man ihm ein Leben lang beigebracht hatte, Männer seien das überragendere Geschlecht, hatte ihn dazu gezwungen, sich mit seinen eigenen Vorurteilen auseinander zu setzen. Als Fate geboren wurde, hatte er sie selbstverständlich geliebt, aber sie war eben ein Mädchen gewesen und kein Junge. Doch als er sie dann in den Armen gehalten hatte, war in ihm eine solche Liebe zu ihr und ein solcher Zorn auf sich selbst erwacht, dass er sich geschworen hatte, diesem kleinen weiblichem

Wesen, seiner Tochter, niemals das Gefühl zu geben, sie sei nur zweite Kategorie.

„Ich möchte sie so erziehen, dass sie stolz darauf ist, eine Frau zu sein“, hatte er am Tag der Taufe zu Caroline gesagt. „Ich möchte, dass sie mit sich selbst rundum zufrieden ist.“ Er war auch derjenige, der den Namen ausgesucht hatte. Caroline hatte anfangs Einwände gehabt, weil sie befürchtete, Fate könnte eines Tages von anderen Kindern wegen ihres ungewöhnlichen Namens gehänselt werden. Diese Sorgen hätte sie sich nicht zu machen brauchen.

Fate hatte von klein auf andere Kinder magisch angezogen; doch selbst als Kind hatte sie diese Gabe nicht ausgenutzt. Sie war eher noch vorsichtiger und wählerischer in der Wahl ihrer Freunde geworden. Daraufhin hatte Caroline ein wenig Angst gehabt, dass Fates ungewöhnliche Willenskraft und Zielstrebigkeit eines Tages dazu führen könnten, dass sie andere Menschen manipulierte. Doch auch diese Bedenken waren grundlos geblieben. Junge Männer fanden Fates Aura von Unabhängigkeit und Selbstbewusstsein entweder von vorneherein abschreckend oder sehr herausfordernd. Carolines Befürchtungen bezüglich der emotionalen Zukunft ihrer Tochter hatten auch eher darin bestanden, dass Fate auf Grund ihrer Weichherzigkeit irgendwann an jemanden geraten könnte, der so schwach und abhängig war, dass er von ihrer gefühlsmäßigen Stärke zehren wollte, statt ihrer Kraft etwas Gleichwertiges entgegenzusetzen.

Caroline und Oliver führten eine sehr glückliche Ehe, sie liebten sich noch immer genauso wie am Anfang ihrer Beziehung. Dennoch war Caroline klar, dass sie einfach Glück miteinander gehabt hatten. Sie wollte, dass Fate einmal ein ähnliches Glück erlebte, war gleichzeitig aber auch froh, dass ihr einziges Kind es noch nicht eilig damit hatte, sich fest zu binden. Fate besaß einen großen Freundeskreis und hatte ständig irgendetwas vor.

„Warum können die Menschen bloß nicht begreifen, wie wichtig es ist, sein Leben zu genießen und es nicht einfach nur zu leben?“ beklagte sie sich oft bei ihren Eltern.

„Vielleicht, weil sie nicht so ungeheuer scharfsinnig und intelligent sind wie du“, neckte ihr Vater sie dann meist.

„Man muss nicht intelligent sein, um erkennen zu können, dass das Leben auch Spaß beinhalten sollte", hatte sie gekontert. „Sonst könnten wir ja gleich alle wie Hühner in einer Legebatterie unser Dasein fristen."

„Manche Menschen finden ihre Selbstachtung in ihrer Arbeit", hatte Oliver ihr zu bedenken gegeben. „Ohne ihre Arbeit fühlen sie sich unsicher. Sie brauchen sie, um sich besser definieren zu können, sie brauchen die gesellschaftliche Stellung und den Sinn, den die Arbeit ihrem Leben verleiht."

„Ja, ich weiß, aber merkst du nicht – genau das ist so falsch an unserem heutigen System!" hatte sie heftig aufbegehrt, „Von klein auf wird einem eingeimpft, dass nur materieller Aufstieg und Wachstum einen Wert hat; innere Größe, das, worauf es wirklich ankommt, wird völlig vernachlässigt. Genau das ist das Thema meiner Abschlussarbeit", hatte sie ihren Eltern erklärt. „Ob materieller Reichtum, Ansehen und Erfolg einen Menschen wirklich glücklich machen? Ich glaube es nicht."

„Ich befürchte, dass die wenigsten, die du befragen wirst, dir darin zustimmen", hatte Oliver sie gewarnt, als sie ihm berichtete, was sie vorhatte. Sie hatte mehr als zwanzig Leute angeschrieben, die auf die eine oder andere Art in den Augen der Öffentlichkeit zu Wohlstand und Erfolg gelangt waren. Bisher hatten sich fünf geweigert, von ihr interviewt zu werden. Bram Soames war der Erste, der sich bereit erklärt hatte, sich mit ihr zu treffen. Beziehungsweise ihr zu gestatten, sich mit seiner PR- Abteilung zu unterhalten. War es daher verwunderlich, dass sie nicht allzu optimistisch im Hinblick auf ihre Chance war, den Mann selbst befragen zu können? Ihre Mutter hingegen zeigte sich wesentlich begeisterter und zuversichtlicher, als Fate ihr den Brief zu lesen gab.

Während Fate sie beim Lesen beobachtete, fragte sie sich, ob ihre Mutter wohl ebenso erfreut gewesen wäre, wenn sie gewusst hätte, welche Auseinandersetzungen Fate mit ihrem Tutor wegen des Themas ihrer Arbeit gehabt hatte.

„Was erhoffst du dir eigentlich davon?" hatte er sie gefragt. „Du willst die Fundamente einer Welt untergraben, in der du leben musst. Die Sache wird dich nicht unbedingt beliebt machen."

„Das will ich auch gar nicht“, hatte Fate widersprochen. „Ich will nur ...“

„Du willst nur das Oberste zuunterst drehen, um zu beweisen, wie klug du bist!“ hatte er sie aufgezogen.

Für Fate war es reine Zeitverschwendung gewesen, mit ihm zu streiten. Sie kannte den wahren Grund des Problems. Vor einem halben Jahr hatte er ihr mitgeteilt, dass er mit ihr schlafen wollte. Sie hatte ihm geantwortet, dieser Wunsch stieße nicht auf Gegenliebe. Er war nicht der Typ Mann, der sie danach unter Druck gesetzt hätte, dennoch war er es nicht gewohnt, sich eine Abfuhr zu holen und das Ganze hatte ihm gar nicht gefallen. Fate ließ das ziemlich ungerührt. Intellektuell bewunderte sie ihn, körperlich fand sie ihn nichts sagend. Wie sie ihrem Vater damals erklärt hatte: „Der Teufel soll mich holen, wenn ich mit ihm ins Bett gehe, nur um eine bessere Zensur zu bekommen.“ Ihr Vater war natürlich entsetzt gewesen und hatte scharfe Kritik an einem System geäußert, das solche Formen von Machtmissbrauch zuließ.

Seine Naivität hatte Fate gerührt. Als er und ihre Mutter heirateten, hatte er noch keinen akademischen Abschluss gehabt. In den ersten Jahren ihrer Ehe, nach ihrer Rückkehr aus Australien, hatte er jede Arbeit angenommen, die er finden konnte, um für ihren Lebensunterhalt sorgen zu können. Nachts hatte er dann studiert.

Als er beim Umbau eines Hauses mitgeholfen hatte, war er eines Tages mit dem Hausbesitzer ins Gespräch gekommen. Der wiederum war so beeindruckt von ihm gewesen, dass er ihm eine Stelle angeboten hatte. Da sich Henry Lewis‘ Firma in Oxford befand, war es ratsam gewesen, dass ihr Vater, der frisch gebackene Verkaufsleiter – inzwischen war er Geschäftsführer – nach Oxford übersiedelte. Fate konnte sich noch an die aufgeregten, geflüsterten Unterhaltungen ihrer Eltern spät abends erinnern, wenn sie geglaubt hatten, dass ihre Tochter schlief. Sie hatte nie richtig verstanden, weshalb ihre Eltern so gegen diesen Umzug gewesen waren. Auch hatte es sie überrascht, dass ihre Mutter, die immer von einem großen alten Haus geträumt hatte, plötzlich ihre Meinung geändert und zugestimmt hatte, in eine brandneue Villa zu ziehen, die in einer ziemlich anonymen Siedlung mehrere Meilen außerhalb der Stadt lag. Sicher, die Siedlung befand sich am Rande eines wunderhübschen Dorfes und umfasste nicht mehr als sechs in gutem Abstand zueinander liegende Häuser. Außerdem hatte ihre Mutter mit ihrem ausgeprägten Sinn für Geschmack im Lauf der Jahre ein wirkliches Zuhause daraus gemacht. Dennoch hatte Fate sich oft gefragt, weshalb sich ihre Mutter nicht für ein Haus entschieden hatte, das ihren früheren Traumvorstellungen mehr entsprach.

Nun, jedenfalls war es jetzt ihr Zuhause, und Fate war gern in die Schule am Ort gegangen. Später dann, als sie die Universität in Oxford besuchte, hatten ihre Kommilitonen oft Mitgefühl bekundet, weil sie immer noch zu Hause wohnen musste und kein so freies, unabhängiges Leben führen konnte wie sie. Darüber jedoch hatte Fate nur lachen können. Sie kam blendend mit ihren Eltern aus, sie lebte gern mit ihnen zusammen, und sie respektierten auch ihren Wunsch nach Unabhängigkeit. Es stand ihr völlig frei, Männerbesuch zu empfangen, wenn sie das wünschte. Die kleine Wohnung, die ihr Vater ihr über der Garage angebaut hatte, verfügte über einen separaten Eingang. Was Fate unter anderem mit am meisten an ihren Eltern schätzte, war deren unkomplizierte, natürliche Einstellung zur Sexualität, zu Fates und zu ihrer eigenen.

„Sex“, hatte ihre Mutter einmal gesagt, als sie über dieses Thema gesprochen hatten, „ist etwas sehr Schönes und etwas sehr Verantwortungsvolles. Und die größte Verantwortung trägst du dabei für dich selbst“, hatte sie sanft hinzugefügt. „Nur du kannst beurteilen, was für dich selbst das Beste ist. Das Schlimmste, was du tun kannst, ist anderen und vor allem dir selbst etwas vorzumachen, wenn es um deine wahren Gefühle und Bedürfnisse geht. Die Natur hat dir durch deinen Körper und deine Gefühle die Fähigkeit geschenkt, großes Glück und Vergnügen zu empfinden. Du hast ein absolutes Recht auf beides. Gestatte nie einem Menschen, dir das streitig zu machen. Und ein Partner, der dein Recht auf diese Empfindungen nicht begreift oder zu schätzen weiß, *wird* sie dir verderben. Wenn du Sex haben möchtest, sollte nur eins für dich zählen – nämlich, dass du das wirklich willst. Und versuche immer, dich zu fragen, warum du es willst.“

Sie hatte Fate liebevoll über die Wange gestrichen. „Dein

Vater und ich wünschen uns in erster Linie für dich, dass du stets stolz darauf bist, eine Frau zu sein, und weißt, dass du als Frau jedes Recht hast, deine Sexualität zu genießen und zum Ausdruck zu bringen. Leider teilen nicht alle diese Auffassung. Es wird immer Männer und Frauen geben, die sich durch ungezwungene Sexualität so bedroht fühlen, dass sie meinen, sie mit aller Macht unterdrücken zu müssen. In deinem Leben werden dir viele solcher Menschen begegnen, Fate. Menschen, die aus welchem Grund auch immer versuchen werden, dir ihre Ansichten aufzuzwingen und dich zu beherrschen. Lass das nicht zu."
Erst jetzt, als erwachsene Frau, war Fate richtig imstande, diesen Rat ihrer Mutter zu bewundern und zu schätzen. Und nicht nur das, sondern auch die Art, wie ihre Eltern sich bemüht hatten, ihr diese Ansichten immer wieder vor Augen zu halten. Fate hatte Freunde, deren Eltern eine sehr offene Einstellung zu Sex hatten; und sie hatte Freunde, deren Eltern am liebsten abgestritten hätten, dass es so etwas wie Sexualität überhaupt gab. Kein einziger ihrer Freunde jedoch hatte Eltern, die ihren Kindern so entschlossen und vehement beigebracht hatten, stets ihren eigenen Wert zu erkennen und sich davor zu hüten, dass ihre Sexualität und ihre Emotionen von anderen ausgenützt wurden. Die ihren Kindern einen so starken Glauben an sich selbst mitgegeben hatten.

Fate wusste nicht, ob sie ohne diese wertvolle Hilfe ihrer Eltern imstande gewesen wäre, ihre erwachende Sexualität so bewusst und genussvoll zu erleben. Lange, ehe sie das erste Mal mit einem Jungen geschlafen hatte, hatte sie sich vorgenommen, dass dies eine schöne Erfahrung werden würde. Und so war es dann auch gewesen.

Sie und Nick, ihr erster Liebhaber, hatten sich aufrichtig gemocht, ja sogar geliebt, so weit das bei ihrer Jugend möglich war. In den zwei Jahren, in denen sie zusammen gewesen waren, hatten sie ein ausgefülltes, Körper und Seele gleichermaßen befriedigendes Sexualleben gehabt. Es hatte leidenschaftliche Ekstase gegeben, aber auch viel Gelächter über völlig danebengeratene gewagte Experimente auf dem Gebiet. Nick war am Boden zerstört gewesen, als sie ihm freundlich mitteilte, es sei aus. Er hatte protestiert, er liebte sie doch und wollte sie heiraten. Das war inzwischen vier Jahre her. Vor ein paar Monaten hatte ihn Fate plötzlich zufällig in Oxford wieder gesehen. Er war braun gebrannt gewesen und war wesentlich attraktiver und vor allem männlicher geworden. Als er sie entdeckt hatte, war ein strahlendes Lächeln über seine Züge geglitten; er hatte die Leute, mit denen er zusammen war, einfach stehen gelassen, war auf sie zu gelaufen und hatte sie fest umarmt und liebevoll geküsst.

Sie hatten den Abend miteinander verbracht, in Erinnerungen geschwelgt und über ihre jeweiligen Zukunftspläne gesprochen. Gegen Ende des Abends hatte Nick nach ihrer Hand gegriffen und gesagt: „Du hattest Recht damals. Es war Zeit für uns, uns zu trennen, damit wir erwachsen werden konnten. Trotzdem, es ist merkwürdig. Wenn man einmal eine fantastische sexuelle Beziehung gehabt hat, mag man sich irgendwie nie wieder mit weniger zufrieden geben. Geht dir das auch so?“

„Oh, ja.“ Fate nickte.

„Und wir hatten tollen Sex.“

„Das kann man wohl sagen“, stimmte sie lächelnd zu.

„Wie wär‘s? Noch einmal? Sozusagen in Erinnerung an alte Zeiten?“

Fate schüttelte lachend den Kopf.

„Gibt es da einen anderen?“ wollte Nick wissen.

„Nein.“ Im letzten Jahr hatte es jemanden gegeben, doch er hatte angefangen, sie zu sehr einzuengen, und so hatte sie sich wieder von ihm getrennt. Zum Teil bedauerte sie, dass ihr dadurch zweifellos rein sexuell etwas entgangen war, aber sie wusste auch, dass sie ihm gefühlsmäßig nicht viel hätte entgegenhalten können.

„Zu beschäftigt mit deinem Studium, wie?“ zog Nick sie auf.

„Zugegeben, mein Studium ist mir sehr wichtig“, gab Fate ehrlich zu. „Doch das Gleiche gilt auch für meine Beziehungen.“

„Du scheinst also den Richtigen noch nicht gefunden zu haben, stimmt‘s?“ Ein trauriger Ausdruck war in Nicks Augen getreten, und das hatte Fate gerührt. Wie sie sich widerwillig eingestehen musste, war die Versuchung groß. Nick war ein ausgesprochen attraktiver Mann, und sie wusste noch sehr genau, dass er ein guter Liebhaber war.

Wäre er ein ganz Fremder irgendwo draußen auf der Straße gewesen, hätte sie wahrscheinlich auch ganz spontan Lust auf ihn gehabt. Wie kam es nur, dass Männer glaubten, nur sie wären dazu fähig, spontan Lust zu empfinden? Oder glaubten sie, nur sie hätten das Recht, ein solches Gefühl zum Ausdruck zu bringen?

„Wenn dir ein Mann sagt, er sei scharf auf einen richtig guten Fick, dann ist das ganz in Ordnung", hatte sich neulich eine Freundin von ihr beklagt. „Aber wehe, du als Frau sagst das zu einem Mann! Männer geraten dann sofort in Panik."

„Das geht alles auf ein urzeitliches Trauma zurück", hatte Fate belustigt geantwortet.

„Ach, ja? Und zwar?"

„Sie können nicht vergessen, wie schrecklich es war, als sich der Auerochse plötzlich umdrehte und Jagd auf *sie* machte!" Sie hatten schallend gelacht und dadurch das Interesse einiger Männer am Nebentisch auf sich gezogen. Auf ihre neugierigen, prüfenden Blicke hatte Fate mit einem ebenfalls sehr direkten, abschätzenden Blick reagiert.

„Was muss ein Mann eigentlich haben, damit er dir gefällt?" hatte ihre Freundin gefragt, nachdem Fate die Einladung der Männer zu einem Drink ausgeschlagen hatte. „Der große Blonde sah hinreißend aus, und er hatte einen knackigen Hintern."

Fate hatte in gespieltem Entsetzen die Augen verdreht. „Ist das alles, was dich bei einem Mann anmacht? Ein knackiger Hintern?"

„Nun ja, für den Anfang ist es kein so schlechtes Kriterium", hatte ihre Freundin sich verteidigt.

„Hm, vielleicht", gab Fate grübelnd zu. „Aber ich persönlich . . ."

„Ja?"

Fate schüttelte nur lächelnd den Kopf.

„Ach was, du willst das Unmögliche", schalt ihre Freundin. „Du bist Perfektionistin. Aber Männer sind anders. Sie sind nicht wie wir, sie haben nicht unser Bedürfnis, begehrt und anerkannt zu werden."

„Dann wird es vielleicht Zeit, dass sie damit anfangen – oder dass wir damit auf hören." Fate verschwieg wohlweislich, dass die Anerkennung eines Mannes wahrscheinlich das Letzte war, was sie brauchte. Und das wiederum hatte sie zum Glück wohl ihren Eltern zu verdanken.

„Es ist ganz wichtig für dich zu verstehen, dass nicht jeder Mann, dem du begegnest, auf dieselbe Art empfindet wie du“, hatte Caroline einmal zu ihr gesagt. „Und manchmal tappen selbst die intelligentesten Frauen in die Falle zu glauben, dass sie, nur weil ein Mann ihnen sagt, dass er sie liebt, diese Gefühle unbedingt erwidern müssen, weil sie sich irgendwie für die Beziehung und ihn selbst verantwortlich fühlen.“ Während sie das noch sagte, hatte Fate gesehen, wie ein Schatten über das Gesicht ihrer Mutter gehuscht war, und wie ihr Vater die Stirn runzelte. Fate war völlig verwirrt gewesen, weil plötzlich eine so große emotionale Spannung im Raum gelegen hatte. Ganz sicher konnte es nicht um eine frühere Beziehung ihrer Mutter gehen; soweit Fate wusste, waren beide nie mit einem anderen Partner zusammen gewesen.

In Anbetracht der sonst so ungewöhnlichen Offenheit, die zwischen ihnen dreien herrschte, verhielten sich Fates Eltern überraschend verschlossen, wenn es um ihre eigene Jugend ging, vor allem Fates Mutter. Beide hatte keine Angehörigen mehr, eine Tatsache, die sie, wie Fate vermutete, womöglich noch enger zusammengeschweißt hatte. Beide hatten mit Anfang zwanzig ihre Eltern verloren, doch obwohl Fate sich manchmal ausmalte, wie es wohl sein würde, eine große Verwandtschaft zu haben, belastete sie das nicht weiter. Schließlich ging es ihr viel besser als so manchen anderen Kommilitonen, denn ihre Eltern waren nicht nur zusammen, sie führten auch eine ungemein liebevolle, glückliche Ehe.

Hastig überflog Fate den Brief noch einmal. Sie würde bald anrufen und einen Termin ausmachen müssen, doch das hatte Zeit bis zum nächsten Morgen. Sie wollte nicht zu übereifrig wirken.

„Was heckst du denn nun schon wieder aus?“ fragte ihr Vater.

„Gar nichts.“ Fate lachte.

Amüsiert sah ihr Vater ihr nach, als sie halb laufend, halb tänzelnd aus dem Zimmer eilte. Sie besaß wirklich eine überwältigende Mischung aus Charme und Selbstvertrauen, und das würde wahrscheinlich im Laufe der Jahre noch stärker werden. Der Mann, an den sie sich einmal binden würde, musste schon über herausragende Qualitäten verfügen, um mit ihr mithalten zu können, und das sagte sich Oliver nicht nur als stolzer Vater.

Es gab Zeiten, in denen er sich, wie jeder Vater, Sorgen um sie machte; in denen er Angst hatte, ihre Lebensfreude und ihr Selbstvertrauen könnten eines Tages durch Schmerz und Verlust überschattet werden. Andererseits war ihm aber ebenso klar, dass Fate ein paar Erfahrungen sammeln musste, ehe sie zu einer wirklich echten Gefühlstiefe gelangen konnte. Eines Tages würde sie sich Hals über Kopf und unwiderruflich verlieben, und dann ...

Er und Caroline führten eine vollkommene Ehe. Er hoffte, Fate möge irgendwann ein ähnliches Glück finden. Aber Fate war eben nicht wie sie beide. Ihre Persönlichkeit ...

Eine irgendwo im Haus zuschlagende Tür riss ihn aus seinen Grübeleien.

„Was soll das heißen, die Qualität des Videos ist zu dürftig, als dass Sie etwas daraus machen könnten?" brauste Jay wütend auf. Neun verdammte Tage hatte sie ihn letztlich warten lassen. Sie war entweder seinen Bitten um Rückruf nicht nachgekommen, oder sie hatte Ausflüchte benutzt, wenn er sich nach dem Stand der Dinge erkundigt hatte. Und jetzt das!

Draußen war es angenehm warm, noch herrschte nicht die brütende Sommerhitze, die diejenigen Einwohner, die es sich leisten konnten, zu ihren Sommerhäusern in den Hamptons Zuflucht nehmen ließ. Im Studio gab es natürlich eine Klimaanlage, dennoch kochte Jay beinahe vor Wut; auf seinen Wangenknochen zeichneten sich rote Flecken ab. Bonnie blieb ungerührt. Jay ahnte, dass ihr das Ganze auch noch Spaß machte, und ein zorniges Funkeln trat in seine Augen.

Bonnie sah es und amüsierte sich in der Tat. Seine Reaktion auf ihre Mitteilung bestätigte ihren Verdacht. Wenn man so lange in diesem Geschäft war wie sie, dann bekam man allmählich ein Gespür für ... gewisse Dinge. Schon als sie sich das Video zum ersten Mal angesehen hatte, war ihr klar gewesen, dass sich hinter Jays Auftrag kein gesundes sexuelles Motiv verbarg. Sie hatte sogar einen Anflug von Mitgefühl für das Mädchen empfunden, das, obwohl es den selbst herbeigeführten Orgasmus offensichtlich genoss, dennoch einen irgendwie verlorenen Augenausdruck gehabt hatte. Bonnie fragte sich, was dieser Mann in Wirklichkeit für eine Beziehung zu dem Mädchen haben mochte. Ihn danach zu fragen war sicher zwecklos, er würde ihr wohl kaum die Wahrheit sagen.

„Sie meinen, Sie haben mich über eine Woche lang warten lassen, nur um mir jetzt zu sagen, dass Sie meinen Auftrag nicht erledigt haben?“

„Nicht erledigen konnte“, verbesserte Bonnie ihn sanft. „Für so etwas braucht man nun einmal Zeit. Erst dachte ich ...“ Sie zuckte mit den Schultern. „Doch dann war es nicht so einfach, wie ich geglaubt hatte, mit dem Originalvideo zu arbeiten, und nachdem es dann auch noch beschädigt wurde ...“

„Beschädigt?“ brauste Jay drohend auf.

„So etwas kommt leider manchmal vor“, erklärte Bonnie, sein Zorn beeindruckte sie in keiner Weise. „Natürlich haben wir es, so gut es ging, versucht zusammenzuflicken, aber ...“ Sie hob die Hände. „Dieses Risiko besteht immer, wenn man mit Amateurvideos arbeitet.“

„Ein Risiko, das Sie bedauerlicherweise zu erwähnen vergessen haben, als ich Ihnen den Auftrag erteilte!“ stieß Jay zähneknirschend hervor.

Bonnie betrachtete ihn spöttisch. „Verklagen Sie mich doch“, forderte sie ihn auf.

Jay schäumte noch immer vor Wut, als er zehn Minuten später das Gebäude verließ. Immer wieder war er von dieser Frau hingehalten worden, und nun musste er erfahren, dass sie nicht nur seinen Auftrag nicht erledigt, sondern offenbar auch noch das Originalvideo ruiniert hatte. „So etwas kann vorkommen“, hatte sie kaltschnäuzig gesagt, als sei das eine Erklärung! Nun, ihm passierte so etwas nie, und er hätte wetten können, ihr auch nicht. Aber selbst wenn sie das Band absichtlich beschädigt hatte, konnte er nichts dagegen unternehmen – und sie wusste das. Hart presste er die Lippen aufeinander. Erst die Sturheit seines Vaters bezüglich des Abschlusses mit den Japanern, und nun auch noch das.

Sein Vater. Seine Miene verfinsterte sich, und er wich geistesabwesend der Bettlerin aus, die sich ihm genähert hatte und ihn nun mit einer Flut wüstester Beschimpfungen überschüttete.

Jetzt hielt ihn nichts mehr in New York. Er hatte gehofft, dass seine relativ lange und nicht weiter begründete Abwesenheit seinen Vater wenigstens insofern beunruhigt hätte, dass dieser Kontakt zu ihm aufgenommen und sich nach seinem Verbleib und seinem Tun erkundigt hätte. Schon als Junge hatte Jay gelernt, dass dieser Trick außerordentlich gut funktionierte. Ein schweigender Rückzug in sein Schlafzimmer und die Weigerung, Bram zu erklären, was ihn bedrückte, hatte unweigerlich stets zur Folge gehabt, dass sein Vater ihm gefolgt war und geduldig versucht hatte, mit ihm zu reden. Dieses Mal jedoch fand er, Bram habe merkwürdig wenig Anteil an seinem Verschwinden genommen.

Vielleicht war es gar keine schlechte Idee, ihn kurz anzurufen und anzudeuten, dass er womöglich seinen Besuch in New York ausdehnen würde, weil er sich hier so blendend amüsierte. Da der achtzehnte Geburtstag seiner heiß geliebten Plum näher rückte, würde Bram wohl alles unternehmen, um ihn zur Heimkehr zu bewegen. Jay lobte sich für seine Gewieftheit, die ihm so leicht keiner nachmachte, und eilte zurück in sein Hotel.

„Was soll das heißen, Mr. Soames Senior ist nicht zu sprechen?“ fragte Jay das Mädchen am anderen Ende der Leitung zornig. Wer, zum Teufel, war sie überhaupt? Offensichtlich erkannte sie seine Stimme nicht, und er glaubte, auch ihre noch nie gehört zu haben. Wo war Marcia, die Sekretärin seines Vaters? Jay blickte auf seine Uhr. „Hören Sie, wenn er in einer Besprechung ist, können Sie . . .“

„Nein, er ist nicht in einer Besprechung“, teilte ihm die Stimme ruhig mit. Es war halb sechs, um fünf hätte die junge Frau eigentlich Feierabend gehabt. Um sieben wollte sie sich mit ihrem Freund treffen, und sie hatte keine Lust, zu spät zu kommen. Sie hatte keine Ahnung, wer der wütende Mann am anderen Ende war, sie wollte ihn nur so rasch wie möglich abwimmeln.

„Wo steckt er denn dann, zum Teufel?“ tobte Jay. „Falls er zu Haus ist . . .“

„Nein, auch zu Hause ist er nicht“, unterbrach ihn die junge Frau. „Es ist so, dass er gerade mit Miss Fielding zusammen ist, und er hat strikte Anweisung gegeben, dass er nicht durch Anrufe gestört werden will." Fast hatte sie ein schlechtes Gewissen, weil es ihr solchen Spaß machte, dem arroganten Anrufer diese Auskunft zu geben. Normalerweise war sie nie so unhöflich.

Jay war so perplex, dass er einen Moment lang schwieg. Sein Vater gab nie Anweisung, dass er nicht gestört werden wolle. Er war einfach nicht der Typ dazu, und das passte auch nicht zu der Art, wie er seine Firma leitete. Und wer, zum Donnerwetter, war Miss Fielding? Jay fing an zu schwitzen, obwohl er innerlich fror. Ein Bild aus seiner Kindheit schoss ihm plötzlich vor Augen. Als kleiner Junge hatte er einmal vor der Tür gestanden und mit angehört, was Helena zu seinem Vater gesagt hatte. „Du musst es ihm sagen, Bram. Er muss lernen, dass es noch andere Menschen in deinem Leben gibt, die dir etwas bedeuten. Das bist du dir selbst schuldig ..." Jay gab sich einen Ruck, und das Bild war fort. Geblieben jedoch war die wilde, zerstörerische Wut in seinem Innern.

„Jetzt hören Sie mir mal zu, und zwar ganz genau", sagte er eisig und betont langsam. „Ich will meinen Vater sprechen, und zwar auf der Stelle. Es ist mir verdammt egal, ob er nicht gestört werden will, und es ist mir ebenso egal, mit wem er gerade zusammen ist. Von mir aus kann er mit Miss Fielding herumbumsen, ich will ihn trotzdem sprechen! Und jetzt stellen Sie mich gefälligst durch, oder ... !"

Die junge Frau hielt schockiert den Atem an. In der kurzen Zeit, die sie in der Firma arbeitete, hatte sie schon eine Menge über Jay gehört, doch auf einen solchen Wutausbruch war sie nicht gefasst gewesen.

Sie war ein nettes Mädchen, sie neigte zu Tagträumereien und las leidenschaftlich gern Liebesromane, weil diese immer ein so schönes Happy End hatten. Nun wusste sie zwar, dass im wirklichen Leben Beziehungen nicht immer so rosig verliefen. Doch die wenigen Male, die sie Jay flüchtig von weitem im Betrieb hatte herumlaufen sehen, unwahrscheinlich männlich und sinnlich aussehend, da hatte sie insgeheim Phantasien um ihn gesponnen, die sie wohl nicht einmal ihrer engsten Freundin anvertraut hätte. Jetzt war sie auf einmal wieder mit der Realität konfrontiert worden, und ihre Wangen begannen zu glühen. Nicht nur wegen Jays ungerechtfertigter Wut, sondern auch, weil sie selbst so naiv gewesen war. Normalerweise hätte sie sich auf der Stelle dafür entschuldigt, dass sie ihn nicht erkannt hatte, und ihn sofort mit seinem Vater verbunden. So aber erwiderte sie nur hölzern: „Ich bedauere, Mr. Soames, aber Ihr Vater hat ausdrücklich gesagt, dass er unter gar keinen Umständen gestört werden möchte." Und ehe Jay erneut explodieren konnte, legte sie kurzerhand den Hörer auf. Ein paar nervenzerreißende Sekunden lang starrte sie auf den Apparat, aus Furcht, Jay könnte noch einmal anrufen. Nun, das war's wohl, beschloss sie schließlich schicksalsergeben. Jetzt gab es kein Zurück mehr. Jay würde sich bei seinem Vater über sie beschweren und veranlassen, dass man ihr kündigte.

Trotz allem, fast war das die Sache wert. Er hatte kein Recht, so mit ihr zu sprechen, und was seine Andeutung betraf über das Verhältnis zwischen seinem Vater und Miss Fielding . . . So sehr sie ihre Phantasie auch bemühte, das konnte sie sich beim besten Willen nicht vorstellen.

In New York starrte Jay auf das Telefon. Er ballte die Hände so fest zu Fäusten, dass seine Fingerknöchel weiß hervortraten, und seine Kiefermuskeln zuckten vor Anspannung. Diese dumme Schlampe, wer immer sie auch sein mochte! Sobald er zu Hause war . . .

Miss Fielding. Den Namen hatte er noch nie gehört, und schon gar nicht in Verbindung mit seinem Vater. Dann hätte er sich bestimmt daran erinnert. Er erinnerte sich an die Namen aller Frauen, die je versucht hatten, sich zwischen ihn und seinen Vater zu schieben, die versucht hatten, ihn aus dem Leben seines Vaters zu verdrängen. Geschafft hatte es keine von ihnen, und auch dieser würde es nicht gelingen. Er konnte sich vorstellen, was für ein Typ sie war. Irgend so eine hohle, oberflächliche Tussi, die sich vom Reichtum seines Vaters angezogen fühlte. Nun, den Zahn würde er ihr bald ziehen. Er wusste bereits, wie. Es würde nicht allzu schwer sein, sie davon zu überzeugen, dass er, Jay, ihr wesentlich mehr zu bieten hatte, vor allem im Bett. Oh, ja, vor allem dort.

Trotzdem überraschte ihn sein Vater. Es war schon Jahre her, seit er zum letzten Mal irgendein nähreres Interesse an einer Frau gezeigt hatte, und abgesehen davon, in seinem

Alter ... Er glaubte, wieder Nadias Stimme zu hören. „Wie alt ist er eigentlich?" Und: „Jung genug, um noch eine Familie zu gründen ... und jung genug, um einen zweiten Sohn zu bekommen."

Das zornige Zucken um seine Mundwinkel wurde stärker. Er war gleich bei diesen Gedanken immer lange genug von zu Hause fort gewesen. Zu lange ... Wenn er jetzt mit Sicherheit mit einer Concorde losflog, konnte er in wenigen Stunden in London sein. Er griff erneut nach dem Telefonhörer.

10. KAPITEL

„Taylor, schön, dass Sie da sind! Kommen Sie und sehen Sie sich das an!“ Bram zog sie am Arm ins Büro und ließ ihr nicht einmal Zeit, sich die Kostümjacke auszuziehen.

Taylor bemerkte seine Aufregung sofort und fand, er sah auf einmal aus wie ein ausgelassener Junge, der soeben eine großartige Entdeckung gemacht hatte. Im Gegensatz zu ihm fühlte sie sich uralt und müde, so ausgelaugt vom Leben, dass sie jede Fähigkeit verloren hatte, seine Begeisterung zu teilen. Ihr war längst klar geworden, dass gerade diese so völlig unterschiedlichen Einstellungen zum Leben die nicht überbrückbare Kluft zwischen ihnen ausmachten.

Taylor mochte Bram erst seit zwei Wochen kennen, doch die intensive Nähe, die ihre Zusammenarbeit notwendigerweise mit sich brachte, hatte irgendwie gewirkt wie ein Treibhaus – sie hatte eine Vertrautheit zwischen ihnen wachsen lassen, wie sie sonst wahrscheinlich nur während eines ganzen Lebens hätte entstehen können; wenn überhaupt. In jenen zwei Wochen hatte Taylor – unter anderem – erkannt, dass Bram über einen so grundguten Charakter verfügte wie niemand sonst, dem sie bisher begegnet war. Gleichzeitig war er von solch geistiger und emotionaler Großzügigkeit, dass Taylor sich insgeheim für ihren gefühlsmäßigen Geiz schämte, auch wenn der einem reinen Selbsterhaltungstrieb entsprungen war. Während sie Bram jetzt zuhörte, befasste sie sich innerlich allerdings weniger mit seinen Charaktereigenschaften, sondern mit dem, was ihr, unter anderem in den vergangenen vierzehn Tagen an ihm aufgefallen war.

„Das hier ist die Übersetzung eines Artikels, der in einer deutschen Fachzeitschrift für Mediziner erschienen ist“, erklärte er gerade aufgeregt und hielt ihr ein paar Bögen Papier buchstäblich vor die Nase. „Sie wurde mir Samstagmorgen zugeschickt. Sie unterstützt in allem die These, auf die wir hinarbeiten, Tay!"

Tay. Bereits am Ende der ersten Woche ihrer Zusammenarbeit hatte er sich angewöhnt, ihren Namen auf diese Weise abzukürzen. Noch nie zuvor hatte sie jemand Tay genannt. Es klang kurz, liebenswert, weiblich und . . . sehr vertraut. So, als ob . . . Sie zwang sich, sich auf das zu konzentrieren, was er ihr erzählte. Es war jedoch sehr heiß an diesem Tag, so heiß, dass die Luft flirrend über dem Asphalt stand, als Taylor zu ihm ins Büro gelaufen war. Irgendwann im Lauf des Nachmittags hatte Bram sich seiner Krawatte entledigt und den obersten Knopf seines Hemds geöffnet. Jetzt sah Taylor seinen glatten, sehnigen Hals und das feine, dunkle Haar, das aus dem Hemdausschnitt lugte. Instinktiv versuchte sie, das zu unterdrücken, was sie bei diesem Anblick empfand.

„Nachdem ich das gelesen hatte, war ich sogar kurz davor, geradewegs zu Ihnen zu fahren, um es Ihnen zu zeigen, aber da ich weiß, wie strikt Sie Ihren Privatbereich abschirmen . . . Lesen Sie!" forderte er sie auf. „Es untermauert unsere gesamte Arbeit!"

Er stand jetzt so nahe neben ihr, dass sie tatsächlich die Wärme spüren konnte, die von seinem Körper ausging. Wieder bemühte sie sich, sich darauf zu konzentrieren, was er ihr zeigte, doch ihre Aufmerksamkeit ließ sie im Stich und richtete sich viel mehr auf den Mann selbst als auf den Zeitungsartikel, den er ihr hinhielt. „Bram, so lassen Sie mich doch wenigstens meine Jacke ausziehen, ja?" protestierte sie. Sie merkte selbst, wie empört und schroff sie sich anhörte, fast wie ein Blaustrumpf, der einen frechen, übermütigen Schuljungen zurechtwies. Ihre Weigerung an seiner Begeisterung teilzuhaben, ihr vorsichtiges Auf-Distanz-Gehen war jedoch nur eine Methode, ihre wahren Gedanken und Gefühle zu verbergen und die beinahe schmerzhafte Sehnsucht in ihrem Innern zu bekämpfen. Schon vor dem Ende der ersten Woche hatte sie gemerkt, was mit ihr geschah. Sie hätte dem Ganzen da sofort ein Ende bereiten und ihm sagen müssen, dass er sich nach jemand anderem umschauen sollte, der ihm behilflich sein würde. Doch sie hatte nicht die Kraft dazu aufgebracht, und so . . . Taylor hatte sich selbst immer wieder eingeredet, dass es nach all den Jahren strikten Einhaltens selbst auferlegter Regeln unmöglich war, sich so plötzlich und quasi über Nacht so schmerzlich und völlig unangemessen nach diesem einen Mann zu sehnen, dass sie nachts tränenüberströmt und voller Verlangen aufwachte, weil sie von ihm geträumt hatte. Schock, Entsetzen, Abscheu vor sich selbst, Schuldbewusstsein und Panik – diese ganze Gefühlspalette hatte sie in der letzten Woche durchgemacht. Jede Nacht war sie mit dem festen Vorsatz zu Bett gegangen, Sir Anthony gleich am nächsten Morgen mitzuteilen, dass sie nicht länger mit Bram zusammenarbeiten könnte. Aber dann war sie morgens wach geworden, voller aufgeregter Vorfreude, dass sie Bram in Kürze wieder sehen würde.

Ihr war, als sei sie plötzlich wieder ein Teenager; als erlebte sie erneut jene Schwindel erregenden Gemütsschwankungen zwischen ‚himmelhoch jauchzend und zu Tode betrübt'; dieses Hin und Her zwischen dem wundervollen Bewusstsein, eine Frau zu sein und der gleichzeitigen Angst vor dem, was sie empfand.

Sie erstarrte, als Bram einen Schritt auf sie zu tat und sie am Arm berührte. Hatte er etwa geahnt, was gerade in ihr vorging? Wollte er etwa . . .

„Warten Sie, ich nehme Ihnen die Jacke ab." Er lächelte, und in seinen Augen spiegelte sich nichts von ihren dunklen Vermutungen wider. Seine Berührung war rein sachlich, kameradschaftlich, ohne jede Sinnlichkeit, und seine Fingerspitzen fühlten sich leicht rau auf ihrem Arm an . . . Sie spürte, wie sie zu zittern begann. Erst letzte Nacht hatte sie geträumt, dass er sie berührte, dass seine Fingerspitzen ihre Haut, ihren Mund liebkosten. Hastig zog sie sich die Jacke aus und griff nach dem Artikel, der ihn in so helle Aufregung zu versetzen schien. Ihre Hand zitterte leicht, und die Worte verschwammen vor ihren Augen, als sie das Geschriebene so rasch las, dass sie kaum verstand, worum es eigentlich ging. So ging es nicht weiter. Früher oder später würde sie sich unweigerlich verraten. Sie kannte Bram inzwischen gut genug, um zu wissen, dass er sich einfühlsam und sehr verständnisvoll verhalten würde. Doch Mitleid war das Letzte, was sie von ihm wollte. Das Letzte, was sie ihrer Meinung nach verdient hätte.

Jahrelang hatte sie sich eingeredet, dass sie die Stärke und die Willenskraft besäße, ihre Last, ihre Schuldgefühle und ihre Ängste allein tragen zu können, und dass sie niemals die Schwäche zeigen würde, all das einem anderen Menschen aufzubürden. Zwar hatte sie manchmal andere Frauen um ihr Leben, ihre Partnerschaften und ihre Kinder beneidet, aber dann hatte sie sich nur ins Gedächtnis zu rufen brauchen, warum für sie selbst so etwas nie infrage kommen konnte. Und obwohl es Situationen gegeben hatte, in denen sie ihre Einsamkeit und ihren Neid stärker empfunden hatte, so war jedoch noch nie ein Mann der Anlass für diese Gefühle und eine beinahe qualvolle Sehnsucht gewesen. Niemals. Bis jetzt. Bis sie Bram begegnet war. Entsetzt merkte sie, wie sich ihr die Kehle zuschnürte vor lauter Kummer, innerer Leere und Hoffnungslosigkeit.

„Nun, was meinen Sie? Bestätigt das nicht all unsere Bemühungen?"

„Ja. So scheint es." Ihr war selbst klar, wie nichts sagend und kühl ihre Stimme klang, und so spürte sie auch sofort Brams Enttäuschung.

„Also glauben Sie immer noch, dass wir nur unsere Zeit vergeuden, und dass Sie mir nur gezwungenermaßen helfen? Das ist schade, ich dachte . . ."

Taylor ertrug es nicht mehr. Sie wollte sich von ihm abwenden, doch dann erstarrte sie, als er die Hände um ihre Oberarme schloss und sie zwang, ihn anzusehen.

„Taylor, was ist denn? Ich weiß, dass Sie meiner Arbeit gegenüber anfangs sehr kritisch eingestellt waren, und . . ." Und mir gegenüber auch, hätte er am liebsten hinzugefügt, doch eine innere Stimme warnte ihn davor. Das Vertrauen und die Nähe, die er allmählich zwischen sich und ihr glaubte geschaffen zu haben, waren noch viel zu zerbrechlich, um seine zunehmend stärker werdenden Gefühle für Taylor aushalten zu können. Sicher, sie lächelte über seine Scherze, hörte geduldig zu, wenn er enthusiastisch über seine Pläne sprach, manchmal entspannte sie sich sogar so weit, dass sie richtig lachte, aber trotzdem hielt sie ihn weiterhin innerlich auf Distanz. Dennoch sagte ihm sein Instinkt, dass seine sehr reelle körperliche und gefühlsmäßige Sehnsucht nach ihr nicht etwas war, das völlig unerwidert blieb. Äußerlich mochte sie sich nach wie vor hinter ihren selbst errichteten Barrieren verschanzen, aber innerlich . . .

Er seufzte kaum hörbar, als er sah, wie sie sich jetzt erneut vor ihm zurückzog und seinem Blick auswich. „Ich dachte, wir hätten das Stadium, wo wir Spielchen miteinander spielen, überwunden“, sagte er ruhig. „Ich dachte, jetzt könnten wir aufrichtig zueinander sein und sagen, was wir auf dem Herzen haben.“

Aufrichtig sein ... Taylor schloss verzweifelt die Augen und kämpfte hart gegen ihre fast hysterischen Gefühle an. Oh, Gott, wenn er wüsste! Sie konnte nie wieder einem Mann gegenüber wirklich aufrichtig sein, nicht ohne dadurch ihre Selbstzerstörung herbeizuführen, nicht ohne ihre Selbstachtung auszulöschen, nicht ohne jenen Menschen zu demontieren, den sie in den letzten zwanzig Jahren so entsetzlich mühsam neu geschaffen hatte. Andererseits war die Buße dafür, nicht aufrichtig sein zu können, womöglich noch härter, denn dadurch fiel über jede mögliche Beziehung von vornherein ein Schatten, so dass sie im Grunde von Anfang an zum Scheitern verurteilt war. Genau das war mit ein Grund, weshalb Taylor sich für das Leben entschieden hatte, was sie jetzt führte.

„Was ist denn?“ fragte er sanft.

„Nichts. Gar nichts.“ Sie hörte selbst, wie panikerfüllt ihre Stimme klang, und wusste daher, dass auch Bram das gehört hatte.

Bram erkannte, dass er zu weit gegangen war und sie zu sehr gedrängt hatte. Wenn er doch bloß wüsste, warum sie so panische Angst vor jeglichem zwischenmenschlichen Kontakt hatte. Noch nie war er jemandem begegnet, dessen Leben so frei war von echten menschlichen Beziehungen. Ob es etwas mit dem Verlust ihrer Eltern zu tun hatte? Ihm war nur zu gut bekannt, welch traumatische Auswirkungen so etwas haben konnte. Er brauchte sich nur Jay anzusehen.

Taylor bemühte sich fieberhaft um Selbstbeherrschung. Sie durfte nicht vor Bram zusammenbrechen, durfte nicht zulassen, dass sich allzu Persönliches in ihre Beziehung einschlich. „Dieser deutsche Forschungsbericht scheint tatsächlich Ihre Theorien zu stützen“, sagte sie heiser. „Doch wenn sie im Laborversuch funktionieren ...“

„Heißt das noch lange nicht, dass sie auch in der Realität funktionieren. Ich weiß“, stimmte Bram zu. Er merkte, dass es jetzt zwecklos war, dem Gespräch noch einmal eine persönlichere Richtung zu geben. Taylor hatte sich nicht nur geistig, sondern auch körperlich von ihm distanziert, indem sie zurückgewichen und die gesamte Länge des Schreibtischs zwischen ihn und sich gebracht hatte. Das Bedürfnis, diesen Abstand aufzuheben und sich ihr wieder zu nahen, war ihm mittlerweile sehr vertraut. Als er es das erste Mal empfunden hatte, war es fast wie ein Schock für ihn gewesen, ebenso wie sein Verlangen, Taylor zu berühren. Noch immer musste er ständig der Versuchung widerstehen, ihr eine gelöste Haarsträhne aus dem Gesicht zu streichen, oder die Ärmel ihrer Bluse etwas hoch zu schieben, damit er ihre zarten Handgelenke berühren konnte. Manchmal aber suchte er ihre Nähe auch einfach nur, weil er ihren Atem spüren oder den Duft ihrer Haut einatmen wollte. Was Taylor wohl tun würde, wenn er ihr verriete, was in ihm vorging, wie sehr er sich nach ihr sehnte? Doch im Grunde brauchte er sich diese Frage gar nicht zu stellen, er kannte die Antwort bereits. Sie würde auf dem Absatz kehrtmachen und so schnell sie konnte davonlaufen.

„Wie dem auch sei, eigentlich spielt es keine große Rolle, was dieser Forschungsbericht beweist", fuhr Taylor fort. „Sie sagten selbst, Ihr Programm ist noch weit davon entfernt, sich in die beabsichtigte Richtung zu entwickeln."

„Das war es auch", gab Bram zu. „Aber nachdem ich diesen Artikel gelesen habe . . . Ich habe fast das ganze Wochenende daran gearbeitet, und jetzt glaube ich erstmals, auf dem richtigen Weg zu sein." Er sah ihre zweifelnde Miene und konnte nicht umhin, sie herauszufordern. „Sie glauben mir nicht? Kommen Sie mit zu mir nach Hause, und ich beweise es Ihnen!"

Mit ihm gehen? Zu ihm nach Hause? Eine Mischung aus Furcht und Freude durchzuckte sie. Diese Falle hatte sie sich wohl selbst gestellt. Wenn sie sich jetzt weigerte, würde Bram ihr vorwerfen, dass sie unfair sei mit ihrer Kritik an seiner Arbeit, oder dass sie nicht den Mut hätte, zu ihrer eigenen Überzeugung zu stehen. „Ich . . ." versuchte sie einen Einwand, doch Bram winkte ab.

„Es dauert nicht lange, nur etwa eine Stunde. Hinterher fahre ich Sie nach Hause." Entschlossen fing er an, seinen Schreibtisch aufzuräumen, und Taylor erkannte erschrocken, dass ihr wirklich nichts anderes übrig blieb, als mit ihm zu gehen. Dabei war es gar nicht das erste Mal, dass sie zu ihm nach Hause kam. Sie hatten schon an anderen Abenden dort miteinander gearbeitet, doch heute Abend war es anders. Sie fühlte sich sehr verletzlich, weil sie ihren Gefühlen für ihn und ihren körperlichen Reaktionen auf ihn hilflos ausgesetzt war. Das Alleinsein mit ihm würde dieses Gefühl noch verstärken.

„Ich würde Ihnen wirklich gern zeigen, was ich gemacht habe, Taylor. Die Sache ist noch lange nicht abgeschlossen und weit davon entfernt, vollkommen zu sein; vielleicht bilde ich mir auch nur ein, auf dem richtigen Weg zu sein. Jedenfalls benötige ich dringend eine Portion Ihrer gesunden Skepsis, damit ich mit den Beinen auf der Erde bleibe. Wissen Sie, ich bin Ihnen unendlich dankbar für Ihre Hilfe. Nichts und niemand wird mich je davon abbringen können, dass das, was ich tue, wertvoll und nützlich ist. Ich gestehe jedoch, dass ich mich oft, sehr oft sogar frage, ob ich überhaupt der geeignete Mensch bin, eine solche Arbeit in Angriff zu nehmen. Ob ich es nicht nur tue, um ein Gefühl von Macht zu haben, oder aus Eitelkeit . . . Jay warf mir vor, ich würde damit nur meine Zeit verschwenden. Nun ist es eine Sache, wenn ich nur meine eigene Zeit vergeude. Die Zeit und das Leben derer jedoch zu vergeuden, die auf den Nutzen dieser Arbeit angewiesen sind, ist wiederum etwas völlig anderes."

Seine Bescheidenheit sagt alles über ihn aus, was man wissen muss, dachte Taylor. War es denn ein Wunder, dass sie solche Gefühle für ihn hegte? Welche Frau würde sich nicht in einen solchen Mann verlieben? Er ging zur Garderobe, holte ihre Kostümjacke und hielt sie ihr hin. Hastig schüttelte Taylor den Kopf. „Nein, danke, ich ziehe sie nicht an", wehrte sie ab. Wenn er sie jetzt berührte . . .

„Nun? Was sagen Sie dazu?" Bram sah wieder so aufgeregt und unsicher aus wie ein halbwüchsiger Junge, nichts erinnerte an den erfolgreichen, sonst so gelassenen Mann, als den Taylor ihn kannte.

„Ich . . . es ist gut", gab sie zu. „Sehr gut sogar." „Meinen Sie wirklich?" fragte Bram überrascht, dann fing er zu lachen an. „Würde ich Sie nicht besser kennen, wäre ich glatt geneigt zu glauben, dass Sie mir schmeicheln wollen, Tay! Es ist sicher ein viel versprechender Anfang, aber wir haben noch einen verdammt langen Weg vor uns. So leicht werden Sie mich nicht los", warnte er sie mit plötzlich veränderter, leicht belegter Stimme. „Ich brauche Ihre Ideen und Ihre Hilfe nach wie vor."

Taylors Atem beschleunigte sich unwillkürlich, und sie wurde rot bei dieser Bemerkung. „Nun fürchte eher ich, dass Sie mir schmeicheln wollen", warf sie ihm unsicher vor. Sie gab sich zwar alle Mühe, sachlich und neutral zu klingen, doch seine Miene ließ sie ahnen, dass ihr das nicht besonders gut gelungen war.

„Niemals", widersprach Bram. „Solche Spiele liegen mir nicht, Tay, aber selbst wenn ich es täte, würden Sie bestimmt nicht darauf hereinfallen. Dazu sind Sie viel zu intelligent. Also glauben Sie tatsächlich, dass wir vorankommen? Und meine Bemühungen finden Ihre Zustimmung?" erkundigte er sich sanft.

Bildete sie sich das nur ein, oder flirtete er wirklich ganz versteckt mit ihr? War es nur das anheimelnde Licht in seinem Arbeitszimmer, das seinen Augen diesen beinahe zärtlichen Ausdruck verlieh?

Aus der ursprünglich vorgesehenen Stunde waren mittlerweile drei geworden; allerdings war eine damit vergangen, dass sie das improvisierte Abendessen eingenommen hatten, welches er unbedingt hatte zubereiten wollen.

„Ich habe Hunger, auch wenn Sie nichts essen wollen", hatte er erklärt, als sie sein Angebot zunächst abgelehnt hatte. Danach wäre es ihr allerdings kindisch vorgekommen, nichts von dem köstlichen Omelett mit Salat zu essen und nicht den kühlen, fruchtig schmeckenden Weißwein zu trinken, den er sich und ihr eingeschenkt hatte. Inzwischen war ihr sein Haus recht vertraut, zumindest das Erdgeschoss. Es wirkte vielmehr wie ein richtiges Heim als ihre eigene Wohnung; sogar eine Katze gab es, von der Bram erzählte, er hätte sie kurz nach seinem Einzug im Garten gefunden, und daraufhin hätte sie ihn sozusagen adoptiert. Anfangs hatte Taylor sich in einer solchen Umgebung zutiefst unbehaglich gefühlt. Die vielen Fotos und Erinnerungsstücke, die überall in dem kleinen Wohnzimmer herumstanden, hatten sie sogar regelrecht gereizt gemacht. Unmengen Bücher und Zeitschriften stapelten sich auf dem kleinen Tisch neben dem Sessel, von dem Taylor instinktiv vermutete, dass das Brams Lieblingssessel war. Es handelte sich um ein dick gepolstertes, gemütlich und abgewetzt aussehendes Exemplar, das sich der Kater August, so genannt nach dem Monat seines Auftauchens, ebenfalls zum Stammplatz auserkoren hatte. Außer etwa einem halben Dutzend gerahmter Fotos von Jay, die ihn in jedem Alter vom Baby über den schlaksigen Teenager bis zum verschlossenen, außerordentlich gutaussehenden Mann zeigten, gab es noch Fotos von Brams Eltern, von Studienfreunden, von seiner Patentochter und ihren Eltern und sogar eins von Jays Mutter.

Vom Wohnzimmer aus führte eine hohe Doppeltür im französischen Landhausstil in den Garten hinaus. Nach dem Abendessen hatte Bram darauf bestanden, ihn ihr zu zeigen. „Riechen Sie mal an dieser Rose hier“, hatte er sie aufgefordert. „Ich werde nie begreifen, warum Menschen Rosen züchten, die nicht duften. Aber wahrscheinlich bin ich etwas altmodisch.“

Das fand Taylor ganz und gar nicht, insgeheim war sie völlig seiner Meinung gewesen. Im Garten ihrer Eltern hatte es ebenfalls ein paar wundervoll duftende, sehr alte Rosenarten gegeben, doch ihr Vater hatte sie ausgegraben und durch andere Pflanzen ersetzt, die in jenem Jahr gerade in Mode gewesen waren.

„Es ist schon nach zehn“, sagte sie jetzt zu Bram. „Nun sollte ich aber wirklich gehen.“

„Ja, verzeihen Sie bitte, das war meine Schuld. Es ist seltsam, mit manchen Menschen will die Zeit einfach nicht vergehen und zieht sich endlos schleppend hin. Und mit anderen wiederum rast sie so schnell dahin, dass man sie packen, festhalten und ganz in Ruhe auskosten möchte.“

Während er sprach, hielt er den Blick auf ihren Mund gerichtet, und Taylor unterdrückte mit aller Macht das Bedürfnis, sich ihre plötzlich trocken gewordenen Lippen mit der Zungenspitze zu befeuchten. Eine solche Geste wäre so verräterisch gewesen, dass sie genauso gut gleich auf Bram hätte zugehen, die Arme ausstrecken und um seinen Kuss bitten können. Sein Kuss . . . Sie spürte, wie ihre Beherrschung zu bröckeln begann, zu groß war das brennende Verlangen in ihrem Innern. Wo blieb nur ihre Reife, ihre

Stärke? Frauen in ihrem Alter empfanden so etwas nicht. Derartige Gefühle, Sehnsüchte und Bedürfnisse passten eher zu Teenagern.

„Ich gehe jetzt lieber und hole den Wagen, sonst . . ." Als er sich umdrehte, fragte Bram sich, ob Taylor wohl eine Ahnung hatte, wie sehr er sie begehrte? Wie nahe er daran gewesen war, sie in die Arme zu nehmen und bis zur Besinnungslosigkeit zu küssen? Solche Anwandlungen hatte er noch nie erlebt. Auf der anderen Seite jedoch musste er zugeben, dass Taylor überhaupt eine ganze Reihe gefühlsmäßiger und körperlicher Sehnsüchte in ihm weckte, die ihm ziemlich unbekannt waren. Einem anderen Mann hätte er wohl eine Art Midlife- Crisis oder Torschlusspanik unterstellt. Doch sein Verlangen nach ihr hatte nicht nur mit Sex zu tun. Wenn er sich schon mal den Luxus gestattete, davon zu träumen, wie es wäre, mit ihr zu schlafen, dann wollte er nicht nur ihren Körper verwöhnen und berühren, sondern auch ihr Herz, ihre Seele, eben alles, was den Menschen Taylor ausmachte.

Bram hörte nachdenklich zu, während Taylor auf dem Beifahrersitz hektisch und fast überdreht plauderte. Ihre Stimme klang angespannt und nervös. Warum nur? Hatte sie gespürt, was in ihm vorging, und fürchtete sich jetzt? Normalerweise unterhielt sie sich ganz anders, sehr bedacht, mit sorgfältig ausgewählten Worten, immer vorsichtig und wachsam, so wie sie alles anging, was sie tat. Vorsicht! ermahnte er sich selbst. Er war dabei, seinen gesunden Menschenverstand von seinen Gefühlen überlagern zu lassen. Nur weil er sich Hals über Kopf in sie verliebt hatte, hieß das noch lange nicht, dass sie das Gleiche empfand. Und doch – da war irgendetwas. Er fühlte es ganz deutlich, merkte es an der elektrisierenden Stimmung, die zwischen ihnen herrschte. Aber was es auch immer sein mochte, sie war nicht gewillt, es zuzugeben oder gar zu akzeptieren. Sie wollte es von sich weisen, so, wie sie auch ihn von sich wies.

Losgefahren waren sie noch in der letzten Abenddämmerung, doch als Bram nun in die Einfahrt zu Taylors Haus einbog, war es Nacht. Das Tor zur Einfahrt stand offen, der Parkplatz wurde hell erleuchtet durch die Scheinwerfer zweier Streifenwagen. Neben dem einen stand ein Polizist in Uniform und sprach mit einer kleinen weißhaarigen Frau.

„Das ist Mrs. Brearton, eine meiner Nachbarinnen!“ rief Taylor angespannt. Ihr Geplauder war schlagartig verstummt, sie beugte sich nach vorn, die Hände angstvoll zu Fäusten geballt.

Der Polizist und Taylors Nachbarin hatten sich umgedreht, als der Wagen in die Einfahrt gebogen war. Jetzt nickte die alte Dame heftig und zeigte auf das Auto – auf Taylor.

Bram hatte kaum den Motor abgestellt, da öffnete der Polizist auch schon die Beifahrertür, und Bram hörte, wie er förmlich zu Taylor sagte: „Miss Fielding, ich muss Ihnen leider mitteilen, dass bei Ihnen eingebrochen worden ist. Wenn Sie mir bitte folgen würden . . .“

„Nein . . .“ Taylor presste sich tiefer in ihren Sitz, ihr Gesicht war aschfahl vor Angst, wie Bram feststellte, als sie ihn zitternd und mit ziellosem Blick ansah. „Ich kann da nicht hinaufgehen, ich kann nicht . . . Lassen Sie nicht zu, dass sie mich . . . Ich kann nicht . . .“ Während sie sprach, steigerte sich ihre Stimme zu so unerwarteter Hysterie, dass Bram einen Moment lang völlig perplex war. Taylor kauerte jetzt in ihrem Sitz, so verstrickt in ein Grauen, dessen Ursache nur sie selbst kannte, dass Bram vermutete, sie wusste gar nicht mehr, wer er überhaupt war. Es war ein regelrechter Panikanfall.

„Es ist ja alles gut, Taylor“, redete er sanft auf sie ein. „Der Einbrecher ist mit Sicherheit schon längst fort, nicht wahr, Officer?“ Er sah den Polizisten fragend an.

„Ja, so ist es“, bestätigte der Mann. „Wir sind vor einer halben Stunde gekommen, nachdem uns einer der Nachbarn verständigt hatte. Unsere Ermittler sind jetzt oben und verhören die anderen Hausbewohner. Es besteht wirklich keine Gefahr mehr, Madam“, versicherte er. „Wenn ich Sie bitte kurz sprechen könnte, Sir?“ fügte er zu Bram gewandt hinzu und gab ihm ein Zeichen, dass er unter vier Augen mit ihm reden wollte.

„Worum geht es, Officer?“ erkundigte Bram sich hastig. Er begleitete den Polizisten zum Streifenwagen, drehte sich aber so, dass er Taylor im Auge behalten konnte.

„Die Dame ist offensichtlich sehr leicht erregbar, und unter diesen Umständen wäre es vielleicht nicht so gut, wenn sie allein hier bliebe. Jedenfalls nicht heute Nacht. Der Einbrecher hat ein ziemliches Chaos angerichtet. Das kommt öfter vor, vor allem bei Einbrüchen in die Wohnung einer Frau, wenn Sie verstehen, was ich meine ..." Er verstummte viel sagend.

Bram runzelte die Stirn, seine ganze Aufmerksamkeit galt nach wie vor Taylor, die mittlerweile beängstigend still dasaß. Fast wie eine Geisteskranke, schoss es ihm durch den Kopf, als er sah, wie der starre Blick ihrer dunklen Augen geradewegs durch ihn hindurch zu gehen schien. „Nein, Officer, tut mir Leid, ich weiß nicht, was Sie meinen", gab er leicht gereizt zurück. Er bedauerte seinen Tonfall sofort, als er die Verlegenheit des jüngeren Manns wahrnahm.

„Nun, ihre Kleidung ... genauer gesagt, ihre Unterwäsche. Manches davon ... Also, ich hätte es nicht so gern, wenn meine Frau nach Hause käme und so etwas vorfände, und sie steht wirklich mit beiden Beinen fest auf der Erde. Wir vermuten, dass jemand es auf Geld für Drogen abgesehen hatte. Die ganze Wohnung ist völlig verwüstet. Profis hinterlassen kein solches Chaos. Hat sie Verwandte oder Freunde, bei denen sie die nächsten Tage bleiben könnte?"

Bram reagierte ganz spontan. „Nein, aber das ist kein Problem. Sie kann bei mir wohnen."

„Gut, dann muss ich Sie bitten, uns Ihren Namen und Ihre Anschrift zu hinterlassen, Sir. Außerdem wird Sie die Leiterin der Ermittlungen auch noch sprechen wollen. Sie ist oben in der Wohnung."

Bram zögerte. Taylor saß noch immer beunruhigend still in seinem Wagen. Sie sah aus wie jemand, der in Trance gefallen war. Nicht die geringste Gemütsbewegung flackerte in ihrem leeren Blick.

„Ich bleibe bei Miss Fielding, Sir", bot der Polizist an, da er den Grund für Brams Zögern ahnte. „Manche Menschen reagieren so. Das ist der Schock. Vor allem betrifft das Leute, die wie Miss Fielding so besonders großen Wert auf ihre Sicherheit gelegt haben."

„Wie ist der Täter hereingekommen?" wollte Bram wissen.

„Er hat ihre Wohnungstür mit einer Axt eingeschlagen“, berichtete der Polizist. Als er Brams Gesichtsausdruck sah, fügte er hinzu: „Das kommt vor, wenn auch zum Glück nicht allzu oft. Wissen Sie, ob sie Wertsachen in der Wohnung aufbewahrt hat, Bargeld, Schmuck?“

„Ich habe keine Ahnung“, teilte Bram ihm knapp mit. Eine Axt . . . Was wäre gewesen, wenn Taylor sich zu der Zeit in ihrer Wohnung aufgehalten hätte? Wenn . . .?

„Wie ich schon sagte, wahrscheinlich war es ein Drogensüchtiger. Die meisten, die so gewalttätig vorgehen, sind drogenabhängig. Oder aber die Täter haben etwas gegen den Bewohner persönlich . . .“ Fünf Minuten später erfuhr Bram von der unerwartet schlanken, zierlichen Ermittlungsleiterin ungefähr noch einmal das Gleiche. Ihre ruhige, sachliche Stimme klang irgendwie Nerven aufreibend deplaziert angesichts der Verwüstung in Taylors Wohnung. In einer Ecke des Zimmers lag ein Berg Kissen, deren Bezüge aufgerissen waren, die Füllungen waren über den ganzen Teppich verstreut. Unter seinen Schuhen hörte Bram das Knirschen von Glas- und Keramikscherben. Die Vorhänge vor den Fenstern waren herabgerissen worden, überall in den Wänden sah er riesige Löcher und Einschläge, die wahrscheinlich von der Axt stammten. Die Schlafzimmertür war halb aus den Angeln gerissen, Bram konnte Taylors zerwühlte, zerrissene Unterwäsche auf dem Bett liegen sehen. Ihm wurde übel. Ein Segen, dass Taylor nicht mit heraufgekommen war.

Die Kriminalbeamtin beobachtete ihn und schien zu ahnen, was er sagen wollte. „So etwas kommt vor“, teilte sie ihm mit. „Öfter als Sie denken. Wenn man davon in den Zeitungen liest, empfindet man Abscheu und ist erleichtert, dass es einem anderen passiert ist. Doch ist man selbst betroffen, dann sieht die Sache gänzlich anders aus. Für einen Mann ist es nicht so leicht zu verstehen, was in einer Frau vorgeht, wenn jemand, ein Mann, ein Perverser – aber das muss nicht sein – ihre intimsten Habseligkeiten besudelt hat. Es ist nicht nur ein Akt von Vandalismus und Zerstörungswut, es hat mit Hass, Aggression, ja fast Vergewaltigung zu tun. Männer werden von solchen Verbrechen eben nicht betroffen, da gibt es nichts Entsprechendes.“ Sie verstummte, als es in ihrem Funkgerät zu knacken begann. Dann hörte Bram die inzwischen bekannte Stimme des Polizisten von draußen. Er warnte sie, dass Taylor darauf bestand, nach oben zu kommen.

„Lassen Sie das nicht zu!" protestierte Bram. „Sie darf nichts von alledem hier sehen . . ."

Die Beamtin widersprach ihm. „Sie hat ein Recht darauf, es zu sehen. Das ist schließlich ihr Zuhause."

„Sie haben Sie eben im Wagen nicht erlebt", wollte Bram noch sagen, aber es war bereits zu spät. Taylor betrat die Wohnung. Einen Moment lang stand sie nur stumm da und sah sich um, so als sei ihr die Umgebung völlig fremd. Sie war immer noch sehr blass, ihre Lippen wirkten blutleer, doch ihr Blick lebte wieder. Zu sehr, wie Bram fand, als er erst Schock, dann Ungläubigkeit und schließlich Angst darin lesen konnte.

„Nein", stöhnte sie leise, und dann wiederholte sie dieses eine Wort wieder und wieder, wobei ihre Stimme immer lauter und schriller wurde. „Nein! Nein! Nein!"

Instinktiv ging Bram zu ihr, nahm sie fest in die Arme und versperrte ihr mit seinem Körper den Blick, damit sie nicht noch mehr zu sehen bekam. Ganz behutsam wiegte er sie hin und her, um sie zu beruhigen. „Sie hätte das niemals sehen dürfen!" wandte er sich verärgert an die Beamtin. „So ein Anblick sollte niemandem zugemutet werden!"

„Soweit ich verstanden habe, wird sie bei Ihnen wohnen, so dass wir sie dort erreichen können, Sir." Die Frau ignorierte seinen Einwand völlig. „Sobald wir hier fertig sind, werden Sie sich darum kümmern müssen, dass die Wohnung gesichert wird."

„Ja, ja, das erledige ich schon alles. Sie braucht aber erst einmal etwas zum Anziehen . . ." Unsicher blickte er zum Schlafzimmer hinüber. „Ich . . ."

„Nein, die Sachen nicht." Die Stimme der Beamtin wurde ein Spur weicher. „Wir brauchen sie, als Beweisstücke. Abgesehen davon bezweifle ich, dass sie sie je noch einmal tragen will."

Als sie nachdenklichbeobachtete, wie Bram die völlig unter Schock stehende Frau liebevoll nach draußen führte, empfand sie einen kurzen Anflug von Neid. Es war schon ziemlich lange her, seit sie jemand mit so viel Zärtlichkeit und Anteilnahme behandelt hatte . . . Sie schob das Sofa kurzerhand aus dem Weg und bückte sich nieder, um behutsam den Bilderrahmen aufzuheben, der darunter gelegen hatte. Das Glas war zerbrochen, wahrscheinlich von dem Dieb beim Versuch, sich den silbernen Rahmen anzueignen, zerstört uorden. Das Mädchen auf dem Foto lächelte durch das gesprungene Glas.

Schwer seufzend legte sie das Bild mit dem zerbrochenen Glas auf den Tisch. In der letzten Zeit hatten sie leider eine ganze Serie von Einbrüchen dieser Art gehabt. Aber sie war mittlerweile vierunddreißig Jahre alt. Sie fühlte sich um einiges älter.

11. KAPITEL

„Tay, bist du sicher, dass ich nicht doch meinen Hausarzt verständigen soll?“ Ganz unwillkürlich war ihm das Du herausgerutscht, doch zu seiner Überraschung nahm sie es ganz selbstverständlich hin und erwiderte es sogar.

„Nein, das brauchst du nicht. Mir . . . mir geht es gut“, betonte sie. Ihr Aussehen strafte ihre Worte Lügen, blass und angespannt saß sie auf der Kante des bequemen Sessels, zu dem Bram sie geführt hatte, sobald sie in seinem Haus angekommen waren. Aber wenigstens redete und reagierte sie jetzt wieder.

Dieses Fehlen jeglicher Reaktion, bis auf den kurzen Ausbruch, als sie ihre Wohnung gesehen hatte, hatte Bram zutiefst beunruhigt. Irgendwie hatte er etwas anderes erwartet. Dass sie einen Schock hatte, war verständlich, wer hätte den nicht bekommen? Auch ihm hatte es einen Schock versetzt und Übelkeit verursacht, als er gesehen hatte, wie die persönlichsten Habseligkeiten eines Menschen auf widerliche Art und Weise von einem völlig Fremden missbraucht und zerstört worden waren. Das konnte nur ein Geisteskranker getan haben.

Doch die Art, wie sie sich in sich selbst zurückgezogen und sich in eine Welt des Schreckens geflüchtet hatte, zu der er keinen Zugang hatte, das war in der Tat ungewöhnlich, sogar bei ihr. Während der ganzen Fahrt bis zu seinem Haus hatte sie nicht ein Wort gesprochen. Sie hatte nicht dagegen protestiert, dass er die Situation einfach in die Hand genommen hatte, und auch nicht dagegen, dass sie über Nacht bei ihm bleiben sollte. Es war, als hätte sie jegliches Interesse an dem verloren, was ihr fortan widerfahren würde, als sei es ihr völlig gleichgültig, was mit ihr passierte. Als hätte sich die Welt in dem Moment für sie zu drehen aufgehört, als sie von dem Einbruch erfuhr. Und diese Reaktion, ausgerechnet von Taylor, die sonst so darauf bedacht war, ihr Privatleben sorgfältig abzuschirmen und sich von niemandem die Kontrolle über sich aus der Hand nehmen zu lassen, besorgte ihn mehr als ihre Blässe, als die Anspannung ihres Körpers und die gelegentlichen Krämpfe, die sie zu schütteln schienen. Wenn es ihr am nächsten Morgen nicht besser ging, würde er den Arzt holen, und wenn sie sich noch so sehr dagegen sträubte. Im Moment erschien es ihm allerdings wenig sinnvoll. Käme der Arzt jetzt, würde er ihr höchstens ein Schlafmittel verabreichen können, und Bram vermutete, dass das kaum wirken würde, weil sie noch viel zu sehr unter Schock stand. Er beobachtete sie hilflos. Er merkte, dass sie sich seiner Gegenwart bewusst war, und trotzdem schien es, als befände sie sich in einer ganz anderen Welt.

Bram wandte sich ab und ging zur Tür, weil er nachsehen wollte, ob das Gästezimmer im oberen Stock in Ordnung war. An sich stand es immer für eventuelle Besucher bereit, aber Taylor würde am nächsten Morgen Verschiedenes benötigen, unter anderem auch frische Kleidung. Er zögerte. Marcia würde morgen früh wieder im Büro sein. Also war es wohl das Beste, wenn er sie noch vorher anrief und sie bat, ein paar Einkäufe für ihn zu erledigen. Intuitiv ahnte er, dass Taylor, die Taylor jedenfalls, die er kannte, es nicht so gern haben würde, wenn er selbst Unterwäsche für sie aussuchte. Wahrscheinlich würde sie es sogar rigoros ablehnen, sie anzunehmen. Die Taylor, die er kannte . . . Aber was war mit dieser Taylor, deren starre Körperhaltung und ausdrucksloser Blick ihn fatal an Filmberichte über Verbrechensopfer erinnerte?

„Nein. Lass mich nicht allein."

Bram drehte sich um und sah, wie Taylor ihn verzweifelt beobachtete. „Ich wollte nur nach oben gehen und mich vergewissern, ob das Gästezimmer fertig ist", erklärte er sanft. „Wenn du möchtest, kannst du mitkommen", fügte er hinzu, als er ihre neuerliche Panik spürte. Ihr Verhalten erinnerte ihn an eine Phase, die Jay gehabt hatte, als er bei ihm eingezogen war. Auch Jay hatte ihn da keine Sekunde aus den Augen lassen wollen.

„Ich . . ."

Er merkte, wie Taylor sich im Zimmer umsah, als ob sie

nach etwas oder jemandem Ausschau hielt, und er ahnte, was in ihr vorging. „Es ist alles gut, Taylor. Außer uns beiden ist niemand hier. Du bist völlig sicher hier."

„Sicher."

Als sie das Wort wiederholte, nahmen ihre Augen einen so verbitterten Ausdruck an, dass Bram flüchtig die ihm sonst vertraute Taylor wiederzuerkennen glaubte.

Gehorsam folgte sie ihm nach oben zu dem Gästezimmer mit eigenem Bad. Sie folgte ihm auf Schritt und Tritt, wie ein Schatten, und hielt sich so nahe wie möglich an ihn, ohne ihn allerdings auch nur ein einziges Mal zu berühren. Das zumindest hatte sich also nicht geändert.

Die Fenster des Gästezimmers gingen nach hinten hinaus, und Bram öffnete eins, um zu lüften. Sofort protestierte Taylor und schüttelte heftig den Kopf, als sähe sie statt des Fensters eine vielköpfige Hydra vor sich.

„Es ist alles in Ordnung", beruhigte Bram sie erneut. „Hier kann niemand hereinkommen. Das Haus hat eine umfassende Alarmanlage, und das Gartentor ist fest verschlossen." Das stimmte tatsächlich. Brams Versicherungsgesellschaft hatte vehement darauf bestanden, dass das gesamte Anwesen bestens abgesichert war. „Abgesehen davon ist das Fenster nicht groß genug, als dass jemand hier einsteigen könnte", fügte er hinzu.

Sie sagte nichts, aber an der Art, wie sie immer wieder zum Fenster blickte, merkte Bram, dass er sie nicht restlos überzeugt hatte. Zehn Minuten später ließ er sie mit frischen Handtüchern und dem Versprechen allein, dass sie in vollkommener Sicherheit war. Dennoch erkannte er bald, dass sie beide wohl in dieser Nacht nicht viel Schlaf finden würden. Ab und zu hatte er sich den Luxus erlaubt, sich vorzustellen, wie es wohl sein würde, wenn Taylor jemals in seinem Haus übernachtete. Allerdings hatte er dabei stets ganz andere Umstände in Betracht gezogen . . . Gerade heute Abend, angesichts ihrer Angst, hatte er sich beinahe schmerzhaft danach gesehnt, sie in die Arme zu ziehen, sie festzuhalten, sie zu trösten und ihr zu schwören, dass er immer auf sie aufpassen würde. Ihre Qual hatte viele Empfindungen in ihm geweckt, die er auch schon durchgemacht hatte, als Jay bei ihm eingezogen war. Und trotzdem war jetzt manches anders. Sein Mitleid und sein Beschützerinstinkt waren in diesem Fall unmittelbar mit Verlangen verbunden. Dabei handelte es sich nicht um das typische Verlangen, das ein Mann nach einer Frau hatte – sondern um das nach *der* Frau schlechthin. Nach der Frau, von der er wusste, dass sie die Macht hatte, sein ganzes Leben unwiderruflich zu verändern.

Er ging wieder nach oben, klopfte an die Gästezimmertür und trat ein. Taylor stand reglos am Fenster und hielt die Arme fest um sich geschlungen, als hielte sie nicht nur Ausschau nach einem Eindringling, sondern als erwartete sie ihn förmlich. „Es ist schon spät. Warum versuchst du nicht, ein wenig zu schlafen?" schlug er ruhig vor.

Sie drehte sich um und sah ihn an, als sei er ein Fremder. Ihre Miene wirkte so feindselig, als nähme sie ihm übel, dass er sie gestört hatte, und das machte ihn traurig. Die Fehlzündung eines Autos draußen auf der Straße ließ sie zusammenfahren, abwehrbereit wirbelte sie wieder zum Fenster herum. Bram eilte an ihr vorbei und zog die Vorhänge zu.

„Nein!" Voller Panik riss sie die Gardinen wieder auf. „Ich muss sehen können!"

„Was denn, Taylor?" fragte Bram behutsam. „Da gibt es nichts zu sehen, nichts und niemanden. Nur den Garten. Ist es das, wovor du Angst hast? Dass diejenigen, die bei dir eingebrochen haben, auch hierher kommen könnten?" Er schüttelte den Kopf. „Das ist ausgeschlossen." Er machte sich gar nicht erst die Mühe, ihr zu erklären, wie unlogisch das war. Wer auch immer bei ihr eingebrochen hatte, konnte gar nicht wissen, dass sie jetzt hier bei ihm war, ganz zu schweigen davon, dass derjenige versuchen würde, auch noch hier einzubrechen. Die Angst, die von ihr Besitz ergriffen hatte, war jenseits von aller Logik. „Du bist in Sicherheit. Niemand kann dir hier etwas tun. Du bist sicher."

„Das kannst du doch gar nicht sagen! Du weißt nicht, wie . . ." Sie verstummte, ihre Augen füllten sich plötzlich mit Tränen.

Bram konnte nicht anders. Er ignorierte ihren flüchtigen Widerstand und nahm sie einfach in die Arme. „Mein armes Mädchen", tröstete er sie. „Ich weiß, wie schwer das Ganze für dich ist, aber ich verspreche dir, alles wird gut. Du wirst schon sehen." Gleich am nächsten Morgen wollte er in ihre Wohnung fahren und sich ein Bild über das gesamte Ausmaß des Schadens machen. Er nahm sich fest vor, dass sie nicht eher dorthin zurückkehren würde, bis nicht alle Spuren beseitigt waren. „Komm jetzt, du musst einfach etwas schlafen."

Er wollte sie zum Bett führen, doch plötzlich machte sie sich ganz steif. Zitternd starrte sie zum Fenster und meinte mit belegter Stimme: „Ich kann nicht. Nicht allein. Ich kann nicht allein bleiben."

Bram hörte, wie ihre Stimme bereits wieder von Panik verzerrt wurde. „Du brauchst nicht allein zu sein. Ich bleibe bei dir, wenn du möchtest", beschwichtigte er sie.

„Du bleibst bei mir? Hier? Die ganze Nacht?" Sie packte ihn bei den Oberarmen und sah ihn so verzweifelt an, als befürchtete sie, er könne sie anlügen.

„Aber ja", versicherte er. „Die ganze Nacht, jede Nacht, so lange du willst", versprach er. Doch noch während er sprach, wusste er, dass dieses Versprechen die größte Herausforderung an seine Selbstbeherrschung war, die er je erlebt hatte. Taylors flehende Bitte, er möge bei ihr bleiben, hatte nicht das Mindeste mit Verlangen zu tun, das war ihm klar. Die Taylor, die er kannte, hätte niemals um so etwas gebeten, niemals hätte sie in diesem Maße ihre Verwundbarkeit zugegeben.

„Wohin gehst du?" fragte sie ängstlich, als er sie behutsam losließ.

„Ich will überall abschließen und rasch duschen", erklärte er ruhig. „Das dauert nicht lange. Warum machst du dich nicht einfach schon fertig zum Schlafengehen, während ich weg bin? Einen vernünftigen Schlafanzug kann ich dir leider nicht bieten, aber im Bad hängt ein Morgenmantel." Er verschwieg, dass er ähnliche Schwierigkeiten hatte, etwas für sich zum Anziehen zu finden. Er schlief immer nackt und würde sich heute, wie Taylor, wohl mit einem Bademantel abfinden müssen.

Und wo sollte er schlafen? Er blickte kurz auf das breite Bett im Gästezimmer. Dort? Neben Taylor? Er hatte großes Vertrauen zu sich, solange er wach war, aber wenn er im Schlaf unbewusst den Arm nach ihr ausstrecken und sie berühren würde . . . Resigniert sah er zu dem Sessel am Kamin.

Taylor stand am Bett und beobachtete ihn angsterfüllt. „Zehn Minuten“, versprach er, als er nach der Türklinke griff.

„Und du bleibst bestimmt die ganze Nacht? Du lässt mich nicht allein?“

„Nein, ich lasse dich nicht allein“, bekräftigte er.

Als er zurückkehrte, stellte er fest, dass sie seinem Vorschlag wirklich gefolgt war und sich ins Bett gelegt hatte. Beide Nachttischlampen brannten, ebenso die Deckenbeleuchtung. Bram sah, wie Taylor nervös zusammenzuckte, als er die große Lampe ausschaltete, doch sie sagte nichts. In ihrem Blick spiegelte sich allerdings Erstaunen wider, weil Bram ein Kopfkissen und eine Decke unter dem Arm trug.

„Ich habe einen ziemlich unruhigen Schlaf“, erklärte er nicht ganz wahrheitsgemäß. „Deshalb dachte ich, es wäre dir vielleicht angenehmer, wenn ich im Sessel schliefe.“ Unter normalen Umständen hätte er eine solche Ausrede sicher nie benützen müssen, doch die Umstände waren eben nicht normal. Taylors Reaktionen waren eher die eines verschreckten Kindes als die einer erwachsenen Frau. Sie war sich überhaupt nicht bewusst, was ihre Angst und ihr Bedürfnis, Bram bei sich zu haben, eventuell für Folgen haben könnten. Bram wiederum war es ihr schuldig, dass er ihre momentane Arglosigkeit respektierte. Diese Verantwortung trug er nun einmal als Mann.

Nach einer Stunde hatte Bram es aufgegeben nachzuzählen, wie oft Taylor plötzlich, als er gerade einschlafen wollte, leise und angstvoll seinen Namen rief, um sich zu vergewissern, ob er noch wach war und ob er sie auch nicht allein gelassen hatte. Irgendwann jedoch schien sie einzuschlafen, ihr Atem ging tiefer und gleichmäßiger, und Bram wagte kaum, sich zu bewegen, damit er sie nicht wieder weckte. Es dauerte fast eine halbe Stunde, bis er erstmals ganz vorsichtig den Kopf zur Seite drehte und sie ansah. Sie lag auf der Seite, ihm zugewandt, und im Schein der Nachttischlampe konnte er ihr Gesicht gut sehen. Ihre langen, dunklen Wimpern warfen einen Schatten auf ihre Wangenknochen, ihre Züge wirkten weicher und gelöster, sie hatte die Lippen leicht geöffnet. Doch selbst im Schlaf machte sie einen gesammelten, beherrschten Eindruck. Sie hatte das Haar ordentlich zu einem Zopf geflochten, hielt Arme und Beine dicht an den Körper gezogen, und keine unruhige Bewegung unter der Bettdecke verriet, dass es sich bei ihr um ein höchst empfindsames Wesen aus Fleisch und Blut handelte. Dabei war sie sowohl empfindsam als auch sehr verwundbar, wie sehr, das hatte Bram am vergangenen Abend selbst erlebt. Das Herz wurde ihm eng vor lauter Mitgefühl und Liebe. Er setzte sich so hin, dass sie ihn gleich beim Aufwachen sehen konnte, und dabei überlegte er, dass das Schicksal ihm eigentlich eine einzigartige Gelegenheit beschert hatte. Er hatte nicht vor, dieses Geschenk zu ignorieren. Sobald Taylor einmal ihren anfänglichen Schock überwunden hatte, würde sie sofort versuchen, sich wieder von ihm zurückzuziehen, körperlich und gefühlsmäßig. Das durfte er nicht zulassen.

Taylor glaubte zu ersticken. Irgendetwas lastete auf ihrem Gesicht, und das Gefühl der Hilflosigkeit, des Ausgeliefertseins und der Angst versetzte sie in solche Panik, dass sie abrupt aufwachte.

Augenblicklich stellte sie fest, dass sie sich im Schlaf nur die Bettdecke über das Gesicht gezogen hatte. Sie schob sie von sich und merkte, dass es nicht ihre gewohnte Bettdecke war, ihr eigenes Bettzeug war eher einfach und zweckmäßig. Dieses hier jedoch fühlte sich anders an, mit den Fingerspitzen ertastete Taylor feinen, seidenglatten Stoff und leicht erhabene Stickereien darauf. Außerdem roch der Bezug wunderbar nach Lavendel. Die Bettwäsche ihrer Großmutter hatte auch immer nach Lavendel geduftet.

Ihre Großmutter. Taylor hatte schon Jahre nicht mehr an sie gedacht. Oder besser gesagt, sie hatte sich schon Jahre nicht mehr gestattet, an sie zu denken. Orientierungslos ließ sie den Blick über die ihr unbekannt vorkommenden Tapeten und Möbel schweifen, über die Zierleisten, über den Kamin. Als sie den Sessel und den darin schlafenden Mann erblickte, erstarrte sie. Ihr wurde eiskalt, und ihr Herz klopfte vor Angst zum Zerspringen. Hastig schätzte sie die Entfernung vom Bett bis zur Tür ab. Doch dann fiel es ihr wieder ein . . . Bram. Sie war in Brams Haus. In seinem Bett. Sie schloss flüchtig die Augen und ging in Gedanken noch einmal all das durch, was geschehen war, seit der Polizist auf sie zugekommen war. Tränen brannten in ihren Augen, zornig wischte sie sie fort. Wie hatte sie nur so dumm, so unbeherrscht sein können? Wie viele Menschen außer Bram mochten wohl noch Zeuge ihres Zusammenbruchs gewesen sein? Die Polizei, zum Beispiel. Der Mann, der in ihre Wohnung eingebrochen war. Instinktiv wusste sie, dass es ein Mann gewesen sein musste. Hatte er sich irgendwo versteckt gehalten und sie schadenfroh beobachtet? Und nur darauf gewartet, seinen Angriff auf ihr Zuhause, auf sie selbst – zu wiederholen? Die Angst hinterließ einen metallischen Geschmack in ihrem Mund, hilflos krallte Taylor die Finger in die Bettdecke. Dann wurde sie auf einmal ganz still. Wo sollte sie nun hingehen? Zu ihrem Entsetzen stellte sie fest, dass sie jetzt richtig und hörbar weinte, und dass ihr verzweifeltes Schluchzen Bram weckte und in Windeseile an ihr Bett brachte.

„Taylor, was ist denn? Hast du . . ."

„Geh weg! Bitte!" flehte sie, ohne ihn anzusehen. Das hatte gerade noch gefehlt, dass er auch noch das mit ansehen musste. Sie merkte, wie er sich aufrichtete, dann hörte sie die Zimmertür auf- und wieder zugehen. Erst jetzt wurde Taylor bewusst, wie sehr sie sich gewünscht hatte, er möge bei ihr bleiben. Ihre Tränen begannen erneut zu fließen. Warum weine ich eigentlich, dachte sie verbittert. Ja, warum? Um ihr Zuhause, um ihre Habseligkeiten, wegen der Angst, die sie ausgestanden hatte – und wegen der Demütigung. Wegen dieses beschämenden Gesichts Verlusts, der noch schlimmer und Furcht einflößender war als ihre sonstige Furcht. Die wenigstens hatte sie immer kontrollieren und hinter ihrer eisernen Willenskraft verbergen können. Taylor durfte nur nicht an den Mann denken, der in ihre Wohnung eingebrochen war. Sie durfte es nicht zulassen, dass ihre Phantasie sie mit Bildern von ihm quälte, wie er sich irgendwo versteckte, sie beobachtete, abwartete . . .

„Trink das hier."

Sie hatte nicht gehört, dass Bram zurückgekehrt war; erst als er sie leicht am Arm berührte, wurde sie sich dessen bewusst. Sie zuckte heftig zusammen, schüttelte den Kopf und weigerte sich, etwas von dem zu trinken, was er ihr anbot.

„Es ist doch nur Tee", hörte sie ihn sanft sagen. „Ich

dachte, er würde dich etwas beruhigen, damit du schlafen kannst."

„Schlafen? Wie soll ich das schaffen?" Diese bitteren Worte voller Selbstmitleid waren draußen, ehe sie sich Einhalt gebieten konnte. Sie spürte, wie Bram sie betrachtete. Was mochte er bloß von ihr denken? Ihre Wangen glühten vor Scham, als ihr einfiel, wie sie ihn angefleht hatte, bei ihr zu bleiben. „Es tut mir Leid . . . was passiert ist. Dass ich heute Abend die Beherrschung verloren habe", entschuldigte sie sich knapp. „Ich muss wohl hysterisch gewesen sein."

„Du warst nicht hysterisch. Du hattest einen Schock", verbesserte Bram sie ruhig. „Und das aus gutem Grund. Jeder würde wohl so reagiert haben. Du hattest Angst. Welche Frau hätte unter solchen Umständen denn keine Angst?"

„Ach, ich verstehe. Weil ich eine Frau bin, darf ich also Angst haben, schwach und verwundbar sein. Du, als Mann, stehst natürlich über so etwas. Du . . ."

„Das habe ich damit nicht gemeint", unterbrach er sie energisch. „Jeder Mensch hat die Fähigkeit, Angst zu empfinden. Jeder Mensch – auch du. Auch wenn du noch so gern übermenschlich und unverwundbar sein willst. Deswegen musst du dich doch nicht schämen!"

Taylor wollte ihm nicht zuhören. „Nein?" Sie ballte wütend die Hand zur Faust. „Ich fürchte, ich bin nicht deiner Meinung." Sie sah an ihm vorbei zu dem Sessel, in dem er geschlafen hatte. Wie hatte sie nur so dumm und so schwach sein können! Verstand er genauso gut wie sie selbst, was ihre Reaktionen verraten hatten? Denn so groß ihre Furcht auch gewesen sein mochte, sie war nicht allein der Grund gewesen, warum Taylor ihn gebeten hatte, bei ihr zu bleiben . . . „Es ist schon fast Morgen", sagte sie müde. „Es geht mir jetzt besser. Es besteht kein Anlass mehr für dich, hier zu bleiben."

„Für dich vielleicht nicht, für mich jedoch schon." Er stellte die Teetasse ab, nahm Taylor in die Arme und flüsterte heiser: „Und dieser Anlass ist das größte Bedürfnis, das größte Verlangen und das stärkste Gefühl, das ich je empfunden habe und je empfinden werde." Er hatte das, was dann geschah, nicht vorgehabt. Darauf hätte er einen Eid schwören können. Das war das Letzte gewesen, was er im Sinn gehabt hatte. Bram spürte Taylors Widerstand, ihr Erschrecken, ihren Zorn – aber auch noch etwas anderes.

Zunächst küsste er sie ganz bedächtig, nur um ihre Lippen zu kosten, die sich warm, weich und völlig reglos anfühlten, bis auf ein flüchtiges und doch verräterisches Beben. Taylor machte sich bewusst starr, doch ihr Herz schlug zum Zerspringen, und die Ursache dafür waren weder Angst noch Zorn. Das wusste Bram, weil es ihm nicht anders ging, auch sein Herz schlug rasend schnell vor Sehnsucht und Verlangen.

Mit seinem Kuss wollte er nichts anderes bewirken, als ihr zu zeigen, wie es zwischen ihnen sein könnte, wie viel sie einander zu geben vermochten. Ihr zu zeigen, dass auch er verwundbar war, dass auch er Schmerz und Angst empfinden konnte. Noch nie zuvor hatte er eine Frau auf diese Weise geküsst, und er hatte auch nie das Bedürfnis danach gehabt. Er kostete jedes scheinbar noch so geringe Gefühl aus, das er dabei empfand, und er liebkoste ihren Mund, als hätte er alle Zeit der Welt, ja, als drehte sich überhaupt seine ganze Welt nur um diesen Kuss. Bram spürte, wie Taylor in seinen Armen zu zittern begann, ähnlich wie er selbst. Seine Sehnsucht nach ihr, seine Liebe, sein Verlangen und das Wissen, sich dennoch zurückhalten zu müssen, all das erforderte viel Kraft von ihm. Deshalb beschloss er, es mit diesem einen Kuss bewenden zu lassen. Sie war die richtige Frau für ihn, die einzige sogar, doch das war nicht der richtige Zeitpunkt und wahrscheinlich auch nicht der richtige Ort. Als er ganz behutsam ihre Lippen freigab, erstarrte er plötzlich, denn ihm war, als hätte sie kaum hörbar etwas geflüstert. Seinen Namen? Wollte sie ihn bitten aufzuhören? Oder – weiterzumachen?

Bram war nie besonders Risiko freudig gewesen, schon gar nicht, wenn es um andere Menschen und ihre Empfindungen ging. Aber ohne auch nur eine Sekunde an die möglichen Konsequenzen zu denken, beschloss er jetzt, das zu glauben, was er glauben wollte, und er handelte dementsprechend. Er zog sie noch enger an sich, zwang zärtlich ihre Lippen auseinander und stöhnte triumphierend auf.

Es war der Himmel auf Erden. Dieser Kuss war berauschend wie eine Droge und genauso gefährlich. Das Verlangen nach Taylor, das Bram buchstäblich von der ersten Sekunde an mit aller Macht unterdrückt hatte, loderte nun ungehindert in ihm auf. Ihr Duft, ihr Geschmack, das

Gefühl, sie im Arm zu halten, wirkten auf ihn wie ein starkes alkoholisches Getränk auf nüchternen Magen; ihm war schwindelig, alles schien sich um ihn zu drehen. Er wusste, wie mühelos es sein würde, sie jetzt mitzureißen, ihre momentane Schwäche auszunutzen. In der leidenschaftlichen Glut des Augenblicks würde sie sich ihm nicht verweigern, aber wie würde sie sich hinterher fühlen? Wie würde sie dann über ihn denken, über sich selbst?

Widerstrebend hob er leicht den Kopf, doch dann küsste er sie erneut, als er ihren verschleierten Blick, die halb geöffneten, feucht glänzenden Lippen und ihr schweres Atmen wahrnahm. An ihrer Kehle sah er das verräterische Pochen ihres Pulses, er berührte die Stelle zart mit dem Daumen und presste dann seine Lippen darauf. Unwillkürlich bäumte sie sich leicht auf, ihm entgegen, und ein heftiges Schütteln durchzuckte ihren Körper, während sich ihre Finger in die harten Muskeln seiner Oberarme gruben.

„Ich will dich so sehr“, murmelte Bram erstickt. Mit einer Hand strich er ihr das Haar aus dem Gesicht, und diese Geste war nun frei von jeglichem sexuellen Verlangen; sie spiegelte nichts als Liebe in ihrer reinsten Form wider. „Aber nicht jetzt. Das ist nicht der richtige Zeitpunkt. Bald wird es Morgen . . .“

„Ja.“ So fügsam ließ sie sich von ihm zudecken, dass ihm vor Rührung die Kehle eng wurde. „Bram . . .“

Sein Puls begann zu jagen. Wenn sie ihn jetzt bat, bei ihr zu bleiben . . .

Doch sie tat es nicht. Stattdessen schüttelte sie den Kopf, als hätte sie schon wieder vergessen, was sie eigentlich sagen wollte. Die Augen fielen ihr zu vor Erschöpfung, ihr Atem ging langsamer, wurde regelmäßiger.

Das helle Sonnenlicht störte Taylor, sie wandte den Kopf zur Seite und versuchte, die Augen zu öffnen. Aber im Grunde wollte sie nicht aufwachen, viel zu sehr genoss sie diesen angenehmen Dämmerzustand, in dem sie weiterträumen konnte.

In ihrem Traum war sie eine ganz andere Taylor. Eine Taylor, wie sie sie noch von sehr viel früher her in Erinnerung hatte; eine lachende, scherzende Taylor, eine vor leidenschaftlichem Glück fast überschäumende Taylor, wie sie auf die heiseren, sinnlichen Worte reagierte, die ihr der Mann, in dessen Umarmung sie lag, zuflüsterte. Dieser Mann berührte sie, streichelte ihren Körper und sagte ihr, wie sehr er sie brauchte und begehrte. Als er ihre Kehle und die sanfte Rundung ihrer Schulter küsste, überlief sie ein köstlicher, wohliger Schauer. Sie seufzte behaglich auf und ließ sich ganz tief in das Glücksgefühl sinken, das seine Berührungen in ihr auslösten; gleichzeitig provozierte sie ihn lustvoll damit, dass sie sich nicht anmerken ließ, wie sehr er sie erregte. Sie ließ ihn warten, steigerte so sein Begehren noch mehr, genoss es, jede einzelne Phase der Erregung hinauszuzögern und auszukosten, wollte jede einzelne Berührung, jeden Kuss und jede Liebkosung intensiv durchleben. Sie liebte die Art, wie er sie streichelte, erst mit den Händen, dann mit dem Mund, liebevoll, zärtlich, fast andächtig, bis er schließlich von seiner Leidenschaft überwältigt wurde. Und selbst dann genügte nur ein kaum hörbares Wort von ihr, und sofort sog er wieder wesentlich zarter an ihren Brustwarzen. Auch ihren Bauch küsste er, bedeckte ihn mit hauchzarten, Schmetterlingsflügeln ähnlichen Küssen, bis sie sich aufbäumte, die Hände durch sein dichtes dunkles Haar gleiten ließ und dann spürte, wie er ihre Taille umspannte, wie er die Zungenspitze in die Vertiefung ihres Nabels tauchte, ehe er sich tiefer hinab bewegte.

Ihre intimen, vertrauten Liebkosungen hatten etwas beinahe Heidnisches, Urtümliches an sich. Sie, mit ihrem zarten Gesicht, ihrer hellen, samtigen Haut, und er, größer, kräftiger und dunkler, während er über ihr kauerte, Beherrschter und Beherrschender zugleich, darauf wartend, dass sie ihrem Verlangen nach ihm nachgab . . . Langsam hob er den Kopf und sah sie an, forschend, hungrig, bereit, am ganzen Körper angespannt, nur auf ihre Erlaubnis hoffend, endlich in sie eindringen zu dürfen. Und sie lächelte ihn an, mit einem wissenden, fast mystischen und zutiefst weiblichem Lächeln, ehe sie ihm ihren Körper erwartungsvoll darbot, ihm . . . ihrem Geliebten . . . Bram . . .

Bram! Mit einem Schlag war Taylor hellwach, sie war schweißgebadet, jedoch nicht vor Erregung und Lust, sondern vor Angst und Entsetzen. Wie viele Jahre war es her, seit sie diesen Traum gehabt hatte? Diesen Traum von einem mächtigen, geheimnisvollen Geliebten, von einem Mann, dessen Körper ihr so vertraut war wie ihr eigener, dessen Gesicht, dessen Identität sie jedoch nie erkannt hatte? Sie wusste noch genau, wann sie aufgehört hatte, davon zu träumen, und warum. Der Traum gehörte zu ihrer Vergangenheit, zu einem Teil ihrer Jugend, der inzwischen nur noch verschwommene Erinnerung war. Der Traum von einem Geliebten, der heraufbeschworen worden war von der Phantasie eines sexuell unausgereiften, versponnenen Mädchens. Dass sie diesen Traum jetzt wieder gehabt hatte, und dass in diesem Traum Bram ihr Geliebter gewesen war, Bram, ein Mann, der . . . ja, der . . . was? Ein Mann war, den sie nicht wollte, nicht begehrte? Der nicht im Mindesten den Wall bedrohte, den sie zum Schutz um sich herum errichtet hatte? Lügnerin, schalt sie sich verbittert. Bram hatte sich bereits in vergangenen Nächten in ihre Träume geschlichen, allerdings noch nie auf so intensive Art und Weise. Zornig verdrängte sie diese Erkenntnis. Im Grunde hätte sie allenfalls Albträume haben dürfen, von ihrer Wohnung, von dem Mann, der dort eingebrochen war. Auf keinen Fall jedoch Pubertätsträume, voller Lust nach der Berührung eines Mannes, nach dem Sex mit ihm, nach seiner . . . Liebe. Wie hatte sie sich nur so gehen lassen können . . .

Ihre Gedanken wurden plötzlich abgelenkt von der Einkaufstasche auf ihrem Nachttisch. Eine kurze Notiz in Brams Handschrift heftete daran. Nervös biss Taylor sich auf die Unterlippe, als sie sich näher beugte, um den Zettel zu lesen. *Ich habe heute Morgen mit der Polizei gesprochen. Es wird eine Weile dauern, bis du in deine Wohnung zurückkehren kannst. Ich habe meine Sekretärin angerufen, ihr die Lage erklärt und sie gebeten, die notwendigsten Kleidungsstücke für dich zu besorgen.*

Taylor wusste sofort, dass Bram den Inhalt dieser Einkaufstasche weder ausgesucht noch überhaupt je gesehen hatte; ferner war ihr absolut klar, weshalb er den Zettel geschrieben hatte. Doch statt Erleichterung und Dankbarkeit wegen seiner Feinfühligkeit empfand sie eher eine Mischung aus Zorn und Furcht. Lange Zeit hatte sie nun schon ihr Leben selbst im Griff gehabt, hatte sie geglaubt, jederzeit allein mit allem fertig werden zu können; und jetzt hatte ein einziges Ereignis die jahrelange, harte Arbeit an sich mit einem Schlag zunichte gemacht. Aus der Frau, in die sie sich mühsam und qualvoll verändert hatte, war wieder eine Frau geworden, die sie verachtete und fürchtete, eine Frau, die sie sofort wiedererkannte. Und Bram hatte diese Frau auch gesehen. Er hatte sie gesehen und sie mit liebevoller Anteilnahme und Verständnis behandelt. Und – mit Verlangen. Mochte er die veränderte Frau jetzt lieber?

Taylor setzte sich auf die Bettkante, legte den Kopf in den Nacken, schloss die Augen und atmete tief durch. Unwillkürlich presste sie die Fingerspitzen gegen die Schläfen, um die sich anbahnenden Kopfschmerzen aufzuhalten. Nein, Bram war nicht so. Wenn er es nur gewesen wäre. Dann wäre alles viel einfacher für sie gewesen. Dann hätte sie ihn durchschaut und ihn mühelos aus ihrem Leben und . . . ihren Empfindungen verbannen können. Aber so . . .

Auch ohne jenen Kuss letzte Nacht und ohne ihren Traum hatte sie die Wahrheit längst erkannt. Warum also scheute sie sich, sie beim Namen zu nennen? Die Wahrheit ließ sich nicht dadurch verdrängen, dass sie sich weigerte, sie sich insgeheim einzugestehen. Wenn sie sich verbot, die Worte, ‚Ich liebe ihn‘ auch nur zu denken, würde sich dann an ihren Gefühlen für ihn etwas ändern? Wenn sie ihre Gefühle für ihn innerlich abstritt, würde ihr Herz dann etwa nicht mehr so schnell schlagen, sobald sie ihn auch nur hörte oder von weitem sah?

Letzte Nacht hatte sie geträumt, dass sie wieder ein Mädchen und Bram ihr Geliebter war. Wenn das Leben nur so einfach wäre. Bram zu lieben würde ihn genauso gefährden wie sie selbst. Sie hatte nicht das Recht, sich das zu erlauben. Wenn sie also nur einen Funken der Stärke, der Anständigkeit und der Ehrlichkeit besaß, die sie noch gestern zu haben geglaubt hatte, dann musste sie auf der Stelle fortgehen. Aber – wohin? In ihre Wohnung? Das Entsetzen schnürte ihr die Kehle zu. Nein. Dorthin konnte sie nicht gehen, nie mehr. Oder besser – noch nicht. Aber wohin dann? Zu Freunden, Verwandten? Sie lächelte verbittert. Sie hatte weder das eine noch das andere. Ihre Eltern waren tot, und Freunde . . . Wie hätte sie Freunde haben können? Freundschaft setzte Vertrauen und Offenheit voraus. In ihrem Leben gab es Dinge, die sie nie jemandem anvertrauen konnte, Geheimnisse, die immer noch imstande waren, sie zu quälen und zu verfolgen, Schuldgefühle, die so schwer auf ihr lasteten, dass sie manchmal glaubte, unter ihrem Gewicht zusammenbrechen zu müssen.

Nein, es gab niemanden und keinen Ort, wohin sie hätte gehen können. Doch wenn sie blieb . . . Wenn sie blieb, dann würde sie irgendwie die Kraft finden müssen, ihre Liebe zu Bram zu verleugnen. Und ihn notfalls anzulügen, wenn er die Frage stellen würde, von der sie beide wussten, dass er sie fragen würde. Warum war das Leben bloß so ungerecht? Wenn sie ihn nur vor Jahren schon kennen gelernt hätte. Ehe . . .

Mit zitternden Händen öffnete sie die Tasche und schüttete den Inhalt auf das Bett. Naturweiße Leinenhosen mit passender Jacke, anscheinend in genau ihrer Größe. Eine braune Seidenbluse und weiße Leinenbermudas. Ein schwarzer Body, ein braun, schwarz und weiß gemusterter Seidenrock, und eine schwarze Strickjacke, halb Leinen, halb Baumwolle, die zu allem passte. Dazu ein Paar Ballerinas aus Leinen und Leder, so wie mehrere Feinstrumpfhosen.

Brams Sekretärin hatte einen guten Kauf getan, wie Taylor zugeben musste. Alle Kleidungsstücke passten zueinander, ließen sich gut kombinieren und waren modisch und elegant, dazu noch aus den Stoffen, die sie am liebsten trug. Alle passten perfekt von der Größe her, aber auch zu ihrem Teint, ihrer Haarfarbe und ihrem Typ. Dennoch hätte sie selbst wahrscheinlich keins dieser Stücke ausgesucht. Sie nahm den Rock zur Hand. Auch ohne ihn anzuprobieren wusste sie, wie sich die Seide beim leisesten Lufthauch sinnlich an ihren Körper schmiegen würde. Die Bermudas hatten genau die richtige Länge, um ‚stadtfein' zu wirken, genau die richtige Länge für lange, schlanke Beine. Ebenso wie die Bluse wirkten auch die Shorts auf ganz subtile Weise sexy. Solche Kleidung würde eine Frau tragen, die ihre Sexualität sanft unterstreichen, aber nicht offensichtlich zur Schau stellen wollte. Ein Stil, der auf Männer anziehend und attraktiv wirken musste, ein Stil, der der Trägerin eine sinnlichere Ausstrahlung verlieh als jedes hautenge, tief ausgeschnittene Kleidungsstück. Die Hose, das wusste Taylor schon jetzt, würde ihrer Figur sehr schmeicheln, würde ihre schmale Taille und die sanft gerundeten Hüften vollendet zur Geltung bringen. Die dazu gehörende Jacke war kurzärmelig, aber hoch geknöpft, ohne Dekolletee zu zeigen. Und die Ballerinas wirkten zwar solide gearbeitet, machten aber grazile Füße und anmutige Beine.

Taylor musste sich eingestehen, dass sie begeistert war, und sie konnte sich schon in diesen Sachen sehen, konnte sich förmlich Brams verstohlene, anerkennende Blicke vorstellen, wenn sie sie trug. Verstohlen deshalb, weil er sich wohl davor fürchtete, sie könnte ihm ein ungebührliches und chauvinistisches Verhalten vorwerfen ... Oh, ja, sie konnte sich in diesen Sachen durchaus sehen. Aber sie konnte sie nicht wirklich anziehen. Sie riefen den Eindruck hervor, dass sie eine Frau war und stolz darauf, eben eine solche zu sein. Auf diese Art von Stolz hatte sie kein Anrecht, das hatte sie schon vor Jahren verwirkt.

Sie sah sich ungern als Frau, als weibliches Wesen, das war eine Einschätzung, die sie fürchtete und der sie misstraute. Und das aus gutem Grund. Dadurch hatte sie schon so vielen Menschen Schaden zugefügt, sie verletzt und ihr Leben überschattet. Durch die Tatsache, dass sie ... eine Frau war. Ohne es zu merken, zerknüllte sie die Seidenbluse zwischen ihren Fingern, als sie zu zittern anfing, ganz sacht zuerst, dann immer stärker, bis ihre Zähne heftig aufeinander schlugen.

Panikanfälle, hatte der Arzt gesagt. Er hatte Beruhigungsmittel und Therapien vorgeschlagen, aber sie hatte nur kopfschüttelnd abgelehnt. Wozu das Ganze? Beruhigungsmittel boten nur für begrenzte Zeit Linderung; die Wirklichkeit war stets präsent, wartete auf sie und ließ sich nicht ewig umgehen. Und Therapien ... Keine Therapie konnte das ungeschehen machen, was längst geschehen war; keine Therapie konnte ihr Schuldgefühl beseitigen. Für das, was sie getan hatte, gab es keine Vergebung. Nur durch den Tod konnte sie dem allen entfliehen, doch sie glaubte, nicht das Recht zu solch einer Flucht zu haben. Sie war der Ansicht, dass ihre Strafe etwas war, das sie akzeptieren und mit dem sie umzugehen lernen musste.

Das stetige Ticken der Uhr im Schlafzimmer durchdrang ihre Grübeleien. Taylor warf einen Blick darauf. Fast elf. Sie wollte nicht, dass Bram zurückkam und sie immer noch im Bett vorfand. Immer noch ... verwundbar.

Widerstrebend nahm sie die Sachen, die er ihr gekauft

hatte. Ihre eigenen Sachen, genau wie alles andere in ihrer Wohnung, so wie die Wohnung selbst, waren etwas, von dem sie genau wusste, dass sie sie nie wieder ansehen, geschweige denn anrühren würde. Bram, so vermutete sie, hatte das instinktiv verstanden. Ob ihre Versicherung wohl gleichermaßen verständnisvoll reagieren würde?

Taylor hatte fast die unterste Treppenstufe erreicht, als die Haustür aufging und Bram hereinkam. Einen Augenblick lang sahen sie sich nur schweigend an. Zu ihrem Verdruss spürte Taylor, dass sie rot wurde, und so beschloss sie, dass Angriff die beste Verteidigung sein würde. Ungehalten zeigte sie auf den Hosenanzug, den sie trug.

„Es war wirklich nicht nötig, dass du dich in so viel Mühe und Unkosten gestürzt hast. Eine Jeans und ein T-Shirt hätten völlig ausgereicht. Ich werde die Sachen natürlich bezahlen“, fügte sie holprig hinzu, dann hob sie trotzig das Kinn. „Obwohl mir nicht entgangen ist, dass die Preisschilder entfernt worden sind.“

„Das ist meine Schuld, fürchte ich“, gab Bram lächelnd zu. Taylor stellte unglücklich fest, dass er sich von ihrem Verhalten offenbar keineswegs aus der Fassung bringen ließ. Vielleicht weil er wusste, was wirklich in ihr vorging? Wusste er womöglich auch, dass sie sich krampfhaft bemühte, ihre wahren Gefühle hinter einer Maske von Feindseligkeit zu verbergen? Sie glaubte es beinahe. „Ich habe meine Sekretärin gebeten, mir die Quittungen zu geben. Du wirst sie deiner Versicherung vorlegen müssen, wenn du die Schadensmeldung abgibst“, erklärte er sachlich.

Sie warf ihm einen misstrauischen Blick zu. „Ich weiß.“

„Also stellt sie jetzt eine Liste auf, fügt die Belege hinzu und legt eine Akte darüber an.“

„Es ist dir natürlich nicht in den Sinn gekommen, dass ich das sehr wohl auch selbst hätte tun können“, provozierte sie ihn bissig und ließ ihm keine Zeit, darauf zu antworten. „Und wenn wir schon einmal dabei sind – selbstverständlich möchte ich dir auch die Unkosten für meinen Aufenthalt hier ersetzen, ganz zu schweigen von deinem Zeitaufwand.“

Taylor war klar, dass sie sich lächerlich benahm, und fast rechnete sie damit, dass Bram nun in Gelächter ausbrechen würde. Zu ihrem Entsetzen jedoch presste er die

Lippen hart aufeinander, ehe er kühl und distanziert fragte: „Gibt es da vielleicht noch etwas, das ich auf die Liste setzen sollte, Taylor? Meine Sorge um dich, auch wenn du mir wieder und wieder zu verstehen gegeben hast, dass du darauf keinen Wert legst? Oder vielleicht meinen Kuss? Soll ich dir den auch in Rechnung stellen?“ Er ließ sich nicht anmerken, ob er den erstickten, schmerzerfüllten Laut hörte, den sie bei seinen Worten ausstieß. Ungerührt fuhr er fort. „Aber wir dürfen natürlich auch nicht meine Schulden bei dir vergessen, nicht wahr? Zum Beispiel kannst du eine ganze Menge dafür verlangen, dass ich dir meine Gegenwart so impertinent aufdränge. Das allein brächte dir schon eine beträchtliche Summe. Und dann meine Weigerung zu akzeptieren, dass du mir gar keinen Zugang zu deinem Leben gewähren willst – hier wäre wohl ein weiteres Bußgeld meinerseits fällig. Sonst noch etwas?“

Taylor starrte ihn nur wortlos an. Ihr Gesicht war aschfahl geworden, jedes seiner Worte traf sie wie eine Ohrfeige.

„Ach ja, beinahe hätte ich es vergessen. Du könntest mir ja genauso gut *deinen* Kuss in Rechnung stellen! Oder willst du mir weismachen, dass ich dich auch dazu, wie zu so vielem anderen, gezwungen habe? Dass ich dich gezwungen habe, ihn zu ertragen, so wie ich dir mein Mitgefühl, mein Bedürfnis, dir zu helfen, und meine Liebe einfach aufgedrängt habe? Ich war heute morgen in deiner Wohnung. Es ist ausgeschlossen, dass du dorthin zurückkehren kannst. Weder die Polizei noch die Versicherung würde dir das wohl gestatten. Ich hatte vorgehabt, dir anzubieten, dass du – wenigstens für die nächste Zeit – hier bleiben könntest. Ich wollte dir auch mein Ehrenwort geben, dass ich nicht versuchen würde, die Situation auszunutzen. Unter diesen Umständen jedoch scheint es dir lieber zu sein, wenn du irgendwo anders hingehst. *Irgendwo*“, fügte er unerwartet heftig hinzu. „Hauptsache, du brauchst nicht hier bei mir zu bleiben. Ist es nicht so?“

Taylor öffnete den Mund, um etwas zu erwidern, aber sie brachte keinen Ton heraus. Stattdessen fing sie zu weinen an, und obwohl sie sich entsetzlich deswegen schämte, konnte sie die Tränen nicht zurückhalten. Sie hatte einfach nicht mehr die Kraft, weder körperlich noch seelisch, sich dem Schmerz zu widersetzen, der sie jetzt durchflutete, bis in die verstecktesten Winkel ihres Ichs vordrang und alle ihre Abwehrmechanismen zum Erliegen brachte.

Als sie in einer grenzenlos verzweifelten und verlorenen Geste die Hände vor das Gesicht schlug, handelte Bram. Es war der Schock gewesen, nach Hause zu kommen, Taylors Feindseligkeit zu spüren und zu wissen, dass sie sich absichtlich in diesen Zustand gesteigert hatte, nur damit sie ihm sagen konnte, sie wolle fortgehen. Das hatte ihn wütend gemacht. Ihr jedoch so wehzutun, war das Letzte gewesen, was er gewollt oder erwartet hatte. So schnell er konnte, lief er auf sie zu und riss sie in die Arme. Sie schmiegte sich an ihn, barg den Kopf an seiner Schulter und schluchzte auf.

„Tay . . . Tay, es tut mir so Leid . . . Ich wollte dich nicht . . ."

Als sie ihm das tränenüberströmte Gesicht zuwandte, beugte er sich, ohne nachzudenken, über sie und küsste ihr die Tränen von den Wangen. Und schließlich küsste er sie auf den Mund. Es hatte nur ein flüchtiger, um Verzeihung bittender Kuss werden sollen, und als Bram spürte, wie ihre Lippen leicht zu beben begannen, dachte er, sie wolle ihn zurückweisen. Doch kaum gab er sie frei, da schlang sie die Arme um ihn und zog ihn wieder zu sich.

Noch nie zuvor hatte Bram einen gefühlsmäßig so intensiven und leidenschaftlichen Kuss erlebt. Er hatte immer geahnt, dass Taylor zu solcher Leidenschaft fähig und imstande sein könnte, die tiefsten, sinnlichsten Wonnen zu schenken und zu empfangen. Womit er jedoch nicht gerechnet hatte, war, wie rasch sich die Veränderung jetzt vollzog. Noch eben war sie ganz auf Rückzug eingestellt gewesen, und nun zeigte sie ihm ganz offen, vorbehaltlos und ohne Scheu, wie sehr sie ihn begehrte. Bram spürte es am ungeduldigen Zittern, das sie durchlief, am Blick ihrer weit geöffneten Augen, während er sie küsste, er hörte es an dem kehligen, lustvollen Laut, den sie ausstieß, als ihre Leidenschaft in nicht mehr zu zügelndes Verlangen umschlug.

„Bring mich ins Bett, Bram . . . Schlaf mit mir . . . Ich will dich so sehr", stammelte sie fieberhaft und mit rauer, heiserer Stimme die Worte, auf die Bram schon beinahe nicht mehr zu hoffen gewagt hatte.

Ins Bett . . . würde er sich so lange noch beherrschen können? Mit ihr schlafen! Ein Schauer überlief ihn, als sie sich noch fester an ihn presste und ihre Hüften aufreizend gegen seine bewegte. Durch den feinen, dünnen Stoff ihrer Hose konnte er ihre Hüftknochen spüren, die Wärme ihrer Haut und die sanfte Wölbung ihres Venushügels. Ein glühender Hitzestrom durchzuckte ihn. Jetzt fühlte er ihre Hände auf seinem Rücken unter dem Jackett. Er küsste sie weiter, weil er nicht in der Lage war, sich von ihr zu lösen, doch gleichzeitig streifte er das Jackett ab. Sofort begann Taylor ungeduldig, ihm das Hemd aus dem Hosenbund zu zerren. Die Lust traf ihn wie ein elektrischer Schlag, als Taylor seine nackte Haut berührte, und er stöhnte auf. Was hätte er nicht alles dafür geben, sie auf dieselbe Weise berühren zu können, ganz einzutauchen in die Wärme ihrer Haut, ihren Duft, ihren Geschmack . . . Er glaubte, bereits vor sich zu sehen, wie er ihre schlanken Schenkel spreizen, sich dazwischen legen und zunächst sie mit der Zungenspitze liebkosen würde, wie er dann kühner werden würde, bis Taylor sich ihm schließlich ganz öffnete und ihm die intimsten Stellen ihrer Weiblichkeit darbot, damit er sie mit der Zunge verwöhnen, streicheln und immer weiter erregen konnte, bis sie . . .

Ohne ihren Mund freizugeben, hob er sie auf die Arme und trug sie die Treppe empor.

12. KAPITEL

Es regnete, als Jay in Heathrow landete; alles wirkte grau in grau.

Bis er sein Gepäck in Empfang genommen und ein Taxi gefunden hatte, fühlte Jay sich völlig verschwitzt in seinem teuren Maßanzug. Der Zorn, der seit jenem abgebrochenen Telefonat unterschwellig immer in ihm gebrodelt hatte, war in den letzten Stunden mehrfach hell aufgelodert; vor allem, als er erfahren hatte, dass die nächsten drei Concorde-Flüge völlig ausgebucht waren und er nur einen Linienflug nehmen konnte.

Es war noch viel zu früh, um ins Büro zu gehen, denn sein Vater kam meist nicht vor halb neun zur Arbeit. Andererseits war es schon zu spät, um noch etwas von dem versäumten Schlaf nachholen zu können. Er konnte nur hoffen, dass eine ausgiebige Dusche ihm Erfrischung und Abkühlung bringen würde, nicht nur körperlich, sondern auch, was seine Stimmung betraf. Es wäre ihm nicht in den Sinn gekommen, diese Stimmung als Angst oder Unsicherheit zu bezeichnen, er hielt seine Empfindungen eher für Sorge. Wer, zum Teufel, war diese Frau, die für seinen Vater offensichtlich von so großer Wichtigkeit war, dass er sich während der Treffen mit ihr nicht einmal von seinem Sohn stören lassen wollte? Allein der Gedanke ließ seinen Adrenalinspiegel bedenklich in die Höhe schnellen.

Während der Taxifahrt durch den zunehmend dichter werdenden morgendlichen Berufsverkehr trommelte Jay gereizt mit den Fingern auf die Rücklehne des Vordersitzes. „Reifere Männer widmen sich ihren Kindern wesentlich intensiver, vor allem, wenn sie aus einer zweiten Ehe stammen. Wie wird dir das gefallen, Jay?“ So ähnlich hatte Nadia ihn neulich provoziert. Er hatte damals behauptet, so etwas würde nie passieren. Das glaubte er noch immer. Er würde schon dafür sorgen, dass es nicht so weit kam. Wer auch immer diese Frau sein mochte, er würde ihr bald klar machen, dass im Leben seines Vaters kein Platz für sie war. Und in seinem Bett ebenfalls nicht.

Das Taxi hielt vor Jays Wohnblock an, und der Fahrer warf einen säuerlichen Blick auf das Trinkgeld, das Jay ihm zusteckte. Das Gebäude war neu, modern und sehr exklusiv. Zu Jays Nachbarn zählten einige sehr bekannte Schauspieler, ein Aktionär einer erfolgreichen Fernsehgesellschaft und ein Schriftsteller, der gerade für einen Literaturpreis nominiert worden war. Dennoch hatte Jay die Wohnung nicht wegen der illustren Nachbarschaft ausgewählt. Er hatte sie gekauft, weil die Adresse ‚in' war, und weil sie sich in angenehmer Nähe zur Firma befand. Im Gegensatz zu seinem Vater hatte er keine Lust, sich ein dreistöckiges Haus mit Garten aufzuhalsen. In der Hinsicht war sein Vater wirklich lächerlich altmodisch. Für Jay war die Wohnung einfach ein Ort zum Schlafen – manchmal allein, manchmal auch nicht – und gelegentlich zum Essen. Er empfand keinerlei sentimentale Bindungen für sein Apartment. Sein Vater war da ganz anders. Für ihn musste der Ort, wo er wohnte, ein richtiges Zuhause sein, vollgepackt mit Fotos und Erinnerungsstücken.

Jay konnte sich noch an den verwirrten, traurigen Augenausdruck seines Vaters erinnern, als der eines Tages in Jays Zimmer gekommen war und das Foto, das er ihm von seinen, Brams Eltern geschenkt hatte, auf dem Boden vorgefunden hatte, das Glas des Rahmens zerschmettert.

„Ich will es nicht" hatte Jay ihm verbittert erklärt. „Warum auch, schließlich haben sie mich nie gewollt. Sie haben meiner Mutter Geld gegeben, damit sie mich von ihnen fern hielt."

„Jay, das ist nicht wahr!" hatte sein Vater protestiert.

„Sie haben ihr Geld gegeben!" hatte Jay beharrt, mit einem Blick, der seinen Vater warnte, das Gegenteil zu behaupten.

„Schon", hatte Bram bestätigt. „Aber nicht, weil . . . Sie hielten es einfach für das Beste."

Erst später hatte Jay von Helena erfahren, dass es seine Großeltern mütterlicherseits gewesen waren, die das Geld angefordert und zur Bedingung gemacht hatten, dass Bram jeglichen Kontakt zu seinem Sohn meiden sollte. Doch inzwischen war der Schaden irreparabel gewesen, und in Jay hatten sich Furcht und Verbitterung so tief festgesetzt, dass sie durch nichts mehr zu beseitigen waren.

Noch immer krampfte sich sein Magen zusammen, und er verspürte drückende Kopfschmerzen, als er seine Wohnungstür aufschloss. Die Putzfrau hatte seine Post säuberlich auf dem Tischchen in dem achteckigen, mit Marmor ausgelegten Eingangsbereich geordnet. Jay ging in sein Schlafzimmer und ließ seine Reisetasche zu Boden fallen. Dann zog er sich das Jackett aus und knöpfte sich das Hemd auf, ehe er den Anrufbeantworter einschaltete.

Es gab ein paar Anrufe von männlichen Bekannten – Jay zog Bekanntschaften engen Freundschaften vor –, von denen ihn der eine an ein Squashspiel erinnerte und ein anderer ihn zu einem geschäftlichen Dinner einlud. Es folgte eine Reihe nüchterner Mitteilungen seiner Sekretärin, die soeben aus dem Urlaub zurückgekehrt war, und dann ertönte die gehauchte, verführerische Stimme einer Frau, die er zunächst nicht einzuordnen wusste. Schließlich fiel ihm jedoch ein, dass er die Frau mal auf einer Party kennengelernt hatte und mit ihr ein paar Mal ins Bett gegangen war, allerdings eher aus Langeweile.

Mit verächtlicher Miene spulte er das Band während ihrer Durchsage weiter. Sie war wirklich langweilig gewesen, nicht nur im Bett, und zu allem Überfluss hatte sie sogar protestiert, als er darauf bestanden hatte, ein Kondom zu benutzen. Während er sich auszog und ins Bad ging, lief das Band immer noch weiter. Er runzelte die Stirn, als er plötzlich Plums Stimme erkannte. Sie erzählte irgendetwas von ihrer Geburtstagsparty. Diese dumme Schlampe. Er kehrte zurück ins Schlafzimmer und wollte eben das Band weiterspulen, als er den Namen seines Vaters hörte. Er erstarrte, ließ das Band zurücklaufen und hörte sich Plums Durchsage noch einmal an.

„Jay, ich muss mit dir reden“, drängte sie. „Es geht um Bram. Ich glaube . . . Ich glaube, er hat sich verliebt.“ Sie fing an zu schluchzen, so dass er die nächsten Worte nicht richtig verstehen konnte. „Ich habe sie zusammen gesehen“, fuhr sie schließlich fort. „In seinem Büro. Er wollte mit ihr essen gehen, und die Art, wie er sie ansah ... Oh, Jay! Du musst etwas unternehmen! Du musst!“

Bram verliebt ... um Jays Mund trat ein harter Zug. Diese Frau, wer immer sie auch sein mochte, war verdammt gerissen, das zumindest musste er ihr zugestehen. Offenbar war sie gerade dabei, einen Narren aus seinem Vater zu machen. Bram verliebt ... Jay weigerte sich, die Gefühle, die in ihm brodelten, bei ihrem richtigen Namen zu nennen, er weigerte sich, den wahren Grund für seinen ohnmächtigen Zorn näher zu definieren. Es konnte nur einen Grund geben, warum sich diese Frau an seinen Vater gehängt hatte. Bram war sehr reich, eine dankbare Zielscheibe. Nun ja, schon sehr bald würde Jay seinem Vater die rosarote Brille herunterreißen und ihm die Frau so zeigen, wie sie wirklich war.

Er griff nach dem Telefon, wählte Plums Nummer und legte abrupt den Hörer wieder auf. Nein, wahrscheinlich war es besser, wenn er sie persönlich aufsuchte. Er sah auf die Uhr. Es war gerade acht. Bestimmt war sie noch im Bett, zweifelsohne nicht allein. Ihr Pech. Das, worüber er mit ihr reden wollte, war wichtiger als ihre neueste Eroberung.

Manchmal amüsierte es ihn, sich auszumalen, wie die heilige Helena wohl auf die Erkenntnis reagieren mochte, dass ihre Tochter eine Hure war. Nein, sie war ja nicht einmal das. Huren achteten wenigstens darauf, dass sie auch bezahlt wurden. Plum war sogar zu dumm, um daran zu denken. Sie verschleuderte sich einfach umsonst.

Jay duschte rasch und zog sich frische Sachen an. Von Plums Wohnung aus würde er direkt zur Arbeit gehen. Bis dahin war dann sicher auch sein Vater da, und je nachdem, welche Informationen Jay von Plum bezüglich dieser mysteriösen Frau inzwischen erhalten haben mochte, würde er eventuell gleich anfangen können, ihren Einfluss auf Bram abzubauen.

Jay musste fast geschlagene fünf Minuten lang warten, bis Plum auf sein Klingeln reagierte und die Tür aufmachte. Sie war noch im Nachthemd, einem schreiend rosa Nachthemd, das sich eigentlich entsetzlich mit ihrer Haarfarbe hätte beißen müssen, aber erstaunlicherweise tat es das nicht. Ihr Haar war wirr vom Schlaf, und ihre Augen waren verschmiert vom Make-up des vorangegangenen Abends.

Als sie Jay so unvermutet vor sich sah, zuckte sie merklich zusammen, und ihr Blick spiegelte Misstrauen und Neugier wider. „Jay! Was willst du?“ fragte sie voll Unbehagen.

„Ich möchte mit dir über die Frau reden, die sich mit meinem Vater trifft“, erklärte er kurz angebunden, betrat ihre Wohnung und schloss die Tür hinter sich. Dann blieb er kurz stehen und warf einen Blick zu der halb offen stehenden Schlafzimmertür. „Was ist?“ fragte er Plum zynisch lachend. „Hast du Angst, dass, wer auch immer da drin sein mag, schlappmachen könnte, wenn du dich zu lange nicht um ihn kümmerst?“

„Niemand ist dort drin“, gab Plum zornig zurück.

„Warum bist du dann so nervös?“ fragte Jay und fügte grob hinzu: „Doch sicher nicht, weil du glaubst, ich wollte mich vergewissem, ob du wirklich so gut im Blasen bist, wie man allgemein behauptet?“

Plum wechselte die Farbe, in ihre Augen traten Tränen. „Das ist widerlich von dir“, stieß sie hervor. „Ich würde niemals . . .“

„Lügnerin“, spottete Jay. „Du bist doch das typische Mädchen, das nie Nein sagen kann. Meinst du, ich hätte vergessen, wie du dich immer an mich herangemacht hast? ‚Oh, bitte, Jay, lass mich' . . .“ , ahmte er sie grausam nach.

„Das hatte doch nichts mit Sex zu tun!“ begehrte sie empört auf. „Das war doch nur, weil . . .“

„Weil – was?“ insistierte Jay höhnisch.

„Weil ich wollte, dass wir Freunde sind. Weil . . . weil du mir Leid tatest“, platzte Plum heraus.

„Ich tat dir *Leid*?“ Einen Augenblick lang befürchtete Plum tatsächlich, er würde sie packen und schütteln. Seine Worte klangen wie Eis, und sein Blick jagte ihr eine Gänsehaut über den Rücken. „Ich tat dir Leid“, wiederholte er. Plum sah, wie seine Wangen sich vor Wut röteten. Seine Miene wirkte nun so verächtlich, dass Plum sich instinktiv duckte. „Weißt du, woran du mich erinnerst, Plum?“ fuhr er kalt fort. „Ganz in unserer Nähe in Norfolk befand sich ein Zigeunerlager. Die Zigeuner hatten einen Hund dabei, eine abartige, winselnde, demütige Hündin, die fast auf dem Bauch zu den Leuten kroch, um Essen zu erbetteln. Genauso wie du um Sex bettelst. Und ausgerechnet du sagst, dass ich dir Leid tue. Ich frage mich, was deine Mutter wohl sagen würde, wenn sie dieses eher langweilige Video zu Gesicht bekäme, das du von dir selbst gemacht hast . . ."

„Du warst es also! Du hast es mir weggenommen!" stammelte Plum. Sie gab sich nicht einmal die Mühe, so zu tun, als wüsste sie nicht, wovon er redete.

„Ja, ich habe es mir genommen, und ich besitze es immer noch. So, und jetzt erzähl mir von der Frau, in die sich mein Vater angeblich verliebt hat", forderte er. Plötzlich war er es leid, sie weiter zu quälen. Sie war eine so unwürdige Gegnerin. Ganz gleich, wie grausam und verächtlich er sie auch behandelte, er brauchte nur die Arme auszustrecken, ihr vorzulügen, dass er es nicht so gemeint hätte, und schon würde sie ihm um den Hals fallen, weinen – und ihm glauben.

„Sie heißt Taylor . . . ja, Taylor", antwortete Plum hastig. „Sie . . . Ich glaube, sie hilft ihm bei irgendeinem seiner Projekte." Sie runzelte nachdenklich die Stirn. „Soweit ich weiß, arbeitet sie für einen Wohlfahrtsverband, oder so etwas Ähnliches. Sie bedeutet Bram wirklich viel, Jay, das sieht man ihm deutlich an. Aber sie, sie macht sich nichts aus ihm. Sie ist so kalt, so hart. Und sie ist alt. Ich hasse sie", fügte sie kindlich hinzu. „Ich liebe ihn so sehr, und sie wird ihn mir wegnehmen. Du musst etwas tun, Jay, du musst dem Ganzen ein Ende machen . . . Das wirst du doch, oder?"

Mit einer flehenden Geste packte sie ihn am Arm, doch dann ließ sie ihn abrupt wieder los und errötete, als sie Jays Blick wahrnahm. „Wie spät ist es eigentlich?" plapperte sie nervös weiter. „Ma holt mich um zehn ab. Ich habe eine Anprobe für das Kleid, das ich auf der Party tragen werde." Sie schnitt eine Grimasse. „Ich wollte etwas von Lacroix oder Valentine, aber Ma besteht darauf, mich zu ihrer langweiligen alten Schneiderin zu schleppen. Du kommst doch auch zu der Party, oder?"

Jay antwortete nicht mehr. Er war bereits auf dem Weg zur Tür. Neun Uhr. Nun, zumindest würde sein Vater jetzt im Büro sein.

Die Empfangsdame sah Jay argwöhnisch nach, als er an ihr vorbei zum Lift eilte. Kaum hatte sich die Fahrstuhltür hinter ihm geschlossen, da griff sie zum Telefon und rief Jays

Sekretärin an. „Alarmstufe eins“, warnte sie. „Seine Lordschaft ist wieder da, und so wie er aussieht, ist er ziemlich schlecht gelaunt!“

„Danke, ich bin dir etwas schuldig!“ Jays Sekretärin legte rasch den Hörer auf, als sie die vertrauten Schritte draußen auf dem Flur hörte. Er kam jedoch nicht zu ihr, sondern ging geradewegs weiter zur Bürosuite seines Vaters.

Marcia hob seelenruhig den Kopf, als Jay eintrat. Sie war an diesem Tag erstmals wieder im Büro, sehr zur Erleichterung ihrer Vertretung.

„Ich will meinen Vater sprechen“, verkündete Jay knapp, ohne auf ihren Gutenmorgengruß einzugehen.

„Er ist leider noch nicht da.“ Marcia sah Jays gereizte Miene und fügte schnell hinzu: „Wahrscheinlich erreichen Sie ihn bei sich zu Hause. Er ...“ Verärgert presste sie die Lippen aufeinander, als Jay mitten in ihrem Satz einfach das Büro verließ.

Als das Taxi ihn vor dem Haus seines Vaters absetzte, hatte Jays Stimmung fast den Siedepunkt erreicht. Es war eine höchst explosive Mischung aus Anspannung, Aggressivität, Angst und Jetlag. Dazu kam der noch immer schwelende Zorn wegen der Ablehnung seines Vaters, auf Jays Expansionspläne einzugehen.

Zu allem Überfluss merkte er, dass er den Schlüssel zu Brams Haus in seiner Wohnung liegen gelassen hatte. Zornig läutete er zwei Mal und ausgiebig.

Taylor war oben, als sie die Türglocke hörte. Sie hatte am Fenster des Zimmers gestanden, in dem sie einen ganzen Nachmittag und die ganze letzte Nacht mit Bram zusammen gewesen war. Ihr wurde glühend heiß bei der Erinnerung daran, wie sie auf Brams Liebe reagiert hatte. Sie hatten nicht nur miteinander geschlafen, sondern sich im wahrsten Sinn des Wortes geliebt, und das nicht nur einmal, sondern ... Sie biss sich hart auf die Unterlippe, um nicht weinen zu müssen, als sie Brams Gesicht wieder vor sich sah, seinen Gesichtsausdruck, nachdem sie sich heute Morgen vor ihm zurückgezogen hatte, körperlich, seelisch und emotional. Wie viel Verwirrung und Schmerz hatte in seinem Blick gelegen, als sie sich geweigert hatte, mit ihm zu sprechen, ihm irgendetwas zu erklären.

Aber wie hätte sie das auch tun können? Wie konnte sie ihm sagen, dass sie nicht das Recht hatte, das Geschenk seiner Liebe anzunehmen oder gar zu erwidern? Dass es ihn in Gefahr bringen würde, wenn sie es zuließ, dass er sie und sie ihn liebte? Gestern noch war sie überwältigt gewesen von einem haltlosen, egoistischen Verlangen. Heute . . .

Er hatte zu einem dringenden, unvorhergesehenen Geschäftstermin fortgehen müssen, aber er würde nicht lange bleiben, und wenn er zurückkam . . . Wenn er zurückkam, würde sie nicht mehr da sein. Diesen Entschluss hatte sie bereits gefasst. Sie krampfte die Finger so fest um den Bilderrahmen, den sie in den Händen hielt, dass sie sich fast daran geschnitten hätte. Bram hatte das Bild aus ihrer Wohnung mitgebracht. Der Silberrahmen war leicht beschädigt, das Glas zerbrochen, doch das Foto war intakt. Taylor hatte sich beinahe geweigert, es anzunehmen, zuzugeben, dass es ihr gehörte. Brams Blick war jedoch sehr nachdenklich und auch etwas neugierig gewesen. „Das ist . . . mein Patenkind“, hatte sie unbeholfen erklärt. „Meine . . . Ihre Eltern leben jetzt im Ausland. Ich habe sie nicht wieder gesehen.“

„Das Mädchen ist bildhübsch“, hatte Bram ernsthaft erwidert.

Wie schnell der Dieb das Foto wohl gefunden haben mochte? Diese Frage quälte Taylor mittlerweile. Hatte er es sofort entdeckt, oder hatte er es zufällig in die Finger bekommen, als er ihre Schubladen durchwühlt hatte?

Die Türglocke läutete. Das schrille Geräusch riss Taylor aus ihren verzweifelten Gedanken, und erst jetzt wurde ihr bewusst, dass es schon wiederholt geklingelt haben musste. Unsicher ging sie nach unten und zögerte, als sie die Umrisse eines Mannes draußen vor der verglasten Tür erkennen konnte. „Die Polizei weiß, dass du hier bist, wahrscheinlich wird man dich verhören wollen“, hatte Bram sie vorbereitet. Mit zitternden Händen legte sie nun zuerst die Sicherheitskette vor, ehe sie die Tür einen Spaltbreit öffnete.

Sie hörte, wie der Mann draußen fluchte, als er vergeblich versuchte, die Tür aufzustoßen. „Wo ist mein Vater?“ rief er wütend. „Und wer, zum Teufel, sind Sie?“

Brams Sohn also. Taylor wurde klar, dass sie ihn überall und jederzeit erkannt hätte. Sie löste die Kette, öffnete und trat zur Seite, als Jay ins Haus stürmte. Eine angespannte, zornige Ausstrahlung ging von ihm aus, Taylor konnte sie förmlich greifen. Sie sah, wie Jay sie aus schmalen Augen gründlich musterte.

„Großer Gott, Sie sind diejenige, welche, nicht wahr?" stieß er hervor. „Wo ist mein Vater?" wiederholte er schroff, während er bereits an ihr vorbei in Richtung Arbeitszimmer lief.

„Er ist nicht da."

Sie hatte so viel von Brams Sohn gehört, hatte bemerkt, mit wie viel Liebe Bram immer von ihm sprach, und hatte auch geahnt, wie schmerzhaft verworren diese Liebe war. Auf diese Reaktion von Jay darauf, sie im Haus seines Vaters, in seinem Leben anzutreffen, war sie jedoch nicht vorbereitet gewesen. Hätte sie eine echte, offene und ernsthafte Beziehung zu Bram gehabt, dann hätte sie sich vermutlich vor diesem Mann gefürchtet. So jedoch wurde sie, nachdem sie ihr erstes Erschrecken überwunden hatte, überraschend ruhig und gelassen. Schließlich hatte Jay etwas an sich, das ihr vertraut war, sehr vertraut sogar.

„Sie müssen Jay sein", sagte sie still und legte das Foto, das sie immer noch in der Hand hielt, auf den Tisch. Sie merkte, wie Jay es ansah, die Stirn runzelte, und dann offenbar im Geiste das Mädchen auf dem Foto mit Taylor verglich.

„Ihre Tochter?" erkundigte er sich kalt. „Also soll mein Vater nicht nur Sie allein mit Luxus überschütten, sondern die da auch?"

Taylor wurde rot vor Zorn und vor Scham. „Nein, das ist nicht . . . meine Tochter. Sie ist . . ." Ungläubig registrierte sie, dass ihre Stimme tatsächlich auf einmal zu zittern begann. „Sie ist . . . mein Patenkind. Und dass Ihr Vater mich aushalten soll . . ."

„Was denn?" forderte er sie heraus. „Der Gedanke ist Ihnen nie gekommen? Verschonen Sie mich mit so etwas! Warum sonst haben Sie sich bis in sein Bett vorgearbeitet? Halt – Sie brauchen das gar nicht abzustreiten, der Geruch von Sex haftet Ihnen ja immer noch an", fuhr er sie beleidigend an.

Taylor stockte der Atem; sie wurde kreidebleich und wich einen Schritt zurück, während sie sich ganz unbewusst mit der Hand an die Kehle fuhr.

„Oh, ja, ich weiß bereits alles von ihnen“, fuhr Jay schäumend vor Wut fort. „Auch, wie verrückt mein Vater nach Ihnen ist. Aber noch sind Sie nicht mit ihm verheiratet, und ich werde dafür sorgen, dass es niemals so weit kommt, koste es, was es wolle. Sie ...“

„Jay!“

Keiner von ihnen hatte Bram durch die noch immer offenstehende Haustür kommen hören. Taylors Gesicht war vor Entsetzen so bleich wie Jays dunkelrot vor Zorn, als sie sich beide in die Richtung umdrehten, aus der die herrische Stimme ertönt war.

„Taylor, ist alles in Ordnung mit dir?“ Ohne auf seinen Sohn zu achten, ging Bram an ihm vorbei, legte ihr die Hände auf die Schultern und zog sie beschützend und zugleich auch unerwartet Besitz ergreifend an sich.

„Ich ...“ Taylor wollte ihm, ihnen beiden sagen, dass Jay nichts von ihr zu befürchten hatte, doch zu ihrem Entsetzen brachte sie kein Wort heraus. Sie blieb nur stumm in Brams Umarmung stehen, und die Tränen strömten ihr über die Wangen.

„Siehst du denn nicht, worauf sie es in Wirklichkeit abgesehen hat?“ hörte sie Jay aufbrausen. Bram ließ ihn jedoch nicht weiterreden.

„Bitte, geh, Jay. Du hast Taylor bereits genug aufgeregt.“

„Dad ...“

„Geh! Auf der Stelle!“

„Wenn ich jetzt gehe, werde ich dieses Haus nicht mehr betreten. Nicht, solange sie hier ist, solange sie dein Leben teilt“, warnte Jay ihn verbittert. „Du kannst wählen – sie oder ich.“

Taylor schloss erschauernd die Augen. Nun fiel die Entscheidung, und sie lag nicht mehr in ihrer Hand.

„Taylor *ist* mein Leben, Jay.“

Taylors Magen krampfte sich zusammen, als sie Jays Augenausdruck wahrnahm, die Ungläubigkeit darin, das kurze Aufflackern unerträglichen Schmerzes. Doch dann wurde seine Miene plötzlich hart wie Stein. Er ging langsam zur Tür und zog sie dann hinter sich ins Schloss. Taylor hielt den Atem an und wartete die ganze Zeit darauf, dass Bram ihn zurückhielt und seine Worte widerrief. Nichts dergleichen geschah. „Bram! Er ist dein Sohn! Du darfst ihn nicht ...“

„Und du bist die Frau, die ich liebe“, gab Bram ernst zurück.

„Er ist dein Sohn!“ beharrte sie, ihre Kehle war wie zugeschnürt. „Du hast ihn doch lieb!“ Jay würde ihr das niemals verzeihen, er würde es nie vergessen und ihr ewig Vorwürfe machen. „Ich darf das nicht zulassen“, flüsterte sie. „Du und ich, wir dürfen nicht . . .“

„Was dürfen wir nicht?“ fiel Bram ihr ins Wort. „Dürfen wir nicht das Recht haben, zusammen zu sein, glücklich zu sein, uns zu lieben?“

„Er hat Angst, dich zu verlieren.“ Obwohl sie ganz ruhig sprach, waren ihre Augen ganz dunkel vor Angst, ihr Ausdruck wirkte gehetzt.

„Es ist alles in Ordnung“, sagte er heiser. „Du brauchst keine Angst zu haben. Ich habe gehört, was er zu dir gesagt hat, und ich verspreche dir, weder Jay noch sonst jemand wird sich je zwischen uns stellen können. Und an meinen Gefühlen für dich wird sich nie etwas ändern.“

Taylor starrte ihn an. „Wie kannst du so etwas sagen? Wie kannst du dir dessen so sicher sein? Wir kennen uns doch kaum. Ich . . .“

„Ich weiß, dass ich dich liebe“, widersprach Bram ruhig und mit felsenfester Überzeugung. „Ich weiß, dass ich bereits einen Großteil meines Lebens ohne dich verbringen musste und dass ich jetzt keine Sekunde mehr ohne dich sein mag. Ich wusste es, als ich dich in meinen Armen hielt, als du mich in deinen Körper aufnahmst; und mir war klar, dass uns etwas ganz Seltenes, Besonderes miteinander verbindet, ein Geschenk, das nur sehr wenigen Menschen im Leben vergönnt ist. Dieses Geschenk ausschlagen . . .“ Er schüttelte den Kopf. „Nein. Das kann ich nicht. Natürlich hat dich das, was Jay dir an den Kopf geworfen hat, sehr getroffen und erschreckt. Das Letzte, was ich mir wünsche, ist, dass du dich verpflichtet fühlst, bei mir zu bleiben, nur weil ich dir vor Jay den Vorzug gegeben habe. Glaub mir, das war allein meine Entscheidung, und es stand mir zu, sie zu fällen. Genauso wie es dir zusteht, deine Entscheidungen zu fällen und Pläne für dein Leben zu machen. Und ich möchte daher nur unter einer Voraussetzung Teil deines Lebens sein – nämlich wenn du dich frei und ungehindert entscheidest, dass ich es sein soll.“

„Du meinst ... Wenn ich jetzt gehen, nicht bei dir bleiben wollte, dann würdest du mich einfach gehen lassen?" Ihr Mund fühlte sich plötzlich wie ausgedörrt an.

„Wenn das dein freier Wille wäre – ja", bestätigte Bram ernst. Taylor schloss die Augen und dachte daran, wie sie sich an diesem Morgen eingeredet hatte, sie könnte unmöglich bei ihm bleiben. Mittlerweile hatte sie womöglich noch mehr Gründe fortzugehen. Ihre Augen standen voller Tränen, als sie sie wieder aufschlug und Bram ansah. Für den Rest ihres Lebens würde sie die Erinnerung mit sich herumtragen, wie es sich angefühlt hatte, seine Hände, seinen Mund auf ihrem Körper zu spüren; wie er ihr zärtliche Worte der Liebe ins Ohr geraunt und ihr sein Körper sein größtes Geschenk gemacht hatte, als er sich in ihr verströmt hatte. Sie öffnete den Mund, um ihm zu sagen, dass sie nicht bleiben konnte, dass sie gehen musste, zu seinem und zu ihrem eigenen Besten. Stattdessen schmiegte sie sich in seine Arme und schluchzte immer wieder hilflos nur seinen Namen.

13. KAPITEL

Es durfte nicht so weitergehen, das Ganze musste ein Ende nehmen. Sie würde sich etwas ausdenken müssen, aber nicht jetzt. Nicht heute. Noch nicht.

Taylor benahm sich wie jemand, der eine Diät machen oder sich das Rauchen abgewöhnen wollte; immer wieder nahm sie sich fest vor, ganz bestimmt am nächsten Tag damit anzufangen. Ja, morgen, morgen würde sie es schaffen. Letztlich weigerte sie sich doch nur zuzugeben, wie schwach sie war, wie unfähig, das in Angriff zu nehmen, was getan werden musste.

Sie bückte sich, um ein paar verwelkte Blüten von Brams Rosen abzubrechen. Wie lange wohnte sie nun schon in Brams Haus? Einen Monat, etwas länger vielleicht. Und wie oft hatte sie sich während dieses Monats gesagt, dass sie unmöglich bleiben konnte? Liebe war wie eine hoch empfindliche Blüte. Genau wie diese Rosen. Wenn man sie einmal in voller Blüte gesehen hatte, hatte man sich ebenfalls nicht vorstellen können, dass sie eines Tages verwelken und sterben könnten.

Sie würde den Garten vermissen, wenn sie fortging, genauso wie die Geräumigkeit und Behaglichkeit von Brams Haus. Und Bram selbst . . . Durfte sie denn zugeben, dass sie auch ihn vermissen würde? Durfte sie es zulassen, dass sich dieser Gedanke in ihrem Kopf einnistete, oder war es sicherer, ihn so lange zu verdrängen, bis der Moment gekommen war, wo sie sich ihm stellen musste – allein, weit, weit fort von der liebevollen, schützenden Wärme, die sie in Brams Armen gefunden hatte?

Bram war an diesem Morgen zu einer Konferenz in Straßburg geflogen, bei der er der Hauptredner sein sollte. Er hatte Taylor mitnehmen wollen, doch sie hatte abgelehnt.

„Es gefällt mir nicht, dich allein zu lassen“, hatte er ihr am Morgen gestanden, als er sie im Arm gehalten und zärtlich geküsst hatte. „Aber du bist hier in Sicherheit, und morgen Abend bin ich ja wieder zurück.“

Sie vermisste ihn jetzt schon.

Eigentlich war nun der ideale Zeitpunkt fortzugehen. In einer Stadt wie London war es leicht unterzutauchen. Dank Brams Unterstützung hatte ihre Versicherung den Schaden sehr prompt beglichen, deshalb verfügte sie momentan über einen recht ansehnlichen Geldbetrag. Sie konnte irgendwo eine Wohnung mieten, bis sie etwas Geeignetes zum Kaufen fand. Ihre jetzige Wohnung würde sie verkaufen. Darin konnte sie nie wieder wohnen.

Wenn sie nun ging, würde Bram sie aufspüren. Über ihre Arbeit ging das ganz leicht. Außerdem . . . Weshalb machte sie sich eigentlich etwas vor? Sie würde doch noch einmal mit ihm schlafen wollen, und dann womöglich ein weiteres Mal. Ihn im Arm halten, von ihm gehalten werden, wie oft? Einmal, zwei Mal, tausend Mal. Mit jedem Tag, den sie länger blieb, wuchs das Risiko, das sie ohnehin längst eingegangen war. Was würde geschehen, wenn Bram die Wahrheit über sie herausfand? Würde er sie dann immer noch lieben? Wie konnte er das? Hatte sie ihm nicht schon genug Kummer zugefügt? Ihr gegenüber mochte er so tun, als bereute er seinen Streit mit Jay nicht, aber sie hatte sein Gesicht gesehen, die grenzenlose Traurigkeit in seinem Blick, wenn er sich unbeobachtet fühlte. Trotz allem war Jay sein Sohn, und Bram liebte ihn. Sobald sie nicht mehr zwischen den beiden stand, würden sie ihre Differenzen bereinigen und . . .

„Warum hast du nie geheiratet?“ hatte sie ihn eines Nachts gefragt, als sie im Dunkeln in seinen Armen gelegen hatte. Es fiel ihr leichter, mit ihm zu sprechen, wenn sie wusste, dass er ihren Gesichtsausdruck nicht sehen und raten konnte, was in ihr vorging.

„Weil ich dir bis dahin nicht begegnet war“, hatte er erwidert und sie geküsst. Später jedoch hatte er zugegeben, dass Jay und sein Verhalten als Kind der Grund gewesen waren, warum Bram beschlossen hatte, sich nicht dauerhaft zu binden.

Dann war da noch das Problem, was sie mit ihrer Wohnung machen sollte. Früher oder später würde sie dort hingehen müssen. Sie hatte Bram bereits gesagt, dass sie sie verkaufen wollte.

„Möchtest du, dass ich einen Makler beauftrage, sie sich einmal anzusehen?“ hatte Bram angeboten. So war er eben; er bot ihr stets großzügig seine Hilfe an, ohne dem Ganzen jedoch den Beigeschmack zu geben, als traute er ihr nicht zu, so etwas selbst in die Hand zu nehmen. Noch nie zuvor war sie einem Mann begegnet, der so feinfühlig in Bezug auf die Empfindungen anderer Menschen war, das gefiel ihr an ihm. Beherrschende, alles im Griff habende Männer jagten ihr stets Unbehagen ein, machten sie misstrauisch. Absurderweise fand sie diese übertriebene Fürsorglichkeit meist beim so genannten ‚neuen Mann‘, diesem Typus mit der verbissenen Entschlossenheit, alles völlig korrekt zu machen, ohne dass er merkte, wie wenig anziehend das wirkte. Bei Bram hingegen spürte sie instinktiv, dass sein Feingefühl ein fester Bestandteil seiner Persönlichkeit war. Und dadurch unterschied er sich so grundlegend von Jay, dem Taylor unterstellte, nie im Leben Rücksicht auf die Gefühle anderer genommen zu haben. Sie fand ihn gleichermaßen aggressiv und manipulierend, allerdings hütete sie sich, ihn Bram gegenüber zu kritisieren; nicht, weil sie glaubte, es könnte ihn ärgern, sondern weil sie befürchtete, ihn damit zu verletzen.

Bram hatte ihr versichert, dass der Bruch zwischen ihm und Jay unvermeidlich gewesen sei, dass es einfach so hatte kommen müssen, und dass er Jay niemals gestatten würde, sich zwischen sie beide zu stellen. Dennoch war ihr klar, dass ihm der Vorfall wehtat. Und darüber hinaus war ihr ebenfalls klar, dass Jay weit davon entfernt war, die Liebe seines Vaters zu Taylor zu akzeptieren, und dass er nach wie vor entschlossen war, ihre Beziehung zu zerstören.

Wie Jay reagieren würde, wenn er je die Wahrheit über ihre Vergangenheit erfuhr, darüber bestand für sie nicht der geringste Zweifel – wenngleich es höchst unwahrscheinlich war, dass er das jemals herausfinden würde. Wäre Taylor eine andere gewesen, etwa der Typ Frau, den Jay ihr unterstellte zu sein, dann hätte es ihr sicher ein nicht unbeträchtliches, zynisches Vergnügen bereitet zu beobachten, wie Jay versuchte, die Beziehung zwischen ihr und seinem Vater zu sabotieren . . . wusste sie doch, dass das Geheimnis um ihre Vergangenheit weitaus zerstörerischer war, als es Jays Taktiken je sein konnten.

Doch so eine Frau war sie nicht. Sie hatte, weiß Gott, in den letzten Wochen versucht, so zu tun, als hätte es diese Vergangenheit nie gegeben, als hätte sie jedes Recht, Brams Liebe zu akzeptieren und zu erwidern, aber sie wusste, dass sie sich damit nur in die eigene Tasche log. Bram zu verlassen, nachdem sie erfahren hatte, wie beglückend es war, von ihm geliebt zu werden, war, als ob sie sich in ein gewaltiges, freudloses Brachland zurückzog, in dem es nur Kummer und Schmerz und eine grenzenlose Leere gab. Andererseits konnte sie nicht bei ihm bleiben, ihn dauernd täuschen, belügen, ständig in der Angst, dass . . .

Sie hob den Kopf, als sie hörte, wie die Haustür aufging. Bram hatte zwar gesagt, er käme erst am nächsten Abend zurück, aber . . . Sie eilte nach unten, doch das Lächeln erstarb auf ihren Lippen, als sie statt Bram Jay im Eingang stehen sah.

„Bram ist nicht da", sagte sie kühl und runzelte die Stirn, als ihr Blick auf die Schlüssel fiel, die Jay gerade wieder einsteckte. Bram hatte ihr gesagt, er hätte von Jay den Schlüssel für das Haus zurückverlangt, und Jay hätte sie ihm auch gegeben.

„Ich weiß", erwiderte Jay. „Eigentlich bin ich auf dem Weg zum Flughafen, da ich zu ihm fliegen werde. Er hat mich heute angerufen und erklärt, man hätte ihm ein paar Tage Angelurlaub angeboten."

Er sprach ganz beiläufig und unbefangen, dennoch entging Taylor das triumphierende Aufblitzen seiner Augen nicht. Natürlich wusste sie, dass die beiden geschäftlich immer noch Kontakt hatten, das war ja auch nicht anders denkbar. Trotzdem hatte Bram ihr den Eindruck vermittelt, dass die Atmosphäre zwischen ihnen nach wie vor sehr angespannt war und Jay sich sozusagen in den Schmollwinkel zurückgezogen hätte.

„Er benimmt sich wirklich eher wie ein kleines Kind und nicht wie ein Erwachsener", hatte Bram sich eines Abends beklagt. „Man könnte meinen, dass wir beide, du und ich, die Schuldigen wären."

„In seinen Augen sind wir das wahrscheinlich auch", hatte Taylor trocken entgegnet. „Offensichtlich ist er immer noch sehr aufgebracht wegen unserer Beziehung, Bram. Nach außenhin mag er ja ein erwachsener Mann sein, aber tief im Innern fühlt er sich noch genauso wie als Kind – nachtragend und scheinbar durch jeden bedroht, der es wagt, in dein Leben zu treten."

„Nun, ich fürchte, daran wird er sich jetzt gewöhnen müssen. Ich weiß nicht, ob es am Älterwerden liegt, aber in letzter Zeit lässt meine Toleranz, was Jay betrifft, zunehmend nach. Ehrlich gesagt, Tay, ich bin es leid, ständig den Sündenbock für das spielen zu müssen, was in der Vergangenheit passiert ist, und dauernd Zugeständnisse machen zu müssen. Ja, es tut mir Leid, was damals geschehen ist, und ich werde mir ewig Vorwürfe deswegen machen. Aber ich kann doch nicht bis in alle Zeiten für diesen Fehler bezahlen! Ich frage mich, ob mir unsere Kinder wohl auch eines Tages Vorwürfe machen werden, dass ich sie in die Welt gesetzt habe?"

„Unsere Kinder ..." hatte Taylor heiser wiederholt. „Aber ..."

„Aber – was? Glaubst du, ich bin schon zu alt?"

„Nein, natürlich nicht", hatte Taylor spontan und aufrichtig widersprochen, aber danach hatte sie kein Wort mehr hervorgebracht. Zu mühsam hatte sie gegen ihre aufsteigenden Tränen ankämpfen müssen. Kinder ... Mein Gott, wenn das nur möglich gewesen wäre. Nur sie selbst konnte beurteilen, wie sehr sie sich in all diesen langen, trostlosen Jahren danach gesehnt hatte. Und dann noch Kinder von Bram ... „Jay wäre sicher nicht damit einverstanden", hatte sie leichthin geantwortet, um ihre Gefühle zu überspielen. Und Brams Kommentar dazu war untergegangen in dem leidenschaftlichen Kuss, den er ihr gegeben hatte.

Nein, Bram hatte ihr keinerlei Anlass zu der Vermutung gegeben, dass er und Jay sich wieder ausgesöhnt hätten. Schon gar nicht in dem Ausmaß, dass sie jetzt gemeinsam eine Angeltour machen wollten. Soweit Taylor wusste, hatte er immer noch vor, wie ursprünglich geplant, gleich aus Straßburg zurückzukommen.

„Was ist denn?" erkundigte Jay sich mit gespielter Anteilnahme. „Hat Dad Ihnen nicht gesagt, dass wir zum Angeln fahren? Nun ja, andererseits sieht ihm das ähnlich. Er hatte schon immer eine Aversion gegen Szenen und hysterische

Ausbrüche, er hat ja genug davon ertragen müssen. Irgendwie scheint er immer wieder denselben Typ Frau anzuziehen. Sie wissen doch, was ich meine, Taylor, oder? Manche Leute würden sie wohl als willensstark und geradeheraus bezeichnen, aber dominant und schrill wären wohl die besseren Bezeichnungen. Dad ist so unbekümmert, dass er es erst einmal zulässt, wenn man ihn um den Finger wickelt, und er wiegt sie in dem Glauben, dass . . . Dann gelangt er jedoch stets an den Punkt, wo er plötzlich verzweifelt nach einer Fluchtgelegenheit sucht. Solchen Frauen ist es jedoch häufig schwer klarzumachen, dass sie die Beziehung als beendet ansehen sollen. Sie verstehen mich, ja?"

Oh, ja, ich verstehe, dachte Taylor im Stillen. Sie sah ihm an, wie viel Spaß ihm diese Szene machte. „Warum sind Sie hergekommen, Jay?" fragte sie ruhig. Sie war nicht gewillt, sich auf dieses Spiel einzulassen.

Sie spürte sofort, dass ihre Reaktion ihn verärgerte. Was hatte er denn von ihr erwartet – dass sie sich mit ihm streiten, hysterisch werden und ihm androhen würde, alles seinem Vater zu sagen? „Dad hat mich gebeten, sein Angelzeug mitzunehmen. Ich hole es rasch. Er schläft wohl noch in seinem gewohnten Zimmer, vermute ich."

„So ist es. Ich glaube jedoch, dass Sie das, was Sie suchen, im Gästezimmer finden werden. Bram hat ein paar Sachen dorthin ausrangiert, damit ich mehr Platz für meine habe." Dein Spiel kann man auch zu zweit spielen, dachte Taylor, als sie sah, wie sich sein Mund vor Wut verzerrte.

„Ich an Ihrer Stelle würde mich hier nicht allzu häuslich einrichten", bemerkte er, als er auf die Treppe zuging. „Ich fürchte, Sie werden nicht sehr lange hier wohnen. Vielleicht glauben Sie, dass Sie alle Trümpfe in der Hand halten, aber noch sind die Karten nicht richtig gemischt. Mein Vater ist fast fünfzig, und bisher hat es noch keine Frau geschafft, ihn vor den Altar zu schleppen. Obwohl es wirklich viele versucht haben, das können Sie mir glauben."

„Er ist zweiundvierzig und nicht fünfzig", verbesserte Taylor scharf. „Er mag Ihnen zwar vieles nachgesehen haben und Ihre Bedürfnisse stets vor seine eigenen gestellt haben, als Sie noch ein Kind waren, Jay. Doch der Gedanke, dass er das auch noch für einen Erwachsenen Ihres Alters tun sollte, ist beinahe so absurd wie die Vorstellung, Sie würden noch Windeln tragen und am Daumen lutschen. Aber wenn Sie sich natürlich selbst so sehen wollen . . .“ Sie zuckte viel sagend mit den Schultern.

Wenn die Situation eine andere gewesen wäre, wenn Taylor zum Beispiel wirklich in der Lage gewesen wäre, bei Bram zu bleiben und ein gemeinsames Leben mit ihm zu führen, dann hätte sie sich sicher zurückhaltender gegeben. Aber so war es höchste Zeit, dass jemand Jay einmal eine Kostprobe seiner eigenen Medizin gab. Taylor blieb bewusst unsichtbar, bis Jay das Haus wieder verließ. Warum hatte ihr Bram bloß nichts davon gesagt, dass er noch etwas mit Jay unternehmen wollte? Doch ganz sicher nicht deshalb, wie Jay angedeutet hatte, weil er ihren Protest befürchtete, dass er sich trotz allem wieder mit seinem Sohn arrangiert hatte. Es war grotesk anzunehmen, Bram wollte ihr ein Treffen mit seinem Sohn verheimlichen, so wie ein verheirateter Mann ein Rendezvous mit einer Geliebten verheimlichte.

Auf der anderen Seite . . . Bram war extrem feinfühlig. Er würde sie sicher nicht verletzen wollen. Jay war nun mal sein Sohn, an dem er abgöttisch hing. Ganz gleich, was er auch immer behaupten mochte, Jay war ihm wichtig. Wichtiger als sie? Doch was spielte das noch für eine Rolle. Schon bald würde sie ohnehin nicht mehr hier sein.

Eine halbe Stunde, nachdem Jay gegangen war, läutete das Telefon. Taylor wusste instinktiv, dass das nur Bram sein konnte. Was die Liebe nicht alles bewirkt, dachte sie ironisch. Sie brachte Gefühle, Bedürfnisse, Höhen und Tiefen in einem Menschen zum Vorschein, von deren Existenz man bislang nicht einmal etwas geahnt hatte; sie brachte einen dazu, unwahrscheinlichen Träumen nachzuhängen und – wenigstens flüchtig – zu glauben, dass sie wahr werden könnten. Sie ignorierte die Wirklichkeit, rieb sich an Hindernissen und akzeptierte keine andere Autorität als sich selbst.

„Wie schön, deine Stimme zu hören“, meldete sich Bram und fügte heftiger hinzu: „Mein Gott, wie ich dich vermisse, Tay. Ich bin noch keine vierundzwanzig Stunden fort, und schon fühle ich mich wie ein Zombie. Als ob ein lebenswichtiger Teil von mir fehlt. Als hätte man die lebenserhaltenden Apparaturen in der Intensivstation abgestellt.“

„Wie romantisch", zog Taylor ihn auf. Alle strengen Selbstermahnungen und Vorsätze waren vergessen, als sie seine Stimme vernahm.

„Romantik ist etwas für Operetten", gab Bram trocken zurück. „Gehaltlos und oberflächlich. Und derart sind meine Gefühle für dich nun wirklich nicht. Sag, vermisst du mich auch?"

„Ja", gab Taylor zu. „Aber du bist ja bald wieder zu Hause, morgen schon."

Später sagte sie sich, dass sie nicht versucht hatte, ihn auf die Probe zu stellen, doch das machte den Schmerz nur noch größer. Sie hatte nur versucht, ihm die Gewissheit zu geben, nach der er sich ihrer Meinung nach gesehnt hatte. Aber in dem nun folgenden Schweigen glaubte sie, plötzlich Schwingungen des Unbehagens wahrzunehmen.

„Ich fürchte, es wird noch ein wenig länger dauern. Es ist etwas dazwischen gekommen . . . ein Treffen. Ich werde wohl ein paar Tage länger bleiben müssen."

„Hat Dad Ihnen nicht gesagt, dass wir zum Angeln fahren?" hatte Jay gefragt. „Nun, das sieht ihm ähnlich!"

„Ein Treffen", wiederholte sie. Ihr war eiskalt geworden. Was für ein Treffen? wollte sie fragen. Mit wem? Ihr Stolz verbot es ihr jedoch.

„Es tut mir wirklich Leid, Tay", hörte sie ihn sagen. „Du wirst doch allein zurechtkommen, oder? Du wirst dich doch nicht . . ."

„Nein, nein, kein Problem, mir geht es gut", unterbrach sie ihn ruhig. Ja, ihr würde es gut gehen, solange sie nur nicht daran dachte, wie er sie belogen hatte. Hauptsache, sie dachte nicht an das triumphierende Funkeln in Jays Augen. Hauptsache . . . War es etwa doch ihre Schuld? Hatte sie ihn in eine Lage gezwungen, aus der heraus er sie nur belügen konnte, wenn er sich mit seinem Sohn treffen wollte? Sie mochte Jay zwar nicht, aber sie hatte Bram nie gezwungen, sich zwischen ihm und ihr zu entscheiden. Ganz im Gegensatz zu Jay. Der hatte das sehr wohl getan.

„Taylor, bist du noch da?" rief Bram besorgt.

„Ja, ja, ich bin noch da."

„Ich kann es kaum erwarten zurückzukommen, dich zu sehen, dich im Arm zu halten. Sag, was hast du gerade an? Nein, sag es mir lieber nicht. Die Sehnsucht nach dir bringt mich ohnehin schon um. Ich hätte dich mitnehmen sollen, aber irgendwie wollte ich dir das nicht zumuten, wenn ich die meiste Zeit bei Besprechungen bin. In den Nächten jedoch vermisse ich dich unbeschreiblich. Es ist einfach nicht das Wahre, auf einmal wieder allein zu schlafen."

Einen Moment lang fühlte Taylor sich versucht, ihn darauf hinzuweisen, dass es für ihn wohl etwas komplizierter geworden wäre, mit Jay angeln zu gehen, wenn sie dabei gewesen wäre. Doch sie unterdrückte diesen Impuls. Das wäre genau die Reaktion gewesen, die Jay Freude gemacht hätte. Nur allzu gut konnte sie sich vorstellen, wie Jay Bram in gespielter Unschuld fragte, wie sie es wohl aufgenommen hatte, dass die beiden miteinander angeln gehen wollten, obwohl er doch ganz genau wusste, dass Bram ihr nichts davon gesagt hatte.

Als sie zehn Minuten später den Hörer auflegte, sagte sie sich, dass sie es Bram nicht zum Vorwurf machen konnte, wenn er Frieden mit seinem Sohn schließen wollte. Dass er das aber auf eine Art tat, die ihre Position schwächte und es Jay ermöglichte, sie zu verletzen und zu quälen – das war etwas ganz anderes. Es schien so absolut untypisch für einen Mann, der bisher solch extremes Feingefühl für ihre Empfindungen an den Tag gelegt hatte.

Bram legte stirnrunzelnd den Hörer auf. Irgendetwas stimmte da nicht. Taylor hatte so reserviert geklungen, so verschlossen. Er hätte sie nicht allein zurücklassen dürfen, nicht, solange ihre Beziehung noch so neu und verwundbar war. Am liebsten wäre er auf der Stelle nach Hause zurückgekehrt, hätte sie in die Arme genommen und sich vergewissert, dass alles in Ordnung war. Dass sie in Ordnung war. Aber er konnte die Vereinbarungen, die er mit Jay getroffen hatte, nicht rückgängig machen, und er hatte nicht genug Zeit gehabt, Taylor die ganze Geschichte zu erklären. Bram war in seinem Hotel eingetroffen und hatte dort eine Nachricht von Jay vorgefunden, dass für übermorgen ein zusätzliches, sehr wichtiges Treffen anberaumt worden wäre. Das Timing passte Bram ganz und gar nicht, aber er sah keine Möglichkeit, sich davor zu drücken.

Er schloss die Augen und stellte sich Taylor vor, wobei er in Gedanken ihrem Gesicht das Lächeln verlieh, das er am meisten an ihr liebte, den Augen einen warmen Glanz und dem Kopf die Neigung, die verriet, dass sie sich glücklich und geborgen fühlte. Doch das Bild wollte nicht bleiben, es löste sich auf und wich einem anderen. Warum fiel es ihm so viel leichter, sie sich verängstigt und nervös vorzustellen als zufrieden, entspannt und gelöst, wie zum Beispiel nach der Liebe? Warum hatte er, obwohl er sich keines Vergehens bewusst war, dennoch das Gefühl, dass irgendetwas nicht stimmte? Dass sie ... Ja, was eigentlich? Dass sie ihn verlassen würde?

Liebe Güte, für solche Verlustängste war er doch schon viel zu alt; derartige Gefühle gehörten zur intensiven Gefühlswelt der Jugend! Hatte er sich nicht von Anfang an gesagt, dass er kein Recht hatte, sie zu halten, wenn sie wirklich gehen wollte? Hatte er sich nicht wieder und wieder tief im Innern gesagt, dass er auf gar keinen Fall Druck auf sie ausüben wollte? Dass der einzige Grund, warum er sie bei sich haben wollte, der war, dass das auch ihr eigener, freier Wunsch war? Was war bloß mit ihm los? Sie hatte doch zugegeben, dass sie ihn liebte.

Zugegeben. Das besagte jedoch alles, nicht wahr? *Er* liebte sie. Er war offen für diese Liebe, fand Glück und Freude darin, hätte sie am liebsten in alle Himmelsrichtungen gerufen. Taylor liebte ihn zwar auch, aber ihre Liebe flößte ihr Furcht und Zorn ein, trieb sie in die Defensive und gab ihr das Gefühl, ihrer Freiheit beraubt zu sein. Er hasste es, gerade jetzt so weit von ihr entfernt zu sein, doch wenn er nun nach Hause fuhr, würde Jay ...

Vielleicht hatte Taylor Recht. Vielleicht war er wirklich damit überfordert, die so viele Jahre bestehenden Gefühle der Liebe und des Behütenwollens für seinen Sohn einfach abzuschütteln. Vielleicht war das eine Gewohnheit, zu der er bis an sein Lebensende verurteilt war, und womöglich noch darüber hinaus.

Das Mädchen am Ticketschalter hielt Jay für den mit Abstand aufregendsten Mann, den sie je gesehen hatte. Als er sein Ticket nach Straßburg bezahlte, überlegte sie flüchtig, ob es sich wohl lohnen würde, wenn sie sich eine Vertretung suchte und für denselben Flug wie er eincheckte. „Gute Reise“, wünschte sie lächelnd und reichte ihm sein Ticket.

Jay lächelte zurück und lächelte auch noch, als er fünf

Minuten später zum Wartebereich der Ersten Klasse lief. Es hatte ihm Spaß gemacht, Taylors Gesicht zu beobachten, als er ihr die Neuigkeiten von der gemeinsamen Angeltour mit seinem Vater überbracht hatte. Natürlich hatte sie versucht, sich nichts anmerken zu lassen, aber das kurze Aufflackern von Zweifel, Unsicherheit und Schmerz in ihrem Blick war ihm trotzdem nicht entgangen. Zum ersten Mal seit Brams Weigerung, sich auf die Bedingungen der Japaner einzulassen, spürte Jay wieder ein neues Gefühl von Macht. Es hatte ihn beinahe wie ein Stromschlag durchzuckt, als er Taylor beobachtet hatte, wie sie die Nachricht zu verdauen versuchte; es war ein triumphierendes, wildes Gefühl gewesen, das seinen Puls berauschend in die Höhe getrieben hatte. Nichts ließ sich mit diesem Gefühl vergleichen, nicht einmal diese letzte, explosive Sekunde vor dem Orgasmus. Es war einzigartig, erotisch, belebend; es hielt die Maschinerie in Gang, die seine Persönlichkeit ausmachte und seinem Dasein einen Sinn verlieh.

Er schlug die Zeitung auf und überflog die Schlagzeilen. Die Lokalnachrichten wurden beherrscht von dem Tod eines Mannes, den man zusammengebrochen an seinem Schreibtisch in einem renommierten Londoner Büro vorgefunden hatte. Er hatte nicht, wie zuerst vermutet, Selbstmord wegen eines drohenden Konkurses begangen, sondern offenbar, weil seine Ehe gescheitert war. Jay zog spöttisch die Mundwinkel herunter, als er las, wie sich Freunde und Bekannte des Toten über seine tiefe, grenzenlose Liebe zu seiner Frau äußerten. Für Jay war Liebe im besten Fall ein rührseliges, sentimentales Phänomen, das öffentlich von denen hochgespielt wurde, die ein Geschäft damit machten, im privaten Rahmen jedoch eher belächelt wurden. Für die, die darunter litten, war die Liebe wie eine Krankheit, eine geistige Fehlschaltung, durch die sie verwundbar, schwach und dem Mitleid oder Spott der Umwelt ausgesetzt wurden. Sie war wie ein Umhang, mit dem die Gesellschaft primitive sexuelle Bedürfnisse zuzudecken versuchte; eine Falle, eine Methode, mit der die Mächtigen die Schwachen beherrschten. Leute, die ernsthaft behaupteten, aufrichtig zu lieben, waren Jay genauso suspekt wie solche, die vorgaben, von einem anderen Stern zu kommen.

Das Wissen, dass sein Vater glaubte, verliebt zu sein,

erfüllte ihn mit so vielen verschiedenen, intensiven Emotionen, dass sie alle zusammen wie ein hochexplosives Energiegemisch auf ihn wirkten. Sein Vater konnte nicht verliebt sein, das war unmöglich. Diese Frau war ebenfalls unmöglich. Und der Gedanke, dass ihre Beziehung weitergehen, Bestand haben könnte ... Doch dazu würde es nicht kommen. Dafür würde er schon sorgen. Sein Vater brauchte keine Frau in seinem Leben. Ebenso wenig brauchte er noch weitere Kinder. Söhne womöglich, die eventuell ... Verärgert legte Jay die Zeitung hin, stand auf und trat an das Aussichtsfenster des Wartebereichs.

Im Grunde brauchte er sich keine Sorgen zu machen. Den Grundstein für sein weiteres Tun hatte er bereits gelegt. Ihn quälten keinerlei Gewissensbisse, auch hegte er keine Zweifel an seinem Erfolg. Warum auch?

„Plum stellt sich natürlich furchtbar an wegen ihres Kleides, aber ich vermute, das ist nicht weiter verwunderlich. Ist sie schon jemals nicht schwierig gewesen? Und dann hat heute Morgen auch noch die Floristin angerufen. Die Herzogin von Kent hätte ihre Zusage gegeben, Ehrengast auf einem Wohltätigkeitsball zu sein. Als Blumenschmuck dort wollte man weiße Lilien verwenden. Da dieser Ball am selben Abend stattfindet wie Plums Party, wäre es also kaum möglich, so viele Lilien auf einmal aufzutreiben, und ob ich vielleicht noch eine andere Alternative hätte, für den Notfall sozusagen. Ich habe doch gleich geahnt, dass ich jemand anderen damit hätte beauftragen sollen“, jammerte Helena, als ihr Mann das Schlafzimmer betrat. „Aber Daphne versicherte mir, sie sei sehr gut und außerdem nicht übermäßig teuer. Jetzt ist mir klar, weshalb. Ich bitte dich, wer dekoriert schon einen Ballsaal mit *bunten* Lilien? Was soll ich denn jetzt bloß machen?“

„Du könntest versuchen, dich direkt an einen Importeur zu wenden“, schlug James vor und inspizierte den Sitz seiner dunkelblau und rostrot gestreiften Krawatte. Er hatte an diesem Morgen eine Vorstandssitzung in der Stadt, und hinterher wollte er mit seinem Onkel im Club zu Mittag essen. Der alte Knabe war ziemlich exzentrisch und runzelte meist die Stirn über die etwas konventionelleren Mitglieder seiner Familie. James wiederum hatte mehrfach sein Missfallen am Verhalten seines Onkels zum Ausdruck gebracht; es hatte da diesen Plan gegeben, den Stammsitz der Familie zu verkaufen und das Haus in Luxusapartments umzuwandeln. James vermutete, dass er als einziger, unmittelbarer Nachkomme seines Onkels einmal den Kasten erben würde, und er hatte nicht die geringste Lust, Vermieter zu werden, ganz gleich, wie wohlhabend die künftigen Mieter auch sein mochten.

„Also, wirklich", fuhr Helena fort, „es ist so anstrengend, einen derartigen Geburtstagsball zu organisieren! Plum zeigt natürlich wieder mal nicht das geringste Interesse, ganz zu schwiegen davon, dass sie mir wenigstens ein bisschen hilft! Ich weiß wirklich nicht, warum ich mir solche Mühe mache. Sie ist so undankbar, und das nach allem, was wir für sie getan haben! Ich wollte ihr schon vorschlagen, uns nach Florenz zu begleiten, aber . . ."

„Das ist keine sonderlich gute Idee", unterbrach James sie grimmig. „Du erinnerst dich doch noch daran, was wir für Probleme hatten, als wir das letzte Mal Familienurlaub gemacht haben! Ich fand es nicht gerade lustig, als sich Signore Cavelleri bei mir beschwerte, meine Stieftochter hätte seinen Sohn verführt!"

Helena presste die Lippen aufeinander. „Dabei ist das ganz typisch für sie." Mit angewiderter Miene fügte sie hinzu: „Daran ist nur ihr Vater schuld. Von ihm hat sie diese . . . unglückliche Veranlagung geerbt."

James beschloss, doch eine andere Krawatte zu nehmen. Über die Hälfte der Vorstandsmitglieder waren ehemalige Mitglieder des Garderegiments, man würde glauben, er versuchte, sie nachzuahmen. Gestreifte Krawatten, das Markenzeichen der Garde, wurden meist mit Missfallen aufgenommen, wenn sie nicht von einem Mitglied getragen wurden.

Es verblüffte ihn immer noch, dass eine so in jeder Hinsicht heikle Frau wie seine – sexuell hätte man sie sogar als prüde bezeichnen können – je mit einem Mann wie Flyte MacDonald verheiratet gewesen sein konnte, dessen Gier nach fleischlichen Genüssen geradezu unersättlich war. Auch heute noch, bei den wenigen Malen, die James und Helena miteinander schliefen, bestand sie darauf, das Nachthemd anzubehalten und das Licht zu löschen. Ihn störte das nicht. Frauen, die Freude am Sex hatten, waren ihm ohnehin eher suspekt. Auf jeden Fall waren solche nicht unbedingt als Ehefrauen erstrebenswert, und auch nicht als enge Verwandte. James hatte sich ganz geflissentlich von den Problemen distanziert, die Plum ihrer Mutter bereitete. Schließlich war sie nicht seine Tochter, und demnach stand es ihm auch nicht zu, sie zu erziehen oder zu rügen. Er und Helena waren beide der Meinung gewesen, dass die beste Umgebung für Plum ein reines Mädcheninternat sein würde. Ihre quirlige, problematische Anwesenheit unter seinem Dach hatte seine Geduld bis an die Grenzen strapaziert, und er war wild entschlossen, seine eigenen Töchter vor ihrem Einfluss zu beschützen. Deswegen waren sie auch nicht, wie Plum, ins Internat geschickt worden, sondern besuchten extern kleine, elitäre Privatschulen. Auf die Art konnte James ihre Freundschaften kontrollieren und jede Tendenz im Keim ersticken, sollten sie eines Tages auf den Spuren ihrer Halbschwester wandeln wollen. Wie Helena war auch er der Meinung, dass Plums himmelschreiendes Benehmen ein Erbe ihres ebenso himmelschreienden, unberechenbaren Vaters war.

„Ich weiß noch immer nicht die genaue Anzahl derer, die nun kommen werden", klagte Helena weiter, während sich James eine andere Krawatte umband. „Flyte hat selbstverständlich auch noch nicht geantwortet."

„Flyte?" hakte er stirnrunzelnd nach.

„Ja, Plum hat darauf bestanden, dass er eingeladen wird. Gut, er ist ihr Vater, aber ehrlich gesagt . . . Nachdem du und ich immer für alles bezahlen und er nicht einen Penny beigesteuert hat, obwohl er es sich weiß Gott leisten kann . . . Erst kürzlich habe ich in der *Times* gelesen, dass ihm ein amerikanischer Sammler für eins seiner Werke ein Vermögen geboten hat!"

Sich auszumalen, dass seine stets tadellose, eher unterkühlte Frau je in den Armen dieses bärtigen, riesigen Triebtiers gelegen hatte, verursachte James ein hochgradiges Unbehagen. Deswegen sprachen sie auch nicht oft über ihre erste Ehe. Er teilte und lobte ihre Einstellung, dass es sich dabei um eine Verirrung gehandelt hatte, die man besser totschwieg.

„Typisch für ihn, sich nicht zu melden. Jetzt werde ich ihn

aufsuchen müssen, denn sonst macht Plum ein Riesentheater aus der Sache und posaunt überall herum, er sei nicht eingeladen worden. Ich kann nicht nachvollziehen, weshalb er immer noch in diesem lächerlich kleinen Haus wohnt, wo er sich doch etwas viel Besseres leisten könnte. Es ist ziemlich absurd, wie berühmt und gefragt er geworden ist. Plum erzählte, man ziehe sogar in Betracht, ihn bei Hof einzuführen!“

James runzelte noch immer die Stirn. Flyte MacDonald war nun wirklich der Letzte, den er auf Plums Volljährigkeitsparty sehen wollte, selbst wenn er ihr Vater war. Er wollte Helena gerade mitteilen, dass er es ablehnte, Flyte als Gast auf einem Ball zu haben, für den er schließlich zahlte, doch Helena kam ihm zuvor. Offenbar hatte sie seine Gedanken gelesen.

„Andererseits würde man wohl denken, wir seien kleinlich, oder schlimmer noch, wir hätten irgendwie Angst vor ihm, wenn wir ihn nicht einladen würden. Heutzutage ist es gang und gäbe, wenn auch die ‚Ehemaligen‘ an Familienfeiern teilnehmen.“

Helena hatte in einer harten Schule gelernt, das allzu massives Anpreisen oft eine gegenteilige Wirkung haben konnte. Nicht umsonst war sie seit fast fünfzehn Jahren mit James verheiratet, sie kannte seine Denkweise genau. Wenn Plum ihre unglückliche, vom Vater geerbte Veranlagung schon vor Helenas Ehe mit James zur Schau gestellt hätte, dann wäre diese Ehe wohl nie zu Stande gekommen. Darüber gab sich Helena keinen Illusionen hin.

James war ein Mann, der seine Verantwortung sehr ernst nahm. Durch seine Ehe fühlte er sich also auch für Plum verantwortlich. Helena wusste, wie sehr ihn Plums Benehmen ärgerte und kränkte. Schon als Kind hatte sich Plum hartnäckig allen seinen Versuchen widersetzt, sich mit ihr anzufreunden. Inzwischen war Helena klar geworden, dass es Plum einfach Spaß machte, Unruhe zu stiften und andere vor den Kopf zu stoßen. Sie war völlig unbeherrscht und hatte keinerlei Respekt vor Konventionen. Tat Plum sich weh, ertrug sie den Schmerz nicht etwa tapfer und schweigend; sie schrie ihn buchstäblich in die Welt hinaus und freute sich an dem Lärm und dem Durcheinander, das daraufhin einsetzte. Sie entsprach so ganz und gar nicht der

Vorstellung, die sich Helena früher von einer eventuellen Tochter gemacht hatte, und sie war so erschreckend anders als ihre anderen beiden Töchter, dass Helena sich bisweilen nachts, wenn sie ihren Gedanken freieren Lauf ließ, fragte, ob sie die Klinik seinerzeit wohl mit dem falschen Kind verlassen hatte. Vielleicht stellte sich ja wie durch ein Wunder eines Tages heraus, dass Plum gar nicht ihr Kind war, und dass sie demzufolge gar nicht verantwortlich für die Probleme sein konnte, die Plum ihnen allen bereitete. Mit dem Tageslicht kehrte dann allerdings auch die Realität zurück. Plum mochte zwar nicht die geringste Ähnlichkeit mit Helena haben – aber sie war ohne jeden Zweifel Flytes Kind. Einem Jungen hätte man solche Exzesse unter Umständen zumindest nachsehen können, ungern zwar, aber immerhin. Jungen waren einfach anders als Mädchen, ihnen räumte man doch eher Freiheiten ein. Leider war Plum nun einmal kein Junge. Plum war eben – unglücklicherweise Plum.

„Ja, du hast Recht“, hörte Helena James jetzt sagen. „Es bleibt uns wohl nichts anderes übrig, als ihn einzuladen.“

„Mach dir keine Sorgen“, beruhigte sie ihn. „Ich fahre heute Morgen rasch bei ihm vorbei und mache ihm klar, dass er nicht mit . . . nun, in unpassender Begleitung . . .“ Sie sah James viel sagend an.

„Du meinst, dass er nicht eins seiner Flittchen mitbringt“, vollendete er ihren Satz. „Also, wenn er das tut, dann . . .“

„Ganz bestimmt tut er das nicht“, beschwichtigte Helena ihn. „Er stände schließlich nicht gut da, wenn er Plum so in Verlegenheit brächte.“

„Plum in Verlegenheit bringen?“ wiederholte James erstaunt. „Unmöglich! Sie würde die Situation wahrscheinlich von ganzem Herzen genießen!“

„Ich meinte ja auch mehr den gesellschaftlichen Aspekt.“

„Nun, du weißt es sicher besser, aber ich kann trotzdem nicht behaupten, dass mich der Gedanke, ihn auf der Party zu sehen, sonderlich glücklich macht.“

Helena ebenfalls nicht, aber noch weniger behagte ihr die Vorstellung, Plum könnte einen ihrer Wutausbrüche bekommen.

„Schließlich ist er mein Vater, und nicht James“, hatte Plum erklärt, als sie das erste Mal verlangt hatte, ihn einzuladen. „Auch wenn ihr, du und James, am liebsten so tätet, als hätte die Ehe zwischen dir und meinem Vater nie bestanden. Ich wette, mich könntest du genauso schnell aus deiner Erinnerung streichen, stimmt's?"

Helena hatte sich geweigert, darauf zu antworten. Während ihrer zweiten Ehe hatte sie diesen Streit schon in den verschiedensten Variationen miterlebt. „Es ist jedoch James, der deinen Ball bezahlt, und nicht dein Vater", hatte sie kühl zu bedenken gegeben, ohne Plums trotzige Miene zu beachten.

„*Mein* Ball? Das ist doch wohl ein Witz! Du gibst ihn doch nicht, um mir einen Gefallen zu tun! Ich will das ganze Theater ja noch nicht einmal. Du gibst den Ball doch nur, damit ihr vor euren Freunden angeben könnt! So ist es doch, oder? Wie viele von meinen Freunden habt ihr denn eingeladen, von den Leuten die ich kenne und dabei haben möchte? Keinen, es sind ausnahmslos deine und James' Freunde und Bekannte, die ihr beeindrucken wollt!"

„Mir war nicht bewusst, dass du irgendwelche Freunde hast", hatte Helenas eisige Antwort gelautet. „Und wenn, dann ist wohl nicht einer dabei, der wenigstens einen anständigen Anzug und ein Mindestmaß an gesellschaftlichen Umgangsformen besitzt."

„Wenn du Daddy nicht einlädst, komme ich nicht", hatte Plum ihr mitgeteilt. „Abgesehen davon ist er viel reicher als alle eure Freunde, und dazu wesentlich amüsanter." Wenn sie einmal in Fahrt geriet, konnte Plum so schnell nichts mehr aufhalten. Dann wurden auch alte Zwistigkeiten wieder ausgekramt und aufgewärmt, wie Helena wusste. Und je heftiger und emotionaler Plum wurde, desto mehr ging Helena auf Distanz zu ihr. „Ich begreife überhaupt nicht, warum du je unbedingt das Sorgerecht für mich haben wolltest!" schleuderte Plum ihr entgegen; ihre Wangen waren gerötet, ihre Lockenmähne wirkte noch wilder und ungebändigter als sonst. „Du hast mich doch nie geliebt, geschweige denn gewollt! Du und James, ihr konntet es doch gar nicht abwarten, mich endlich loszuwerden und in ein Internat zu stecken."

„Du benimmst dich lächerlich", hatte Helena frostig geantwortet, aber natürlich hatte Plum Recht. Sie hatte ihre Tochter in der Tat nie geliebt und auch nicht gewollt. Plums Zeugung war ein Missgeschick gewesen, der unwillkommene, sichtbare Beweis für Helenas Mangel an Selbstbeherrschung, für die außergewöhnliche körperliche Anziehungskraft, die Flyte auf sie ausgeübt und die Helena gehasst hatte, so sehr, dass letztlich ihre Ehe daran zerbrochen war. Flyte hatte ihre Sexualität zum Leben erweckt, und Helena hatte diese dunkle Seite an sich verabscheut und verachtet. Das Wissen, dass Plum das unmittelbare Ergebnis ihrer Unfähigkeit war, sich der schamlosen, sexuellen Gier zu widersetzen, die Flyte in ihr auszulösen vermochte, hatte sie schon vor der Geburt gegen das Kind aufgebracht. Hätte sich Plum anders entwickelt, wäre sie eher ihr Kind als Flytes gewesen, dann hätte es eventuell klappen können; dann wäre sie vielleicht irgendwann in der Lage gewesen zu vergessen, wie Plum gezeugt worden war.

Es hatte viel Geduld und Selbstbeherrschung gekostet, Plum nun zu diesem Ball zu überreden, der natürlich nicht, wie Plum schon geäußert hatte, ausschließlich zu ihrem Besten stattfinden sollte. Wenn man ein Kind hatte, das volljährig wurde, dann gehörte es sich einfach in den Kreisen, in denen Helena und James verkehrten, einen Ball zu geben. Sie konnten sich nicht von Plum gesellschaftlich lossagen, ohne eine Lawine aus Spekulationen und Klatsch loszutreten. Es spielte keine Rolle, dass fast jeder in ihren Kreisen von Plums skandalösem Lebenswandel wusste. Auch nicht, dass Helena immer wieder bei zahllosen Anlässen die Zähne zusammenbeißen und Dankbarkeit für die Sympathien der Frauen heucheln musste, deren Töchter ein wahrhafter Ausbund an Perfektion waren. Solange sie Plum tapfer und geduldig unterstützte, galt sie allenthalben als wunderbare Mutter. Wenn sie ihr jedoch den Rücken zuwandte . . .

Helena hatte einen großen, wenn auch wohl unerfüllbaren Wunsch für die Zukunft ihrer Tochter – und parallel dazu eine einzige, gewaltige Angst. Der Wunsch lautete, dass Plum eines Tages einem anständigen jungen Mann begegnete, der sich so Hals über Kopf in sie verliebte, dass er darauf bestand, sie vom Fleck weg zu heiraten – ehe er die Wahrheit über sie herausfand. Helenas größte Angst wiederum war, Plum könnte plötzlich triumphierend verkünden, sie sei schwanger, hätte aber keine Ahnung, von wem. Helena ahnte, dass Letzteres wohl realistischer war als ihr Wunsch.

Plum hatte genau gewusst, warum es so wichtig war, dass dieser Ball stattfand, und es war typisch für sie, dass sie dieses Wissen sofort ausnutzte. Nicht, weil sie ihren Vater wirklich unbedingt dabei haben wollte, sondern weil ihr ganz klar war, wie sehr Helena das widerstrebte. Und genau aus diesem Grund würde auch Flyte die Einladung höchstwahrscheinlich annehmen. Nahm er an, ergab sich das Problem, wohin man ihn setzen sollte. Ein Platz an der Haupttafel war leider unvermeidlich. Und da Helena keine Lust hatte, sich ihre sorgfältig ausgetüftelte Sitzordnung sabotieren zu lassen, würde sie Flyte aufsuchen und herausfinden müssen, welche Absichten er hatte.

Anzurufen hatte keinen Zweck. Flyte hasste Telefone. Einmal, als sie miteinander geschlafen hatten, hatte das Telefon plötzlich geklingelt. Helena hatte aufstehen und an den Apparat gehen wollen, schließlich war es erst früher Nachmittag gewesen. Daraufhin war Flyte so wütend geworden, dass er ihr das Telefon aus der Hand genommen, das Kabel herausgerissen und den Apparat kurzerhand in die Toilette geworden hatte. Sie allerdings hatte hinterher dem Klempner und dem Mann von der Telefongesellschaft erklären müssen, was passiert war.

Helena neigte nicht zu Selbstanalysen, auch nicht zu Vergeltungsgelüsten. Eine solche Schwäche hätte zum einen den ethischen Grundsätzen ihrer Gesellschaftsklasse widersprochen, zum anderen aber auch ihrem Naturell. Es gab jedoch Momente, da glaubte sie fest, dass alles, was Plum darstellte oder tat, nur den einen Zweck hatte, ihre Mutter in größte Verlegenheit zu bringen oder sie bis zur Weißglut zu reizen.

Diese lächerliche Verknalltheit in Bram, zum Beispiel. Ausgerechnet in Bram! Bram, den sie selbst . . . Sie runzelte flüchtig die Stirn, als sie sich vor dem Spiegel die goldgefassten Perlohrclips ansteckte. Echte Perlen, natürlich, und, wie gesagt, Clips; in ihrer Jugend waren durchstochene Ohrläppchen etwas gewesen, was man nur mit gewissen Frauen oder Ausländerinnen in Verbindung gebracht hatte. „Du denkst doch daran, dass die Hacketts zum Abendessen kommen?" erinnerte sie James und verdrängte entschlossen den Gedanken, der sich gerade ungebeten in ihren Kopf hatte schleichen wollen.

„Aber ja“, versicherte James. „Ich halte den Lunch mit Onkel Bertie so kurz wie möglich.“

Er ging zu ihr, und Helena neigte pflichtschuldig den Kopf, um sich von ihm auf die Wange küssen zu lassen. Ihr Entschluss damals, James zu heiraten, war gefallen, als er nach dem sechsten Rendezvous immer noch keine Anstalten gemacht hatte, mit ihr ins Bett zu gehen. Es war ein Entschluss gewesen, den sie nie bereut hatte. Vom Aussehen her, emotional und intellektuell ähnelten sie einander, beide hatten den schmalen Knochenbau, das helle, feine Haar und die ebenfalls hellblauen Augen der britischen Upperclass. Man bezeichnete sie oft als attraktives Paar. Helena gehörte nicht zu den Frauen, die jeder Modetorheit folgten, sie fand, dass sie über solchen Dingen stand. Dennoch legte sie großen Wert auf ihr Äußeres, ebenso darauf, stets einen guten Eindruck zu machen und ein gewisses Image zu wahren.

Sie lächelte, als sie James‘ anerkennenden Blick wahrnahm und prüfte ihr Aussehen im Spiegel. Die Perlenkette war James‘ Hochzeitsgeschenk gewesen. Helena trug sie täglich, außer während des jährlichen, einmonatigen Sommerurlaubs in der Toskana. Ihr Ehering war ein schlichter Goldreif, schon sehr alt und etwas abgenutzt, da er ursprünglich James‘ Großmutter gehört hatte. Das Gleiche galt für ihren Verlobungsring, der dreireihig mit Edelsteinen besetzt und gerade so groß war, dass er nicht protzig wirkte. Ihr an sich schon stark ergrauendes Haar hatte sie in ein schmeichelnderes Aschblond gefärbt, sie trug es so lang, dass sie es zu einem tief im Nacken sitzenden, eleganten Knoten stecken konnte. Bei den vielen offiziellen Anlässen, zu denen sie und James eingeladen wurden, wären kürzere Haare undenkbar gewesen. Langes, hochgestecktes Haar war ein Muss für Frauen ihres Gesellschaftskreises; auch ihre beiden Töchter trugen es bereits über schulterlang, wobei es von dem unumgänglichen, klassischen Haarreif ordentlich gebändigt wurde.

Helenas Seidenbluse und der dazu passende Rock waren beide nicht mehr ganz neu und, abgestimmt auf ihre Haarfarbe, von neutralem, vornehmem Beige. Ihr Make-up war so diskret und gewissenhaft aufgetragen, wie es generell ihrem Naturell entsprach. Helena besaß einfach alles, was sie sich immer schon vom Leben gewünscht hatte – eine Familie, einen liebevollen Ehemann, ein schönes Heim, ihr wohltätiges Engagement, ihre Freunde. Sie führte in der Tat ein Leben, um das sie viele glühend beneiden mochten. Und doch, wenn sie manchmal zufällig in den Spiegel sah, da erschrak sie über den gehetzten und gequälten Ausdruck in ihren Augen.

Auch das war natürlich einzig und allein Plums Schuld. Denn sie war das einzige noch verbleibende ungezügelte und hemmungslose Element in ihrem sonst so sicheren und behüteten Dasein.

14. KAPITEL

„Jay, was machst du denn hier?“ wunderte sich Bram, als sein Sohn quer durch das Hotelfoyer auf ihn zukam.

„Geht mit dem Minister alles in Ordnung?“ erkundigte Jay sich seinerseits, ohne auf Brams Frage einzugehen. „Du hast meine Nachricht wegen dieses zusätzlichen Termins doch erhalten, oder? Ein ganz neuer Markt könnte sich für uns eröffnen, wenn man uns die Möglichkeit gäbe, Programme für die Eurokraten zu entwickeln.“

„Vielleicht“, räumte Bram ein, „obwohl ich fürchte, dein Optimismus ist noch etwas verfrüht. Noch scheint der Minister keine allzu klare Vorstellung davon zu haben, welche Rolle wir spielen könnten, wenn denn überhaupt eine.“ Er betrachtete seinen Sohn nachdenklich. Schon während seines vorangegangenen Termins hatte er den Eindruck gewonnen, dass das Treffen leicht auf einen anderen Zeitpunkt hätte verschoben werden können, da es sich dabei eindeutig mehr um Sondierungsgespräche gehandelt hatte. So wie Bram seinen Sohn kannte, wurde er das Gefühl nicht los, dass Jay etwas ausheckte, etwas, das nur ihm allein etwas brachte, niemandem sonst. Und schon gar nicht Bram.

„Du hast nicht zufällig Lust, ein paar Tage mit mir zum Angeln zu fahren?“ fragte Jay beiläufig. „Da gibt es doch diese gute Angelgegend in der Gironde, wo du früher manchmal mit mir hingefahren bist.“

„Und die du angeblich immer gehasst hast“, erinnerte Bram ihn trocken. „Außerdem ist es nicht unbedingt der nächste Weg von Straßburg zur Gironde.“

„Sicher nicht“, stimmte Jay lächelnd zu und zuckte mit den Schultern, als er scheinbar ehrlich hinzufügte: „Macht nichts, ich verstehe dich ja. Es war nur so ein Gedanke. Du hast es bestimmt eilig, zu Taylor zurückzukommen. Ich soll dich übrigens von ihr grüßen."

„Du hast Taylor gesehen?" Bram runzelte die Stirn.

„Ja. Ich bin gestern Abend spontan hingegangen, in Sack und Asche und mit einem Olivenzweig in der Hand, sozusagen, aber sie war gerade auf dem Sprung zum Weggehen."

„Taylor wollte ausgehen?" Brams Verblüffung nahm noch zu. Die ersten Worte seines Sohnes ignorierte er, obwohl es ganz untypisch für Jay war, so milde gestimmt auf jemanden zuzugehen, den er eigentlich als seinen Gegner einschätzte.

„Ja, sie sagte, ein Freund von ihr wolle sie ins Quaglino einladen. Sie hat uns einander nicht vorgestellt. Wahrscheinlich hatte sie Angst, der reservierte Tisch könnte weg sein, wenn sie sich zu sehr verspäteten", fügte er harmlos hinzu. „Gut, was die Angeltour betrifft, so brauchst du dich ja nicht jetzt gleich zu entscheiden. Warum gehen wir nicht gemeinsam zum Lunch, und du erzählst mir, was der Minister dir zu sagen hatte? Neue Geschäfte fallen schließlich in meinen Bereich."

„Deswegen hast du ja auch dieses Treffen arrangiert", erinnerte Bram ihn.

Taylor, die mit einem Mann zum Essen ging? Das sah ihr doch ganz und gar nicht ähnlich! Ihm war nicht einmal bewusst, dass sie außer ihm und Anthony noch andere Männer kannte. Spontan wurde ihm selbst klar, wie lächerlich dieser Gedanke war. Natürlich würde sie auch andere Männer kennen, schließlich kannte er ja auch andere Frauen. Aber Taylor war nicht wie er. Im Grunde ähnelte sie niemandem, den er kannte. Sie schirmte ihr Privatleben völlig ab und zeigte ganz offen Widerwillen, irgendjemanden, ganz gleich ob Mann oder Frau, in ihr Leben vordringen zu lassen. Und so wurde er, trotz des scharfen Stichs der Eifersucht, den Verdacht nicht los, dass Jay die Tatsachen möglicherweise nicht nur verdreht, sondern glatt erfunden hatte.

Er warf seinem Sohn einen prüfenden Blick zu. Jay war bemerkenswert guter Laune. Zu guter Laune vielleicht. Als Kind hatte Jay bewusst und völlig offen versucht, jede Beziehung von Bram zu sabotieren. In den vergangenen Jahren hatte es keine Beziehungen mehr gegeben, in die Jay sich hätte einmischen können. Bis jetzt. Bis Bram Taylor begegnet war. Jay hatte mit Sicherheit begriffen, dass die

Dinge diesmal etwas anders waren, nachdem Bram ihm so lange das Haus verboten hatte, bis er sich entschuldigte. Dass Bram erstmals beabsichtigte, seinen Bedürfnissen und denen der Frau, die er liebte, Vorrang zu geben vor Jays.

„So leicht wird er dich nicht aufgeben“, hatte Taylor ihn gewarnt, als sie eines Abends über die Situation geredet hatten. „Menschen seines Schlages tun das nie.“ Und dabei hatte sie ihn gequält und voller Angst angesehen.

Er hatte den Gedanken gehasst, dass die Schuld für diese Angst bei ihm lag, und so hatte er ihr sofort versichert, dass er Jay nie erlauben würde, sich zwischen sie beide zu drängen.

„Er ist und bleibt dein Sohn. Daran wird sich nie etwas ändern“, hatte sie bedrückt geantwortet.

„Das ist richtig. Aber du bist und bleibst die Frau, die ich liebe. Als mein Sohn wird Jay stets einen Platz in meinem Herzen und in meinem Leben haben, doch inzwischen ist er erwachsen und kein Kind mehr. Eines Tages wird er sich verlieben, heiraten und selbst Kinder haben. Ich hoffe, dass seine Einstellung dann anders wird. Dass er . . . versteht.“

Taylor hatte sich kurz geschüttelt. „Mir tut die Frau Leid, die er liebt“, hatte sie zu Bram gesagt. „Er ist zu Besitz ergreifend, fast . . . zwanghaft.“ Über das letzte Wort war sie kaum merklich gestolpert.

Als Bram seinen Sohn jetzt genauer beobachtete, wandelte sich der erste, leise Verdacht in bittere Überzeugung. Jay führte etwas im Schilde, dessen war er sich ganz sicher. Für Jay gab es nur ein Ziel im Leben – und das bestand darin, alles und jeden um sich herum fest im Griff zu haben, zu kontrollieren. Weil er glaubte, dadurch Macht zu gewinnen, obwohl in Wirklichkeit . . .

Jay hatte sich umgedreht und sah gerade einem Mädchen nach, das durchs Foyer lief. Bram erkannte müde, dass er seinem Sohn gegenüber nicht Zorn empfinden sollte, sondern eher Mitleid.

„Also, was ist? Gehen wir essen?“ Jay wandte sich ihm wieder zu.

Bram schüttelte den Kopf. „Tut mir Leid, Jay, ich muss weg.“ Er blickte auf die Uhr. „Ich habe noch ein paar Anrufe zu erledigen.“

„Und was wird aus unserer Angeltour?“ Nun runzelte Jay die Stirn, und um seinen Mund trat ein harter Zug.

„Deine Angeltour“, verbesserte Bram ihn freundlich. „Ich fürchte, ich kann nicht mit von der Partie sein. Ich habe andere Verpflichtungen . . . andere Prioritäten in meinem Leben.“ Mehr wollte er nicht dazu sagen. Plötzlich verspürte er das brennende Bedürfnis, Taylors Stimme zu hören, damit er sicher sein konnte, dass mit ihr alles in Ordnung war. Er drehte sich um und ging fort. Er fand es furchtbar, dass er solche Gefühle seinem Sohn gegenüber hegte, dass er hinter jedem Wort und jeder Tat von Jay immer ein Motiv wittern musste.

Helena parkte den Wagen vor dem Haus ihres Exmanns in Chelsea, zögerte kurz und stieg dann aus. Als sie an der Statue zweier ineinander verschlungener Figuren im Vorgarten vorbeiging, wandte sie automatisch den Blick ab. Eine dünne, junge Frau, die Helena irgendwie an eine graue Maus erinnerte, öffnete die Tür. Vermutlich war sie Flytes neueste Haushälterin und Sekretärin. Sie kaute nervös auf einer Strähne ihres ungewaschenen Haars, als Helena erklärte, sie wolle Flyte sprechen.

„Er arbeitet gerade“, meinte das Mädchen.

Arbeit? Das bezweifelte Helena. Flyte war eine Nachteule. Den Morgen verbrachte er meist entweder im Bett oder am Tisch hockend über einem großen Becher mit starkem, bitteren Kaffee, der großzügig mit Whisky gestreckt war. Das war nur eine der vielen, nicht gesellschaftsfähigen Angewohnheiten gewesen, die sie ihm nie hatte abgewöhnen können.

Im Flur roch es staubig und abgestanden. Flytes Atelier befand sich zwar im hinteren Teil des Hauses, aber der Staub von seiner Arbeit setzte sich überall fest. Helena schüttelte pikiert den Kopf, als das Mädchen ihr vorschlug, sie könnte ja im Wohnzimmer auf ihn warten. Das so genannte Wohnzimmer war ein kleiner, dunkler Raum im vorderen Teil des Hauses, den nie jemand benutzte. Die Gegenstände, mit denen er eingerichtet, beziehungsweise dekoriert war, hätten eher auf einen Schuttabladeplatz gepasst als in ein Zuhause. Helena hatte keine Lust, ihre Nerven oder ihre Kleidung darin zu ruinieren. „Ich werde hier warten“, teilte sie dem Mädchen mit eisiger Autorität mit. „Und Sie . . .“

Helena wurde unterbrochen durch weibliches Gekicher und spitze Protestschreie, untermalt von dem vertrauten Bass ihres Exmanns. Zweierlei Gekicher, wie Helena angewidert registrierte. In dem Moment ging die Tür zum Atelier auf und Flyte erschien. Ihm folgten zwei außergewöhnlich hübsche, nymphengleiche Mädchen mit dichter, dunkelbrauner Lockenmähne und auffallend schönen saphirgrauen Augen. Zwillinge. Und allem Anschein nach nicht älter als Plum, wobei Helena Flyte keineswegs rein väterliche Gefühle für die beiden unterstellte. Die graue Maus, die Helena eingelassen hatte, wurde knallrot, als Flyte die Brust des einen Zwillings tätschelte und gleichzeitig den anderen küsste. „Heute Abend also, gleiche Zeit, Mädels", sagte er, als er die beiden endlich gehen ließ. „Nicht vergessen! Du kannst übrigens aufhören, mich so missbilligend anzusehen, Helena", fügte er hinzu, während die Maus die Zwillinge zur Haustür brachte. „Mein Interesse an ihnen ist rein beruflicher Natur. Sie stehen mir Modell."

Helena überhörte das. „Ich bin gekommen, um mit dir über Plums Volljährigkeitsball zu reden", teilte sie ihm kühl mit. Sie wusste nur zu gut, dass es für Flyte mit zu seiner Arbeit gehörte, mit den weiblichen Modellen zu schlafen. Dieser Tatsache war sie sich voller Entsetzen sechs Monate nach ihrer Hochzeit bewusst geworden. Sie war eines Nachmittags in sein Atelier gekommen und hatte ihn dabei ertappt, wie er sich heftig und geräuschvoll mit der Frau seines damaligen Geldgebers dem Oralsex hingab. Was die Sache noch schlimmer gemacht hatte, war der Umstand gewesen, dass offensichtlich keiner von ihnen peinlich berührt war, bei einem derartig vulgären Ehebruch erwischt zu werden. Während Flyte sich nur widerwillig aus seiner Position zwischen ihren Schenkeln erhoben hatte, war die Frau, die ebenso schamlos war wie er, einfach liegen geblieben und hatte Helena von dort aus triumphierend beobachtet. Und während ihr dichter Haarbusch in der Wärme des Ateliers allmählich getrocknet war, hatte sie Helena auch noch verspottet. „Das solltest du auch mal ausprobieren, Helena. Dein Mann ist der beste Muschilecker, dem ich je begegnet bin."

Helena war gerade mit Plum schwanger gewesen, sonst hätte sie Flyte schon damals auf der Stelle verlassen. In jener

Nacht hatte er versucht, ihr dieselbe erotische Behandlung zuteil werden zu lassen, wie die, die sie nachmittags zufällig mit angesehen hatte. Doch da hatte sie die Schenkel fest zusammengepresst und ihn angefahren, dass er sie nie wieder auf diese Art berühren sollte. Er hatte daraufhin nur gelacht, ihre Weigerung ignoriert, sie berührt, sie erregt, bis ...

Helena durchfuhr ein Schock bei diesen Gedanken, und während sie ihre Verlegenheit vorhin noch gut im Griff gehabt hatte, begannen ihre Wangen jetzt zu glühen. Zum Glück hielt Flyte ihr den Rücken zugewandt; er ging ihr voraus ins Atelier, weil er meinte, dort könnte man sich angenehmer unterhalten. Als er ihr die Tür aufhielt, fühlte sich Helena augenblicklich in frühere Zeiten zurückversetzt wegen des unverwechselbaren Geruchs, der ihr entgegenschlug. Es war der Geruch nach Stein und Staub, noch verstärkt durch die unwahrscheinliche Hitze, bei der Flyte angeblich nur arbeiten konnte, dazu kam das Aroma des fruchtigen Rotweins, den er hinunterkippte wie Wasser, und der typische Duft nach Schweiß und Sex. Helena blieb auf der Schwelle stehen und versuchte, diese zu Kopf steigende Mischung nicht einzuatmen.

Sie erinnerte sich noch an das erste Mal, als sie Flyte in seinem Atelier besucht hatte, welches sich damals in einem schäbigen Haus im Londoner East End befunden hatte. Auch dort war sie sich sofort und überdeutlich des starken, strengen Dufts bewusst geworden. Fatalerweise hatte sie sich obendrein auch noch in einem Zustand gefährlicher sexueller Erregung befunden ...

Sie hatten sich auf einer Party kennen gelernt. Er war zwar nicht direkt betrunken, aber doch ziemlich beschwipst gewesen, so dass die Gastgeberin Helena gebeten hatte, ob sie ihn nicht vielleicht nach Hause fahren könnte. Widerstrebend hatte Helena zugestimmt. Sie erschauerte, weil sie nicht daran zurückdenken wollte, was dann geschehen war.

Als sie Flyte begegnet war, war sie keine Jungfrau mehr gewesen. Schließlich war sie seinerzeit schon über zwanzig, hatte die Uni abgeschlossen und besetzte eine überaus einflussreiche Position in der Firma eines mit ihrem Vater befreundeten Börsenmaklers. Soeben hatte sie wegen Jay, der damals ein widerwärtiger, frühreifer Achtjähriger gewesen war, eine demütigende Niederlage einstecken müssen, und sie war auf diese Party gegangen, um Bram eifersüchtig zu machen.

„Du willst doch nur, dass mein Vater mit dir schläft und dich schwängert, damit er dich heiratet“, hatte Jay ihr mit seiner harten Kinderstimme vorgeworfen, die sie inzwischen zu hassen begonnen hatte. „Aber er will gar nicht mit dir ins Bett. Ins Bett geht er nämlich mit einer anderen. Ich habe die beiden gehört. Sie macht eine Menge Lärm, sie schreit und . . .“

Noch nie im Leben hatte Helena ein so überwältigendes Verlangen danach gespürt, ein Kind zu packen und zu schlagen. Und sie hatte das nur verhindern können, indem sie aus dem Zimmer gegangen war. Sie hasste und verabscheute Jay im selben Maß wie sie seinen Vater anbetete und begehrte.

Es war nicht nötig, dass Jay ihr sagte, Bram schätze sie zwar als Freundin, begehre sie aber nicht. Ebenso wenig wollte sie, dass er ihre zerbrechlichen Wunschträume bloßlegte, die darin bestanden, dass Bram sich ihr eines Tages vielleicht doch noch zuwenden würde, nicht aus Lust oder Verlangen heraus, vielleicht nicht einmal aus Liebe. Aber möglicherweise aus einer Enttäuschung heraus, weil er Trost suchte. Und dann . . . Diesen Traum hatte sie gehegt, seit sie zusammen die Universität besucht hatten. Er war ihr Geheimnis gewesen, ein Geheimnis, das Jay ihr jetzt im grausamen Licht der Realität vor Augen gehalten hatte.

Und so hatte sie also Flyte kennen gelernt und ihn nach Hause gefahren. Dort hatte er sie dann verführt, mit herbem Rotwein und noch herberem Sex, der sie dazu gebracht hatte, alle ihre sexuellen Vorbehalte über Bord zu werfen und mindestens genauso laut und lustvoll zu schreien wie die von ihr so glühend beneidete Geliebte von Bram.

Für sie hatte das ganze eine Affäre bleiben sollen, und eine ähnliche Einstellung hatte sie auch bei Flyte vermutet. Doch eines Nachts hatte er ihr aus heiterem Himmel gesagt, er wolle sie heiraten, und falls sie ablehnte, würde er sie notfalls dadurch dazu zwingen, indem er sie schwängerte. Völlig berauscht von Wein und Sex, von dem Genuss, körperlich so intensiv begehrt zu werden, von ihrer Abhängigkeit nach seinem Körper, hatte sie eingewilligt. Ihre Familie war natürlich schockiert gewesen, aber sie hatte sich hartnäckig geweigert, ihren Entschluss zurückzunehmen. All diese Erinnerungen waren wie ein schwärendes, entzündetes Geschwür, das nicht heilen wollte und das sie fatalerweise immer wieder berühren musste.

Ein Schauer der Abscheu überlief sie jetzt, als sie die halb fertige Skulptur in der Ecke stehen sah. Zwei nackte, langgliedrige Mädchen mit vollen Brüsten, überbetonten Venushügeln und sinnlichen Schmollmündern wanden sich in sexueller Hingabe um einen Männerkörper. Trotz des unnachgiebigen Gesteins strahlte die Skulptur eine lebendige, zügellose Sinnlichkeit aus. Das eine Mädchen griff nach dem erigierten Glied des Mannes, während der Mann selbst an der Brust des anderen Mädchen sog; gleichzeitig schien er gerade im Begriff zu stehen, ihm die Hand zwischen die geöffneten Schenkel zu schieben. Obwohl die Mädchen sehr zierlich und ohne jegliche Körperbehaarung dargestellt waren, bestand kein Zweifel daran, dass sie erwachsen und sexuell voll ausgereift waren – genauso wenig wie daran, wer für die Skulptur Modell gestanden hatte.

Helena hatte auf Anhieb gewusst, dass Flyte mit den Zwillingen schlief, er liebte es nun einmal, solche Situationen auszukosten.

„Gefällt es dir?“ zog er sie jetzt auf; er wusste ganz genau, wie sie auf so etwas reagierte. „Ein Privatauftrag für einen Kunden, der mit dem Verleih von Softpornos Millionen verdient hat. Er meint, das hier wäre für jeden Mann genau die sexuelle Phantasie schlechthin – einmal von zwei Frauen gleichzeitig verwöhnt zu werden. Ich hatte ursprünglich versucht, Drillinge zu finden, weil ich dachte, das würde dem Ganzen eine noch verruchtere Ausstrahlung verleihen; außerdem . . .“

Helena wusste aus Erfahrung, was als Nächstes kommen würde. Zornig wandte sie den Blick von der Skulptur ab, und als sie Flyte leise und spöttisch auflachen hörte, presste sie hart die Lippen aufeinander.

„Mit diesem verkniffenen, empörten Blick magst du jeden anderen täuschen, Helena, aber mich doch nicht! Ich kenne dich, so wie du wirklich bist. Weißt du noch? Ich kenne die Helena, die stöhnt, schreit, um mehr bettelt, die einem Mann den Rücken blutig kratzt vor Ekstase, die . . .“

„Hör auf! Hör endlich auf!“ Ihre Nerven waren bis zum Äußersten gespannt. Ihr war klar, dass er mit ihr spielte, sie quälte, sie zwang, ihm die Kontrolle über die Situation zu überlassen. Ihr war es stets zuwider gewesen, die Beherrschung zu verlieren, und deshalb ...

„Weißt du noch, wie es zwischen uns war?“ fragte Flyte nun mit sanfter Stimme und zeigte auf das verstaubte, schäbige Sofa in der anderen Ecke des Raums. „Weißt du noch, wie wir ...“

„Nein, daran erinnere ich mich nicht“, log Helena verzweifelt. „Ich will mich auch gar nicht daran erinnern!“ Nur weil sie so wütend war, schlug ihr das Herz bis zum Hals, aus keinem anderen Grund ... Ihr war allzu klar, dass Flyte sie ebenso wenig begehrte wie sie ihn; er versuchte einfach nur, sie zu quälen, weil das eben seinem Charakter entsprach.

„Ich könnte deine Erinnerungen ein wenig auffrischen“, raunte er sinnlich.

„Ich bin nicht gekommen, um mit dir über die Vergangenheit zu reden, Flyte“, kam sie ihm hastig zuvor. Gleichzeitig wich sie vorsichtig näher zur Tür und weiter von ihm fort. Sie war der Meinung, dass Flyte nichts davon mitbekommen hätte. Doch dann sah sie seinen Augenausdruck.

„Denkst du manchmal an mich, wenn du mit deinem langweiligen Ehemann im Bett liegst, Helena?“ erkundigte er sich leise.

„Nein, das tue ich nicht!“ gab sie wütend zurück, jetzt endlich riss ihr der Geduldsfaden. „Es ist vielmehr so ...“

„Was denn? Ihr gebt euch gar nicht einem körperlich so intimen Vergnügen wie Sex hin? Nein, wahrscheinlich nicht, das würde mich auch wundem.“

„Hörst du endlich auf?“ fuhr Helena ihn an. Wenn er jetzt schon so war, wie würde er sich dann bloß auf Plums Ball aufführen? Seine Anwesenheit würde wie eine tickende Zeitbombe sein,. Wenn er wollte, konnte er der charmanteste Mann sein, einer, den jeder gern kennen lernen wollte, einer, der jeden anderen an Geist und Esprit zu übertreffen vermochte, einer, der sogar die zugeknöpftesten, steifsten Damen der Gesellschaft zum Schmelzen bringen konnte. Wenn er wollte. Er konnte aber auch so zerstörerisch grausam sein, dass es ihm dann gelang, tiefe Wunden zu hinterlassen, die niemals heilten. „Ich will von dir nur wissen, ob du zu Plums Volljährigkeitsball zu kommen gedenkst.“

„Ach so, ja, natürlich. Wer kommt denn noch?“ erkundigte er sich beiläufig. „Oder soll ich raten? Bestimmt keiner von Plums Freunden, wie sie mir bereits angedeutet hat.“

„Plum hat keine Freunde“, antwortete Helena verbittert. „Alles, was Plum im Leben hat, ist eine nicht enden wollende Reihe von Männern, die ...“

„Alles? Was ist mit ihrer Familie? Ihrem Stiefvater? Ihrer Mutter?“ tat Flyte verwundert.

Helena war nicht fähig, seinem Blick standzuhalten. „Natürlich haben wir auch Familie eingeladen“, erklärte sie förmlich. „Sowohl James‘, als auch meine. Dazu unsere Freunde, und natürlich gibt es da auch noch einige gesellschaftliche Pflichteinladungen, gewisse Geschäftskollegen ...“

„Großer Gott, kein Wunder, dass Plum keine Lust auf den Ball hat! Gib ihr lieber das Geld‘, das du dafür auszugeben gedenkst, und ...“

„Und – was?“ unterbrach sie ihn frustriert. „Dir scheint es nicht viel auszumachen, dass unsere Tochter die Angewohnheiten und den Ruf einer ... Hure hat, aber mir macht es sehr wohl etwas aus! Sie wird nicht ewig in diesem Alter sein. Sie braucht ...“

„Was braucht sie, Helena? Einen Ehemann, der sie einsperrt und zu einem Leben verurteilt, wie du es für das Beste hältst? Schade, dass man rebellische Problemtöchter nicht mehr so leicht hinter Klostermauern abschieben kann, nicht wahr? Was Plum braucht, ist Liebe. *Liebe,* falls dir dieses Wort etwas sagt. Aber selbstverständlich sagt es dir nichts, das weiß ich ja selbst“, warf er ihr schneidend vor. „Armes Ding, sie hat wirklich nicht sonderlich viel vom Leben. Was natürlich unsere Schuld ist. Wir ...“

„Wie kannst du so etwas sagen!“ fiel Helena ihm aufgebracht ins Wort. „Sie hat immer alles bekommen, alles, was sich ein Mädchen nur wünschen kann!“

„Du lügst. Gar nichts hat sie bekommen. Sicher, materiell hast du sie vor lauter schlechtem Gewissen buchstäblich mit Geschenken überhäuft, aber körperlich, emotional war sie dir egal. Und das merkt man.“

„Willst du etwa behaupten, es sei meine Schuld, dass sie sich so grauenvoll benimmt? Wenn dem so ist, dann ...“

„Es ist unsere Schuld“, unterbrach er sie still. „Wir sind

beide dafür verantwortlich, dass sie auf der Welt ist, Helena, beide. Ebenso sind wir beide für das verantwortlich, was sie ist oder besser gesagt, was sie nicht ist. Wenngleich ich fest davon überzeugt bin, dass du das nicht so siehst. In deinen Augen hat sie wohl alle Fehler und schlechten Seiten von mir geerbt. Aber ich sage dir etwas. Plum hat hundert Mal mehr gute Eigenschaften als diese blassen, leidenschaftslosen und nichts sagenden Töchter, die du von James hast!"

„Das glaubst auch nur du", erwiderte Helena kalt, obwohl sie innerlich vor Zorn bebte. Sie bereute von ganzem Herzen, je hier hergekommen zu sein. Überhaupt hätte sie von vorne herein Plum strikt untersagen müssen, ihren Vater zu dem Ball einzuladen.

„Dir graut wohl wirklich davor, mich auf dem Ball zu sehen, nicht wahr?" fragte er spöttisch. Wie so oft hatte er mühelos ihre Gedanken gelesen.

„Du bist Plums Vater", entgegnete Helena steif.

„Oh, ja, das bin ich, und sie will, dass ich komme. Das hat sie mir bereits gesagt. Kommt Bram Soames auch?"

„Wir haben Bram eingeladen", bestätigte Helena vorsichtig. „Immerhin ist er einer unserer ältesten Freunde."

„Einer deiner ältesten Freunde", verbesserte Flyte. Ihre Freundschaft mit Bram war stets ein heikles Thema zwischen ihnen gewesen, nicht weil Flyte Bram etwa nicht gemocht hätte – im Gegenteil. Sondern vielmehr, weil . . . „Nun, wenigstens in der Hinsicht ist Plum ganz deine Tochter. Seltsam, nicht wahr, wie sehr wir unseren Kindern den Fluch unserer eigenen Schwächen aufbürden."

„Ich habe nicht die geringste Ahnung, wovon du sprichst, Flyte", wehrte Helena eisig ab. „Und da ich ohnehin schon spät dran bin . . ."

„Aber sicher weißt du, was ich meine!" widersprach er heftig. „Ich meine die Tatsache, dass unsere Tochter, *deine* Tochter glaubt, unsterblich in Bram Soames verliebt zu sein . . . Und da ist sie nicht die Einzige, stimmt's, Helena?"

„Bram ist ein guter Freund", gab sie hölzern zurück. „Und wenn . . ."

„Und wenn was? Wenn du in unseren Flitterwochen nachts seinen Namen riefst, während du in meinen Armen lagst, dann hatte das nichts zu bedeuten. Wolltest du das sagen?"

Helena reichte es. „Also, schön", gab sie zu. Sie war blass, und in ihren Augen spiegelte sich eine Mischung aus Müdigkeit und Schmerz wider. „Ja, ich habe Bram einmal geliebt. Aber das ist lange her."

„Er hingegen hat deine Gefühle nie erwidert. Arme Helena. Du hast dir wirklich die größte Mühe gegeben, ihn umzustimmen. Andererseits hattest du natürlich gegen einen fast übermächtigen Gegner anzukämpfen. Man sollte nie die Macht eines entschlossenen, fast besessenen Kindes unterschätzen, das glaubt, nur es allein hätte das Recht und den Anspruch auf das Leben und die Gefühle seiner Eltern. Ein Kind wie Jay."

„Jay war niemals ein Kind", brauste Helena auf.

„Sondern? Ein Albtraum", bemerkte Flyte spöttisch. „Arme Helena, armer Bram. Obwohl, so viel ich von Plum weiß, ist Jay inzwischen anscheinend etwas weniger Besitz ergreifend, so dass Bram endlich eine Frau gefunden hat. Und eine ganz besondere noch dazu, wenn man Plum Glauben schenken darf."

Helena wich seinem Blick aus. „Plum hat immer schon dazu geneigt, zu übertreiben und manche Dinge über Gebühr zu dramatisieren. Ich glaube nicht, dass diese Frau mehr ist als nur eine geschäftliche Bekannte von Bram."

„So? Warum glaubst du das nicht? Weil es vielleicht zu schmerzvoll wäre, wenn du es glaubtest? Würde es zu viele unliebsame Erinnerungen an eine Helena in dir heraufbeschwören, von der du zwar behauptest, es hätte sie nie gegeben, die aber imstande war, wirkliche Gefühle und echtes Verlangen zu spüren? Du kannst diese andere Helena nicht für alle Zeiten verdrängen. Eines Tages wird dein wahres Ich zu stark sein für die Kontrolle, die du über sie ausübst, und dann ..."

„Ich werde mir das nicht weiter anhören. Ich bin die wahre Helena", wies sie ihn scharf zurecht. „Die andere Helena, die ..." Sie verstummte und presste hart die Lippen aufeinander. Warum ließ sie es eigentlich zu, dass er sie so provozierte?

„Was ist mit der anderen Helena?" beharrte Flyte ironisch. „Hat nie existiert? Oh, doch, das hat sie! Ich könnte auf der Stelle mit dir ins Bett gehen und dir beweisen, dass sie noch immer existiert. Würde dir das gefallen, Helena? Ist es das, was ..."

„Nein! Es würde mir nicht gefallen!“ widersprach Helena wütend.

„Aber wenn jetzt statt meiner Bram hier stünde und dir dasselbe Angebot machte, dann würdest du nicht Nein sagen, nicht wahr?“ fragte Flyte sanft.

Sie war ihm in die Falle gegangen, und er wusste es. Helena konnte ihn nur anstarren, sie war nicht in der Lage, den Widerspruch abzugeben, den sie eigentlich hätte äußern müssen. Es war nur Plums Schuld, dass sie sich jetzt Flytes Provokationen aussetzen musste. Und ihm machte kaum etwas mehr Freude als andere zu provozieren. „Ich muss gehen“, teilte sie ihm kühl mit. „Bis zum Wochenende muss ich wissen, wie viele Gäste endgültig kommen, damit ich die Tischordnung festlegen kann.“

„Oh, ich komme ganz gewiss“, versicherte Flyte unbefangen. „Das will ich mir doch auf keinen Fall entgehen lassen! Wo wirst du mich denn wohl hinsetzen, Helena? Wie lauten denn die Etikettevorschriften für solche Situationen? Werde ich an der Haupttafel sitzen? Oder verbannst du mich in irgendeine dunkle, abgelegene Ecke? Gespannt bin ich, wo Bram sitzen wird.“

„Bram ist Plums Patenonkel. Als solcher sitzt er selbstverständlich an der Haupttafel“, erklärte Helena kalt. „Wenn du mich jetzt bitte entschuldigen willst . . .“

Ihre Stimme mochte zwar gelassen klingen, doch Helena wusste, dass ihre Wangen glühten. In ihrem Innern tobte ein wahrer Aufruhr an Gefühlen. Bram . . . Selbst heute noch, nach all den Jahren . . .

Sie erinnerte sich an das erste Mal, als sie ihn im viereckigen Innenhof der Universität gesehen hatte. Er hatte im Sonnenschein gestanden und gewirkt wie ein junger, kriegerischer Gott, der sich plötzlich auf die Erde verirrt hatte. Sie selbst hatte in einem Buch über Altphilologie gelesen; eine ernsthafte und seriös wirkende junge Frau, die stets genau gewusste hatte, wie sich ihr weiteres Leben abspielen würde. Ein Diplom, Karriere, dann Hochzeit mit einem standesgemäßen jungen Mann, zwei Kinder, ein Landhaus und ein fester Wohnsitz in London, Sommerurlaube in der Toskana, im Winter Dinnerparties – alles in allem ein solides, gesichertes Leben der gehobenen Mittelklasse.

Und dann hatte sie Bram gesehen und sich in ihn verliebt. Doch Bram hatte diese Liebe nicht erwidert. Oh, ja, er hatte sie sehr gern gemocht und sie auch sehr nett behandelt. Vielleicht wäre er irgendwann sogar aus Mitgefühl mit ihr ins Bett gegangen. Und dann hätte sie alles daran gesetzt, dort auch zu bleiben. Bram war viel zu gut und sanftmütig, er hätte sie bestimmt nie von sich gestoßen. Dann hätten sie eines Tages geheiratet, sie hätte Kinder von ihm bekommen . . .

Sie hatte die Rechnung ohne Jay gemacht. Immer wieder hatte sie versucht, Bram zu überzeugen, dass es nur im Interesse des Jungen war, wenn er von anderen Leuten großgezogen werden würde. Von irgendwem, Hauptsache, nicht von Bram. Sie hatte ihm zahllose Beispiele von Jays ungeheuerlichem Benehmen genannt, um ihm zu beweisen, dass sein Sohn eine andere Umgebung und eine andere Form von Erziehung brauchte als die, die Bram ihm bieten konnte. Es war zwecklos gewesen. Jay hatte seinen eisenharten, erstickenden Besitzanspruch auf Bram nicht gelockert. Im Lauf der Jahre hatte Bram die freundschaftliche Beziehung zu ihr beibehalten, die sie ursprünglich als Ausgangspunkt für ein intimeres Verhältnis vorgesehen hatte. Nach ihrer verheerenden Ehe mit Flyte und der umso erfolgreicheren Ehe mit James hatte sie sich eingeredet, dass sie keine Sehnsucht mehr nach Bram hatte, dass ihr die Freundschaft mit ihm reichte. Sie hatte endlich akzeptiert, dass sie mehr nicht von ihm erwarten konnte, und dass der Zeitpunkt, wo sie ihn eventuell noch für sich hätte gewinnen können, längst vorbei war.

Während sie von Chelsea losfuhr, versicherte sie sich, dass sie mit ihrer Ehe und ihrem Leben restlos zufrieden war. Zumindest wäre sie es gewesen, wenn ihr Plum nicht dauernd Scherereien verursacht hätte.

Und wenn Bram nun endlich eine Lebensgefährtin gefunden hatte, dann freute sie sich für ihn. Das war sie ihm als Freundin schließlich schuldig. Sollte auch Jay inzwischen so reif geworden sein, dass er seinem Vater diese Beziehung gönnte . . . Nein. Das bezweifelte sie.

Sie ermahnte sich streng, dass sie das nichts anging. Außer höchstens als gute alte Freundin, und als solche war es nur normal, dass sie an seinem Leben Anteil nahm. Und dass sie neugierig war auf diese neue Frau in seinem Leben. Sicher wäre es ein Zeichen guten Benehmens, wenn sie Bram anrief und die Einladung auch auf seine ... Freundin ausdehnte.

Aber nicht heute. Schon spürte sie den Anflug von Kopfschmerzen, außerdem musste ihr Haar dringend geschnitten und nachgefärbt werden. Bram war immer schon der Typ Mann gewesen, dem auffiel, wie eine Frau aussah, der ehrliche Komplimente machte und aufrichtig besorgt war, wenn es einem seiner Meinung nach nicht gut ging.

Bram ... Bram ... Bram ... Sie zuckte erschrocken zusammen und trat abrupt auf die Bremse. Beinahe wäre sie bei Rot über die Ampel gefahren.

15. KAPITEL

Taylor hatte den Taxifahrer gebeten zu warten. Das Telefon in der Wohnung war zwar noch immer angeschlossen, sie brauchte jedoch die Sicherheit zu wissen, dass sie im Notfall einfach kehrtmachen und weggehen konnte. Weggehen – oder wegrennen?

Ihre Kehle war vor innerer Anspannung wie zugeschnürt. Langsam schob sie den Schlüssel in das neue Türschloss, das Bram für sie hatte auswechseln lassen. In der Wohnung roch es muffig, unbewohnt und ganz leicht nach Chemikalien. Letzteres lag wahrscheinlich an den chemisch gereinigten Teppichen und Gardinen. Auch das hatte Bram organisiert.

Zögernd blieb Taylor in der Tür zum Wohnzimmer stehen. Das Erste, was ihr auffiel, war die leere Stelle, wo einmal ihr Sofa gestanden hatte. Die Versicherung hatte sich bereit erklärt, alle beschädigten oder zerstörten Gegenstände zu ersetzen, aber Taylor hatte nicht groß darüber nachgedacht. Dadurch, dass sie bei Bram gewohnt hatte, abgeschirmt von der Wirklichkeit und eingehüllt in seine Liebe, hatte für sie gar kein Anlass dazu bestanden. Kein Anlass, und schon gar kein Bedürfnis danach. Allein bei dem Gedanken, dass sie jetzt, nach allem, was geschehen war, wieder hier wohnen sollte, wurde ihr eiskalt. Unwillkürlich sah sie zu den verschlossenen Fenstern, und das Herz schlug ihr bis zum Hals. Nach dem tröstlichen Durcheinander und der Wärme in Brams Haus kam ihr die Wohnung kahl und abweisend vor. In dem Moment, als sie ins Zimmer trat, befiel sie plötzlich regelrechte Platzangst und lähmte sie so, dass sie weder imstande war weiterzugehen, noch zu fliehen. Seltsamerweise empfand Taylor die Atmosphäre jetzt noch weitaus bedrohlicher als in der Nacht des Einbruchs selbst. Damals hatte sie wenigstens der Schock vor den schlimmsten Schreckensbildern ihrer eigenen Phantasie geschützt, nun galt das nicht mehr. Jetzt fiel es ihr nur allzu leicht, sich auszumalen, wie der Eindringling sich an sie heranpirschte, sie beobachtete und abwartete.

Die Tür zu ihrem Schlafzimmer stand offen, so dass Taylor in den Raum blicken konnte. Das Bett mit dem weißen Laken darüber wirkte irgendwie wie eine zugedeckte Leiche; Taylors gesamtes Bettzeug war zerstört worden, aber auch, wenn das nicht der Fall gewesen wäre . . .

Eine Gänsehaut kroch ihr über den Rücken, und Taylor spürte, wie die Panik in ihr aufstieg und nur darauf wartete, sie mit ihrem klaffenden, schwarzen Schlund zu verschlingen. Würde diese Hölle denn niemals enden? Vor dem Einbruch hatte Taylor immer sofort alle Türen und Fenster verriegelt und die Vorhänge vorgezogen, sobald sie nach Hause gekommen war, um sich vor den lauernden Blicken der Außenwelt zu verstecken; jetzt war es gänzlich umgekehrt. Jetzt empfand sie womöglich noch größere Angst bei dem Gedanken, hier zusammen mit der Gefahr eingesperrt zu sein . . . mit *ihm*. Sie konnte ihn förmlich riechen, fühlen, sehen . . .

Die Haustür, die sie offen gelassen hatte, fiel plötzlich ins Schloss.

Taylor wollte schreien, doch sie brachte keinen Ton heraus. Ihr war, als müsste sie ersticken, ertrinken in diesem undurchdringlichen, schwarzen Sumpf aus Angst und Entsetzen, der sie umgab. Und dann hörte sie Brams Stimme.

Sie lachte und weinte gleichzeitig, als er sie im Arm hielt und sie um Verzeihung bat, weil er sie so erschreckt hatte; als er ihr sagte, er sei vorzeitig aus Straßburg abgereist, weil er es nicht mehr ohne sie ausgehalten hätte.

„Aber woher wusstest du, dass ich hier bin?“

„Ich wusste es einfach“, meinte Bram heiser und drückte sie noch fester an sich. Er verstand selbst nicht, weshalb er plötzlich das Gefühl gehabt hatte, auf der Stelle nach Hause zurückkehren zu müssen. Dafür hatte er sogar mehrere Termine abgesagt. Er wusste nur, dass er sich beim Heimkommen in sein leeres, von Taylor verlassenes Haus so gefühlt hatte, als betrete er einen kalten, grauen Friedhof voller verlorener Träume und Hoffnungen.

„Ich musste hier herkommen. Ich wollte . . ." Taylor erschauerte. Sie brachte es nicht über sich, ihm von ihrem Entschluss, ihn zu verlassen, zu erzählen. Tränen stiegen ihr in die Augen. Sie liebte und brauchte ihn so sehr.

Sie spürte, wie er ihr die Hand unter das Kinn legte und ihr Gesicht anhob. Seine Lippen fühlten sich schon so unendlich vertraut an, für Taylor hätte eine solche Vertrautheit nie zu Langeweile oder nachlassendem Reiz führen können. Für sie bewirkte diese Vertrautheit vielmehr, dass dadurch die Liebe nur noch bereichert wurde und ihr eine Tiefe und Intensität verlieh, nach der Taylor sich insgeheim immer gesehnt hatte. Bereitwillig öffnete sie Bram ihre Lippen und erwiderte die zärtliche Liebkosung seiner Zunge.

„Gott sei Dank, dass ich dich gefunden habe."

Er schien über seine eigenen Worte genauso erschrocken wie sie. Ihr Herzschlag geriet ins Stocken. Hatte er gewusst, dass sie vorgehabt hatte fortzugehen, zu verschwinden? Hatten sich ihre Gedanken irgendwie auf ihn übertragen, hatte sie ihm unbewusst suggeriert, sie davon abzuhalten?

„Lass uns nach Hause gehen", schlug Bram sanft vor. Er löste die Umarmung, behielt aber ihre Hand fest in seiner. Diese Geste spiegelte genau wie sein Blick die Angst wider, die er um sie ausgestanden hatte. Instinktiv hob Taylor ihre andere Hand und strich ihm zärtlich über die Wange. Als Bram daraufhin ihre Hand umdrehte und leidenschaftlich die Innenfläche küsste, wurde Taylor auf einmal ganz klar, dass sie ihn nicht verlassen konnte. „Lass uns nach Hause gehen, Taylor", wiederholte er drängend. „Hier kann ich nicht mit dir schlafen und . . ."

Sie nickte nur stumm und ließ sich von ihm zur Tür begleiten. „Ich dachte, du wolltest mit Jay zum Angeln gehen. Er kam auf dem Weg zum Flughafen kurz bei mir vorbei." Sie war stolz auf sich, weil es ihr gelungen war, sich nicht anmerken zu lassen, wie sehr sie sein Verheimlichen dieses Plans verletzt hatte.

„Ja, ich weiß", antwortete er so grimmig, dass sie ihn prüfend ansah. „Ich erzähle dir alles, wenn wir zu Hause sind." Er hielt ihr die Autotür auf, beugte sich zu ihr und raunte ihr ins Ohr: „Nachdem wir miteinander geschlafen haben . . ."

Sie lagen nebeneinander im Bett; Taylor fühlte sich angenehm träge nach Brams leidenschaftlicher, beinahe wilder Umarmung, als ihr plötzlich der immer noch wartende Taxifahrer einfiel.

Bram lachte. „Der ist bestimmt inzwischen weg“, versicherte er. „Allerdings befürchte ich, dass wir eine ziemlich gepfefferte Rechnung erhalten werden. Und wenn schon. Ich habe im Moment wichtigere Dinge im Kopf als Taxigebühren.“

„Ich dachte, du wolltest mir von Jay und eurer Angeltour erzählen“, provozierte sie ihn, als er sich über sie beugte und ihren Hals zu küssen begann.

„Später“, versprach er und ließ den Blick bedeutungsvoll zu der verlockend aufgerichteten Knospe ihrer Brust wandern. Er merkte, wie Taylor erschauerte, als sie seinen heißen Atem auf ihrer Haut spürte. Es erstaunte ihn und stimmte ihn nachdenklich, welch ungeahntes Verlangen Taylor immer wieder in ihm auslöste, ohne dass sie etwas tat, einfach nur durch ihr Dasein. Seine Erregung steigerte sich, als er den Mund über ihre Brust senkte und hörte, wie Taylor diesen typischen Laut des Wohlbehagens von sich gab, den sie immer ausstieß, wenn er sie auf diese Art liebkoste. Den Gesetzen der Natur nach hätte Bram eigentlich nicht mehr in der Lage sein können, Taylor so rasch in Folge ein zweites Mal zu lieben. Er hatte sich bei jenem ersten, leidenschaftlichen Mal völlig verausgabt, ihr alles gegeben, was er zu geben hatte. Und doch waren die Empfindungen zwischen ihnen jetzt womöglich noch intensiver. Und so gelang es ihm, sie nicht nur durch die Höhen ihres eigenen Orgasmus zu begleiten, sondern sich selbst noch einmal ganz unerwartet in ihr zu verströmen. Als er kam, erschauerte sie und grub die Finger in seine Schultern. Zuerst dachte er, das sei eine Folge ihres abebbenden Orgasmus, doch dann stammelte sie auf einmal mit Tränen in den Augen: „Ich habe es gemerkt . . . Ich habe gespürt, wie du gekommen bist. Es war . . . Es war, als ob . . .“

„Als ob?“ fragte er leise nach, als sie verstummte.

„Als ob du ganz tief in mir wärst, als ob du den innersten, verborgensten Keim meines Seins berührt hättest, als wären wir eins . . .“ Ihre Empfindungen überwältigten sie, sie begann zu zittern. Bram nahm sie ganz fest in die Arme. Er brauchte sie nicht zu fragen, ob sie ihn liebte, auch war es nicht nötig, dass er es ihr sagte. Solche Worte waren überflüssig zwischen ihnen.

Taylor fühlte sich wie gerädert, gleichzeitig jedoch schienen ihr Körper und ihre Sinne extrem sensibel auf Bram zu reagieren. Sie brauchte ihn so sehr, dass sie den Gedanken nicht ertragen konnte, ihn jemals zu verlieren. Sie wollte immer in seiner Nähe sein, und die Vorstellung, irgendetwas oder irgendjemand könnte sich je zwischen sie stellen, war wie ein Albtraum für sie. In dem Moment fiel es ihr wieder ein, und sie erstarrte kaum merklich. „Du wolltest mir von Jay erzählen."

„Richtig. Was hat er dir denn genau gesagt, als er hier herkam?"

„Dass du ihn angerufen und ihn gebeten hättest, zu dir zu kommen und mit dir zum Angeln zu fahren. Er sagte . . ." Sie verstummte, weil sie den Rest der Unterhaltung mit Jay lieber für sich behalten wollte.

„Mir wiederum erzählte er, er hätte dich dabei erwischt, wie du gerade mit einem Freund ausgehen wolltest", teilte Bram ihr trocken mit.

„Er hat – was? Aber das stimmt doch gar nicht!"

„Genauso wenig wie das, was er dir von dieser Angeltour erzählt hat", gab Bram zurück. „Ich hätte mir denken können, dass er so etwas tun würde. Ich hätte dich warnen müssen. Das war eine seiner Lieblingstaktiken als Kind. Taylor, ich begreife ihn nicht", gestand er. „Er ist mein Sohn, und ich hänge an ihm, doch wenn er nicht mein Kind wäre . . ." Er schüttelte den Kopf.

Taylor streckte die Hand aus und streichelte ihn liebevoll. Manchmal ängstigte sie es fast, dass sie ein solches Bedürfnis hatte, ihn zu berühren und ihm nahe zu sein. Ausgerechnet sie, die nicht einmal in der Zeit vor . . ., die nicht einmal als Kind ausgeprägten Körperkontakt gesucht hatte. Bram schien alle ihre Sinne geweckt zu haben.

„Ich fürchte, er ist nach wie vor fest entschlossen, uns zu entzweien", hörte sie Bram sagen.

Sie nickte. Es wäre jetzt so einfach gewesen, so vernünftig, die Ausrede zu verwenden, die Bram ihr, ohne es zu merken, lieferte. Natürlich würde Bram unglücklich sein, wenn sie ihn verließ. Er würde auch versuchen, ihr einzureden, dass sie sich nicht von Jay beeinflussen lassen dürfe. Doch letztlich würde er ihre Entscheidung akzeptieren. Ja, es wäre sehr einfach . . . und sehr feige. Was war denn nun die schlimmere Alternative – ein Feigling zu sein, oder zu riskieren, dass Bram die Wahrheit herausfand?

„Sein Benehmen ist unverzeihlich", fuhr Bram fort. „Doch zumindest für den Augenblick würde es uns eine kleine Atempause verschaffen, wenn wir nichts davon erwähnten. Wahrscheinlich haben wir mehr davon, als wenn wir ihn mit seiner Lüge konfrontieren. Was meinst du dazu? Hältst du mich für feige? Ich weiß, ich sollte eigentlich . . ."

„Nein, lassen wir die Sache erst einmal auf sich beruhen", unterbrach Taylor ihn und legte ihm die Hand auf die Brust. Sie war wohl kaum die geeignete Person, Bram Moral Vorschriften machen zu können, wo sie doch selbst . . . Und abgesehen davon . . . Sie erschauerte lustvoll, als Bram anfing, zärtlich an ihren Fingerspitzen zu saugen. Ihr Pulsschlag beschleunigte sich. „Jay kann nichts dafür, dass er so ist", brachte sie leicht stockend hervor. „Er ist verzweifelt und so . . ."

„Da muss ich dir widersprechen. Er könnte sich sehr wohl ändern, doch er weigert sich, das zu tun", entgegnete Bram hart, aber dann lächelte er wieder, und seine Stimme wurde weicher. „Du bist eine sehr verständnisvolle und mitfühlende Frau, Taylor."

„Verständnisvoll, ja", räumte sie ein. „Aber mitfühlend – nein." Jetzt klang ihre Stimme unerwartet hart. „Mitgefühl ist das Letzte, was ich für Jay empfinde, Bram."

„Vergiss Jay", verlangte Bram heiser. Er umfasste ihre eine Brust, und seine Augen wurden dunkel vor Verlangen. „Sag mir lieber, was du für mich empfindest."

„Heute ist also der große Tag, nicht wahr?"

Fate zog betont erstaunt die Augenbrauen hoch. „Was für ein Tag?" Doch ihre Mundwinkel zuckten vor unterdrücktem Lachen, und ihre Augen funkelten belustigt. „Es ist nur eins von mindestens einem Dutzend Interviews, die ich machen muss. Ich bezweifle, ob ich Bram Soames überhaupt persönlich zu Gesicht bekommen werde. Erst mal habe ich nur einen Termin mit jemandem aus seiner PR-Abteilung."

„Ach so, ich verstehe. Dann hatte die Tatsache, dass du die

halbe Nacht in deinem Schlafzimmer herumgelaufen bist und laut mit dir selbst geredet hast, gar nichts damit zu tun, dass du dir Fragen für das Interview ausgedacht hast? Natürlich! Jetzt hab‘ ich‘s! Du hast für ein Stück geprobt, bist neuerdings in einer Theatergruppe!“

Caroline schalt beide aus, als ihr Mann gekonnt der Scheibe Toast auswich, die Fate nach ihm geworfen hatte. Während sie ihre Tochter beobachtete, hielt sie geflissentlich eine Bemerkung zurück. In ihrer Jugend wäre eine junge Frau, die professionell einen guten Eindruck machen wollte, sicherlich nicht in Jeans, einem weißen Baumwolloberhemd ihres Vaters und seinem weichen, oft getragenen Tweedjackett herumgelaufen. Auch hätte sie sicher versucht, ihre ungestüme Lockenmähne irgendwie zu bändigen und wenigstens einen Hauch Make-up aufzulegen. Zu Carolines Jugendzeit hätte eine junge Frau an Fates Stelle versucht, kompetent und gleichzeitig elegant auszusehen. Sie hätte ein gut geschnittenes Kostüm mit dezent knielangem Rock, Seidenstrümpfe und Schuhe mit halbhohen Absätzen getragen, und wenn sie denn sehr selbstbewusst gewesen wäre, hätte sie auch noch schlichte Ohrringe aus Gold oder Perlen angelegt. Eine tadellose Frisur sowie ein ganz zartes Makeup wären ebenfalls ein Muss gewesen.

Caroline seufzte. Fate sah wirklich nicht so aus wie eine angehende Karrierefrau. Sie sah aus wie . . .

Das Herz wurde ihr eng vor Liebe und Stolz. Auf den ersten Blick mochte Fate wie ein temperamentvoller, etwas schlampiger Teenager wirken, aber Caroline waren die zweiten und dritten Blicke nicht entgangen, die ihr die Männer nachwarfen. Die kritischen, nachdenklichen Blicke der Frauen wiederum bestätigten sie nur noch in dem Wissen, dass Fate kein Mädchen war, das sich je in irgendeine Schablone pressen lassen würde.

„Wann musst du dort sein?“ erkundigte Oliver sich jetzt.

„Um zwölf.“ Fate rümpfte leicht die Nase. „Das bedeutet wahrscheinlich, dass ich wirklich keine Chance habe, den großen Meister selbst kennen zu lernen. Er wird wohl bei irgendeinem Geschäftsessen sein.“

„Möglich, wenn er Geschäftsführer wäre“, gab Oliver trocken zurück. „Aber das ist er nicht. Er ist der Inhaber einer selbst aufgebauten, sehr erfolgreichen Firma. Und solche Leute haben meist keine Zeit für ausgedehnte Mittagspausen."

„Mit welchem Zug kommst du ungefähr zurück?" wollte Caroline wissen.

„Keine Ahnung." Fate biss hungrig in ihren Toast.

„Das kommt ganz darauf an, ob Bram Soames sie zu dem großen Geschäftsessen mitnimmt oder nicht!" zog ihr Vater sie auf.

Fate verzog das Gesicht. „Es ist wirklich keine große Sache", erklärte sie ihren Eltern energisch. „Nur ein erstes, einleitendes Gespräch. Sobald die merken, in welche Richtung ich das Interview steuern will . . ."

„Noch kannst du nicht davon ausgehen, dass deine Interviews deine Meinung bestätigen werden, nämlich dass Erfolg und Reichtum nicht unbedingt die Lebensqualität steigern."

„Es geht nicht so sehr um die Lebensqualität derer, die ich befrage – ohne Zweifel werden *die* behaupten, dass sie glücklich sind. Mich interessiert mehr die Wirkung, die Geld und Erfolg auf die ihnen am nächsten Stehenden haben, auf die Ehefrauen, die Familien."

„Da hast du dir ja eine bemerkenswerte Aufgabe vorgenommen", kommentierte ihr Vater ironisch.

„Es ist ein sehr wertvolles, lohnendes Forschungsgebiet!" verteidigte Fate sich heftig.

„Gegen Idealismus ist nichts einzuwenden. Zumindest noch nicht in deinem Alter", brummte er. Als Fate den Kopf senkte, um eine Schlagzeile in der Zeitung zu lesen, tauschte er einen raschen Blick mit Caroline. Sie waren beide so stolz auf ihre Tochter, vor allem Caroline. Manchmal mussten sie sich in Acht nehmen, dass sie nicht allzu überfürsorglich waren. „Ich nehme dich bis zum Bahnhof mit, wenn du magst", bot Oliver Fate an.

„Toll! Danke!"

Fate war ihr leuchtendes, strahlendes Verbindungsglied zur Zukunft, aber sie war auch etwas, das das Schicksal ihnen wieder nehmen konnte. Caroline erschauerte innerlich. Fate war so Leben sprühend, so voller Energie, dass sie einem fast unverwundbar vorkam. Man konnte sich nicht vorstellen, dass jemand ihr je ein Leid zufügen wollte. Caroline unterdrückte ihre Beklemmung, als Fate sich zu ihr beugte, um sie zu umarmen. „Viel Glück“, flüsterte sie ihrer Tochter ins Ohr und küsste sie auf die Wange.

Jay lächelte, als er das Foyer der Soames Computac betrat. Vor drei Tagen war er aus Straßburg zurückgekehrt, und er war recht zufrieden mit dem, was er bisher erreicht hatte. Er hatte die hoffentlich zerstörerische Saat sorgfältig ausgestreut. Noch war es zu früh, um beurteilen zu können, was sich daraus entwickeln mochte; auch wollte er nicht in den Keimen herumstochern, ehe sie überhaupt austreiben konnten. Im Moment gab er sich damit zufrieden, dass Taylor angespannt und nervös wirkte. Außerdem schien sie abgenommen zu haben . . . Sein Lächeln wurde gehässig. Frauen ihres Alters konnten es sich nicht leisten, zu dünn zu werden, dann wirkten sie sehr leicht knochig und womöglich noch älter. Am Morgen hatte er beobachtet, wie Taylor und sein Vater zusammen zu Brams Büro gegangen waren. Tief befriedigt hatte er zur Kenntnis genommen, wie Taylor bewusst auf Abstand zu Bram zu gehen schien, während sein Vater eindeutig ihre Nähe gesucht hatte. Ohne Zweifel strafte sie ihn noch immer auf typisch weibliche Art dafür, dass er ihr nicht von der Angeltour erzählt hatte. Wobei sie sich wohl für die ‚stille Taktik‘ entschieden hatte. Das passte auch zu ihr, wie Jay fand. Sie war nicht der Typ für Zornesausbrüche und hysterische Vorwürfe. Nein, sie fraß ihren Ärger bestimmt in sich hinein und spielte die Nachtragende. Wenn diese Affäre erst einmal zu Ende war, würde sein Vater sehr schnell erkennen, dass er nochmal gut davongekommen war. Im Augenblick mochte Taylor ihn noch zur Arbeit begleiten, in einem Büro mit ihm zusammenarbeiten und ihn ermutigen, seine Zeit für dieses wohltätige Unterfangen zu vergeuden – für seinen Kreuzzug, wie Jay das insgeheim spöttisch nannte. Aber das war nicht von Dauer.

Jay redete sich edelmütig ein, dass er die Zweifel nicht zu seinem eigenen Wohl und auch nicht zum Wohl seines Vaters ausgesät hatte. Schließlich musste man ja auch an die Firma denken. Sobald Taylor aus Brams Leben verschwunden war, würde der seine Aufmerksamkeit wieder auf die Dinge konzentrieren, auf die es ankam. Und dann war psychologisch vielleicht auch der richtige Zeitpunkt gekommen, auf mehr Macht und Einfluss im Betrieb zu drängen. Jays Augen wurden schmal. Ein paar besonnene Bemerkungen gegenüber der Buchhaltung, ein paar scheinbar achtlos dahingeworfene Worte an den richtigen Stellen über die möglichen Folgen, die die ‚Spielereien' seines Vaters mit wohltätigen Projekten haben könnten, über die Risiken, wenn man die Leitung eines ganzen Unternehmens nur einem einzigen Menschen überließ . . . Die Anspielung, dass junges, frisches Blut einem Betrieb noch nie geschadet hätte, und der versteckte Hinweis, dass die Umsatzzahlen rückläufig waren – all das konnte ihm nur dienlich sein. Er schmunzelte selbstzufrieden vor sich hin, und die Empfangsdame, die ihm mit versteinerter Miene entgegengeblickt hatte, atmete kurzfristig auf.

Fate war etwas zu früh zum Termin erschienen und saß nun im Wartebereich. Mit Interesse verfolgte sie das Mienenspiel und die Körpersprache der Empfangsangestellten. Die junge Frau hatte sie überaus freundlich begrüßt, während ihre Reaktion auf den Mann jetzt vollkommen anders war.

Dieser Mann, wer immer er auch sein mochte, war einfach megasexy. Darüber konnte nicht einmal der gesetzte Anzug hinwegtäuschen. Und was sein Gesicht betraf, diese Augen, dieser unwahrscheinlich sinnliche Mund . . . Der Typ strahlte einfach pure, maskuline Sexualität aus, und bestimmt bekamen alle Frauen, die ihn nur von weitem sahen, weiche Knie. Bis auf die Empfangsdame. Die wich betont seinem Blick aus, als sei er der Glöckner von Notre Dame und zudem von der Pest befallen. Fate fand das hoch interessant.

Ganz eindeutig schien er sich in dem Gebäude auszukennen; er war hereingekommen, als gehörte ihm der ganze Laden. Die Empfangsdame wiederum war offensichtlich auch schon länger hier tätig. Natürlich konnte es sein, dass sie ihn bereits so oft gesehen hatte, dass seine Anwesenheit ihren Hormonspiegel eben nicht mehr in die Höhe trieb. Aber einen derart unbewegten Blick rechtfertigte das auch nicht; Fate kam zu dem Schluss, dass man sich diesen Mann ein Leben lang ansehen konnte, ohne ein solches Stadium zu erreichen. Nein, es war eher, als hätte die junge Frau regelrecht Angst vor einem direkten Blickkontakt mit ihm. Warum? Befürchtete sie, er könnte sie zu Stein verwandeln? Unwahrscheinlich. Bei dem Blick seiner so extrem sexy wirkenden Augen war die Gefahr größer, dass man zu schmelzen anfing. Großer Gott, wenn er Fate mit diesen Augen voller Lust und Leidenschaft angesehen hätte, in dem Moment, wo ... Stopp, mahnte sie sich energisch zur Vernunft, der Mann ist eine Nummer zu groß für dich, und darüber solltest du froh sein ...

Fate fand nur eine Erklärung für das seltsame Verhalten der Empfangsangestellten. So reizvoll das Äußere des Mannes auch sein mochte, sein Charakter war anscheinend bei weitem nicht so attraktiv. Schade, dachte sie nur und vertiefte sich wieder in ihre Zeitung.

Jay bedachte die Empfangsdame mit einem spöttischen Lächeln, als er an ihr vorbeiging. Als sie in der Firma angefangen hatte, war sie ziemlich massiv hinter ihm her gewesen, bis er ihr kühl und unmissverständlich klargemacht hatte, dass er keine Zeit hätte, mit ihr ins Bett zu gehen. Wenn es denn jedoch so dringend für sie wäre, könnten sie ja auf den Fahrstuhl zur Chefetage zurückgreifen. Hinterher müsste sie sich dann allerdings eine neue Stelle suchen. „Ich habe nie Sex mit dem Personal", hatte er ihr mitgeteilt. Danach hatte sie nicht wieder mit ihm gesprochen oder ihn auch nur direkt angesehen.

Er näherte sich jetzt dem Wartebereich, und aus dem Augenwinkel heraus fiel sein Blick auf Fate. Er bemerkte die ungebändigte, wilde Lockenmähne, ihre zwanglose Kleidung, ihre von innen heraus leuchtende Schönheit und den intelligenten, amüsierten Blick, mit dem sie ihn bedachte. Und da war noch irgendetwas ... Etwas, das ihn dazu brachte, plötzlich wie angewurzelt stehen zu bleiben, die Augen zu schließen und angestrengt zu überlegen, an wen sie ihn erinnerte. Ihr Haar war vielleicht etwas anders, nicht mehr ganz so lang, auch war sie eindeutig älter geworden, dennoch gab es für ihn auf einmal keinen Zweifel mehr. Das war Taylors Patenkind! Sein Puls begann zu jagen, und ihn durchzuckte ein Gefühl, das sein Verstand als Zorn bezeichnete, während sein Herz sich weigerte, es Eifersucht zu nennen. Taylor musste sich ihrer selbst und ihrer Stellung weitaus sicherer sein, als er angenommen hatte. Auf jeden Fall fühlte sie sich wohl selbstbewusst genug, um aus ihrer Beziehung zu seinem Vater kein Geheimnis mehr zu machen. Wenn sie sich sogar hier in der Firma mit ihrer Patentochter verabredete . . . Wahrscheinlich wollte sie die Beziehung zu Bram während eines intimen Mittagessens, im Familienkreis intensivieren. Sein Vater war einer jener Männer, der eigentlich Töchter hätte haben müssen. Zumindest hatte Helena das einmal kurz nach Plums Geburt gesagt, als Bram ihr Baby mit ehrlicher Freude im Arm gehalten und ihm die Flasche gegeben hatte. Während sie sich im selben Atemzug darüber beklagt hatte, dass Plums leiblicher Vater von derart praktischen elterlichen Pflichten nichts wissen wollte. Jay musste nur daran denken, wie sein Vater Plum ihr Leben lang verwöhnt hatte, um zu wissen, dass Helena Recht gehabt hatte. Es brodelte in ihm, als er kehrtmachte und zurückging.

Fate wurde rot, als er so zielstrebig auf sie zukam. Er sah aus, als sei er außer sich vor Wut. Er konnte doch unmöglich ihre Gedanken gelesen haben?

„Sie warten sicher auf Taylor", sprach er sie barsch an. „Hm, nun . . . ja . . . ich vermute es zumindest", stotterte sie. Sie gab sich einen Ruck und fuhr ruhiger fort: „Ich habe einen Termin mit jemandem von der PR-Abteilung, aber leider hat man mir keinen Namen genannt. Taylor . . . das ist ein ungewöhnlicher Name, den ich noch nie gehört habe. Ist es ein Männername oder ein Frauenname . . ." Sie verstummte, als sie sah, wie Jay sie nachdenklich musterte. „Also kennen Sie Taylor nicht", meinte er schließlich. „Nein, ich fürchte nicht", bestätigte Fate. Widerwillig kam ihr zu Bewusstsein, dass ihre Mutter wahrscheinlich Recht gehabt hatte mit ihrer Ansicht, Fates Kleidung vermittelte nicht unbedingt den Eindruck von Professionalität. Also gab sie sich alle Mühe und versuchte, Jays durchdringendem Blick standzuhalten.

Je länger Jay sie betrachtete, desto überzeugter wurde er, dass es sich bei ihr um dasselbe Mädchen wie auf dem Foto handelte, um das Mädchen, von dem Taylor behauptet hatte, es sei ihr Patenkind. Andererseits jedoch hatte das Mädchen ganz eindeutig keine Ahnung, wer Taylor war, es hatte sogar noch nie diesen Namen gehört. Zwei Gedanken schossen Jay gleichzeitig durch den Kopf. Zum einen dachte er, dass dieser Fall unbedingt einer genaueren Untersuchung bedurfte. Und zum anderen kam er zu dem Schluss, dass er das Mädchen schleunigst aus dem Foyer entfernen musste, ehe Taylor oder sein Vater es zu Gesicht bekamen. Er sah auf die Uhr.

„Nun, in der PR-Abteilung gibt es momentan leider einige Probleme“, log er. „Vielleicht kann ich Ihnen stattdessen behilflich sein? Ich bin übrigens Jay Soames, und Sie . . .?“

„Ich heiße Fate“, antwortete sie verwirrt und fragte sich beklommen, ob er wohl ebenso wie sie dieses elektrisierende Prickeln spürte, als sie sich die Hand gaben.

„Was war denn nun der genaue Anlass für Ihren Termin in unserer Firma?“ erkundigte er sich. Fate nahm sich zusammen und erklärte es ihm in groben Zügen. „Aber selbstverständlich hat der Erfolg und der Reichtum eines Menschen unmittelbare Wirkung auf seine engsten Familienmitglieder“, meinte Jay im Anschluss darauf.

Um seinen Mund zeichnete sich bereits ein ironischer, verächtlicher Zug ab, und Fate ahnte, dass er sie in Kürze hier stehen lassen und einfach weggehen würde. Dabei hatte er ihr gar nicht richtig zugehört und ihre Erklärung auf seine Weise interpretiert. „Ich stimme Ihnen zu“, gab sie zurück und fügte herausfordernd hinzu: „Ich möchte jedoch herausfinden, ob diese Auswirkungen durchweg und aufrichtig positiv sind.“

„Ah, ich verstehe. Sie hoffen, beweisen zu können, dass sie es nicht sind, stimmts? Typisch“, murmelte er und musterte sie eingehend. „Aber sagen Sie das mal jemandem, der sein Leben lang in Armut verbracht hat. Der wird zweifelsohne ganz anderer Meinung sein.“

„Es gibt auch andere Formen von Armut als nur die finanzielle“, erwiderte Fate scharf. „Ein Kind kann mit allem möglichen materiellen Luxus umgeben werden und gefühlsmäßig dennoch verarmen.“

„Das so genannte ‚Armes – reiches – Kind – Syndrom‘?“ spöttelte Jay.

„Frauen, die mit arbeitswütigen Männern verheiratet sind, beklagen sich oft und sagen, sie hätten lieber einen Mann, der weniger Geld verdient, dafür aber mehr Zeit mit ihnen und der Familie verbringt. Das ist eine Tatsache.“

„Hm. Bis der Mann zusammenklappt oder arbeitslos wird. Dann stimmen sie eine ganz andere Tonart an. Auf jeden Fall ist das eine sehr interessante und herausfordernde Theorie“, räumte Jay ein. „Allerdings können wir hier schlecht darüber reden. Hören Sie, ich habe ungefähr eine Stunde Zeit. Warum gehen wir nicht irgendwo eine Kleinigkeit essen?

Dabei können Sie mich dann interviewen, und wir unterhalten uns ausführlicher über das Ganze.“ Er klang absolut ernsthaft, trotzdem hatte Fate das Gefühl, dass er mit irgendetwas hinter dem Berg hielt. Alles an ihm deutete darauf hin, dass er in keiner Weise mit ihren Ansichten übereinstimmen würde. Die logische Konsequenz daraus wäre nun gewesen, dass er sie abwimmelte, anstatt sie zum Essen einzuladen und ihr anzubieten, detaillierter über das Thema zu reden. Nein, hinter seiner Einladung musste noch ein anderes Motiv stecken. Das einzige und nahe liegendste, das ihr dazu einfiel, war . . .

Dass er mit ihr ins Bett gehen wollte. Auf der anderen Seite kam er ihr allerdings nicht vor wie ein Mann, der eine solche Strategie nötig hatte, um eine Frau für sich zu gewinnen. Er erweckte eher den Eindruck, dass er es gewohnt war, wenn Frauen auf ihn zukamen, und nicht umgekehrt. Dass er, wenn er eine Frau haben wollte, durchaus imstande war, ihr das klipp und klar zu sagen. Fates Neugier nahm zu.

„Danke, gern“, willigte sie ein. Während er seine eigenen Ziele mit ihr verfolgte, konnte sie ihn hoffentlich so weit aus der Reserve locken, dass er ihr wenigstens ein paar ihrer Fragen beantwortete. Auch wenn diese, wie sie vermutete, in krassem Gegensatz zu ihrer Theorie standen. Die kommende Stunde verspricht außerordentlich . . . interessant zu werden, sagte Fate sich im Stillen, während sie auf Jay wartete, der rasch zur Empfangsdame gegangen war, um ihr mitzuteilen, dass sich Fates Termin mit der PR-Abteilung erledigt hätte.

16. KAPITEL

„So, nun habe ich Ihnen Ihre Fragen beantwortet. Wie wäre es, wenn Sie jetzt mir ein wenig Rede und Antwort stehen würden?“ schlug Jay vor.

Sie saßen einander gegenüber in der kleinen Sitznische, weitgehend abgeschirmt vor den Blicken der anderen Gäste. Einen solchen Tisch würde ein Mann reservieren lassen, der sich mit seiner Geliebten treffen will – oder mit der Frau, die er zu seiner Geliebten machen möchte, dachte Fate. Ganz sicher war es nicht der geeignete Tisch für jemanden, der sehen und gesehen werden wollte. Dennoch hatte Jay ihn ganz bewusst ausgewählt. Natürlich konnte es sein, dass Jay das Interview einfach in einer etwas ungestörteren Umgebung hatte stattfinden lassen wollen. Andererseits hatte er keinerlei Unbehagen und – wenn sie ehrlich war – auch kein sonderliches Interesse an ihren Fragen gezeigt. Gewandt und mühelos hatte er geantwortet, ohne dabei wesentliche Informationen preiszugeben. Er hatte amüsiert und sogar ein wenig herablassend gewirkt, und einmal hatte er sogar versucht, sie zu provozieren, indem er sie gefragt hatte, ob sie auch erfolgreiche Frauen interviewte.

„Selbstverständlich“, hatte sie gelassen geantwortet. In der Tat wurden in ihrem Bericht beide Geschlechter gleichermaßen berücksichtigt.

Jetzt hatten sie Kaffee bestellt, und Jay beobachtete sie eingehend, während er darauf wartete, dass sie seinem Wunsch nachkam und ihm etwas von sich erzählte.

„Ich weiß nicht, ob ich das tun soll“, sagte sie vorsichtig. Ihr wurde klar, dass die Frau in ihr sie nun zu dieser Vorsicht mahnte, derselbe weibliche Instinkt, der sie mit einem so verwirrenden Hormonschub hatte reagieren lassen, als sie Jay im Foyer erstmals gesehen hatte.

„Es geht ganz einfach", meinte Jay sanft. „Sie öffnen einfach Ihren Mund und lassen die Worte ganz ungehindert fließen . . ." Dabei blickte er so intensiv und konzentriert auf ihren Mund, als ob er . . .

Fate schluckte nervös und konnte nur hoffen, dass er nicht bemerkte, wie sie eine Gänsehaut bekam und ihr Herz einen wahren Trommelwirbel veranstaltete. Natürlich durchschaute sie sein Spiel, so unschuldig und naiv war sie nun auch nicht mehr. Schließlich hatte sie den Zwischenfall mit ihrem Tutor ebenfalls unbeschadet überstanden. Jay bemühte sich ja nicht einmal, seine Absichten zu verbergen. Keine Frau über sechzehn, die auf diesen langen, eindeutigen und sinnlichen Blick auf ihren Mund hereingefallen wäre, hätte es verdient, als erwachsen bezeichnet zu werden. Fate hatte längst den Überblick verloren, wie oft sie schon Zielscheibe dieser Taktik gewesen war. Manchmal ärgerte sie sich darüber, manchmal genoss sie es, je nachdem, wie ihr der Mann gefiel, der sie anwandte. Dieses Mal . . . Dieses Mal schien ihr komplettes Nervensystem verrückt zu spielen. Ihre Knie zitterten, ihr Puls raste, und ihr Mund und ihre Lippen . . . Fate konnte buchstäblich spüren, wie ihre Lippen weicher wurden, wie sie sich halb öffneten, und sie konnte nicht das Geringste dagegen tun. Wie war so etwas nur möglich? „Da . . . gibt es nicht viel zu erzählen", brachte sie hervor, während sie verärgert gegen die Reaktionen ihres Körpers ankämpfte, der sich wirklich wie ein eigenständiges Wesen verhielt. Ungeachtet jeder Gefahr schien er entschlossen, sich das zu holen, was er wollte . . . Hastig verdrängte sie diesen Gedanken und lieferte Jay eine kurze Zusammenfassung ihres bisherigen Lebens.

„Also sind Sie wie ich ein Einzelkind", stellte er fest und winkte den Kellner herbei, um für sie und sich einen Likör zu bestellen.

Fate runzelte die Stirn. Sie hatte bereits zwei Gläser Wein getrunken und wollte eigentlich keinen Alkohol mehr. Abgesehen davon ärgerte es sie, dass Jay bestellt hatte, ohne sie zu fragen.

Doch ehe sie deswegen protestieren konnte, fuhr Jay bereits fort. „Keine große Familie? Keine Tanten, Onkel, Cousins . . . Paten?"

Fate hatte erfolglos versucht, Blickkontakt mit dem Kellner aufzunehmen, um ihr Getränk wieder abbestellen zu können. Deswegen antwortete sie jetzt leicht abwesend: „Nein, leider nicht. Mein Vater ist ein Einzelkind, und meine Mutter hatte zwar eine Schwester, doch sie starb schon vor meiner Geburt bei einem Autounfall, zusammen mit den Eltern meiner Mutter. Meine Mutter spricht nicht gern darüber. Es geschah, als sie noch im Ausland arbeitete, wo sie übrigens auch meinen Vater kennen lernte. Meine Paten leben in Australien. Sie waren schon mit meinen Eltern vor deren Hochzeit befreundet. Meine Patentante Ann ist älter als meine Mutter, und ich glaube, wirklich nahe sind sie sich gekommen, nachdem meine Mutter ihre Familie verloren hatte. Wir haben noch Kontakt zueinander, aber ich habe sie schon seit Jahren nicht mehr gesehen."

„Also gibt es hier keine aufopfernde Patentante, die Sie nach Strich und Faden verwöhnt . . ."

„Leider nicht." Fate lachte. „Und wie ist es bei Ihnen?" Bisher hatte sie sich ganz darauf konzentriert, etwas darüber zu erfahren, welchen Einfluss der Erfolg seines Vaters auf sein Leben hatte. Persönlichere Fragen zu seinem familiären Hintergrund hatte sie klar vermieden. Nachdem Jay jedoch von sich aus das Gespräch in diese Richtung gesteuert hatte, war die Versuchung geradezu unwiderstehlich, mehr über ihn zu erfahren.

„Ziemlich ähnlich", erklärte er. „Eigentlich gibt es nur noch meinen Vater und mich. Sowohl er als auch meine Mutter waren Einzelkinder. Keiner meiner Großeltern ist mehr am Leben, und was Paten betrifft . . ." Seine Miene wurde hart. „In Anbetracht der Umstände meiner Geburt kamen meine Großeltern mütterlicherseits zu dem Schluss, dass es moralisch untragbar gewesen wäre, wenn man mich hätte taufen lassen." Als er sah, dass Fate ihm nicht folgen konnte, fügte er knapp hinzu: „Ich bin unehelich geboren."

Jetzt war Fate klar, dass man ihr ihr Erschrecken ansah. Nicht wegen des Inhalts seiner Worte, sondern wegen der Art, wie er das gesagt hatte. Noch nie hatte sie jemanden mit so viel Zorn und Bitterkeit das Wort ‚unehelich' aussprechen hören.

„Sie haben die Süßigkeiten noch nicht probiert", meinte er jetzt so leichthin, als sei das Vorangegangene nie erwähnt worden.

Fate wollte schon ablehnend den Kopf schütteln, doch er hatte bereits eine mit dunkler Schokolade überzogene Erdbeere genommen und hielt sie ihr hin.

„Hier, beißen Sie ab."

Fate fand, es war leichter und sicherer nachzugeben statt abzulehnen. Sie wich seinem Blick aus und öffnete den Mund. Sekunden später wurde ihr klar, dass es ein Fehler gewesen war, nicht hinzusehen, denn statt um die Frucht schlössen sich ihre Lippen um die Spitze seines Zeigefingers. Und mit diesem begann Jay prompt, verführerisch die zarte Innenseite ihrer Unterlippe zu liebkosen. Wütend wich Fate zurück.

„Was ist?" fragte er sanft. „Hat es Ihnen nicht geschmeckt?"

Oh, doch, so hätte man das auch nennen können, und er wusste das verdammt gut. Doch das war nicht das Thema. Es ging vielmehr darum, dass . . .

„Haben Sie heute Abend schon etwas vor?"

„Ich . . . nein", antwortete Fate wahrheitsgemäß. Gereizt presste sie die Zähne aufeinander, als sie Jays Blick wahrnahm.

„Doch. Jetzt ja", teilte er ihr gelassen mit. „Wir treffen uns um sechs im Foyer der Firma. Heute Nachmittag habe ich noch ein paar Termine. Es sei denn, natürlich, Sie möchten, dass ich sie absage und mit Ihnen in meine Wohnung fahre. Wir könnten dann den Rest des Tages und die ganze Nacht im Bett verbringen."

„Nein."

Jay lachte, und dieses Lachen klang aufrichtig belustigt, wie Fate verstimmt feststellte. „Sehr brav und wohlerzogen", lobte er spöttisch. „Wo wir doch beide wissen, dass Sie . . ."

„Ich werde mich heute Abend nicht mit Ihnen treffen", fiel sie ihm rasch ins Wort.

„Warum nicht? Was befürchten Sie? Dass ich Sie überreden könnte, mit mir ins Bett zu gehen? Oder – dass Sie es von sich aus wollen?"

„Weder das eine, noch das andere", stritt Fate entschieden ab. „Ich halte nur nichts davon, Geschäftliches mit Vergnügen zu vermischen."

Zu ihrem Verdruss lachte er erneut. „Ah, Sie geben also

zu, dass es ein Vergnügen werden könnte“, zog er sie auf. Jay musste sich eingestehen, dass sie ihn reizte, diese unverdorbene, frische und doch ernsthafte Kindfrau, die all das in sich vereinte, was er selbst nicht war. Er hatte noch keine konkrete Ahnung, welche Beziehung zwischen ihr und Taylor bestand, doch dass da eine bestand, daran zweifelte er nicht. Das verriet ihm sein Instinkt. Fate mochte vielleicht nicht wissen, dass eine solche Beziehung existierte, trotzdem gab es sie. Das Foto, das sich in Taylors Besitz befand, bewies das. Es wäre interessant zu beobachten gewesen, wie Taylor reagiert hätte, wenn sie im Foyer zufällig auf Fate gestoßen wäre. Sehr interessant sogar . . . Da gab es noch eine ganze Reihe von Dingen, die Jay über Fate und ihre Familie in Erfahrung bringen wollte. Und über Taylor ebenfalls. Von Anfang an war es ihm komisch vorgekommen, dass Taylor so einsam und isoliert lebte. Doch als er das seinem Vater gegenüber erwähnt hatte, hatte der sie so spontan in Schutz genommen, dass Jay das Thema fallen gelassen hatte. Fallen gelassen ja, aber nicht vergessen. Ebenso wenig wie Taylors Reaktion auf Fates Foto. Mehr denn je war er davon überzeugt, dass es wirklich ein Foto von Fate war. Sie sah zu auffallend aus, als dass man sie leicht mit einer anderen hätte verwechseln können. Gut, das lange Haar trug sie jetzt wesentlich kürzer. Bei jeder anderen Frau hätte er einen so relativ kurz geschnittenen Lockenschopf unattraktiv und zu wenig feminin gefunden, aber bei ihr . . . Er musste zugeben, es verlieh der ganzen Situation eine zusätzliche, pikante Note, dass er Fate sexuell so anziehend fand.

„Ohne Zweifel halten Sie sich für einen guten Liebhaber – schließlich tun das die meisten Männer“, sagte Fate jetzt und erhob sich. „Auf mich üben Sexakrobaten allerdings keinen besonderen Reiz aus. Diese Phase habe ich zum Glück schon lange hinter mir“, fügte sie von oben herab hinzu.

„Ach, ja? Und was suchen Sie denn so?“ erkundigte er sich gedehnt und stand ebenfalls auf. „Oder soll ich raten – eine dauerhafte Beziehung? Die große Liebe?“

„Ich suche gar nichts und niemanden“, teilte sie ihm ruhig mit.

„Ich danke Ihnen, dass Sie mit mir zu Mittag gegessen haben“, murmelte Jay und hielt sie am Oberarm fest, ehe sie einfach auf und davon gehen konnte. Seine Hand war so groß, dass sie ihren Oberarm ganz umspannte. Fate erschauerte leicht unter dieser Berührung. „Es war mir ein großes Vergnügen. Sind Sie sicher, dass Sie Ihre Meinung nicht doch noch ändern wollen? Noch ist es nicht zu spät, um meine Termine absagen zu können." Jay wusste nur zu gut, dass sie niemals einwilligen würde. Ebenso klar war ihm, dass sie körperlich sehr intensiv auf ihn reagierte, auch wenn sie sich noch so große Mühe gab, das vor ihm zu verbergen. Als sie sich draußen auf dem Bürgersteig verabschiedet hatten und sie davonging, fragte er sich, wie sie wohl im Bett sein würde. Ganz sicher nicht passiv und klammernd, das konnte er an der Art beurteilen, wie sie sich bewegte. Von Kopf bis Fuß sprühte sie nur so vor Leben. Allerdings war sie wohl nicht so freizügig und erfahren, wie sie ihm gern weisgemacht hätte. Ein verstohlenes Lächeln huschte über seine Züge. Wenn sie gewusst hätte, wie reizvoll er den Kontrast zwischen ihren zornig gestrafften Schultern und ihrer angenehm gerundeten Kehrseite fand!

Auch wenn sie noch so herablassend tat, als gäbe es beim Sex für sie keine Überraschungen mehr – er war sich sicher, dass er sie sehr schnell eines anderen belehren konnte. Sie hatte lange Beine, und er konnte sich vorstellen, dass ihre Haut samtig und leicht gebräunt war. Er sah ihr weiterhin nach, während sie die Straße überquerte, und lächelte schließlich triumphierend, als sie der Versuchung schließlich doch nicht widerstehen konnte und sich noch einmal nach ihm umdrehte. Selbstsicher winkte er ihr zu und musste innerlich lachen. Bestimmt wurde sie jetzt rot und ärgerte sich schrecklich darüber.

Vermutlich hatte seine Sekretärin inzwischen den Mann beruhigt, den er so rücksichtslos versetzt hatte, um mit Fate essen gehen zu können. Eigentlich warteten heute noch zwei weitere Termine auf ihn, aber er würde sie ebenfalls absagen. Er hatte jetzt Dringenderes zu erledigen.

Später am Nachmittag stand Jay in seiner Wohnung vom Schreibtisch auf und trat ans Fenster. Ein wildes Triumphgefühl stieg in ihm auf. Ganz gleich, von welcher Seite her er die Sache auch betrachtete, er kam immer wieder zum selben Schluss. Ein Zweifel war so gut wie ausgeschlossen.

Beim Mittagessen hatte Fate lachend erzählt, dass sie bereits mehrere Monate alt gewesen war, ehe die offizielle Eintragung über ihre Geburt vorgenommen werden konnte. Das hätte daran gelegen, dass sie zu früh und somit noch im Ausland zur Welt gekommen war, also noch bevor ihre Eltern, wie eigentlich geplant, zur Entbindung nach England hatten zurückkehren können.

Jay hatte ebenfalls gelacht, doch innerlich hatte er sich zu dieser Information einen Vermerk gemacht. War der Grund für diese verspätete Eintragung wirklich der gewesen, den ihre Eltern ihr offensichtlich genannt hatten? Oder war es möglich, dass sie zwar vom Gesetz her Fates Eltern waren – aber nicht ihre leiblichen? Wenn er doch nur den unumstößlichen Beweis hätte erbringen können, dass seine Vermutung richtig war . . . Jay runzelte die Stirn. Dazu hätte er die Dienste eines Privatdetektivs in Anspruch nehmen müssen, und so etwas war ihm zutiefst zuwider. Er hielt prinzipiell nichts davon, sich in einer so vertraulichen und wichtigen Angelegenheit einem anderen Menschen anzuvertrauen.

Er kehrte an den Schreibtisch zurück und starrte auf die Notizen, die er sich gemacht hatte. Plötzlich hellte sich seine Miene auf, als ihm Taylors Reaktion auf seine Fragen zu dem Foto wieder einfiel. Sie war sehr nervös gewesen und hatte sich sichtlich unwohl gefühlt. Wenn sie sich schon allein wegen eines Fotos so leicht verriet, was mochte dann erst passieren, wenn sie Fate auf einmal direkt gegenüberstand? Und wenn Taylor wirklich Fates Mutter war, dann musste es irgendwo auch einen leiblichen Vater geben, jemanden, von dessen Existenz Taylor Bram ganz sicher nichts erzählt hatte.

Bram hasste Lügen in jeder Form. Ertappte er jemanden bei einer ganz bewussten Lüge, dann konnte er überraschend kompromisslos und unnachsichtig sein. Wie Jay ja selbst nur allzu gut aus eigener Erfahrung wusste. Gab es jedoch eine größere Lüge als die, wenn eine Frau dem Mann, den sie angeblich liebte, das Vorhandensein ihres Kindes verschwieg? Wie viele andere Geheimnisse mochte es wohl noch in Taylors Vergangenheit geben? Und wer war nun Fates Vater? Vielleicht ein verheirateter Mann, mit dem Taylor heimlich ein Verhältnis gehabt hatte. Ohne Zweifel würde sie Bram beschwören, dass sie damals keine andere Wahl gehabt hätte, als das Kind zur Adoption freizugeben.

Andererseits schien sie jedoch noch Kontakt zu Fates Adoptiveltern zu haben, denn wie wäre sie sonst an das Foto herangekommen? Von dem, was Fate ihm erzählt hatte, hatte er den Eindruck gewonnen, dass ihre Eltern ziemlich wohlhabend waren. Konnte es sein, dass Taylor sie erpresst hatte? Die Wohnung, in der sie gelebt hatte, ehe sie sich bei seinem Vater eingenistet hatte, wie Jay es nannte, war ziemlich teuer gewesen. Von ihrem bescheidenen Angestelltengehalt allein hätte sie sich so etwas sicher nicht leisten können. Und selbst dieser Bilderrahmen war aus echtem, massiven Silber gewesen . . .

Was sein Vater wohl sagen würde, wenn er erfuhr, dass die Frau, die er zu lieben glaubte, ihr eigenes Kind buchstäblich verkauft hatte? Jetzt geht es ihr an den Kragen, beschloss Jay kaltblütig. Und dann würde nicht einmal mehr sein Vater etwas zu ihrer Verteidigung vorbringen können. Während er noch darüber nachgrübelte, wie sich eine solche Begegnung am besten arrangieren lassen könnte, fiel sein Blick zufällig auf den Kamin. Schmunzelnd ging er hin und nahm die förmliche Einladung vom Kaminsims. Er lachte laut auf, und seine Augen blitzten triumphierend. Natürlich. Das war die perfekte Lösung. Plums Volljährigkeitsball! Es stand außer Zweifel, dass Bram dort hingehen würde. Und dass er mit Taylor kommen würde. Er hatte bereits darauf bestanden, dass Jay ebenfalls zu erscheinen hätte. Und was Fate betraf . . .

Jay legte die Einladung wieder auf den Sims zurück und sah auf die Uhr, dann ging er ans Telefon. Seine Sekretärin hatte gerade Feierabend machen wollen, aber sie wusste, dass es keinen Sinn hatte, sich zu beschweren. Sie biss die Zähne zusammen und notierte sich Jays Anweisungen. Das Ganze würde mindestens eine halbe Stunde Zeit in Anspruch nehmen, wenn nicht noch länger. Vorausgesetzt, die Leute, die sie für ihn anrufen sollte, waren noch in ihren Büros.

„Du bist früher zurück als ich dachte! Wie war's denn?" erkundigte ihre Mutter sich aufgeregt, als Fate in die Küche kam. „Hast du Bram Soames persönlich kennen gelernt, oder . . ."

„Nein, ich . . ." Fate zögerte. „Das Interview verlief eigentlich recht ordentlich“, berichtete sie zurückhaltend. „Ich habe den Eindruck, Bram Soames ist nicht so ganz, wie du ihn dir vorstellst. Ich hätte ihn gern selbst befragt, aber die Chance werde ich wohl nie bekommen.“ Als sie Jay gegenüber erwähnt hatte, dass sie auch mit seinem Vater sprechen wollte, hatte er sie regelrecht abgeblockt. Und bei ihrem Versuch, darauf zu beharren, hatte er nicht nur sehr gereizt, sondern beinahe wütend gewirkt. Fate glaubte zu ahnen, dass er zu Jähzorn neigte, wenngleich er sich sehr bemühte, ihn nicht zum Ausbruch kommen zu lassen. Noch immer war sie nicht davon überzeugt, ob es geschickt gewesen war, seine Einladung zum Abendessen auszuschlagen. Vielleicht hätte sie ihn doch noch überreden können, dass sie sich einmal mit seinem Vater traf.

Ihr Verstand sagte ihr jedoch, dass ihr das nie gelungen wäre. Wenn er sich bereit erklärt hätte, irgendwelche Arrangements zu treffen, dann allenfalls nur solche, die mit ihr in seinem Bett geendet hätten.

„Wen hast du denn dann befragt?“ drängte ihre Mutter. „Nun erzähl doch endlich! Den Leiter der PR-Abteilung?“

„Nein. Ich habe mit Soames‘ Sohn gesprochen“, meinte sie widerstrebend. Sie verstand selbst nicht, warum sie mit ihrer Mutter nicht über Jay reden wollte. Nun gut, das entsprach nicht der Wahrheit. Sie wusste ganz genau, weshalb sie eigentlich mit niemandem über Jay Soames sprechen wollte. Vom Verstand her mochte sie ja davon überzeugt sein, dass es das Beste war, auf gesunde Distanz zu ihm zu gehen, aber ihr Körper sprach da eine ganz andere Sprache . . .

„Mit seinem Sohn? Wie war er? Was hat er denn gesagt?“

Ja, wie war er? Durch und durch und atemberaubend sexy, war das Erste, was Fate spontan dazu einfiel. „Oh, er war recht zuvorkommend“, meinte sie ausweichend. „Trotzdem hätte ich lieber mit Brampton Soames selbst gesprochen.“

„Und hat sein Sohn einige deiner Theorien bestätigt?“

„Nein“, gab Fate bedauernd zu.

„Wie schade, Liebes.“ Caroline war voller Mitgefühl. „Übrigens, bist du heute Abend zum Essen zu Hause? Dein Vater hat angerufen, er kommt später. Ihm ist noch ein Termin dazwischen gekommen.“

„Ehrlich gesagt habe ich keinen großen Hunger“, erklärte Fate. „Ich glaube, ich gehe zu mir nach oben, dusche und wasche mir die Haare. Immer, wenn ich aus London zurückkehre, fühle ich mich irgendwie schmutzig. Außerdem muss ich mir noch Verschiedenes aufschreiben."

„Das ist dieser Verkehr dort", stimmte ihre Mutter zu, „die ganzen Abgase. Ich bekomme davon immer schreckliche Kopfschmerzen."

Fate nahm sich strikt vor, nicht an Jay Soames zu denken, als sie die Treppe hinaufging. Und erst recht keinen Gedanken wollte sie an die Verabredung zum Abendessen verschwenden, die sie an diesem Abend mit ihm hätte haben können. Nun, ohnehin hatte er dabei wohl eher an eine Übernachtung mit Frühstück gedacht.

Eine Stunde später saß sie in Leggings und einem alten, ausgeleierten Pullover am Schreibtisch und begann mit ihren Aufzeichnungen. Um den Kopf hatte sie ein Handtuch gewickelt, damit die Haarkur darunter besser einwirken konnte. Es klingelte unten an der Haustür, und kurz darauf hörte Fate, wie ihre Mutter nach ihr rief.

Seufzend legte sie den Kugelschreiber hin und ging hinunter. Die Wohnzimmertür stand offen, so dass Fate deutlich die Stimme ihrer Mutter hören konnte. Sie klang etwas atemlos und ungewohnt mädchenhaft. Verwundert trat Fate ein. Spontan und etwas verlegen fasste sie sich an das Handtuch um den Kopf, als sie Jay spöttisch lächelnd auf dem Sofa sitzen sah.

„Sagen Sie bloß nicht, Sie hätten unsere Verabredung vergessen!" meinte er vorwurfsvoll. Auch er hatte sich inzwischen umgezogen. Die Bluejeans passten ihm wie angegossen; zwischen den einzelnen Knöpfen seines weich und bequem aussehenden Hemds waren so große Abstände, dass Fates Meinung nach eine schmale Frauenhand leicht in die Öffnungen gepasst hätte ... Darüber trug er einen italienischen Designerblouson aus Leder, der genau wie die Jeans oft getragen, weich und lässig aussah. Sehr sexy, stellte Fate fest, nachdem sie sich von ihrem ersten Schreck erholt hatte. Ausgesprochen sexy sogar.

Ihre Mutter wirkte eindeutig etwas kopflos und aufgeregt; offenbar beschränkte sich Jays Wirkung auf Frauen nicht nur auf eine bestimmte Altersgruppe, wie Fate ironisch registrierte. Sie warf ihm einen abschätzenden Blick zu und antwortete betont liebenswürdig: „Ich habe sie nicht vergessen. Ich sagte Ihnen ja bereits, dass ich mich heute Abend nicht mit Ihnen treffen könnte.“ Es gelang ihr, ganz ruhig und gelassen zu sprechen, obwohl ihr Herz stürmisch klopfte.

„Schade“, gab er sanft zurück, doch sein Augenausdruck war alles andere als sanft. „Das, was Sie mir beim Mittagessen erzählt haben, hat mich sehr interessiert“, fuhr er fort. „Ich hatte gehofft, wir könnten das Thema noch ein wenig vertiefen. Ich habe mich mit ein paar Leuten in Verbindung gesetzt, die ich kenne, um sie dazu zu bewegen, dass sie sich auch einmal von Ihnen interviewen lassen. Ich weiß nicht, ob Sie schon von ihnen gehört haben . . .“

Er nannte einige Namen, und Fate musste sich große Mühe geben, sich nicht anmerken zu lassen, wie beeindruckt sie war. Ob sie schon von ihnen gehört hatte? Natürlich! Wer kannte diese Leute nicht? Es waren international bekannte Namen, Geschäftsleute aus derselben Branche wie sein Vater, die buchstäblich aus dem Nichts ein erfolgreiches Unternehmen aufgebaut hatten. Mindestens drei von ihnen hatten bereits auf Fates schüchterne Anfrage geantwortet, dass sie leider keine Zeit für ein Interview hätten. Warum nur unternahm Jay ihretwegen solche Anstrengungen? Doch ganz sicher nicht, um sie ins Bett zu bekommen.

Als er sie jetzt so beobachtete, voller Selbstbewusstsein und Zuversicht, hätte sie ihm am liebsten gesagt, sie sei nicht interessiert, er vergeude nur seine Zeit, weil sie weder Wert auf seine Hilfe noch auf seine Gesellschaft legte. Doch wenn sie ihm nun eine Absage erteilte, würde ihre Mutter den Grund dafür erfahren wollen . . .

Warum verfolgt er mich so? dachte Fate, als sie sich die Haare wusch und trocknete. Dass er extra zu ihr nach Hause kam, dass er ihr obendrein auch noch diese Interviews verschaffte, konnte doch nur bedeuten, dass . . . Ja, was? Dass er es nicht schätzte, wenn ihm jemand einen Strich durch die Rechnung machte? Dass er ihr eine Lektion erteilen wollte? Das war kein besonders angenehmer Zug an einem Mann, schon gar nicht an einem potenziellen Liebhaber. Sie nahm sich vor, vorsichtig zu sein.

Sie zog sich rasch noch einmal um und begutachtete sich im Spiegel. Die Kombination, Blazer und Hose, war ein Geschenk ihres Vaters und stand ihr ausgezeichnet. Sie wirkte modisch-leger und auf ganz diskrete Weise sexy. Als Fate wieder nach unten kam, war das Gesicht ihrer Mutter mädchenhaft gerötet, und Jay besah sich gerade ein Foto von Fate, das aufgenommen worden war, kurz bevor sie zu studieren angefangen hatte. Damals hatte sie das Haar noch lang getragen, und ihre Gesichtszüge waren noch beinahe kindlich weich gewesen. Jay lächelte, als er das Bild betrachtete, und aus einem unerfindlichen Grund begann Fates Puls zu jagen.

„Was hat Sie denn nun bewogen, Ihren Entschluss bezüglich unserer Verabredung doch noch zu ändern?"

„Mir ist nicht bewusst, dass ich ihn geändert habe. Schließlich habe ich nie eingewilligt", gab Fate trocken zurück.

„Sie hätten jederzeit ablehnen können. Nein, Sie wollten mit mir ausgehen", provozierte Jay sie.

„Es wäre auch dumm von mir gewesen, wenn nicht", konterte sie. „Es ist offensichtlich von großem Nutzen, jemanden wie Sie zu kennen. Allein diese Interviews . . ." Sie verstummte, doch ihr war klar, dass Jay sich nicht so leicht täuschen ließ.

„Ah, ich verstehe", zog er sie auf. „Ihr Wunsch nach meiner Gesellschaft beruht auf reinen Vernunftgründen, geschürt von Ihrem Ehrgeiz! Nun, ich glaube nicht, dass dem so ist. Ich glaube eher, wenn wir jetzt ganz unter uns wären, würden Sie wohl etwas anderes im Sinn haben als mein Computerarchiv."

„Seien Sie sich da mal nicht zu sicher." Er nahm einfach zu vieles für selbstverständlich hin, wie sie fand. Viel zu viel.

Sie saßen in einem kleinen Bistro am Ort. Fate hatte es empfohlen, als Jay sie gefragt hatte, wo sie hingehen könnten. Das hatte sie überrascht. Sie war fest davon ausgegangen, dass Jay mit ihr nach London zum Essen fahren und ihr anschließend noch einen Schlaftrunk in seiner Wohnung vorschlagen würde. Insgeheim hatte sie sich bereits eine Absage ausgedacht.

„Ach, ehe ich es vergesse – wenn daran also Ihr Hauptinteresse besteht, hier ist die Liste der Leute, die ich kontaktiert habe. Ich gebe Sie Ihnen lieber gleich." Jay reichte ihr einen verschlossenen Umschlag. „Sie können sich direkt an die jeweiligen Sekretärinnen wenden, Namen und Durchwahl habe ich dazugeschrieben."

Fate nahm ihm den Umschlag ab und vermied es dabei sorgfältig, seine Finger zu berühren. Sie musste sich sehr beherrschen, ihn nicht zu fragen, was er mit diesem ganzen Aufwand bezweckte. Sie konnte sich schon denken, wie seine belustigte und zweifelsohne äußerst zweideutige Antwort auf diese naive Frage ausfallen würde. Sie errötete leicht. Also schön, sie fand ihn sexuell ziemlich aufregend. Na und? sagte sie sich gereizt. Auch wenn sie sich das eingestand, bedeutete es noch lange nicht, dass sie in seinem Bett landen würde. Nein, das würde sie ganz sicher nicht. Denn jedes Vergnügen, das sie dabei empfinden mochte, würde unweigerlich noch größeren Kummer nach sich ziehen. Dessen war sich Fate absolut sicher. Er war nicht nur der Typ Mann, mit dem eine Frau gern ins Bett gehen wollte – er war der Typ, in den man sich unweigerlich verliebte. Vorausgesetzt, man war so dumm oder verrückt, nicht auf die vielen Warnzeichen zu achten, die eindeutig darauf hinwiesen, dass es eine Katastrophe sein würde, wenn man sich in ihn verliebte. Und dumm war sie schließlich nicht, nicht wahr?

Jay musste verstohlen in sich hinein schmunzeln, als er sie beobachtete. Er wusste ganz genau, was sie gerade dachte, aber sie irrte sich. Sie ins Bett zu lotsen, war nicht das Einzige, was er von ihr wollte – beileibe nicht. Sie war viel zu wertvoll für ihn, er durfte nicht riskieren, dass sie zu ihm auf Distanz ging, oder noch schlimmer, dass er sie womöglich ganz aus den Augen verlor. Das Bett würde die Dinge nur komplizierter machen, und er brauchte den Kontakt zu ihr, unbedingt. Und er musste sie – wenigstens zum gegenwärtigen Zeitpunkt – von Bram und Taylor fern halten.

„Jetzt haben Sie so viele Interviews für mich arrangiert", stellte Fate fest und tippte mit dem Finger auf den Umschlag. „Aber davon, dass ich auch mit Ihrem Vater sprechen kann, war noch nicht einmal die Rede."

„Ich habe das auch nicht für erforderlich erachtet, ich habe Ihnen bereits alles erzählt, was Sie wissen müssen."

„Von Ihrer Warte aus vielleicht." Aus irgendeinem Grund ärgerte er sich über ihre Bemerkung, aber sie hatte keine Lust, klein beizugeben. „Ihr Vater mag die Dinge ganz anders beurteilen. Das ist häufig so bei Eltern und Kindern."

„Ah, ja. Sprechen Sie aus eigener Erfahrung, oder war das eine ganz allgemeine Feststellung?"

„Ich verstehe mich sehr gut mit meinen Eltern."

Sie warf ihm einen trotzigen Blick zu, als er zu lachen anfing. „Sie sind ihr einziges Kind, und es ist klar, dass Sie den Mittelpunkt ihres Lebens darstellen. Bestimmt haben sie Sie von Geburt an geliebt, umsorgt und verwöhnt."

„Auch Sie sind ein Einzelkind", gab sie zu bedenken. „Also gilt das sicher auch . . ."

„Nein."

Seine schroffe Verneinung erschreckte sie, und sie sah ihn unsicher über den Tisch hinweg an.

„Sie sind offensichtlich ein Mensch, der stets mit Liebe umgeben worden ist", fuhr er heftig fort. „Das merkt man an Ihrem Auftreten, an Ihren Bewegungen, an der Art, wie Sie reden. Es ist wie eine Patina, die Leute wie Sie ebenso selbstverständlich und unbewusst zur Schau tragen wie die Reichen ihre teure Kleidung – ohne je einen Gedanken an die zu verschwenden, die vom Schicksal weniger begünstigt sind." Er verstummte abrupt.

Vielleicht weil er befürchtete, schon zu viel gesagt zu haben? Fate hätte gern weiter nachgehakt, aber sie ahnte, dass er das nicht zulassen würde.

„Manchmal sehen Sie aus wie ein kleines Mädchen, wissen Sie das?" fragte er.

„Das bin ich aber nicht", warnte sie ihn.

„Nein", grollte er, „aber Sie sind sehr gefährlich. Sehr gefährlich sogar", fügte er sanft hinzu.

„Jedenfalls bin ich kein kleines Mädchen mehr", wiederholte sie.

„Nein? Warum hatten Sie dann solche Angst, sich heute Abend mit mir zu treffen?"

Fate trank etwas von ihrem Wein und hätte sich beinahe daran verschluckt. Sie hatte versucht, seinem Blick auszuweichen, stattdessen ertappte sie sich dabei, wie sie plötzlich ganz unverhohlen auf seinen Mund starrte. Es hieß, dass Männer mit einer solchen ausgeprägten, vollen Unterlippe sinnliche und fordernde Liebhaber waren. Ob er auch . . .? „Das . . . das stimmt nicht", schwindelte sie. „Ich glaubte einfach nur, dass Sie es ohnehin nicht ernst meinten."

„Womit? Mit meinem Angebot, mit Ihnen zum Essen oder mit meinem Vorschlag, mit Ihnen ins Bett zu gehen?“

„Es war sehr nett von Ihnen, dass Sie sich solche Arbeit gemacht haben, die Interviews für mich zu arrangieren“, erwiderte sie. Sie weigerte sich, auf seine Provokation einzugehen, und sie ignorierte auch geflissentlich, wie ihr Pulsschlag bei seinen Worten zu rasen anfing.

„Ja, nicht wahr.“ Er betrachtete sie viel zu intensiv. „Natürlich hatte ich es ernst gemeint, mit beidem. Aber das wissen Sie ja längst. Es gehört alles zum Spiel dazu. Sie laufen weg, ich mache Jagd auf Sie . . .“

„Ich spiele solche Spiele nicht.“ Langsam wurde sie wütend, weil sie merkte, dass ihr nicht nur die Situation, sondern vor allem auch ihre eigenen Reaktionen darauf aus den Händen glitten.

„Schon gut“, beschwichtigte er sie mit seiner so typisch sanften Stimme, die ihr stets lustvolle Schauer über den Rücken jagte und noch andere wesentlich gefährlichere Wirkungen auf ihre Sinne hatte. „Ich werde Sie nicht gegen Ihren Willen zu etwas überreden. Wenn der Zeitpunkt gekommen ist, wird es Ihr eigener Wunsch sein. Dann werden Sie diejenige sein, die zu mir kommt und mir sagt, wie sehr Sie mich wollen.“ An der Art, wie sie sich bemühte, ihre Reaktionen auf ihn zu unterdrücken, konnte er sehen, welche Wirkung er auf sie hatte. Ihre Augen verrieten sie, ihre Bewegungen, ihr schneller Atem. Oh, sicher, erst würde sie sich zieren, protestieren, sagen, dass es noch zu früh sei. Aber wenn sie dann erst einmal in seinem Bett war . . . Es war ein notwendiger Bestandteil seines Plans, dass er ihre Faszination für ihn so lange schürte, bis er sein Vorhaben in die Tat umgesetzt hatte. Dieser Gedanke versetzte ihn in tiefe Erregung, so sehr, dass das Ganze in eine rein körperliche, sexuelle Reaktion umschlug. Er bewegte sich unruhig auf seinem Stuhl hin und her und war nur froh, dass niemand etwas davon bemerken konnte. Diese Erregung, so sagte er sich, hatte nicht das Geringste mit Fate selbst zu tun. Es war einfach nur die Reaktion auf die Erkenntnis, dass er endlich einen Weg gefunden hatte, Taylor aus dem Leben seines Vaters zu vertreiben. Das allein war ihm wichtig; nicht etwa dieses viel zu junge, zu naive, zu idealistische Mädchen, das ganz anders aussah als die Frauen, auf die er normalerweise stand. Sie war zu groß, ihr Haar war nicht lang genug, sie war zu direkt, zu eigensinnig, und wahrscheinlich würde sie alles noch viel komplizierter machen, indem sie sich in ihn verliebte. Aber das ist ihr Problem, nicht meins, sagte er sich energisch.

Wie arrogant er ist, dachte Fate. Bildete er sich wirklich ein, er würde die Frauen so gut kennen und voraussagen können, dass sie ihn bitten würde, mit ihr ins Bett zu gehen? Dann wurde es wahrscheinlich allerhöchste Zeit, ihm beizubringen, dass nicht alle Frauen so berechenbar und dumm waren.

Es war schon spät, als sie das Bistro verließen, und Fate wusste, dass ihre Eltern schon schlafen gegangen waren. Sobald Jay in der Hauszufahrt angehalten hatte, dankte Fate ihm für den Abend und fasste an den Türgriff. Wie sie mit leichtem Bedauern feststellte, machte er keine Anstalten, aus dem Wagen auszusteigen, er hatte nicht einmal den Motor abgestellt.

Jay wartete, bis sie die Haustür erreicht hatte. Dann stieg er doch aus und war bei ihr, als sie eben den Schlüssel ins Schloss stecken wollte. Er berührte sie leicht am Arm, und Fate fuhr erschrocken herum. „Sie haben das hier vergessen“, meinte er und hielt ihr den Umschlag mit den Adressen hin.

Fate hätte sich ohrfeigen können. Wie hatte sie nur eine solche Dummheit begehen können? Sie hätte schwören können, dass sie den Umschlag in ihre Handtasche getan hatte. Jetzt würde Jay natürlich denken, sie hätte die Liste absichtlich im Wagen liegen lassen, um ihn dazu zu bringen, ihr zu folgen.

„Und das auch“, fügte er mit samtweicher Stimme hinzu. Er nahm sie in die Arme und zog sie in den Schatten der Hausmauer. All das ging so schnell, dass Fate völlig überrumpelt war. Er küsste sie allerdings nicht, wie sie das eigentlich erwartet hatte, sondern sah ihr in die Augen und lächelte leicht. „Ich sollte das im Grunde nicht tun. Du hast es gar nicht verdient; nicht, nachdem du mich gezwungen hast, extra bis hierher zu fahren, damit ich dich finde.“

Dann lass es doch, hätte Fate am liebsten geantwortet, doch in dem Moment streiften seine Lippen bereits ihren Mund, so flüchtig und zart, dass sie spontan daran denken musste, wie es war, wenn man einen ersten, kleinen Bissen Eiscreme kostete – und wusste, dass es damit nicht genug war, dass man noch viel, viel mehr wollte.

„Das war nicht genug", hörte sie Jay ruhig sagen, als hätte er ihre Gedanken gelesen. Und dann schloss er die Arme fester um sie und beugte sich erneut über sie. Dieses Mal jedoch ...

Fate zitterte noch immer, als er sie längst wieder freigegeben hatte, alles drehte sich um sie, ihr war, als stünde sie kurz vor einem Orgasmus. Es machte sie fassungslos, wie er es geschafft hatte, sie so zu erregen, und das nur mit einem Kuss. Genauso wenig begriff sie, wie sie selbst das hatte zulassen können. Ihr war klar, dass der Kuss auch ihn erregt hatte, doch sie bezweifelte, dass sie auch nur annähernd die Wirkung auf Jay gehabt hatte wie umgekehrt. Sie sah ihn nicht an, während er für sie die Tür aufschloss, und drehte sich auch nicht nach ihm um, als er sich umdrehte und zu seinem Wagen zurückging.

Ihre Reaktion auf ihn erschreckte sie zutiefst. Langsam stieg sie die Treppe hoch und rief sich all das ins Gedächtnis, was sie von ihm wusste. Er war gefährlich; er hatte eine verheerende Wirkung auf sie; er passte nicht zu ihr, und es interessierte ihn nicht im Geringsten, was in ihr vorging oder wie sehr er sie womöglich verletzen könnte. Wenn sie auch nur einen Funken Verstand hatte, dann musste sie dafür sorgen, dass sie ihn nie wieder sah.

Auch Jay blickte sich nicht mehr um. Es war nur ein Kuss, sagte er sich grimmig, nur ein weiterer Schritt auf seinem Weg dahin, Taylor und seinen Vater auseinander zu bringen. Nun gut, für den Bruchteil einer Sekunde hatte er gefühlt ... gewollt, dass ... Zornig legte er den ersten Gang ein. Sie war ein Mittel zum Zweck, sonst nichts. Nur ein Mittel zum Zweck. Und wenn er, als er in ihre erschrockenen Augen geblickt hatte, einen Moment lang das Bedürfnis gehabt hatte, sie an sich zu ziehen und sie zu trösten – was besagte das schon? Er hatte es ja nicht getan. Und er würde es auch nie tun.

Als er ihr prophezeit hatte, dass sie diejenige sein würde, die eines Tages zu ihm kommen und ihn anflehen würde, mit ihr ins Bett zu gehen, hatte er deutlich ihren Widerstand und ihren Ärger gespürt. Unter anderen Umständen wäre es vielleicht eine verlockende Herausforderung gewesen, ihr zu beweisen, dass er Recht hatte. Dann hätte er Stück für Stück, ganz langsam und sehr gezielt ihre Selbstachtung und ihren Stolz gebrochen; so behutsam und unauffällig, dass sie gar nicht gemerkt hätte, was mit ihr geschah, bis es eben zu spät war, bis sie tatsächlich unter ihm liegen würde, bebend vor Ungeduld und Verlangen ...

Ein Passant drehte sich kopfschüttelnd um, als der Fahrer des Jaguar sehr geräuschvoll den falschen Gang einlegte. Was für eine Schande. Manche Leute hatten nicht das geringste Gespür dafür, wie man mit einem so edlen Fahrzeug umging.

17. KAPITEL

„Plum, bitte konzentriere dich ein wenig! Hast du Lord und Lady Ferrars schon abgehakt?"

Helena seufzte, als Plum eine Grimasse schnitt und aus Versehen den ordentlichen Stapel der Zusagen vom Tisch fegte. „Ich sehe gar nicht ein, wozu dieses ganze Theater nötig ist!" murrte Plum und bückte sich, um Helena beim Aufheben der Karten zu helfen.

„Nein, lass das, du bringst sie höchstens noch mehr durcheinander!" fuhr Helena sie an. Sie hatte Recht gehabt, es war eine schlechte Idee gewesen, Plum über das Wochenende nach Hause zu bitten. Zuerst hatte sie die Mädchen geschockt, indem sie ihnen erzählt hatte, ihr altes Pony, das sie nicht mehr reiten konnte, würde wahrscheinlich zu Hundefutter verarbeitet werden. Dann hatte sie alle vor den Kopf gestoßen, weil sie nur mit einem Tangaslip und einem dünnen Freizeithemd bekleidet – ganz offensichtlich dem eines Mannes, und Helena glaubte naserümpfend, sogar noch einen leichten Schweißgeruch daran wahrzunehmen – durch das Haus gelaufen war. Samstagabend war Plum ausgegangen, ohne zu sagen, wohin. Sonntag war sie dann irgendwann im Laufe des Tages wieder zurückgekommen. Und nun war Montag, es war bereits Mittag, und Plum war gerade mal eben seit einer knappen halben Stunde wach. „Dieses Theater, wie du es nennst, geschieht einzig und allein zu deinem Besten", meinte Helena, während sie die letzten Karten aufhob. „Daran könntest du gern wenigstens ab und zu mal denken. Und könntest du vielleicht ausnahmsweise einmal duschen und dich kämmen, bevor du zu uns nach unten kommst?"

Plum hörte gar nicht zu, sie las eben eine der Zusagen. „Wer hat den denn eingeladen?" brauste sie verärgert auf.

„Wen denn?" Stirnrunzelnd beugte Helena sich zu ihr, um die Karte zu lesen. „Gil McKenzie? Er ist verwandt mit deinem Freund Justin Gardner. Justins Mutter hat angerufen und gefragt, ob es uns recht wäre, wenn Justin ihn mitbrächte. Kennst du ihn?"

„Ich bin ihm einmal begegnet, er ist langweilig", meinte sie wegwerfend. Nun, wenigstens kam Bram, das war ein Trost. Hätte er abgesagt, dann wäre für sie die Versuchung groß gewesen, sich den ganzen Abend lang nicht auf dem Ball blicken zu lassen. Aber warum musste jetzt bloß dieser McKenzie aufkreuzen? Es wurmte sie, dass sie die Abfuhr, die er ihr erteilt hatte, immer noch nicht ganz verdaut hatte. Ausgerechnet er, der aussah, als sei Sex ein Fremdwort für ihn. Der konnte doch froh sein, dass sie ihm überhaupt dieses Angebot gemacht hatte! Nun, ein zweites Mal kam das sicher nicht vor. „Ich nehme an, Bram bringt *sie* auch mit?" Sie verdrängte den Gedanken an Justins Cousin und konzentrierte sich lieber auf jemanden, der ihr wesentlich wichtiger war.

„Bram hat gefragt, ob er Taylor mitbringen dürfte", bestätigte Helena verhalten. Bram und Jay hatten sogar beide gefragt, ob sie jemanden mitbringen dürften. Doch während Jay von einer Bekannten gesprochen hatte, hatte Bram gesagt, dass die Frau, mit der er zu kommen gedächte, ihm sehr viel bedeutete, und dass er es sehr gern hätte, wenn sie und Helena sich besser kennen lernen würden. Natürlich freute sie sich von Herzen für Bram!

Nachdenklich an ihrem Kugelschreiber kauend, las Fate sich noch einmal den Absatz durch, den sie gerade geschrieben hatte. An einem Sonntagmorgen um fünf Uhr hätte sie eigentlich tief und fest schlafen sollen, aber sie war nicht zufrieden gewesen mit ihrer Niederschrift eines der von Jay arrangierten Interviews, das sie mit der Ehefrau und den Töchtern eines Geschäftsmanns gemacht hatte. Diese Unzufriedenheit hatte sie bis in den Schlaf verfolgt, so dass sie vor etwa einer Stunde aufgewacht war. Sie wusste, sie würde nicht eher zur Ruhe kommen, bis sie den Bericht richtig und aussagefähig abgefasst hatte. Nun stellte sie gereizt fest, dass sie davon wohl noch weit entfernt war.

Während des Interviews hatte sie deutlich gespürt, dass die Angehörigen sich einerseits unbedingt loyal geben wollten, dennoch aber nicht ganz die Ansicht des Mannes teilten, dass sie allesamt restlos glücklich und zufrieden mit ihrem Familienoberhaupt seien. Er umgab sie zwar mit allem erdenklichen Luxus, war aber so selten zu Hause, dass die Putzfrau schon einmal vermutet hatte, das Ehepaar sei geschieden. Die Ehefrau hatte beim Erzählen dieser Geschichte gelacht, doch Fate hatte genau gemerkt, wie viel Kummer sich hinter diesem Lachen verbarg. Diesen Eindruck allerdings glaubhaft zu Papier zu bringen war gar nicht so einfach. Gefühle waren etwas so Kurzlebiges, sie waren so schwer in Worte zu fassen – und sie waren oft so übermächtig, wie Fate aus eigener Erfahrung wusste.

Instinktiv fasste sie sich an ihr frisch geschnittenes Haar. Die Frisur stand ihr ausgezeichnet, sie wirkte irgendwie koboldhaft mit den gesträhnten Seitenpartien und den weichen Locken, aber das Haar war eben kurz. Sehr kurz sogar.

„Du solltest dir die Haare wachsen lassen", hatte Jay ihr vorgeschlagen, als er sie einmal nach Hause gefahren hatte und sie noch in seinem Wagen zusammensaßen. Seit jenem ersten Abend hatten sie sich öfter getroffen, und als er sich jetzt über sie beugte, um sie zu küssen, und die Hand in ihren Nacken schob, beklagte er sich lachend, sie fühlte sich fast an wie ein Junge.

„Das ist dein Problem, nicht meins", hatte Fate lässig geantwortet, doch seine Bemerkung hatte ihr wehgetan, und sie unterstellte ihm, dass er das auch beabsichtigt hatte. Ihr jedenfalls gefielen ihre kurzen Haare, und Jay musste endlich begreifen, dass er sie nicht manipulieren und beeinflussen konnte, indem er ihr Selbstbewusstsein untergrub. Und so hatte sie sich das Haar noch kürzer schneiden lassen.

Sie schrak zusammen, als das Telefon läutete. Ein Anruf um diese Uhrzeit konnte nur bedeuten, dass etwas passiert war. Angstvoll und mit rasendem Herzklopfen nahm sie den Hörer ab.

„Habe ich dich geweckt?"

„Jay . . ." Ihr Herz begann, womöglich noch schneller zu schlagen, diesmal jedoch aus einem ganz anderen Grund. „Nein, du hast mich nicht geweckt, ich habe gearbeitet. Aber wie kommst du dazu, so früh am Morgen anzurufen?"

„Ich habe gerade eine halbe Stunde frei, und da um diese Zeit die Leitungen nicht so überlastet sind, dachte ich, ich melde mich mal bei dir. Abgesehen davon wollte ich dich um einen kleinen Gefallen bitten; vor meiner Abreise hatte ich ganz vergessen, dich danach zu fragen."

Fate wartete. Jay war seit einer Woche in Japan, und sie hatte ihn vermisst, auch wenn sie ihm das ganz sicher nicht auf die Nase binden wollte. „Was für einen Gefallen?" fragte sie schließlich.

„Nicht, was du anscheinend glaubst, deinem misstrauischen Unterton nach zu urteilen. Stände mir der Sinn nach Telefonsex, würde ich mich an eine Professionelle wenden. Oder habe ich mich getäuscht, und das war gar nicht Misstrauen, was ich aus deiner Stimme herausgehört habe? Nun? Keine Antwort?" zog er sie auf. „Nun, macht nichts. Obwohl – was glaubst du, wie viel Zeit ich wohl brauchte, um dich in eine leidenschaftliche Stimmung zu bringen? Nicht sehr lange, vermute ich. Sei mal ehrlich, ich möchte sogar wetten, dass ich in diesem Augenblick dich nur zu . . ."

„Jay!" unterbrach sie ihn verärgert, doch sie merkte selbst, dass ihre Stimme sich auf einmal verräterisch atemlos anhörte.

„Also gut." Er klang, als ob er lächelte. „Pass auf, ich muss nächsten Samstag zu einem ziemlich langweiligen Volljährigkeitsball gehen und brauche eine Begleiterin. Hättest du Lust mitzukommen?"

„Du rufst mich um fünf Uhr morgens aus Japan an, nur um mich das zu fragen?" erkundigte Fate sich ungläubig.

Jay lachte, und diesmal klang das Lachen irgendwie näher, wärmer, ganz so, als hielte er den Hörer ganz dicht an seinen Mund. Sein Mund . . . Unwillkürlich schloss Fate die Augen und erinnerte sich daran, wie sich sein Mund anfühlte, wie es war, wenn Jay sie . . . „Nein", widersprach er sanft. „Ich habe angerufen, weil ich es leid bin, allein zu schlafen und darauf zu warten, dass du endlich aufhörst, dich wie ein kleines Mädchen zu benehmen. Du willst mich, Fate, und das wissen wir beide. Als du mich nach Heathrow gebracht hast, bist du in meinen Armen buchstäblich in Ekstase geraten! Was hält dich eigentlich zurück? Du brauchst nur ein Wort zu sagen, und ich komme nach Hause. Es gibt heute noch einen Flug."

Fates Hände zitterten so, dass sie kaum den Hörer halten konnte. Wie leicht würde es sein, Ja zu sagen und nachzugeben ... „Du wirst diejenige sein, die mich um Sex bitten wird“, hatte er ihr gesagt. Und in dem Moment war ihr klar geworden, dass es eine wirklich wertvolle, tief gehende Beziehung zwischen ihnen nie geben würde. Wenn man einmal die sexuelle Erregung und die Herausforderung beiseite ließ, was blieb dann noch? Was würde übrig bleiben, wenn sie einmal miteinander geschlafen hätten? Nun gut, vielleicht hörte er ihr zu, wenn sie über ihre Pläne und über ihre Zukunft sprach. Vielleicht ermutigte er sie ja auch, von ihrer Kindheit und ihrer Familie zu erzählen – aber von seiner Seite würde nichts kommen. Sie hatte von Anfang an gespürt, dass er in der Hinsicht sehr auf Distanz ging.

Einen Abend hatte sie ihn überredet, mit ihr ins Kino zu gehen. In dem Film war mit dem Helden eine Wandlung vorgegangen, durch die er plötzlich in der Lage gewesen war, seine Gefühle und seine Verwundbarkeit zu zeigen. Jay hatte den Helden und den Film hinterher ziemlich sarkastisch auseinander genommen. Verächtlich hatte er behauptet, dass der sogenannte ‚Neue Mann‘ nur ein von der Gesellschaft hochgespielter Mythos sei. Männer seien von Natur aus Rivalen und achteten nur den, der stärker und mächtiger war. „Zeig du mir eine Frau, die mit einem dieser neuen Männer ein Verhältnis hat, und ich beweise dir, dass sie insgeheim von einem Liebhaber träumt, der mit ihrem schwächlichen Partner nicht das Geringste gemeinsam hat.“ Fate hatte ihren Standpunkt energisch vertreten, doch Jay war von seiner Meinung nicht abzubringen gewesen.

„Nun?“ hörte sie ihn jetzt leise am anderen Ende nachfragen.

„Nein, Jay“, erwiderte sie heiser. „Ich spiele nicht, weder mit meinem Körper, noch mit meinen Gefühlen. Dazu ist meine Selbstachtung zu groß.“ Sie legte den Hörer auf, ehe er noch darauf antworten konnte.

Sie wusste nicht, ob sie auf Dauer standhaft bleiben konnte, wenn er fortfuhr, sie permanent damit aufzuziehen, was ihr alles entging. Oh, ja, der Sex mit ihm würde wundervoll sein, wahrscheinlich der beste, den sie je gehabt hatte oder je haben würde. Dennoch – es wäre eine rein körperliche Erfahrung, ohne jegliches echte Gefühl, denn Jay würde es sich nie gestatten, Gefühle zu haben oder zum Ausdruck zu bringen. Manchmal fragte sie sich, weshalb sie sich weiter mit ihm traf, obwohl sie wusste, dass es nie eine Zukunft geben würde, und dass Jay sich hauptsächlich deswegen weiter mit ihr verabredete, weil sie eben unerbittlich blieb. Sobald sie einmal mit ihm geschlafen hatte, sobald er ‚gewonnen' hatte, würde es für ihn keinen Grund mehr geben, sich mit ihr zu treffen. Aber vielleicht sollte sie gerade deshalb über ihren eigenen Schatten springen, nachgeben – und die Sache ein für alle Mal hinter sich bringen. Auf die Art konnte sie womöglich nachts wieder ruhig schlafen, ohne sich nach ihm zu verzehren, und er würde aufhören, sie zu verfolgen.

Die Versuchung war so groß ... Wenn er jetzt zurückrief und sie klein beigab, dann würde er schon morgen um diese Zeit ... Aber er würde nicht zurückrufen, wie sie sich selbst eingestehen musste. Das war einfach nicht seine Art. Bestimmt amüsierte er sich gerade königlich darüber, was er mit seinem Anruf bei ihr angerichtet hatte und wie sehr sie sich nach ihm sehnte. So gut kannte sie ihn inzwischen, um das zu wissen.

Geistesabwesend sah sie aus dem Fenster. Zu wessen Volljährigkeitsball sollte sie ihn begleiten? Sie wusste so wenig von ihm, von seinem Leben, seiner Familie, seinen Freunden. Vielleicht war es nur gut, dass er diese abfällige Bemerkung darüber gemacht hatte, dass sie ihn eines Tages um Sex anflehen würde. Bisher hatte sie noch nie eine Beziehung gehabt, in der ihre Gefühle nicht erwidert worden waren. Und wenn sie ganz ehrlich war, hatte sie stets etwas von oben herab auf solche Mädchen geblickt, die sich in einer derartigen Situation befunden hatten. Sie hatte Mitleid für sie empfunden, weil sie ihrer Meinung nach keine Selbstachtung besessen hatten.

Nun vermochte sie auf einmal zu ahnen, wie leicht man in so eine Falle tappen konnte; wie leicht es war, sich einzureden, einen Menschen vollkommen verändern zu können – indem man ihn einfach nur liebte. Das war genauso ein Trugschluss, wie wenn man einem Kind erzählte, es brauchte nur den Frosch zu küssen, und schon würde ein Prinz daraus. Und ... es war genauso verlockend.

Nichts und niemand konnte einen Menschen verändern,

wenn dieser nicht selbst dazu bereit war. Und Jay war ganz und gar nicht dazu bereit. Er mochte sich so wie er war.

Und sie? Fate nagte nervös an ihrer Unterlippe. Nein, eigentlich mochte sie ihn nicht besonders. Doch das hielt sie trotzdem nicht davon ab, ihn zu begehren, sich nach ihm zu sehnen und Nacht für Nacht wachzuliegen und das fast schmerzhafte Verlangen nach ihm immer wieder und wieder zu unterdrücken.

18. KAPITEL

Plum las das von ihrem bevorzugten Astrologen erstellte Horoskop und warf die Zeitung dann angewidert zu Boden. Heute war ihr achtzehnter Geburtstag, und am Abend sollte der Ball stattfinden. Wenn man dem Astrologen Glauben schenken konnte, dann ergab sich für diesen Tag eine so außerordentliche planetare Konstellation, dass sämtliche Sternzeichen ihren in Richtung Umwandlung und Konfrontation gehenden Einfluss zu spüren bekommen würden. Plums persönliches Horoskop warnte vor Rückschlägen und Problemen, denen allerdings große Veränderungen und der Anbruch eines ganz neuen Lebens folgen sollten. Wohl kaum, dachte Plum mürrisch. Sie hatte gerade eine Auseinandersetzung mit ihrer Mutter wegen der Tischordnung hinter sich. Trotz aller Bitten und Proteste hatte Helena sich geweigert, Bram neben Plum zu setzen. Der einzige Grund, warum Plum sich überhaupt bereit erklärt hatte, diesem öden Ball zuzustimmen, war die Tatsache gewesen, dass Bram kommen würde. Nun brachte er nicht nur eine andere Frau mit, nein, Plum durfte noch nicht einmal neben ihm sitzen. Abgesehen davon hasste sie ihr neues Kleid, sie fand, es machte sie dick und ließ sie wie eine Zwölfjährige aussehen. Und dann würde auch noch dieser schreckliche Cousin von Justin dabei sein. Und nach drei Wochen strahlenden Wetters hatte es ausgerechnet heute zu regnen angefangen . . .

Bram betrachtete Taylor verstohlen und runzelte die Stirn. Es ging ihr schon die ganze letzte Zeit nicht gut, sie hatte sich eine Sommergrippe geholt. Nach der ohnehin großen Anspannung vorher war ihr Appetit dadurch völlig zum Erliegen gekommen. Sie ist viel zu blass und zu dünn, dachte er, während sie anfing, sich das Haar zu bürsten.

Von der intensiven, gefühlsmäßigen Nähe, die sie unmittelbar nach seiner Rückkehr aus Straßburg miteinander verbunden hatte, war kaum noch etwas zu spüren, stattdessen zog sich Taylor wieder vor ihm zurück. Irgendetwas stimmte nicht, auch wenn Taylor das bei seinen Versuchen, darüber zu reden, abstritt und meinte, er bildete sich das nur ein. Letzte Nacht, in der stillen Stunde, nachdem sie sich geliebt hatten, war Bram noch einmal darauf zu sprechen gekommen.

„Mir gefällt einfach der Gedanke nicht, dass ich mich zwischen dich und Jay dränge“, hatte sie ihm geantwortet. „Er hasst mich, Bram, und wenn er könnte, würde er unsere Beziehung am liebsten zerstören.“

„Jay kann dir nichts anhaben“, widersprach er und zog sie fester an sich. „Ich werde es nicht zulassen.“ Es tat ihm weh, dass sie Zweifel an der Stärke und Dauerhaftigkeit seiner Liebe zu ihr hatte. Für ihn war alles so einfach. Er liebte sie und kannte sich selbst gut genug, um zu wissen, dass nichts und niemand je etwas an seiner Liebe ändern konnte.

Im Grunde hatte sie nicht zu Plums Volljährigkeitsball gehen wollen. Sie hatte gesagt, dass es Helena gegenüber nicht fair war, wenn diese in letzter Minute noch einen weiteren Gast mit einkalkulieren müsste. Außerdem gab Taylor zu bedenken, dass sie für ihn nur ein Hemmschuh sein würde, da sie niemanden dort kannte. „Ich passe nicht auf solche Festlichkeiten“, hatte sie protestiert. „Ich bin kein Mensch für so etwas. Ich bin weder gesellig noch amüsant.“

„Ich brauche dich dort an meiner Seite“, hatte Bram schlicht erwidert, und zu guter Letzt hatte sie nachgegeben. Gemeinsam hatten sie das Kleid ausgesucht, das sie jetzt trug, ein schmales, cremefarbenes Schlauchkleid aus Seidenkrepp mit rundem Ausschnitt und engen, langen Ärmeln. Auf dem Kleiderbügel im Laden hatte es eher einfach und bieder ausgesehen, aber angezogen ... Der Stoff fiel so fließend und weich, dass er sinnlich jede einzelne ihrer Bewegungen unterstrich. Und dennoch deutete er diese Sinnlichkeit eher an, anstatt sie zu betonen. Zu dem Kleid gehörte eine hüftlange Swingerjacke mit Schalkragen, dessen Revers mit Süßwasserperlen bestickt war. Als Bram Taylor mit Perlen und Diamanten besetzte Ohrringe dazu geschenkt hatte, hatte sie sich anfangs geweigert, sie anzunehmen. „Sie sind viel zu kostbar“, hatte sie erklärt. „So etwas kann ich nicht tragen, sonst versteht jeder sofort genau, dass ...“

„Was denn?“ war Bram ihr sanft ins Wort gefallen. „Dass ich dich liebe? Schämst du dich denn für mich, Taylor? Oder für unsere Liebe?“

Schließlich hatte sie auch in diesem Fall nachgegeben. An diesem Abend, als er von ihr unbemerkt in der Tür zu ihrem mittlerweile gemeinsamen Schlafzimmer gestanden hatte, war ihm nicht entgangen, mit wie viel Liebe und Freude sie sich die Ohrringe angelegt hatte. Und er hatte auch gesehen, wie sich ihre Augen plötzlich mit Tränen gefüllt hatten. Da war er zu ihr gegangen und hatte sie, trotz ihrer Proteste, ihr Make-up würde sein Dinnerjacket beschmutzen, in die Arme genommen. Dennoch hatte sie seine Umarmung und auch seinen Kuss erwidert. Jetzt, als sie sich das Haar bürstete, konnte er förmlich die Gedanken lesen, die ihr durch den Kopf gingen. Er hatte viele Tage immer wieder geduldig und behutsam auf sie eingeredet, bis er sie endlich dazu gebracht hatte, ihr Haar offen zu tragen. Nun spürte er, dass sie es doch am liebsten wieder streng hochgesteckt hätte.

„Lass es so“, flüsterte er leise hinter ihr. „Es sieht wunderschön aus. Du bist wunderschön.“ Er seufzte und hätte sie am liebsten wieder in die Arme genommen, doch sie schüttelte den Kopf und entfernte sich von ihm.

Bram mochte ja finden, dass sie schön war, aber wenn er gewusst hätte, was in ihr vorging ... Jeden Morgen beim Aufwachen war ihr erster Gedanke, dass es so nicht weitergehen konnte, und dass sie endlich die Kraft finden musste, ihn zu verlassen. Jeden Morgen. Unzählige Male wünschte sie, sie könnte ihm endlich die Wahrheit sagen, die ganze Wahrheit, damit sie den Schrecken der Vergangenheit nicht mehr allein tragen musste. Doch wie sollte das möglich sein?

„Fertig?“ erkundigte er sich.

Taylor nickte. Der heutige Abend würde ein so bittersüßer Anlass werden. Zum ersten Mal würde sie seine Freunde kennen lernen und ganz offiziell seine Partnerin sein. Zum ersten und zum letzten Mal. Das einzige Mal.

Fate begutachtete sich ironisch im Spiegel. Dieses Kleid hatte sie zum letzten Mal vor einem Jahr auf einem Universitätsball getragen. Der Kommilitone, der sie begleitet hatte,

hatte den ganzen Abend kein Auge von ihr lassen können. In den frühen Morgenstunden hatte er darauf bestanden, mit ihr eine Ruderpartie auf dem Fluss zu unternehmen. Auf den Knien hatte er ihr dann einen Heiratsantrag gemacht und das Boot dadurch fast zum Kentern gebracht. Am liebsten hätte sie losgeprustet, doch zum Glück war es ihr gelungen, sich zu beherrschen.

Den langen Rock aus violetter Rohseide hatte sie selbst genäht. Die vielen Meter Stoff hatte sie in der Taille eng zusammengefasst und schließlich dazu passend ein cremefarbenes, mit Zuchtperlen besetztes Seidenbustier aufgetrieben. Dazu hatte sie eine cremefarbene Satinstola ihrer Mutter getragen. Das Teuerste an dem ganzen Outfit waren die Satinpumps gewesen, die sie passend zum Rock eingefärbt hatte. Ob der lange Rock nun zu ihrer Kurzhaarfrisur passte? Was sollte es. Sie besaß nichts anderes, das sie für einen solchen Anlass hätte anziehen können. Natürlich hätten ihre Eltern ihr bereitwillig ein neues Kleid gekauft, doch Fate hatte sich standhaft geweigert. Sie war der Meinung, es sei eine absolute Verschwendung, Geld für etwas auszugeben, was sie hinterher wahrscheinlich nie mehr anziehen würde. Außerdem gefiel ihr der violette Rock. Die Farbe stand ihr, und sie liebte das knisternde Rascheln der Seide, wenn sie sich bewegte. Das Top zeigte viel Dekolletee, und im Schein ihrer Schlafzimmerlampe schimmerte ihre leicht gebräunte Haut samtig. In dieser Aufmachung wirkte ihre Taille unwahrscheinlich zierlich, während ihr Busen dadurch ungewohnt üppig schien. Fate fand, sie sah ziemlich verführerisch und sexy aus. Verführerisch genug für Jay, um ihn seine Prophezeiung vergessen zu lassen und *sie* zu bitten, die Nacht mit *ihm* zu verbringen? Ihr Pulsschlag beschleunigte sich.

Als Jay vor Fates Haus vorfuhr, ging er in Gedanken rasch noch einmal seinen Plan für den heutigen Abend durch. Wenn er Taylor und Fate miteinander konfrontierte, dann durfte es für Taylor keine Rückzugsmöglichkeit geben; auch durfte seinem Vater keinesfalls ihre Reaktion entgehen. Und eine Reaktion würde es geben, dessen war er sich ganz sicher. Inzwischen hegte er keinen Zweifel mehr daran, dass seine Vermutungen bezüglich Fates wahrer Abstammung richtig waren. Die Tatsachen sprachen für sich, und alle Einzelheiten fügten sich so nahtlos zusammen, dass ein Irrtum ausgeschlossen war. Er schmunzelte vor sich hin, als er sich vorstellte, wie Taylor reagieren würde, wenn er sie fragte: „Ach, haben Sie meinem Vater Ihre Tochter noch gar nicht vorgestellt?"

Anfang der Woche hatte er mit angehört, wie sein Vater Taylor für ihre wertvolle Hilfe bei seinem Projekt gelobt hatte, wie er gesagt hatte, nur ihr sei es zu verdanken, dass er solche Fortschritte gemacht hätte. Ohne sich Jays Anwesenheit bewusst zu sein, hatte Bram Taylor in den Arm genommen und sie leidenschaftlich geküsst. *Genieß es,* hatte Jay wütend gedacht. *Lange hast du ihn ohnehin nicht mehr.*

Plum starrte ihre Mutter fassungslos an. „Du hast was getan?" rief sie außer sich. „Gut, das war's dann. Ich gehe nicht auf den Ball. Nicht, wenn ich den ganzen Abend neben diesem schottischen Idioten sitzen und mir anhören muss, wie ich mein Leben zu gestalten habe. Er ist ja noch schlimmer als du!" fuhr sie ihre Mutter an. „Und ich . . ."

„Hör auf, dich so hysterisch aufzuführen, Plum!" unterbrach Helena sie zornig. „Ich habe Gil McKenzie nur aus rechnerischen Gründen neben dich gesetzt. Keiner von euch beiden hatte einen Partner, und daher . . ."

„Oh, ja, reib mir das nur noch weiter unter die Nase! Das ist ein Ball zu meinen Ehren, und ich habe nicht einmal einen Partner!"

„Und wessen Schuld ist das?" gab Helena eisig zurück. „Meiner ganz sicher nicht! Wir haben uns alle Mühe gegeben, dich ordentlich und anständig zu erziehen . . ."

„Ich wollte, dass Bram neben mir sitzt!" klagte Plum verbittert. „Und selbst Dad wäre mir lieber gewesen als . . . als der."

„Ich konnte deinen Vater auf gar keinen Fall neben dich an die Haupttafel setzen", erklärte Helena kalt. „Abgesehen von allem anderen wäre es James gegenüber einfach unfair gewesen. Schließlich zahlt er ja für diesen Ball, wie du weißt."

„Nun, meinetwegen hätte er das bestimmt nicht auf sich nehmen müssen", stieß Plum hervor. „Ich hätte auf das Ganze gut verzichten können."

Das hatte ihr gerade noch gefehlt – dass sie den Abend

unter Gil McKenzies kritischen, missbilligenden Blicken verbringen musste. Sie hasste ihn. Er würde alles kaputt machen. Wie sollte sie nun intensiv genug mit Bram flirten können, um ihn von seiner Taylor abzulenken? Wenn dieser Oberlehrertyp sie wie ein Gefängniswärter im Auge behielt? Nein. Der Ball würde eine einzige Katastrophe werden.

„Keinen Hunger?“ fragte Bram leise, als er sah, wie Taylor das Essen lustlos auf dem Teller herumschob.

Sie schüttelte den Kopf. Schon den ganzen Abend war ihr leicht übel. Das war in letzter Zeit häufiger der Fall und wahrscheinlich eine Folge der Virusgrippe. Bram hatte versucht, sie zu überreden, zum Arzt zu gehen, doch sie hatte abgelehnt. Wozu? Sie litt unter den Nachwirkungen des Traumas, das der Einbruch bei ihr ausgelöst hatte, und unter einem Virus, so viel wusste sie selbst. Ebenso wusste sie, dass sie wegen dieses ganzen Abends erheblich angespannt war. Vermutlich fragte Helena sich, was Bram wohl an ihr finden mochte. War ihr das etwa zu verübeln? Taylor kannte die Geschichte ihrer Freundschaft mit Bram und nahm an, dass Helena in ihn verliebt gewesen war. Nun, diese Liebe mochte inzwischen zwar der Vergangenheit angehören, aber die ihrer Tochter Plum war mehr als aktuell. Taylor hatte während des Essens deutlich Plums feindselige Blicke auf sich ruhen gespürt. Plum gab sich auch gar keine Mühe, das zu verbergen; sie flirtete offen und intensiv mit Bram. Wenigstens versuchte sie es. Bram hingegen hatte ihr freundlich, aber entschieden zu verstehen gegeben, dass er kein Interesse an ihr hatte. Ob es wohl viele Männer gab, die einer so unverhohlenen Anbetung widerstehen konnten? Taylor bezweifelte das.

Jay wählte den richtigen Zeitpunkt sorgfältig aus. Er wartete bis zu der kleinen Pause zwischen dem Ende des formelleren Teils des Abends und dem Moment, in dem der Tanz eröffnet werden würde. Dann stand er auf, nahm Fates Hand und sagte: „Komm.“

„Wohin gehen wir?“ wandte sie ein. „Es tanzt doch noch niemand!“

„Wir gehen auch nicht tanzen. Ich möchte dich meinem Vater vorstellen. Du willst ihn doch immer noch gern kennen lernen, oder etwa nicht?“

Fate sah ihn verblüfft an. Jedes Mal, wenn sie erwähnt hatte, dass sie trotz allem auch noch seinen Vater interviewen wollte, hatte er nicht nur abwehrend, sondern fast feindselig darauf reagiert.

„Hier entlang. Sie sitzen an der Haupttafel", erklärte er gelassen.

Während sie an den anderen Tischen vorbeigingen, war Fate sich nur allzu deutlich der Aufmerksamkeit bewusst, die ihnen zuteil wurde, wobei ihr allerdings auch klar war, dass die mehr oder weniger verstohlenen Blicke vor allem der weiblichen Gäste eher Jay galten als ihr.

Es war ein beinahe unheimlicher Zufall, dass sich vor Jay und Fate auf einmal eine Art Gasse zwischen den Menschen öffnete, je näher sie der Haupttafel kamen. Taylor sah die beiden zuerst; in ihrem Schock stand sie auf, ohne es zu merken. Der gequälte Laut, den sie dabei ausstieß, ließ Bram stutzen. Besorgt sah er zuerst sie an, dann seinen Sohn.

Es funktioniert, triumphierte Jay. Deutlicher hätte Taylor sich nicht verraten können. Sie hielt sich krampfhaft an der Tischkante fest, ihre Augen waren weit aufgerissen, während sie Fate entsetzt anstarrte. Jay konnte genau erkennen, wie heftig sie zitterte; sie unternahm gar nicht den Versuch, sich zu beherrschen.

„Jay ..." protestierte Fate ängstlich an seiner Seite. Er achtete nicht auf sie, schüttelte ihre Hand von seinem Arm und ging direkt auf seinen Vater zu.

Plum verfolgte das Geschehen voller Neugier und runzelte unwillig die Stirn, als sie Gil neben sich sagen hörte: „Ich fürchte, Taylor fühlt sich nicht ganz wohl. Kein Wunder, bei der Hitze hier im Raum. Sie sollte an die frische Luft gehen."

Frische Luft! Plum verdrehte die Augen.

Nun standen sie sich nur durch die Breite des Tischs voneinander getrennt gegenüber. Taylor konnte den Blick nicht von Fate wenden, die sie wiederum verwirrt und voller Anteilnahme ansah. Das ist Jays Werk, dachte Taylor. Und es war unvergleichlich viel schlimmer, als sie es sich je ausgemalt hatte. Wie hatte er das nur herausgefunden? In ihren Ohren dröhnte es, ihr war, als lastete plötzlich ein bleischwerer Druck auf ihr. Sie sah, dass Jay sich an Bram wandte, um ihm etwas zu sagen, doch so sehr sie sich auch bemühte, sie konnte kein Wort verstehen, das Dröhnen in ihren Ohren war zu laut.

Bram vermutete, dass Jay ihm das außergewöhnlich hübsche Mädchen an seiner Seite vorstellen wollte, doch seine gesamte Aufmerksamkeit galt jetzt Taylor. Er hörte, wie der junge Schotte neben Plum warnend ausrief: „Vorsicht, sie wird ohnmächtig!“, doch Bram war bereits vorbereitet. Geschickt fing er Taylor auf, als sie zusammenbrach, und bettete sie vorsichtig auf den Fußboden. Jay versuchte noch immer, mit ihm zu reden, doch Bram beachtete ihn gar nicht und wehrte nur grimmig ab: „Nicht jetzt, Jay.“

Der junge Schotte bot an, einen Arzt zu verständigen, und Helena schlug vor, Taylor in ein kühleres, ruhiges Zimmer zu bringen. Bram lehnte beide Angebote ab. „Wenn ihr mir bitte nur helfen würdet, sie zu meinem Wagen zu bringen. Ich fahre sie nach Hause und verständige unseren eigenen Arzt. Es geht ihr schon eine ganze Weile nicht gut, irgendein Virus . . .“

Fate sah stirnrunzelnd zu, wie Jays Vater und der junge Schotte Taylor aufhoben und nach draußen trugen. Warum half Jay seinem Vater nicht? Warum stand er nur da und betrachtete die ohnmächtige Frau so grenzenlos hasserfüllt? „Jay, was ist?“ wollte sie wissen.

„Nichts“, gab er schroff zurück. Er nahm sie beim Arm. „Komm, wir gehen.“

Sie kam gar nicht dazu, zu widersprechen oder sich zu wehren. Als sie sich einen Weg durch die dicht zusammenstehenden Gäste bahnten, spürte sie Jays gewaltige körperliche Anspannung. Aus den spärlichen Einblicken in seine Kindheit, die Jay ihr widerwillig gewährt hatte, hatte sie sich ein vages Bild über die Beziehung zwischen ihm und seinem Vater gemacht. War Jay jetzt so zornig, weil sein Vater eben einen anderen gebeten hatte, ihm und Taylor zu helfen? Doch das konnte Jay seinem Vater wohl kaum zum Vorwurf machen. Fate war selbst aufgefallen, mit wie viel Feindseligkeit Jay die Frau angesehen hatte, und sie war ehrlich darüber erschrocken.

Jay hatte nie mit ihr über Taylors und Brams Verhältnis gesprochen, aber Fate hatte genau erkennen können, wie sehr die beiden ineinander verliebt waren. Sie musste sich eingestehen, dass es ihr sogar einen leichten Stich versetzt hatte; zum einen, weil sie begriffen hatte, von wem Jay seine außergewöhnlich männliche, sinnliche Ausstrahlung hatte, und zum anderen weil diese Ausstrahlung bei Bram durch einen offensichtlich ganz anderen Charakter auf sehr positive Weise gemildert wurde. Bram mochte zwar nicht Jays übermäßig ausgeprägten Sex-Appeal haben, dafür schien er aber über wesentlich wertvollere Eigenschaften zu verfügen, die letztlich auf Frauen noch anziehender wirkten. Trotzdem beneidete Fate Taylor nicht. Ihr gehörte zwar Brams ganze Liebe, aber auch Jays ganzer Hass. Und Fate hatte das ungute Gefühl zu wissen, wer zu guter Letzt siegen würde.

Plum war außer sich. Wie konnte diese schreckliche Frau ihr nur den Abend so verderben, indem sie ohnmächtig wurde und Bram dazu brachte, den Ball zu verlassen! Plum merkte, wie die Tränen ihr die Wangen hinunterliefen und ihr Make-up ruinierten, aber das war ihr gleichgültig. Was spielte es jetzt noch für eine Rolle, wie sie aussah? Was war denn jetzt überhaupt noch von Bedeutung? All die Jahre, so lange sie sich erinnern konnte, war Bram der einzige Mann gewesen, den sie wirklich geliebt hatte. Wieder und wieder hatte sie gehofft, geträumt und auch geglaubt, dass er sie eines Tages ansehen würde und . . .

Plum hielt den Atem an, als sie die Tür zur Damentoilette aufgehen hörte, und erwartete, ihre Mutter eintreten zu sehen. Doch nicht ihre Mutter kam nun sehr entschlossen und zielstrebig auf sie zu, sondern Gil.

„Du kannst hier nicht hereinkommen!" protestierte sie mit vom Weinen stockender Stimme. „Verschwinde, ehe dich jemand sieht!"

War das wirklich ein Lächeln, das da über Gils sonst so missbilligende, strenge Züge huschte? In der Tat! Plum schluckte und hörte auf zu weinen, als sie noch etwas anderes feststellte. Es war nicht nur ein sehr warmes, sondern auch überraschend sexy wirkendes Lächeln.

„Ich gehe nicht wieder zurück", teilte sie ihm mit. Ganz offensichtlich hatte ihre Mutter ihn geschickt, um sie zu suchen. Ausgerechnet er musste Zeuge ihrer völligen Demütigung werden und erkennen, dass er nicht der einzige Mann war, der sie nicht wollte! Selbstmitleid drohte, sie zu überwältigen, und ihre Augen füllten sich erneut mit Tränen. Was stimmte denn bloß nicht mit ihr? Warum wollte Bram sie nicht? Warum liebte er sie nicht? Warum liebte sie überhaupt kein Mensch auf der Welt? „Ich gehe nicht zurück", wiederholte sie, halb trotzig, halb kläglich. „Ich will nicht. Ich ..."

„Und wo willst du dann hin?" erkundigte Gil sich. Er zog fragend eine Augenbraue hoch, und Plum hatte den Eindruck, dass er sich über sie lustig machte. „Oder willst du dich etwa hier häuslich niederlassen?" fügte er interessiert hinzu.

„Blödsinn, natürlich nicht. Aber mir ist es egal, wo ich hingehe oder was ich tue. Es ist alles so unwichtig", erwiderte sie düster.

„Deine Mutter fragt sich bestimmt schon, wo du steckst. Wenn es dir etwas besser geht ..."

Plum warf ihm einen vernichtenden Blick zu. „Das tut sie ganz sicher nicht. Ihr ist völlig gleichgültig, was mit mir ist, Hauptsache, ich blamiere sie nicht. Sie hat mich nie gemocht, und es wäre ihr lieber, wenn sie mich nie bekommen hätte." Ihre Stimme wurde wieder brüchig. „Geh weg, lass mich allein." Wie sollte sie den Leuten bloß gegenübertreten, nachdem alle wussten, nachdem ihr alle ansehen konnten, dass ... Erst jetzt konnte sie sich eingestehen, wie viele Hoffnungen sie sich für diesen Abend gemacht hatte. Sie hatte sich ausgemalt, dass alle plötzlich einräumen würden, wie sehr sie sich im Grunde in ihr getäuscht hatten. Selbst ihre Mutter respektierte Brams Meinung, sie hatte sogar eine gewisse Ehrfurcht vor ihm. Wenn Bram Plum also liebte, würde er damit aller Welt beweisen, dass sie es wert war, und dann würde niemand mehr etwas Gegenteiliges behaupten können. Dann würde jeder zugeben müssen, dass man sie völlig falsch eingeschätzt hatte. Nur – die Wirklichkeit sah leider ganz anders aus. Bram liebte sie nicht und würde sie niemals lieben; niemand liebte sie. „Ich möchte am liebsten tot sein", weinte sie. „Ich kann dort nicht wieder hineingehen, ich kann nicht ..."

„Was wirst du also stattdessen tun?" fragte Gil erneut, doch ehe sie antworten konnte, fuhr er ganz unerwartet fort: „Ich fahre heute Abend zurück nach Schottland. Warum kommst du nicht einfach mit?"

Plum starrte ihn an. „Wie bitte?“

„Du hast schon richtig gehört.“

„Ich soll mit dir nach Hause fahren? Aber warum? Du magst mich doch gar nicht.“ Und dann: „Wie . . . wie ist es denn bei dir zu Hause?“ Sie runzelte die Stirn, als sei sie selbst verblüfft über ihre plötzliche Neugier.

„Es ist wunderschön“, meinte Gil ruhig und ernst. „Für mich ist es der schönste Ort auf Erden. Schottland ist landschaftlich einfach ein Traum. Der Grund und Boden, auf dem wir leben, befindet sich schon seit Jahrhunderten im Besitz unserer Familie, das Haus wurde zu Beginn des achtzehnten Jahrhunderts erbaut. Es zu unterhalten kostet uns ein Vermögen; der Himmel weiß, wie lange wir uns das noch leisten können.“

„Schottland . . .“ Plum zuckte geringschätzig mit den Schultern. „Ich würde ja lieber . . .“

„Was denn?“ unterbrach Gil sie herausfordernd. „Hier bleiben?“ Er hatte keine Ahnung, warum er das eigentlich tat. Während ihrer kurzen, sehr flüchtigen Bekanntschaft hatte dieses Mädchen nur Dinge von sich gegeben und getan, die ihn bis zur Weißglut geärgert hatten. Doch dann hatte sein Cousin ihm von ihrer Familie erzählt und von der Art und Weise, wie sie groß geworden war, und da hatte er auf einmal tiefes Mitleid für dieses einsame, ungeliebte Kind empfunden, das sie einmal gewesen sein musste. Er wollte ihr Halt geben und sie beschützen, ihr all das zukommen lassen, was sie nie gehabt hatte, und ihr ganz behutsam beibringen, sich selbst zu achten und – zu lieben. Plum würde sein Zuhause hassen, ebenso wie das Leben, das er dort führte. Sie würde seinen ganzen Haushalt durcheinander bringen und sein so geordnetes Leben völlig auf den Kopf stellen. Und höchstwahrscheinlich würde sie den guten Namen seiner Familie in Verruf bringen.

„Meinst du das ernst?“ hörte er sie fragen.

Er zögerte eine Weile, spürte dann aber die Unsicherheit und auch die Sehnsucht hinter ihrer betont gleichgültigen Fassade und antwortete entschieden: „Ja.“

„Und wir könnten jetzt gleich fahren? Ohne jemandem etwas davon zu sagen? Einfach so?“

Was für ein Kind sie in vieler Hinsicht noch ist, dachte er und nickte. Natürlich musste er ihrer Mutter eine Nachricht zukommen lassen. Seine Tante hingegen wusste schon, dass er direkt vom Ball aus die Heimreise antreten wollte.

Wer hätte gedacht, dass ein Mann wie Gil etwas so Verwegenes und Romantisches tun könnte? staunte Plum, als sie den bodenlangen Rock ihres Kleides leicht raffte und auf ihn zu ging. Irgendwie erinnerte sie das Ganze an einen altmodischen Liebesroman, in dem die Heldin vom Helden entführt wurde. Nun, gar so romantisch war es vielleicht doch nicht, denn ihr fiel wieder ein, dass sie sich eigentlich ja gar nicht mochten. Aber welche Alternative blieb ihr, wenn sie nicht mit ihm ging? Sollte sie etwa in den Ballsaal zurückkehren, wo alle Bescheid wussten, was geschehen war? Wo alle Zeuge der Tatsache geworden waren, wie sehr Bram Taylor liebte und wie wenig er an ihr, Plum, interessiert war? Außerdem brauchte sie ja nicht lange in Schottland zu bleiben, nicht wahr? Nur so lange, bis etwas Gras über die Sache gewachsen war.

19. KAPITEL

„Jay, was soll das?“ protestierte Fate, als er sie aus dem Ballsaal ins Hotelfoyer zerrte. „Dein Vater . . .“

„Mein Vater ist ein Narr“, unterbrach Jay sie grob. „Mein Gott, sie hat ihn genau da hingebracht, wo sie ihn haben wollte; zumindest bildet sie sich das ein. Aber da irrt sie sich . . .“ Er fluchte, weil er beinahe mit einem Mann zusammengestoßen wäre, der wohl ebenfalls gerade das Hotel verlassen wollte. Fate lächelte ihm zu, als wollte sie sich für Jays schlechte Manieren entschuldigen.

„Jay, wo willst du hin? Du kannst doch nicht einfach so verschwinden!“ wandte sie ein, als sie merkte, wie er auf den Ausgang zu eilte.

„Nein? Du wirst dich wundern!“ grollte er. „Hast du gesehen, was dieses gerissene Miststück getan hat? Und das nur, um Zeit zu gewinnen, damit sie meinem Vater noch mehr Lügen auftischen kann . . .“

Fate registrierte verblüfft, dass er von Taylor sprach. Seine Feindseligkeit dieser Frau gegenüber hatte sie vorhin schon erschreckt. Dadurch hatte er eine Seite von sich zu erkennen gegeben, deren Existenz Fate zwar schon befürchtet hatte, doch bis dahin hatte sie ihren Verdacht immer verdrängt. „Wo gehst du hin?“ erkundigte sie sich besorgt.

„Nach Hause“, gab er knapp zurück. „Kommst du mit?“

Fate starrte ihn an. Das war das erste Mal, dass er sie zu sich in seine Wohnung einlud, wenn man das Ganze überhaupt eine Einladung nennen konnte. Sie hatte sich stets vorgestellt, dass dieses erste Mal unter ganz anderen Umständen stattfinden würde. Sie zögerte, hin- und hergerissen zwischen Anteilnahme und Misstrauen, und Jay sah sie abwartend an. „Ich . . . ich überlege es mir noch, bis du den Wagen geholt hast.“

„Den Wagen lasse ich hier“, teilte er ihr mit. „Wir können das kurze Stück zu Fuß gehen.“

„Zu Fuß?“ Fate blickte auf ihre dünnen Schuhe und den langen Rock. „Jay, es regnet, und ich . . .“

Achselzuckend und mit grimmiger Miene wandte er sich zum Gehen. Und dennoch – als Fate ihn beobachtete, sah sie nicht den zornigen Erwachsenen in ihm, sondern vielmehr ein unsicheres, verängstigtes Kind. Sie holte ihn ein, als er gerade durch den Aufgang ging. Er beachtete sie nicht weiter, bis sie ihm atemlos mitteilte, er liefe zu schnell, sie käme nicht mit. Da erst drehte er sich abrupt um, schob die Hand in ihr Haar und hielt ihren Kopf so fest, dass sie einen kleinen Schmerzenslaut ausstieß. „Was ist? Das ist es doch, was du wolltest, oder nicht?“ Sie kam nicht zum Antworten, da er anfing, sie so fordernd und drängend zu küssen, dass ihr schwindelig wurde. Ihr Körper reagierte spontan auf diesen Kuss.

Als Jay sie freigab, waren ihre Lippen geschwollen und brannten. Ihr Gesicht war nass vom Regen, in ihre Augen traten Tränen. „Oh, Jay . . .“

„Oh, Fate“, ahmte er sie spöttisch nach. „Du bist erstaunlich leicht in Erregung zu versetzen, weißt du das? Eigentlich beneide ich dich fast darum. Hat dir deine Mutter nie beigebracht, dass es manchmal klüger ist, sich ein wenig zurückzuhalten? Dass Männer die Herausforderung lieben?“

Sie sah ihn argwöhnisch an. „Jay, was ist denn? Was hast du?“ fragte sie ihn ruhig. Schon den ganzen Abend war er in einer so merkwürdigen Stimmung gewesen, und die Art, wie er sich jetzt benahm, flößte ihr Angst ein. Wenn sie sich nicht vorsah, konnte er ihr sehr, sehr wehtun.

„Nichts ist“, erklärte er kurz angebunden. „Ich dachte, genau das wäre es, was du wolltest.“ Er ging weiter, diesmal jedoch langsamer, damit Fate mit ihm Schritt halten konnte. „Mit mir ins Bett gehen. Oder willst du mich etwa anlügen und es abstreiten? Das ist etwas, was ihr Frauen sehr gut könnt“, stieß er wütend und fast boshaft hervor. „Lügen. Darin habt ihr es zur Meisterschaft gebracht, ihr habt es geradezu zu einer Kunst gemacht und . . .“

„Ich habe dich noch nie belogen“, fiel Fate ihm ins Wort. „Und ja, ich möchte mit dir schlafen“, fügte sie tapfer hinzu.

„Wozu dann dieses kokette Zögern?“

„Ich bin nicht kokett, und ich zögere auch nicht", widersprach sie. „Ich war nur überrascht, das ist alles. Schließlich hast du immer gesagt, ich müsste diejenige sein, die den ersten Schritt tut und dich darum bittet."

Sein Lächeln war mehr als unfreundlich, und Fate hielt angstvoll den Atem an. „Aber du hast ja darum gebeten", behauptete er sanft. „Wieder und wieder. Und nun habe ich beschlossen, dir den Gefallen zu tun. Was ist?" zog er sie auf. „Sag jetzt bloß nicht, du hättest es dir doch anders überlegt und wolltest heim zu deiner Mama. Kinder ändern ihre Meinung, erwachsene Frauen nicht. Und du bist erwachsen, wie du mir ja immer wieder gern versicherst. Apropos, ich hoffe, du hast irgendein Verhütungsmittel dabei. Falls nicht – ich glaube, mich zu erinnern, dass gleich hier um die Ecke eine Apotheke ist, die die ganze Nacht über geöffnet hat. Obwohl ich mich nicht erinnern kann, wann ich sie das letzte Mal in Anspruch nehmen musste. Da kannst du sehen, welche Ehre dir zuteil wird", spottete er. „All diese wilden Teenie-Phantasien, die du zweifelsohne um mich und mein reges Sexualleben gesponnen hast, sind meilenweit von der Realität entfernt."

Fate betrachtete ihn verstört. Jay provozierte sie absichtlich, aber warum bloß? In Gedanken ging sie noch einmal den Abend durch und versuchte, sich zu erinnern, ob sie irgendetwas gesagt oder getan haben mochte, was der Grund für seine gegenwärtige Stimmung sein konnte. Plötzlich runzelte sie die Stirn. Nun fiel sie selbst in eine Falle, die anderen Frauen wahrscheinlich schon mehr als bekannt war – indem sie die Verantwortung für die Launen oder das Wohlbefinden eines anderen Menschen übernahmen. Sie erschauerte, als sie um die Ecke bogen und sie die Lichter der kleinen Einkaufspassage erkennen konnte. „Nein, ich habe nichts dabei", erwiderte sie ehrlich.

Einen Augenblick lang glaubte sie fast, Jay würde sie in die Apotheke schicken, doch dann forderte er sie achselzuckend auf, draußen zu warten. Er blieb nicht lange. Fate kehrte dem Laden bewusst den Rücken zu, während Jay drinnen war. Sie konnte sich nicht helfen – einerseits fand sie es anerkennenswert, dass Jay so vernünftig mit einem solchen Thema umging. Aber andererseits konnte sie nicht umhin, eine gewisse Traurigkeit darüber zu empfinden, dass dem Ganzen dadurch so wenig Romantik und Spontaneität anhaftete.

„Hier entlang." Jay berührte leicht ihren Arm und zeigte ihr den Weg. Sie befanden sich in einem der teuersten, exklusivsten Viertel der Stadt. Die großen Bauten längs der Straße und rund um den Platz, auf den sie zusteuerten, befanden sich im Besitz des Herzogs von Westminster.

Jay und Fate überquerten den Platz und bogen gleich danach links in eine Seitenstraße ein. Überrascht entdeckte Fate eine große, mit Brettern versperrte Baulücke.

„Das Haus, das hier gebaut wurde, ist wieder eingerissen worden, da keine ordentliche Baugenehmigung vorlag", erklärte Jay auf ihre Frage hin. „Die Firma, der das Grundstück gehört, ist wohl inzwischen pleite, und in der momentanen Wirtschaftslage will anscheinend niemand kaufen. London ist voll von solchen Baulücken und leerste henden Bürogebäuden. So, da wären wir", sagte er und zeigte auf den modernen Wohnblock an der Ecke. Ein paar Stufen führten zum Eingang empor.

Das Gebäude wirkte kalt und unpersönlich, und dieser Eindruck spiegelte Fates Gemütsverfassung wider. Die Leidenschaft und die Erregung, die sie noch bei Jays Kuss empfunden hatte, waren wie weggeblasen.

„Na, was ist?" erkundigte Jay sich knapp.

„Ich . . . ich glaube, es ist doch keine so gute Idee", gestand Fate ehrlich. „Ich . . . du . . . so hatte ich mir das nicht vorgestellt. Ich glaube nicht, dass . . ."

„Was glaubst du nicht?" Jay war jetzt zornig. „Fang bloß nicht an, irgendwelche Spielchen mit mir zu spielen, Fate!" warnte er sie aufgebracht. „Ich bin nicht in der Stimmung dazu. Jetzt ist es ein wenig zu spät für dich, die Tugendhafte zu mimen", fügte er unfreundlich hinzu. „Und mach dir gar nicht erst die Mühe, mir vorzulügen, dass . . ."

„Ich habe nicht vor, dich anzulügen", unterbrach sie ihn scharf. Allmählich wurde sie selbst auch zornig.

„Alle Frauen lügen", konterte er. „Bedenke doch nur, wie diese Schlampe meinen Vater belogen hat . . ."

Fate sah ihn schweigend an. Mit Jays Beherrschung, die sie an sich ziemlich irritiert hatte, war es vorbei, und doch fühlte sie sich auf einmal wie Pandora, als diese das Verbot missachtet und die Büchse dennoch geöffnet hatte. Eine ungute Vorahnung erfasste sie, und sie fröstelte leicht. Das also war anscheinend der wahre Grund für Jays unberechenbare Laune an diesem Abend. Nicht etwa sie selbst oder sein Verlangen nach ihr, sondern diese Beziehung zwischen seinem Vater und Taylor. Sie hatte den Hass in seinen Augen während des Balls wahrgenommen und verdrängt. Nun konnte sie ihn nicht länger ignorieren. „Die Beziehung deines Vaters zu Taylor ist seine Sache, nicht deine, Jay", gab sie ruhig zu bedenken. „Es ist nicht zu übersehen, wie sehr die beiden sich lieben. Nur weil du ihre Nähe als verletzend empfindest . . ." Sie bemühte sich, sorgfältig die richtigen Worte zu finden, um Jays Wut nicht noch weiter anzustacheln. „. . . heißt das noch nicht, dass Taylor deinen Vater belügt. Warum sollte sie das tun? Was erhofft sie sich dadurch? Keine Frau will den Mann, den sie liebt, belügen. Und sie liebt ihn."

Sie war völlig verdutzt, als er weiterhin darauf beharrte. „Warum?" Plötzlich packte er sie bei den Oberarmen und schüttelte sie heftig. „Willst du das wirklich wissen? Dann sage ich es dir! Sie lügt ihn an, weil sie nicht will, dass er die Wahrheit über sie erfährt. Sie will nicht, dass er begreift, wie sie wirklich ist, denn dann gäbe es für sie keinen Platz mehr in seinem Leben! Eine Frau, die ihr eigenes Kind im Stich gelassen hat, seine Existenz verleugnet, es verkauft hat! Mein Gott, wer hat bloß behauptet, dass Frauen mütterlich sind? Ihr kümmert euch einen Dreck um die Gefühle und die Bedürfnisse eurer Kinder! Ihr benutzt sie doch nur als Pfand, tut so, als ob ihr sie liebt, so lange euch das genehm ist, und dann beachtet ihr sie nicht mehr, verleugnet sie sogar, wenn . . ."

Fate konnte ihn nur anstarren. Selbst wenn er sie zu Wort hätte kommen lassen, hätte sie nicht gewusst, was sie dazu sagen sollte. Dieser grenzenlose Hass, der aus ihm hervorquoll, entsetzte sie, weckte aber auch ihr Mitleid. Sie war wie betäubt und spürte weder seinen schmerzhaften Griff um ihre Arme, noch die neugierigen Blicke des Paares auf der anderen Straßenseite. „Was immer Taylor auch in der Vergangenheit getan haben mag, sie liebt deinen Vater aufrichtig, Jay!" versuchte sie, ihn zu beschwichtigen. „Wir alle machen mal Fehler und . . ."

„Ach, wie verständnisvoll und nachsichtig . . . Ich frage mich, ob du auch dann noch so nachsichtig wärst, wenn du die ganze Wahrheit kennen würdest!“ fuhr er sie an. „Soll ich dir sagen, wer sie ist, was sie getan hat?“

Fate bekam plötzlich ein trockenes Gefühl im Mund, und sie fing an zu zittern. Seltsam, denn was hatte sie schon zu befürchten, wenn Jay ihr die Wahrheit über eine Frau sagte, die sie nicht einmal kannte? Abgesehen davon würde Jay reden, ob sie nun wollte oder nicht.

„Sie ist deine Mutter, Fate . . . die Frau, die dich geboren und dann verstoßen, im Stich gelassen und weggegeben hat an ein anderes Ehepaar! Sie ist deine *Mutter*! Der Himmel weiß, wer dein Vater war, ein Kommilitone von der Universität vielleicht, ein verheirateter Mann – und womöglich weiß sie selbst nicht einmal, wer es war. Ist es dir denn nie merkwürdig vorgekommen, dass deine Geburtseintragung erst erfolgte, als du schon mehrere Monate alt warst? Dass deine Eltern nie weitere Kinder hatten?“

„Ich . . . ich bin im Ausland zur Welt gekommen. Meine Eltern haben meine Geburt erst eintragen lassen, nachdem sie wieder hier in England waren. Weißt du nicht mehr? Das habe ich dir doch beim Essen erzählt!“ Fate hörte selbst, wie panikerfüllt ihre Stimme klang. Es konnte nicht wahr sein, es war einfach unmöglich. Jay erfand das nur, er wollte sie nur verängstigen und dafür bestrafen, dass sie Taylor verteidigt hatte. „Taylor ist nicht meine Mutter“, widersprach sie gequält. „Sie kann es gar nicht sein. Das hätte ich doch gewusst!“

Jay lachte zynisch. „Wie denn? Und außerdem – wenn sie nicht deine Mutter ist, wie erklärst du dir dann, dass sie ein Foto von dir besitzt? Genau das gleiche, das den Ehrenplatz im Wohnzimmer deiner Eltern einnimmt?“ Er überhörte bewusst Fates erschrockenes „Nein!“ und fuhr grausam fort. „Sie sagte mir, sie wäre deine Patentante, aber das war eine faustdicke Lüge, nicht wahr, Fate? Denn dir sagte ja nicht einmal ihr Name etwas, du wusstest gar nicht, wer sie war!“

Fates Gesicht wirkte eingefallen und blass. „Du lügst, Jay. Ich glaube dir nicht.“

„Oh, doch, du glaubst mir“, widersprach er. „Du willst es zwar nicht, trotzdem tust du es. Sei doch mal ehrlich. Welche andere Erklärung könnte es sonst geben? Warum sollte sie lügen, wenn sie nichts zu verbergen hätte? Nein, nein, meine Liebe, Taylor ist deine Mutter – wenn sie denn überhaupt so heißt. Und auch wenn du sie nicht kennst, sie kennt dich, daran besteht kein Zweifel. Hast du ihren Gesichtsausdruck heute Abend gesehen, als sie dich erkannte? Es war sehr geistesgegenwärtig von ihr, diesen Ohnmachtsanfall zu simulieren, um Zeit zu gewinnen. Ich wusste von Anfang an, dass sie etwas zu verbergen hatte."

„Du hast das alles absichtlich so eingefädelt, nicht wahr?" flüsterte Fate. „Du hast gelogen!" warf sie ihm vor, und ihre Stimme wurde lauter vor Schmerz. „Das alles war nur ein Vorwand! Du hast mich nie gewollt. Du wolltest mich nur benutzen! Du hattest das Ganze geplant, vom ersten Augenblick an. Oder etwa nicht?" Fate hatte die letzten Worte beinahe geschrien, und sie merkte es selbst, doch es war ihr gleichgültig, ob das Paar auf der anderen Straßenseite sie hören konnte. Sie war einfach zu wütend. Wie hatte sie nur so dumm sein können? Wie hatte sie es zulassen können, dass Jay sie so für seine Zwecke missbrauchte! Ihr war übel vor Entsetzen, sie fühlte sich entsetzlich erniedrigt. Jay hielt sie noch immer im Arm, und sie versuchte, sich loszureißen, aber er ließ sie nicht gehen. „Wie weit wärst du denn noch gegangen, Jay?" wollte sie heiser wissen. „Wie hättest du mit mir ins Bett gehen können, wenn du die Frau, die du für meine Mutter hältst, so sehr hasst? Oder bist du gefühlsmäßig wirklich so pervers, dass dich so etwas auch noch antörnt?"

„Sie *ist* deine Mutter. Ihre Reaktion heute Abend auf dich beweist das", meinte Jay heftig. „Und zu dem, was mich antörnt oder wie weit ich noch gegangen wäre . . ."

Fate war in keiner Weise darauf vorbereitet, als er sie plötzlich an sich zog und sie seine Erregung spüren ließ. Während sie sich verzweifelt gegen ihn wehrte, fühlte sie seine Hände auf ihrem Rücken und merkte, dass er sie nur noch dichter an sich presste. Sein Herz klopfte zum Zerspringen, und ihr Körper reagierte auf seine Erregung, obwohl ihr Verstand von Abscheu erfüllt war. „Du bist krank", stieß sie hervor.

„Ich? Krank? Weil ich dir eine Wahrheit verraten habe, die du nicht hören willst? Mir mache bitte keinen Vorwurf, Fate, ich bin nur der Überbringer. Wenn du den wahren Schuldigen suchst, dann wende dich an deine Mutter. Taylor ist für das alles verantwortlich."

Fate fragte sich, ob ihm wohl bewusst war, was er ihr da antat, oder ob er so besessen davon war, seine eigenen Interessen zu verfolgen, dass er gar nicht begriff, wie viel Schmerz er ihr zufügte. Ihre Eltern hätten ihr erzählt, wenn sie sie adoptiert hätten. Aufrichtigkeit kam für sie stets an erster Stelle, und für Fate ebenso.

Sie erschauerte, als er ihr die Hände auf die Brüste legte. Sie spürte seinen heißen Atem, und trotz ihres Widerwillens regte sich eine erste sexuelle Reaktion in ihr. Ihre Kehle war wie zugeschnürt, und in ihren Augen brannten Tränen. Sie konnte sich nicht erinnern, sich je so zornig und so hilflos gefühlt zu haben. Er hatte sie belogen, betrogen, sie kalt lächelnd in diese Situation hineinmanövriert. Ihre Empfindungen, ihr Schmerz, ihr bisheriges Leben – das alles zählte für ihn nicht. Sie war für ihn nur ein Werkzeug, das er benutzt hatte in seinem krankhaften Wunsch, über das Leben seines Vaters zu bestimmen. „Du liebst deinen Vater nicht“, sagte sie still, während sie sich ganz steif in seiner Umarmung machte. „Du kannst gar nicht lieben, Jay, weder dich selbst noch sonst jemanden. Du kannst nur hassen, Schmerz zufügen. Du sagst, du willst deinen Vater vor Taylor schützen, aber das ist gelogen. Du willst ihn nicht schützen, du willst ihn vernichten, ihn leiden lassen, weil du ihn dafür verantwortlich machst, dass . . .“

Sie sah noch das zornige Aufflackern in seinem Blick, aber im selben Moment nahm er auch schon von ihrem Mund Besitz, grausam, wild und schmerzhaft.

Fate hatte geglaubt, alles über sich und ihre Sexualität zu wissen, und diese Selbstsicherheit hatte sie stets wie ein Banner vor sich hergetragen. Nun musste sie plötzlich erkennen, wie zerbrechlich und wenig geeignet diese Einstellung war, sie zu beschützen. Jay zeigte ihr, dass ihr Körper auch gegen ihren Willen und gegen ihren Stolz dazu gebracht werden konnte, auf männliche Leidenschaft zu reagieren, die nur von Zorn geschürt wurde. Diese bittere Selbsterkenntnis traf sie so hart, dass sie auf der Stelle erstarrte.

Jay hob den Kopf und sah ihr in die Augen. „Sag nicht, dass du mich nicht willst, denn wir wissen beide, dass das nicht stimmt.“

„Doch, ich will dich“, antwortete sie fest. „Aber meine

Selbstachtung will ich noch mehr." Ruhig trat sie einen Schritt zurück. „Im Moment weiß ich nicht, wen von uns beiden ich mehr bemitleide und verachte, Jay, dich oder mich. Wahrscheinlich mich. Ich hätte es einfach besser wissen müssen. Und du . . ."

„Sehr dramatisch", zischte er böse. „Aber ganz gleich, welche Gefühle du dir gern einreden möchtest – ich wette, dass ich dich trotz allem auf der Stelle ins Bett bekommen und dich vergessen lassen könnte, dass diese ganze Unterhaltung je stattgefunden hat. Ich bin mir sogar ganz sicher!"

„Oh, ja", stimmte Fate ruhig zu. „Ich bezweifle nicht, dass du über die Fähigkeit dazu und auch über die – Grausamkeit verfügst, meinen Körper als Waffe gegen mich zu benutzen. Aber nicht du erregst mich, sondern nur das Bild, das ich mir von dir gemacht habe. Und dieses Bild stimmt eben nicht mit der Realität überein. Du glaubst, auf alles eine Antwort zu wissen, Jay, du glaubst, alle Macht in den Händen zu halten, aber im Leben geht es nun mal anders zu. Du denkst, dass dein Vater Taylor verstoßen wird, sobald du die Geheimnisse ihrer Vergangenheit aufgedeckt hast. Er aber liebt sie, und wahre, aufrichtige Liebe bedeutet Verzeihen und Verstehen. Schließlich liebt er ja auch dich noch, nicht wahr?" Damit wandte sie sich ab und ging aufrecht davon, obwohl sie vor lauter Tränen in den Augen kaum etwas sehen konnte. Sie hörte, wie er sie zurückrief, doch sie blieb nicht stehen und wusste, dass er nicht versuchen würde, ihr zu folgen.

Mag sie ruhig glauben, das letzte Wort behalten zu haben – schon bald kommt sie reumütig zurück, dachte Jay sarkastisch, als er die Treppe zu seiner Wohnung im ersten Stock hinaufstürmte. Schließlich konnte er nichts dafür, wenn ihr die Wahrheit nicht schmeckte. Er war nicht derjenige, der sie belogen hatte. Eigentlich sollte sie ihm dankbar sein, dass er ihr die Augen darüber geöffnet hatte, wie sehr man sie hintergangen und betrogen hatte, anstatt ihn zu behandeln als ob . . . Törichte kleine Närrin. Fluchend zog Jay sich das regennasse Jackett aus und warf es auf das Sofa. Sie hatte ihn provoziert, mit der Wahrheit herauszurücken. Wenn sie das nicht getan hätte . . . dann würde sie jetzt in seinem Bett liegen, die langen, schlanken Beine um ihn schlingen und ihn aus vor Verlangen dunklen Augen verklärt ansehen, während er kraftvoll in sie eindrang. Bestimmt war sie eine hingebungsvolle Geliebte, die nichts zurückhielt, die ungehemmt alles gab und es einfach genoss, ganz Frau zu sein. Der Typ Frau eben, der ... Genau der Typ Frau, den ich weder will noch brauche, sagte Jay sich grausam. Er ging in die kleine Küche und öffnete alle Schränke, bis er das gefunden hatte, was er suchte. Er trank fast nie, wenn er allein zu Hause war, und der ungewohnte Alkohol brannte ihm in der Kehle, als er das ganze Glas in einem Zug leerte. Fate entging etwas in dieser Nacht, nicht ihm. Er schenkte das Glas wieder voll. Sie würde sich wesentlich mehr nach ihm verzehren als umgekehrt – und vor allem noch wesentlich länger.

Der Taxifahrer warf Fate einen besorgten Blick zu, als er sie vor ihrem Haus absetzte. Sie war groß und wirkte auf den ersten Blick ganz und gar nicht so leicht verletzbar, aber bei genauerem Hinsehen entdeckte er in ihren Augen einen Ausdruck solcher Traurigkeit und Verlorenheit, dass spontan sein männlicher Beschützerinstinkt geweckt wurde.

Fate war froh, dass ihre Eltern nicht da waren. Sie hätten ihr sofort angesehen, dass irgendetwas mit ihr nicht in Ordnung war, und dann hätten sie natürlich den Grund dafür erfahren wollen. Fate trat ins Wohnzimmer, schaltete das Licht ein und ging hinüber zu dem Foto von sich. Besaß Taylor wirklich einen Abzug davon, oder hatte Jay gelogen? Nicht einen Augenblick lang glaubte sie seiner Behauptung, Taylor wäre ihre Mutter. Sie hätte nie eine so enge Beziehung zu ihren Eltern gehabt, wenn sie nicht deren leibliches Kind gewesen wäre. Irgendein innerer Instinkt hätte ihr verraten, dass sie im Grunde nicht zu ihnen gehörte. Aber dieser entsetzte, verängstigte Gesichtsausdruck, mit dem Taylor sie angesehen hatte ... War tatsächlich sie, Fate, der Grund dafür gewesen? Und wenn, warum? So viele Fragen, so wenig Antworten. Der Kopf tat ihr weh vom Grübeln und von den schmerzhaften Erfahrungen, die sie an diesem Abend hatte machen müssen. Rein vom Verstand her wusste sie, dass sie genau das Richtige getan hatte, als sie Jay einfach hatte stehen lassen. Er hatte ihr gezeigt, was er wirklich von ihr hielt, wie wenig sie ihm im Grunde bedeutete. Ganz gleich, wie weh das jetzt auch tun mochte, es hätte noch unvergleichlich mehr wehgetan, wenn sie die Wahrheit herausgefunden hätte, nachdem sie bereits ein Liebespaar geworden waren. Ein Liebespaar . . . Sie schloss die Augen. Was für eine Bezeichnung für das, was sie tatsächlich miteinander verbunden hätte. Was wohl geschehen würde, wenn sich sein Vater für Taylor und gegen Jay entschied? Was würde Jay dann tun? Fate überlief eine Gänsehaut. Auf keinen Fall würde er sich geschlagen geben, weggehen und seinen Vater und Taylor in Ruhe lassen. Nein, lieber würde er sie beide und sich selbst zerstören, als ihnen ihr Glück zu gönnen.

„Meine Mutter hat mich nie gewollt", hatte Jay einmal brutal auf ihre unschuldige Frage nach seiner Familie geantwortet. „Auch mein Vater nicht, aber er hat sich geschickter angestellt und es sich nicht so sehr anmerken lassen. Aufs Wiedergutmachen versteht er sich sehr gut. Allerdings nicht gut genug."

„Ach, Jay", flüsterte Fate vor sich hin. In ihren Augen brannten erneut Tränen, doch sie hielt sie angestrengt zurück. Denn wem nützten ihre Tränen schon? Jay sicher nicht, und ihr erst recht nicht . . .

20. KAPITEL

Taylor hörte die Schlafzimmertür aufgehen und verkrampfte sich unwillkürlich. Sie sah Bram an, dass ihm das sofort auffiel und er sich bemühte, sich zu beherrschen. Er setzte sich zu ihr auf die Bettkante, war jedoch sorgfältig darauf bedacht, ihr nicht zu nahe zu kommen, um sie nicht einzuengen.

„Wie fühlst du dich?“ erkundigte er sich freundlich.

„Gut“, meinte Taylor wenig überzeugend und wich seinem Blick aus. Der Arzt hatte ihr zunächst einigermaßen amüsiert das Untersuchungsergebnis mitgeteilt, war dann jedoch ernsthaft betroffen gewesen wegen ihrer Reaktion darauf. Schon zu dem Zeitpunkt hatte er Bram hinzurufen wollen, doch Taylor hatte ihn zurückgehalten und ihm mit unsicherer Stimme erklärt, sie brauchte noch etwas Zeit für sich allein, um die Neuigkeit zu verarbeiten. Sie wusste aber, dass er mit Bram gesprochen hatte, ehe er ging.

„Ich denke, ich habe vom ersten Moment an gespürt, dass du mein Leben wirklich nachhaltig verändern könntest“, sagte Bram jetzt sanft und griff nach ihrer Hand. Taylor ließ es zu. „Ich gestehe allerdings, ich hätte mir nie träumen lassen, in welchem Ausmaß das geschehen würde. Vielleicht bin ich etwas altmodisch“, fuhr er fort, als Taylor weiterhin schwieg. „Oder noch schlimmer, vielleicht ist es ein Beweis dafür, dass ich langsam alt werde. Als Junge hätte mich eine solche Aussicht mit Schwindel erregender Angst und Ungläubigkeit erfüllt. Letzteres empfinde ich auch jetzt, aber es ist eine Ungläubigkeit vor lauter Freude und – Andacht. Vielleicht muss man erst in ein gewisses Alter kommen, um verstehen zu können, dass die Fähigkeit, neues Leben zu schaffen, ein echtes Wunder ist.“

„Erzähl das einer Frau, die soeben erfahren hat, dass sie

ein Kind erwartet, das sie absolut nicht geplant und noch weniger gewollt hat", gab Taylor grimmig zurück. Trotzdem trieben ihr die Ehrlichkeit in seiner Stimme und die grenzenlose Liebe in seinem Blick die Tränen in die Augen.

„Bist du sehr böse auf mich?" fragte Bram still.

Taylor schüttelte den Kopf. „Nein, mehr auf mich selbst", erklärte sie wahrheitsgemäß.

„Du willst unser Kind nicht." Das war eher eine Feststellung als eine Frage.

„Willst du es denn?" stellte sie herausfordernd die Gegenfrage.

„Ja", meinte er entschieden. „Oh, ich weiß, was du jetzt sagen willst, und ich stimme dir zu, dass dieses Kind nicht geplant war. Aber als mir der Arzt Bescheid sagte, da ... fühlte ich nur, dass es gut und richtig ist, es machte mich unwahrscheinlich glücklich, und ich hielt es für vom Schicksal gewollt."

„Du meinst, weil du ein Mann bist, ist es für dich ein erhebendes Gefühl, mich geschwängert zu haben", provozierte sie ihn.

„Nein, das meine ich ganz und gar nicht", widersprach er. „Wie könnte ausgerechnet ich etwas Derartiges denken? Die Dummheit eines solch typisch männlichen Chauvinismus habe ich auf sehr harte Art am eigenen Leib zu spüren bekommen. Und ich kenne den Preis dafür, Taylor, für alle Beteiligten. Nein, wahrscheinlich habe ich mich ungeschickt ausgedrückt. Ich meinte, dass es sich gut, richtig und womöglich schicksalhaft anfühlt, weil es uns durch unsere Liebe gelungen ist, ein neues Leben zu schaffen. Umso mehr, weil wir es nicht geplant hatten, es war keine bewusste Entscheidung. Eine Bestätigung für unsere Liebe, ja, das wohl eher ..."

Taylor schluckte krampfhaft. Sie hatte instinktiv und vom ersten Moment an gewusst, dass er so fühlen würde; dass er ihr Kind, ja, sie beide, haben wollte. Der Arzt hatte aufgrund ihrer heftigen Reaktion sicher geglaubt, sie wolle das Kind nicht, doch da hatte er sich getäuscht. Natürlich wollte sie es, unbedingt sogar. Der Grund, warum sie so reagiert hatte, lag ganz woanders. Sie hatte schlichtweg Zorn, Schuldgefühle und Angst vor der Last, den Gefahren empfunden, die sie ihrem Kind schon zumuten musste, lange ehe es überhaupt auf die Welt kam.

„Ich möchte, dass wir heiraten", erklärte Bram und fügte hastig hinzu, ehe sie etwas dagegen einwenden konnte: „Nein, nicht nur wegen des Kindes. Zumindest ist es nicht der Grund, den du vielleicht vermutest. Ich möchte dich heiraten, weil ich der Welt zeigen will, wie fest wir zueinander stehen. Ich wollte dir das schon sagen, ehe der Arzt mir von dem Baby berichtete, aber ich hatte Angst, dich zu drängen, für den Fall, dass du nicht ganz so empfindest wie ich. Aber jetzt . . .?" Er verstummte und sah sie abwartend an. „Der Arzt hat sich Sorgen deinetwegen gemacht. Du möchtest dieses Kind doch, oder?" fragte er sie schließlich heiser. „Du denkst doch nicht daran, es . . ."

„Nein. Niemals", versicherte Taylor von ganzem Herzen. Ihr Kind abtreiben? Nein. Der Gedanke war für sie völlig ausgeschlossen, dennoch musste sie unwillkürlich daran denken, wie viele Schuldgefühle sie stets haben würde, dieses Kind überhaupt je empfangen zu haben. Bram hatte gesagt, er wollte sie heiraten. Wenn sie ablehnte, ihn verließ, einfach verschwand . . . was würde ihr Kind dann eines Tages, wenn es alt genug war zu verstehen, von ihr halten? Wenn es verstand, dass sie dafür verantwortlich war, dass es ohne Vater aufwachsen musste? Hatte sie das Recht, ihrem Kind den Vater – und einen solchen Vater – vorzuenthalten? Nein, ganz sicher nicht. Doch die Alternative war, dass sie Bram und ihr Kind einer gewaltigen Gefahr aussetzen musste. Hatte sie dazu das Recht?

„Ich möchte nicht, dass dieses Kind einmal so leidet wie Jay es getan hat. Ich will ihm nicht dieselben Wunden zufügen. Dieses Kind soll von Anfang an spüren, dass es gewollt und geliebt ist. Ich möchte für immer und alle Zeiten ein Teil seines Lebens sein. Aber auch ohne dieses Baby hätte ich dich heiraten wollen, Taylor."

„Ich weiß", stieß sie erstickt hervor. Und sie wusste es wirklich, von Anfang an hatte sie es gewusst. Nur eins wäre ihr niemals in den Sinn gekommen – nämlich, dass sie bereits ein Kind von Bram empfangen haben könnte. Diese Vorstellung war völlig abwegig gewesen, es hatte so viele andere Probleme gegeben, und dazu noch ihr Alter . . . Erst jetzt verinnerlichte sie allmählich, was sie getan hatte, und die Übelkeit, die nun in ihr hochstieg, hatte nichts mit der Schwangerschaft zu tun.

Bram bemerkte, wie blass sie wurde. Besorgt runzelte er die Stirn. „Was ist? Geht es dir nicht gut? Soll ich . . ."

Taylor schüttelte den Kopf und fing an zu weinen. „Ich hätte das alles nie tun dürfen. Es hätte nie so weit kommen dürfen. Oh Gott, Bram . . ." Sie wurde plötzlich von einem Weinkrampf geschüttelt, als all die so viele Jahre lang unterdrückte Angst an die Oberfläche drängte. „Ich kann dich nicht heiraten, ich kann dich nicht so in Gefahr bringen . . ."

„Was für eine Gefahr?" wollte Bram liebevoll wissen. „Du wirst in Gefahr sein, denn schließlich trägst du unser Baby aus!"

„Nein, das ist es nicht. Es geht nicht um das Kind, du verstehst mich nicht . . ." Sie schluchzte nun haltlos, und Bram erkannte, dass der Augenblick gekommen war, wo er erfahren würde, was ihr im Leben so viel Kummer und Qual verursacht hatte.

„Sag es mir, Taylor", beschwor er sie sanft und nahm sie in die Arme. „Sag mir, was los ist. Ganz gleich, was es auch sein mag, es kann dir nichts mehr anhaben. Nichts kann dir mehr etwas anhaben."

Taylor brach in hysterisches Gelächter aus. „Wenn es nur so wäre! Aber ich werde mich niemals in Sicherheit befinden, Bram, solange er noch am Leben ist! Und das Gleiche gilt für dich und unser Kind. Er wird versuchen, auch euch wehzutun. Oh, Gott, was habe ich nur getan? Jay weiß Bescheid", fügte sie leidenschaftlich hinzu. „Irgendwie hat er es herausgefunden. Deshalb hat er sie auch gestern Abend mitgebracht . . ."

Bram stutzte. Er hatte schon geahnt, dass das Erscheinen seines Sohns mit diesem unglaublich hübschen Mädchen, das ihm merkwürdig bekannt vorkam, etwas mit Taylors Ohnmacht zu tun haben musste. Doch dann hatte er von Taylors Schwangerschaft erfahren, und das Ereignis mit seinem Sohn war bei ihm irgendwie in Vergessenheit geraten. „Jay kann dir nichts tun", teilte er ihr entschlossen mit. „Es ist mir gleich, was er weiß oder was er herausgefunden hat. Ich liebe dich, Taylor, und nichts und niemand kann daran etwas ändern. Niemals!"

„Würdest du das auch sagen, wenn ich mich entschließen würde . . . das Kind nicht zu bekommen?“ stellte sie ihn auf die Probe. Sie sah den Schmerz in seinen Augen, und ihr Herz zog sich zusammen. Sie wusste erst seit wenigen Stunden, dass sie dieses Kind erwartete, doch es zu verlieren würde genauso schlimm sein wie Bram zu verlieren.

„Ja, sogar dann“, versicherte er ihr heiser. „Ich könnte dich niemals zwingen, mein Kind zu bekommen, Taylor. Kein Mann hat das Recht, eine Frau zu so etwas zu zwingen. Wenn du unser Baby nicht haben willst, dann . . .“

„Ich will es ja!“ unterbrach sie ihn heftig. Sie atmete tief durch, ehe sie fortfuhr. „Ich glaube, Jay ist der Meinung, Fate sei meine Tochter, aber das ist sie nicht . . .“

Bram wartete; er wagte kaum zu atmen vor Angst, sie könnte ihre Meinung ändern und sich wieder in sich zurückziehen.

„Sie ist . . . meine Nichte“, erklärte sie zögernd. Bram sah ihr an, wie sehr sie sich vor seiner Reaktion fürchtete, und das Herz tat ihm weh. Er sah ihr eindringlich in die Augen, damit sie verstand, dass er immer zu ihr stehen würde, ganz gleich, was in der Vergangenheit auch geschehen sein mochte. Diese Gedankenübertragung schien zu funktionieren, denn als sie jetzt weitersprach, klang ihre Stimme fester und zuversichtlicher. „Sie ist die Tochter meiner Schwester, aber sie weiß nichts von meiner Existenz.“

Bram bemühte sich, sich nichts von seinem Mitgefühl anmerken zu lassen. Dieser Schmerz, der sie ständig zu umgeben schien, war ein ständiger Begleiter für sie geworden, auch wenn Bram jetzt erstmals das gesamte Ausmaß zu sehen bekam. Was war da bloß vorgefallen? Hatten sich die beiden Schwestern so massiv überworfen, dass die eine ihrem Kind das Vorhandensein der anderen verschwiegen hatte? Doch wenn das der Fall war, wie konnte Taylor dann Fates Namen wissen? Wie war sie dann in den Besitz ihres Fotos gekommen? Denn auf einmal begriff Bram, weshalb ihm das Mädchen so bekannt vorgekommen war. Er wartete weiter schweigend ab.

„Caroline ist meine ältere Schwester“, berichtete Taylor. „Sie lernte Oliver, ihren Mann, kennen, als sie in Australien arbeitete. Meine, unsere Eltern waren strikt gegen ihre Heirat. Sie . . .“ Taylor schluckte qualvoll. „Sie haben nie etwas von Fate erfahren. Sie ... sie starben, ehe Caroline ihnen etwas von ihrer Schwangerschaft erzählen konnte."

„Du hast mir mal gesagt, sie seien bei einem Autounfall ums Leben gekommen", warf Bram behutsam ein.

„Ja, das stimmt. Nur ... es war kein Unfall. Es war absolut kein Unfall, und es war allein meine Schuld. Meinetwegen ..." Ihr Körper wurde von einem neuerlichen Weinkrampf geschüttelt, und Bram wiegte sie sacht hin und her.

Was meinte sie damit? Hatte sie den Wagen gefahren? Er konnte sich keinen anderen Grund vorstellen, weshalb sie sich die Schuld an diesem Unfall geben sollte. Und er verstand, welch schweren Schuldgefühle das bei einem jungen Menschen auslösen konnte. Er versuchte, sie zu beschwichtigen. „Auch wenn du am Steuer gesessen hast, bedeutet das nicht, dass ..."

„Nein", fiel sie ihm ins Wort und schüttelte den Kopf. „Du verstehst nicht. Nicht ich habe sie umgebracht. Sondern er ..."

„Er?" wiederholte Bram. Jetzt begriff er in der Tat gar nichts mehr. Doch noch mehr als seine eigene Verständnislosigkeit beunruhigten ihn Taylors extreme Blässe, ihr unkontrolliertes Zittern und der blicklose Ausdruck ihrer Augen.

„*Er*", beharrte sie ungeduldig. „Dennis Phillips", fuhr sie flüsternd fort. „Er ist im Gefängnis. Man hat ihn zu zwei Mal lebenslänglich verurteilt und eine Extrastrafe verhängt wegen ... Vergewaltigung. Doch man wird ihn nicht ewig festhalten können." Sie zitterte jetzt so, dass ihre Zähne aufeinander schlugen, und auf ihren blassen Wangen zeichneten sich rote Flecken ab. Die Worte kamen ihr so hektisch über die Lippen, dass Bram sich sehr konzentrieren musste, sie in einen Zusammenhang zu bringen. „Und wenn er herauskommt, wird er mich suchen. Er wird mich finden, und dann ..." In ihren Augen spiegelte sich blankes Entsetzen wider, und Bram schnürte sich das Herz zusammen vor Mitleid. „Er hat bereits meine Eltern umgebracht. Er hat geschworen, dass mich niemals ein anderer haben dürfte. Damals dachte ich ..." Sie schloss kurz die Augen. „Er wird mich finden, uns, und dann wird er versuchen, dich zu töten, Bram, so wie er sie getötet hat. Und unser Kind ... Ich hätte es nie so weit kommen lassen dürfen, ich wollte nie, dass das passiert . . . Begreifst du denn nicht? Ich *kann* nicht bei dir bleiben, ich kann dich nicht heiraten, ich darf dich nicht in eine solche Gefahr bringen. Schlimm genug, dass *ich* so leben musste, immer in Angst, wissend, dass er mich eines Tages aufspüren wird, sobald man ihn aus dem Gefängnis entlässt . . . Die Polizei hat ihm weisgemacht, ich sei tot, ich hätte mit meinen Eltern im Wagen gesessen, aber ich weiß, dass er ihnen nicht glaubt! Ich weiß es! Er ist so, verstehst du, er ist wahnsinnig. Und obwohl man mir einen neuen Namen und eine neue Identität gegeben hat, war Jay in der Lage, mich zu finden! Er hat Fate mitgebracht, um mir das zu beweisen. Und wenn Jay es herausfinden konnte . . . Jay erinnert mich in vieler Hinsicht an ihn, wegen seiner Besessenheit, was dich betrifft. Ich kann so nicht weiterleben, Bram. Ich ertrage es nicht mehr. Es war vorher schon ein Albtraum, aber seit ich dich gefunden habe . . . Ich hatte nicht das Recht zuzulassen, dass du dich in mich verliebst. Ich hätte dich nie in diese Situation bringen dürfen."

„Du hättest mich nie davon abhalten können, mich in dich zu verlieben", widersprach Bram rau. „Und was die Gefahr betrifft . . . er ist nur ein Mensch, Taylor, und wie du selbst sagst, er sitzt im Gefängnis."

„Er ist nicht nur irgendein Mensch – er ist wahnsinnig!" rief Taylor verzweifelt. „Du verstehst nicht, du weißt nicht, was . . ."

„Dann erzähle es mir", forderte Bram sie ruhig auf.

Taylor starrte ihn hilflos an. „Ich weiß nicht, ob ich das kann."

„Versuche es", ermutigte er sie und strich ihr über das Haar. „Ich schwöre dir, ganz gleich, was du auch erzählst, es wird sich zwischen uns nichts ändern. Ich liebe dich, und das für immer und alle Zeiten. Hast du ihn einmal geliebt, Taylor? Ist es das? Hast du ihn geliebt und deswegen . . . Ich meine, weil er irgendwie schuld am Tod deiner Eltern ist, fühlst du dich deswegen teilweise mit schuldig?"

„Ja, ich bin mit daran schuld. Er hat sie ermordet. Meinetwegen. Weil er mich wollte und wusste, dass sie . . . Er dachte, es läge an ihnen, dass ich ihn nicht mehr sehen wollte, dabei war es ganz anders. Er war mein erster Freund. Wir lernten uns kennen, als ich sechzehn war. Ich war noch sehr jung und naiv für mein Alter. Meine Eltern ..." Taylor zuckte leicht mit den Schultern. „Auf ihre Art liebten sie uns, aber sie hatten so hohe Ansprüche, was uns betraf, und ich hatte solche Angst, sie zu enttäuschen. Auch waren sie oft so kalt, so kritisch, so distanziert. Als ich Dennis begegnete, und er war so gut zu mir, so liebevoll, so warm, da dachte ich ..."

Sie schluckte. Brams Herz quoll über vor Mitleid; am liebsten hätte er ihr gesagt, sie brauchte nicht weiterzureden, es sei nicht wichtig. Aber instinktiv ahnte er, dass sie reden musste, dass sie all die verdrängten Ängste endlich loswerden wollte.

„Meine Eltern waren dagegen. Sie fanden, er wäre nicht gut genug für mich. Er war achtzehn und hatte die Schule bereits verlassen. Sie wollten, dass ich genau wie meine Schwester die Universität besuchte. Ich traf ihn heimlich nach der Schule oder abends, wenn meine Eltern ausgingen. Wir ... wir wurden ein Liebespaar. Und mir gefiel es. Ich fühlte mich geliebt, geachtet. Es schockierte und erregte mich gleichermaßen herauszufinden, dass Sex mir Spaß machte. Ich wusste, meine Eltern würden entsetzt und angewidert reagieren. Meine Schwester und ich ... Nun, meine Eltern hielten akademischen Erfolg für wichtiger als privates Glück. Ich vermute, wenn ich etwas reifer und erfahrener gewesen wäre, dann hätte ich wohl schon früher gemerkt, dass er zu ... Besitz ergreifend war. Aber damals ... Ich fand es einfach herrlich, dass jemand mich so abgöttisch liebte. Er pflegte immer zu scherzen, dass er jeden Jungen umbringen würde, der mich auch nur ansah; dass er sich selbst umbringen würde, wenn ich ihn verließe, und dadurch fühlte ich mich so beschützt und geliebt. Oh, Gott, wenn ich geahnt hätte, dass er das nicht nur im Scherz sagte ... Aber ich wusste es nicht." Sie sah Bram angstvoll an. „Ich wusste es wirklich nicht!"

„Nein, natürlich nicht", tröstete er sie. „Wie hättest du das auch wissen können?" Innerlich fragte er sich, wie gleichgültig und blind ihre Eltern gewesen sein mochten, dass sie nicht erkannt hatten, was mit Taylor geschah. Er konnte sie deutlich als junges Mädchen vor sich sehen, ihre Sehnsüchte, ihre Unschuld und ihr unstillbares Verlangen danach, geliebt zu werden.

„Zuerst wollte ich nichts anderes, als nur mit ihm zusammen zu sein. Bei ihm fühlte ich mich so wohl, so glücklich. Doch dann . . . fing er an, ungehalten zu werden, auf mir herumzuhacken und mich ständig zu fragen, was ich tat und mit wem ich zusammen war, sobald er nicht dabei war. Einmal bekam er mit, wie ich auf der Straße mit einem Jungen redete, dessen Eltern mit meinen befreundet waren. Ich war nur kurz stehen geblieben, um Hallo zu sagen, das war alles, aber Dennis dachte . . . Es gab eine Schlägerei. Paul, der andere Junge, war sehr still und schüchtern, und Dennis richtete ihn ziemlich übel zu. Hinterher entschuldigte er sich, sagte, er wäre einfach eifersüchtig gewesen und hätte die Beherrschung verloren. Zunächst war ich entsetzt und außer mir, doch dann . . ." Taylor biss sich nervös auf die Unterlippe. „Es schmeichelte mir, dass ich ihm offenbar so viel bedeutete", gab sie unglücklich zu. „Ich war so egoistisch."

„Du warst jung", verbesserte Bram liebevoll. „Jung und noch sehr verwundbar."

„Als ich in Oxford anfing, dämmerte mir allmählich, was mit ihm los war. Aber er war so hartnäckig. Immer, wenn ich versuchte, Schluss zu machen, kam er, erinnerte mich daran, dass ich ihn doch liebte, und drohte damit, sich umzubringen, sollte ich ihn verlassen. Er bekam einen Job in der Innenstadt von Oxford. Wo ich auch hinging, war er ebenfalls. Ich wusste, dass er mich liebte, aber ich hatte Angst vor ihm. Er konnte so wütend werden. Einmal, als ich wieder mal Schluss machen wollte, schlug er ein Loch in meine Zimmertür. Danach wagte ich es nicht, ihn zu verlassen . . . Er wollte nicht, dass ich Zeit mit anderen verbrachte, auch nicht mit anderen Mädchen. Eines Tages kam ich von einer Vorlesung zurück und stellte fest, dass er bei mir eingezogen war. Er weigerte sich, wieder zu gehen. Er sagte, er könne mir nicht vertrauen und wolle sicher sein, dass ich ihn nicht verlasse. Er gab seinen Job auf. Er meinte, er hätte zu große Angst, ich könnte weggehen, wenn er nicht da sei. Er wollte, dass ich das Studium abbrach. Er sprach davon, wir sollten beide zusammen fortgehen, doch inzwischen . . ."

„Gab es denn niemanden, den du um Hilfe bitten konntest?" erkundigte Bram sich freundlich, doch innerlich war er völlig entsetzt. Er hatte schon vermutete, dass jemand ihr in der Vergangenheit etwas Schlimmes angetan hatte, allerdings hatte er sich eher eine unglückliche Liebe vorgestellt oder eine Affäre mit einem verheirateten Mann. Nie im Traum wäre ihm eingefallen, dass sie einen solchen Albtraum hatte durchleben müssen.

„Es spielte keine Rolle mehr, was ich tat, wie sehr ich versuchte, ihn zu besänftigen . . ." fuhr Taylor leise fort. „Es wurde immer schlimmer. Je mehr ich ihm zugestand, desto mehr forderte er. Später unterzog ich mich einer Therapie, und da erfuhr ich dann, dass eine solche Besessenheit tatsächlich eine Krankheit ist. Damals fingen meine Leistungen im Studium an nachzulassen, ich hatte schreckliche Angst davor, von der Hochschule verwiesen zu werden. Mir war klar, wie meine Eltern darauf reagieren würden. Sie wussten nicht einmal, dass ich immer noch mit Dennis zusammen war. Ich hatte nicht gewagt, es ihnen zu erzählen."

„Doch als sie dich besucht haben, sahen sie ihn doch bestimmt und erkannten, dass . . ."

„Sie besuchten mich nicht." Taylor schüttelte den Kopf. „Mein Vater war sehr beschäftigt mit seiner Karriere, und kurz bevor ich mit dem Studium begann, waren sie aus unserem Haus in der Nähe von Oxford in eine Londoner Wohnung gezogen. Außerdem fingen zu der Zeit bereits ihre Probleme mit meiner Schwester an."

Bram wich ihrem Blick aus, sie sollte nicht sehen, wie aufgebracht er war. Was mussten das nur für Menschen gewesen sein, dass sie nichts gewusst, nichts geahnt hatten, ja, dass es ihnen wahrscheinlich sogar gleichgültig gewesen war?

„Die Lage spitzte sich immer weiter zu. Dennis fing an, mir vorzuwerfen, ich würde mich mit anderen Männern treffen." Taylor lachte verbittert auf. „Bestimmt wusste er, dass das gar nicht wahr war. Jedenfalls bestand er fortan darauf, mich zu den Vorlesungen zu begleiten und draußen vor der Hörsaaltür auf mich zu warten. Ich konnte keinen einzigen Schritt mehr ohne ihn tun. Er . . . kaufte sogar Handschellen, ich weiß nicht, wo . . ." Sie erschauerte, und in ihren Augen spiegelten sich Scham und Angst wider, als sie Bram hilflos ansah. „Er sagte . . . Er befestigte sie an der Wand hinter dem Bett, wo man sie zwar nicht sehen konnte, aber . . ." Sie senkte den Kopf und konnte einen Moment lang nicht weitersprechen.

„Das hat er dir wirklich angetan?“ Bram konnte seine Abscheu nicht mehr verbergen.

„Er drohte damit, aber er hat nie . . . doch. Einmal, und das war . . .“ Sie schluckte. „Ich hasste ihn inzwischen, aber ich hatte auch panische Angst vor ihm. Mein Therapeut meinte später, das sei gleichbedeutend mit Freiheitsberaubung und Vergewaltigung gewesen. Doch wie sollte das möglich sein, da wir doch ohnehin schon zusammenlebten; auch war er schon lange mein Geliebter, selbst wenn ich das mittlerweile nicht mehr wollte . . . Eine Vergewaltigung jedenfalls ist nicht etwas, das einem nur von einem Fremden angetan werden kann“, fügte sie gequält hinzu. „Ich fühlte mich so schuldig, so beschmutzt. Ich wollte so verzweifelt einen Schluss strich ziehen, doch gleichzeitig hatte ich solche Angst vor ihm. Manchmal, wenn er behauptete, er würde Selbstmord begehen, wenn ich ihn verließe, ging ich absichtlich aus der Wohnung, weil ich hoffte, er würde es endlich tun“, gestand sie flüsternd. „Mein Tutor war nicht zufrieden mit meinen Leistungen. Eines Nachmittags behielt er mich nach der Vorlesung da, um mit mir darüber zu reden. Dennis wartete wie immer draußen. Er war ja generell sehr misstrauisch, und als ich nicht zur gewohnten Zeit aus dem Hörsaal kam, da . . . kam er herein. Ich weinte gerade, und mein Tutor . . . Dennis dachte . . . Er griff ihn an, und dieses Mal ging die Sache noch übler aus als beim ersten Mal. Die Polizei musste eingreifen. Und meine Eltern . . . Mein Vater verbot Dennis jeden Kontakt mit mir. Ich gab meine kleine Wohnung auf und zog in eine Wohngemeinschaft mit vier anderen Mädchen. Meine Eltern erwirkten eine gerichtliche Verfügung, durch die es Dennis untersagt war, sich mir je noch einmal zu nähern. Ich sah ihn nicht mehr, aber ich wusste, dass er da war. Ich konnte förmlich spüren, wie er mich beobachtete. Nach der Schule war er zum Militär gegangen, aber man hatte ihn dort sehr bald wieder entlassen. Offenbar hatte er schon von je her zusätzlich zu seiner Besitz ergreifenden Art einen Hang zu Gewalttätigkeit gehabt. Er hatte seinen Vater nie kennen gelernt, und seine Mutter wurde nicht mit ihm fertig. Als sie sich wieder verheiratete, wurde beschlossen, ihn in ein Heim zu geben. Es war also nicht alles allein seine Schuld. Ich . . . Nun, eines Nachts brach er in unsere Wohnung ein. Er sperrte die anderen Mädchen in ein Zimmer und teilte mir mit, dass er mit mir fortgehen würde, irgendwohin, wo uns niemand finden könnte. Er sagte, er würde jeden umbringen, der es wagte, sich zwischen uns zu stellen. Er sagte, das alles sei die Schuld meiner Eltern, sie hätten ihn nie gemocht und mich gegen ihn aufgehetzt. Ich wollte nicht mit ihm gehen, aber er stieß alle möglichen Drohungen aus, nicht nur gegen meine Eltern, sondern auch gegen die anderen Mädchen." Taylor war erneut blass geworden, und ihr Blick wirkte gehetzt. „Er schob mich in mein Zimmer. Er hatte alles zerstört darin, meine Sachen, meine Möbel, meine Studiumsunterlagen. Es war . . . grauenvoll. Er sagte, wenn ich mich weigerte, mit ihm zu gehen oder wegzulaufen versuchte, dann würde er mich so lange verfolgen, bis er mich gefunden hätte. Ich fragte ihn, warum er das tat, was er sich davon versprach . . ." Sie sah Bram an. „Er antwortete, dass er das täte, weil er mich liebte. Es war geradezu obszön, denn das war alles andere als Liebe . . ." Sie schloss die Augen und atmete tief durch. „Also ging ich mit ihm. Er hatte ein altes, verrostetes Auto. Er sagte, er hätte Handschellen im Wagen. Er . . . Ich . . . Ich flehte ihn an, mich nicht anzufassen, doch er hörte nicht auf mich. Ich hatte solche Angst, mir war so übel wegen dem, was er tat, was er war. Er sagte, er wollte ein Kind von mir. Wieder und wieder sagte er das, alles, was er wollte, wäre ein Leben mit mir und unserem Kind. Inzwischen war es dunkel geworden. Wer weiß, was geschehen wäre, wenn nicht völlig überraschend der Bruder eines der Mädchen, mit denen ich zusammenwohnte, in der Wohnung aufgetaucht wäre. Er verständigte sofort die Polizei, Straßensperren wurden errichtet. Später fand ich heraus, dass Dennis tatsächlich im Viertel immer nur im Kreis gefahren war. Meine Eltern erhoben Anklage wegen Entführung. Dennis wurde verhaftet, auf Kaution aber vorerst wieder freigelassen. Und in der Zeit tötete er dann meine Eltern. Sie waren wieder nach Oxford gezogen, und er manipulierte an ihrem Wagen herum. Die Polizei fand hinterher den Beweis dafür. Es war ein Unfall . . . die Bremsen . . . Meine Eltern waren beide auf der Stelle tot. Zum Glück kamen wenigstens nicht noch andere Menschen dadurch zu Schaden. Man schlug mir vor, mir eine neue Identität zu geben, damit ich in Sicherheit wäre, falls er eines Tages aus dem Gefängnis entlassen werden würde. Da . . . da war ein Mädchen in Oxford, das am selben Tag starb wie meine Eltern. Eine Drogentote. Also beschloss die Polizei, mich bei dem Unfall mit meinen Eltern zusammen ‚sterben' zu lassen, und dann sollte ich unter dem Namen des anderen Mädchens weiterleben. Sie hatte keine Angehörigen." Taylor schüttelte sich. „In gewisser Hinsicht war das mit das Schlimmste. Ich fühlte mich, als wäre ich in ihre noch warmen Kleider geschlüpft. Ich kam mir fast vor wie . . . ein Dieb, so als sei ich irgendwie an ihrem Tod genauso schuldig wie am Tod meiner Eltern. Die Polizei benachrichtigte meine Schwester von dem Vorfall. Sie war damals noch in Australien und schwanger mit Fate. Sie wollte sofort nach Hause zurückkehren, um bei mir sein zu können, doch da sagte ich ihr, dass wir uns niemals wieder sehen dürften. Ich wollte nicht das Risiko eingehen, dass ihr womöglich eines Tages ebenfalls etwas zustieß. Denn ganz gleich, was die Polizei auch sagt – eines Tages wird er wieder frei sein, und dann . . ." Taylor schlang die Arme um sich. „Dann wird er mich umbringen, uns beide, uns alle, wenn er erfährt, dass ich obendrein noch ein Kind von dir habe."

Bram hatte sie aufmerksam beobachtet, während sie gesprochen hatte. Und auch wenn das, was sie sagte, völlig an den Haaren herbeigezogen schien, die Angst war für sie etwas absolut Reales. Das war ihm jetzt klar. Und nun konnte er auch ihre Reaktion verstehen, als damals bei ihr eingebrochen worden war. Ohne Zweifel hatte sie, wenn auch gegen jegliche Logik, geglaubt, er hätte sie gefunden. „Taylor, Taylor. Ich verstehe ja, warum du dich so fürchtest." Bram zog sie wieder an sich. „Aber, Liebling, im Grunde gibt es nichts zu befürchten. Er ist im Gefängnis, wie du weißt, und dort wird er wohl auch noch sehr lange Zeit sitzen. Doch selbst wenn er eines Tages freigelassen wird und dich sucht – was kann er schon groß finden? Offiziell bist du tot, nicht wahr?"

„Schon . . ." Taylor zögerte. „Trotzdem kann er mich finden. Das weiß ich. Er kann die Wahrheit herausfinden. Jay ist es auch gelungen."

„Nein", widersprach Bram kopfschüttelnd. „Jay glaubt vielleicht, etwas herausgefunden zu haben, was dich in Misskredit bringen könnte, doch die Wahrheit kann er nicht erfahren haben." Wahrscheinlich vermutete Jay, genauso wie er selbst zu Beginn der Geschichte, dass Fate Taylors Tochter war. Brams Blick wurde hart. In Taylors Bericht waren ihm nur zu mühelos gewisse Parallelen zu Jays aggressiver, Besitz ergreifender Art aufgefallen. Kein Wunder, dass sie solche Angst vor Jays Einfluss hatte. Und nun musste Bram nicht nur an Taylor denken, sondern auch an ihr gemeinsames Kind. Sicher würde Jay nicht versuchen, dem Baby körperlich ein Leid zuzufügen, aber gefühlsmäßig . . . Die unbeschreibliche Rücksichtslosigkeit auf die Gefühle anderer und die Grausamkeit, die Jay gezeigt hatte, als er Taylor mit Fate konfrontiert hatte, schockierte Bram zutiefst. Es war schwer, wenn nicht gar unmöglich, jemanden weiter zu lieben, der ein solches Benehmen an den Tag legen konnte. Das galt auch für ein eigenes Kind. Jay war erwachsen und lebte sein eigenes Leben, und ganz offensichtlich galten für ihn auch eigene Regeln im Umgang mit anderen Menschen. Bram schuldete es jetzt Taylor und ihrem Kind, dass er ihnen den Vorzug gab und dass er sie vor Jays Böswilligkeit beschützte. Er schuldete es ihnen – und sich selbst auch. Als er Taylor im Arm hielt und über alle diese Dinge nachdachte, fasste er einen Entschluss.

„Was ist? Worüber denkst du nach?“ fragte Taylor, als sie seinen Gesichtsausdruck wahrnahm.

„Darüber, wie wenig schmeichelhaft es ist, dass du offenbar so wenig Vertrauen in meine Fähigkeit hast, dich und unser Kind zu beschützen“, gestand er bedrückt. „Dabei werde ich auf euch aufpassen, Taylor, das verspreche ich dir.“

„Ich mache mir viel mehr Sorgen um *deine* Sicherheit“, gab Taylor zu bedenken.

„Du hast jedes Recht, mich zu lieben, und ich habe ebenfalls jedes Recht, deine Liebe zu erwidern. Weise meine Liebe und meinen Schutz nicht zurück, Taylor.“

Sie sah ihn an. Was sollte sie bloß tun? Wenn sie sich wenigstens nur um sich selbst zu sorgen gebraucht hätte, aber das war nicht mehr der Fall . . . „Du kannst mich nicht heiraten“, wiederholte sie, doch Bram spürte, dass sie allmählich schwach wurde. „Jay würde außer sich sein und . . .“

„Jay muss sich um sein eigenes Leben kümmern“, unterbrach er sie. „Und ich werde ihm unmissverständlich klarmachen, dass sein Leben von nun an streng getrennt von unserem zu verlaufen hat." Taylor starrte ihn an, sie war überrascht von der ungewohnten Härte in seiner Stimme. „Ich habe eine Entscheidung gefällt. Eine der Hauptängste von Jay ist, die Firma zu verlieren. Ich habe daher beschlossen, zurückzutreten und sie ihm ganz zu überlassen." Er sah Taylors Gesichtsausdruck und küsste sie zärtlich auf den Mund. „Schau mich nicht so an. Das ist kein Opfer. Ich habe schon mehr Geld verdient, als ich wahrscheinlich je ausgeben kann. Ich habe kein Interesse daran, die Firma zu expandieren und noch mehr Geld zu verdienen. Jetzt zählt für mich mehr meine andere Arbeit, *unsere* Arbeit. Ich möchte der Gesellschaft etwas geben, anstatt dauernd nur zu nehmen. Darauf will ich mich von nun an konzentrieren. Ich habe nie besonders gern in London gewohnt, ich ziehe das Land vor. Mein Traum wäre ein hübsches, großzügiges Landhaus mit einem großen Grundstück, einem Fluss zum Angeln, ein paar Pferde – und das alles mit dir an meiner Seite und mit unseren Kindern . . ." Er musste lachen über Taylors Miene. „Dieses Programm, an dem wir gerade arbeiten, ist nur der Anfang von dem, was ich gern tun möchte. Und es ist etwas, das wir gemeinsam tun können. Das ist meine Idealvorstellung davon, wie zwei Menschen zusammen leben sollten. Jay wird das haben, was er immer schon gewollt hat, nämlich vollständige Kontrolle über die Firma. Und ich werde dich und unsere Kinder haben."

Taylor betrachtete ihn unsicher. Er klang so zuversichtlich, so glücklich. Nur zu gern hätte sie ihm geglaubt. Bei ihm hörte sich alles so leicht und unkompliziert an . . . „Jay will nicht nur die Firma, er will dich genauso", wandte sie ein.

„Nein, Jay will nicht mich", korrigierte er sie sanft. „Jay will generell alles und jeden in seiner Umgebung beherrschen. Sobald ich nicht mehr Teil seines Lebens bin . . ."

„Wird er mir das zum Vorwurf machen", flüsterte Taylor. „Und dann wird er . . ."

„Hab Vertrauen zu mir", drängte Bram. „Ich verspreche dir, du brauchst vor nichts und niemandem Angst zu haben. Nicht vor Jay, und auch nicht vor diesem anderen Mann. Vor niemandem", wiederholte er energisch. Er wusste, dass es stimmte, was er sagte, dennoch fand er, dass es vielleicht nicht schaden konnte, sich einmal mit einem hochrangigen

Polizeibeamten zu unterhalten, den er kannte. Nur, um Taylor endgültig beruhigen zu können ... „Im Moment gibt es nur eins, worüber du dir den Kopf zerbrechen musst", teilte er ihr mit und nahm ihr Gesicht zwischen seine Hände, um sie zu küssen.

„Und das wäre?" murmelte sie. Sie gestand sich ein, dass es keinen Sinn mehr hatte, sich zu sträuben. Denn tief im Innern wusste sie, was sie wollte, wonach sie sich sehnte. Und das war ein gemeinsames Leben mit ihm.

„Wie rasch kannst du ein geeignetes Kleid für die Hochzeit auftreiben? Ich habe nämlich keine Lust, noch länger auf diesen Tag zu warten!"

„Nun, dann ersparen wir uns wenigstens die Mühe einer aufwendigen Gästeliste." Taylor lachte, aber Bram entging der Kummer in ihren Augen nicht.

„Nein, da werden nur wir beide und unsere Trauzeugen sein", stimmte er zu. Insgeheim jedoch plante er bereits, sich mit ihrer Schwester in Verbindung zu setzen. Offenbar waren sie und Taylor über die Jahre hinweg in Verbindung geblieben, und er ahnte, dass Taylor sie gern bei ihrer Hochzeit sehen würde, auch wenn sie das nicht zugeben wollte. „Hör auf, dir Sorgen zu machen", bat er sie. „Alles wird gut werden. Kümmere du dich jetzt darum, dass es dir gut geht. Alles andere überlass mir."

21. KAPITEL

„Denk dran, der Arzt sagte, du sollst tüchtig essen!" Bram beugte sich über den Tisch, um Taylor einen Kuss zu geben. „Ich habe einen Termin mit dem Vikar, und außerdem habe ich mich mit einem Maklerbüro in Verbindung gesetzt. Ich habe denen genau beschrieben, was wir suchen; es dürfte nicht allzu schwierig sein, etwas Passendes zu finden."

„Bram, bist du dir wirklich sicher, dass du das Richtige tust?"

„Ganz sicher", bekräftigte er. Als er Taylors schmales Gesicht betrachtete, war er froh, dass er seinen alten Bekannten bei der Londoner Polizei angerufen hatte.

Dieser hatte sich schweigend angehört, was Bram ihm zu sagen hatte, und daraufhin gemeint: „Zwei Mal lebenslänglich . . . nun ja. Selbst wenn man das Maximum an Jahren abzieht, die man ihm vielleicht schenken wird, bleibt er dennoch mindestens zwanzig Jahre im Gefängnis. Zählt man die Verurteilung wegen versuchter Entführung und Vergewaltigung hinzu . . . und die Tatsache, dass das Opfer inzwischen eine völlig neue Identität angenommen hat . . . Nein. Ich glaube nicht, dass er auch nur im entferntesten Gelegenheit hat, euch Schwierigkeiten zu machen. Natürlich sind solche Leute äußerst gefährlich, gerade weil sie krank sind. Gib mir doch mal seinen Namen, dann höre ich mich ein wenig um. Ich meine, nur damit ihr restlos beruhigt seid."

Das Gespräch bestätigte nur, was Bram ohnehin schon vermutet hatte, aber vielleicht bewirkte das Angebot seines Bekannten, dass auch Taylor endlich zur Ruhe kam.

„Da keiner von uns beiden schon mal verheiratet war, gibt es keinen Grund, weshalb wir beide nicht kirchlich getraut werden könnten", teilte Bram Taylor mit.

„Eine kirchliche Trauung?“ Sie sah ihn unsicher an. „Ich weiß nicht, Bram . . .“

„Möchtest du es nicht?“

Sie nickte. „Doch, aber . . .“

„Kein Aber.“

„Jay wird nicht damit einverstanden sein“, begehrte sie auf. „Er . . .“

„Überlass Jay ruhig mir“, gab er zurück. „Was wir mit unserem Leben anfangen, ist allein unsere Sache, nicht seine.“ Er schüttelte den Kopf, als er ihren Gesichtsausdruck bemerkte, und berührte ihren Mund zärtlich mit den Fingerspitzen. „Nein, vergeude nicht dein Mitgefühl für ihn, Taylor. Wenn es nach ihm gegangen wäre, hätte er ohne Skrupel unsere Beziehung zerstört, und das ist etwas, was ich ihm niemals verzeihen kann.“

„Liebst du ihn noch?“

Brams Miene verdüsterte sich. „Nein, ich glaube nicht. Der Himmel möge mir verzeihen, wenn ich das so sage, aber . . . nein. Ich glaube nicht.“

„Verstoße ihn nicht gänzlich, Bram. Es wäre zu hart für ihn, und . . .“

Er nahm Taylors Hände in seine. „Er verdient dein Mitleid nicht, Taylor. Dieses Mal ist er zu weit gegangen. Ich werde nachher die Anwälte der Firma anrufen und sie bitten, die Papiere für die vollständige Übergabe fertig zu machen. Es ist das Beste so“, beschwor er sie sanft. „Er würde die Angelegenheit sonst nicht auf sich beruhen lassen. Das wissen wir beide.“

Taylor nickte unglücklich. „Ich möchte nur wissen, was er Fate erzählt hat. Sie kann die Wahrheit einfach nicht kennen! Ich fürchte, dass er versucht hat, ihr meinetwegen wehzutun, Bram. Sie ist noch so jung, und sie ist . . .“ Sie biss sich erneut auf die Unterlippe. „Wenn er glaubt, dass sie meine Tochter ist . . .“

„Ich werde mit ihm reden“, versprach Bram. Jay hatte eindeutig das Mädchen benutzt, um Taylor zu schaden. Fates Foto hatte ihm wohl die nötigen Anhaltspunkte geliefert. Aber wie war es ihm gelungen, Fate ausfindig zu machen? Es gab für Bram nur einen Weg, das in Erfahrung zu bringen.

„Jay, hast du einen Moment Zeit?“

Jay entließ seine Sekretärin und folgte seinem Vater in

dessen Büro. Dort lehnte er sich lässig gegen die Wand, steckte die Hände in die Hosentaschen und beobachtete Bram, während der die Tür schloss und sich zu ihm umdrehte. Allem Anschein nach hatte sein Vater in der letzten Nacht nicht besonders gut geschlafen. Nun, da ist er nicht der Einzige, dachte Jay grimmig. Was ihn jedoch noch mehr ärgerte als seine Schlaflosigkeit war, dass er eine ganze Reihe höchst beunruhigender Träume von Fate gehabt hatte, nachdem ihm irgendwann doch einmal die Augen zugefallen waren. Zum Glück erinnerte er sich nicht mehr an Details. Und zum Glück hatte er der Versuchung widerstanden, nach dem Telefon zu greifen und Fates Nummer zu wählen. Was hätte er ihr auch sagen sollen? Dass sein ganzer Körper schmerzte vor Verlangen nach ihr? Was sollte es, das würde auch wieder vergehen, und im Moment gab es Wichtigeres, womit er sich befassen musste.

Bram hatte sich hinter seinen Schreibtisch gestellt. Er wirkte sehr imposant, und Jay musste ein Lächeln unterdrücken. So hatte sein Vater ein, zwei Male während Jays Kindheit ausgesehen, wenn er es für nötig befunden hatte, einmal ein ernstes Wort mit seinem Sohn über dessen Benehmen zu reden. Bram konnte sehr klug mit Worten umgehen, doch obwohl Jay stets verstanden hatte, dass sein Vater an sein besseres Ich appellieren wollte, hatte ihn das immer ungerührt gelassen. Er hatte nie das schlechte Gewissen bekommen, das Bram wohl von ihm erwartet hatte.

So auch jetzt nicht. Sicher hatte Bram dem Grund für Taylors dramatische Ohnmacht nachgeforscht, und mit etwas Glück ersparte sie ihm, Jay, nun die Mühe, sie zu entlarven, weil sie es in ihrer Panik schon längst selbst getan hatte. Zweifelsohne wollte Bram jetzt mit ihm sprechen, um von ihm die Bestätigung dessen zu erhalten, was sie ihm gesagt hatte. Und wenn nicht . . . auch gut. Er konnte schließlich nichts dafür, dass Taylor seinen Vater angelogen und ihm die Existenz ihrer Tochter verschwiegen hatte.

„Ich möchte dir zweierlei mitteilen, Jay", begann Bram ruhig. „Und beides wird anschließend nicht zur Diskussion stehen. Das Erste – Taylor und ich werden heiraten. Und wir erwarten ein Kind. Das Zweite- ich trete als Leiter der Firma zurück und überlasse sie dir. Taylor und ich wollen so schnell wie möglich aus London wegziehen, und ich halte es für das

Beste, wenn sich unsere Wege von nun an trennen und sich nur noch selten, wenn überhaupt kreuzen."

Jay starrte seinen Vater fassungslos an. Er lehnte nun nicht mehr lässig und zuversichtlich an der Wand; und er lächelte auch nicht mehr. „Wenn das ein Scherz sein soll ...", meinte er drohend.

Bram hielt seinem Blick ungerührt stand. „Wie du siehst, lache ich nicht, Jay. Und ebenso wenig habe ich gestern Abend gelacht, als du durch dein Benehmen Taylors Ohnmacht ausgelöst hast."

„Ich?" verteidigte Jay sich aufgebracht. „Ich war nicht derjenige, der die Existenz eines unehelichen Kindes geheim gehalten hat!"

„Taylor ebenfalls nicht", erwiderte Bram kalt. „Du befindest dich damit völlig auf dem Holzweg. Fate ist nicht Taylors Tochter, und dein Verdacht ..."

„Sie hat dir das gesagt, und du hast ihr natürlich geglaubt!" schnaubte Jay. „Du warst schon immer viel zu gutgläubig!"

„Mag sein. Doch ausgerechnet du solltest mir das nicht als Charakterfehler ankreiden; du hast schließlich in der Vergangenheit am meisten von diesem Zug profitiert. In diesem Fall jedoch ..."

„Gut, dann erzähl mir – wie hat sie dir denn Fates Existenz erklärt und diese Lügen, sie sei ihre Patentante?"

„Taylors Vergangenheit geht dich nichts an", teilte Bram ihm entschieden mit. „Ich habe nicht die Absicht, mit dir darüber oder über deine fatalen Falschinterpretationen zu diskutieren." Seine Augen wurden plötzlich schmal. „Ich hoffe, du hast Fate nichts von deiner Vermutung erzählt?"

„Sie hat darauf bestanden, es zu erfahren", gab Jay gereizt zurück. „Liebe Güte!" brauste er auf, als er Brams Miene wahrnahm. „Sie ist doch kein Kind mehr!"

„Das wohl nicht", stimmte Bram ruhig zu. „Aber es muss ein schwerer Schock für sie gewesen sein zu erfahren, dass eine ihr völlig fremde Frau ihre leibliche Mutter sein soll. Wo ist Fate jetzt, Jay?" Bram hatte die leise Hoffnung gehabt, Jay hätte wenigstens in Bezug auf Fate ein wenig Mitgefühl gezeigt, doch dies erwies sich als Illusion, denn Jay zuckte nur ungerührt mit den Schultern.

„Ich weiß es nicht, und es ist mir auch egal."

„Du hast sie absichtlich benutzt, um Taylor zu verletzen, nicht wahr?“ warf Bram ihm still vor.

„Sie ist erwachsen. Wenn sie geglaubt hat . . .“

„Wie hast du sie ausfindig gemacht, Jay?“ fiel Bram ihm ins Wort. Jays gefühllose Reaktion verursachte ihm Übelkeit.

„Gar nicht. Sie war diejenige, die mich angesprochen hat.“ Jay grinste, als sein Vater die Stirn runzelte. Er hatte nicht die Absicht, ihm zu berichten, wie er Fate kennen gelernt hatte. Sollte Bram doch denken, dass Fate ebenso argwöhnisch war wie er, was Taylors Vergangenheit betraf. Er spürte, wie eine ohnmächtige Wut in ihm aufstieg. Der Gedanke, Taylor könnte bereits von seinem Vater schwanger sein und dies als Druckmittel benutzen, dass Bram sie heiratete, war ihm nie gekommen. Aus irgendeinem Grund hatte er Taylor nicht für eine Frau gehalten, die ein solches Risiko auf sich nehmen würde. Dazu war sie viel zu vorsichtig. Aber offenbar hatte er sie unterschätzt, und nun musste er für diesen Fehler bezahlen. Doch noch war das Spiel nicht zu Ende, ein paar Karten hatte er noch im Ärmel. „Taylor ist also schwanger“, bemerkte er kalt lächelnd. „Es tut mir ja Leid, deinen strahlenden Optimismus dämpfen zu müssen, aber bist du sicher, dass das Kind von dir ist? Du bist ein extrem wohlhabender Mann, und . . .“

Einen Moment lang dachte er ernsthaft, Bram würde ihn schlagen. Doch kaum hatte sein Vater die Faust erhoben, ließ er sie auch schon wieder sinken. Auf einmal wirkte er viel älter als er war, und Jay nahm insgeheim triumphierend wahr, dass in seinen Augen Tränen standen. Aber dann sah Bram ihn an, und statt Kummer spiegelte sich nur eisige Kälte in seinem Blick wider. „Eigentlich verdient deine Frage gar keine Antwort, ich will sie dir aber dennoch geben. Lass mich dir nur eins sagen – es wäre für mich wesentlich nahe liegender, Zweifel daran zu hegen, ob ich dein Vater bin. Bei dem Kind, das Taylor erwartet, bin ich mir jedenfalls ganz sicher.“

Jay starrte ihn an. Ein undefinierbares, Schwindel erregendes Gefühl machte sich in ihm breit, kroch wie ein Nebel in die letzten Winkel seiner Seele und ließ alles, was ihm vorher vertraut gewesen war, auf einmal fremd, abweisend und gefährlich aussehen. Er öffnete den Mund, brachte aber kein Wort heraus. Er nahm wahr, dass Bram an ihm vorbeiging und die Bürotür öffnete, und er merkte ebenfalls, dass er selbst die Hand hob, um ihn zurückzuhalten. Aber Bram ignorierte ihn. Ohne ihn noch einmal anzusehen, ging er nach draußen und zog die Tür hinter sich ins Schloss.

Fates Hände zitterten, als sie den Wagen ihrer Mutter rückwärts aus der Einfahrt fuhr. Sie war sich immer noch nicht darüber im Klaren, ob sie das Richtige tat – oder warum sie es überhaupt tat. Ein Straßenkehrer auf der anderen Straßenseite sah sie lächelnd an, und sie lächelte geistesabwesend zurück. Vielleicht wäre es anders gekommen, wenn ihre Eltern zu Hause gewesen wären. Dann hätte sie . . .

Sie warf einen Blick auf den Beifahrersitz und überprüfte die Adresse, die sie sich auf einem Zettel notiert hatte, obwohl sie sie inzwischen auswendig kannte. Sie musste an die Lüge denken, die sie Jays Sekretärin aufgetischt hatte, um an die Adresse heranzukommen. Die Frau hatte sie ihr ohne weiteres gegeben. Normalerweise war Fate eine gute, sichere Fahrerin, doch als sie schließlich an ihrem Ziel ankam, krampften sich ihre Finger so fest um das Lenkrad, dass die Knöchel weiß hervortraten, und auf ihren blassen Wangen zeichneten sich hektische rote Flecken ab.

Das Haus an sich war eine Überraschung für sie, so hatte sie es sich nicht vorgestellt. Es war sehr hübsch, wirkte fast wie ein Landhaus und vermittelte irgendwie den Eindruck eines – anheimelnden Zuhauses. Fate stellte den Motor ab und wartete eine Weile, bis ihre Übelkeit und Nervosität etwas nachgelassen hatten.

Sie hatte sich sehr sorgfältig angezogen. Auf der Suche nach etwas, das dem Anlass am besten gerecht wurde, hatte sie ihren ganzen Kleiderschrank ausgeräumt. Schließlich war ihre Wahl auf das schlichte, durchgeknöpfte Kleid aus kupferbraunem Leinen gefallen, das ihre Mutter ihr im letzten Jahr in Italien gekauft hatte. Die Farbe stand ihr, und es verlieh ihr eine Aura selbstbewusster Weiblichkeit. Nach dem Regen der letzten Nacht schien heute die Sonne; Fate spürte ihre wärmenden Strahlen auf den bloßen Beinen, als sie ganz langsam auf die Haustür zuging.

Sie kämpfte gegen den Impuls an, einfach kehrtzumachen

und wegzulaufen, und läutete. Während sie wartete, wurde ihr abwechselnd heiß und kalt. Dann ging die Tür auf, und Fate betrachtete die andere Frau nur wortlos.

„Fate!“ begrüßte Taylor sie warmherzig. „Wie schön, ich hatte gehofft, du würdest kommen. Ich habe bei dir angerufen, aber es meldete sich niemand. Komm herein. Bist du allein, oder . . .?“

„Meine Eltern sind nicht da. Sie . . . sie wissen nicht, dass ich hier bin.“ Ihre eigene Stimme kam ihr mit einem Mal ganz fremd vor. Und war das wirklich sie, die dieser Frau ins Haus folgte, die ihr absolut fremd war, die aber von ihren Eltern sprach, als ob . . .?

„Setz dich“, forderte Taylor sie auf. „Möchtest du etwas trinken? Kaffee, Tee, etwas Kaltes?“

Fate schüttelte den Kopf. Zu ihrem Entsetzen spürte sie, wie ihr die Tränen in die Augen stiegen. Sie wandte hastig das Gesicht zur Seite, um sich nichts anmerken zu lassen, aber es war schon zu spät.

Taylor eilte zu ihr und nahm sie in die Arme. „Es ist ja gut, alles ist gut“, tröstete sie und wiegte Fate sacht hin und her. „Ich schwöre dir, Fate, alles ist gut.“ Sie ließ sie los, trat einen Schritt zurück und sah ihr lächelnd in die Augen. „Ich denke, ich weiß, was geschehen ist, was Jay dir erzählt hat. Aber er irrt sich gründlich. Ich bin nicht deine Mutter, Fate . . . Ich bin deine Tante.“

„Meine Tante!“ echote Fate verblüfft. „Aber das ist doch . . . ich verstehe das nicht!“

„Ich werde es dir gleich erklären“, versicherte Taylor. „Aber zunächst – was hättest du gern zu trinken?“

„Oh, einen Kaffee, bitte!“ Taylor war nicht ihre Mutter! Fate war fast schwindelig vor Erleichterung. Ihre Eltern hatten sie also nicht getäuscht und belogen. Sie war wirklich ihr Kind – und Taylors Nichte . . .

„Es tut mir so Leid“, begann Taylor, als sie mit zwei gefüllten Kaffeetassen zurückkam. „Ich kann mir vorstellen, was das für ein Schock für dich gewesen sein muss. Setz dich, und dann werde ich dir alles erzählen.“ Während sie sprach, hörte Fate schweigend zu, nur ab und zu entfuhr ihr ein entsetzter Laut der Anteilnahme. „Deine Mutter wollte dir nie meine Existenz verheimlichen“, sagte Taylor, „doch ich bestand darauf. Ich hatte einfach zu große Angst. Es ist schwer, diese Art von Angst zu beschreiben, wahrscheinlich muss man sie erst selbst einmal am eigenen Leib erlebt haben, um sie nachvollziehen zu können. Es tut mir Leid, dass du durch das Ganze jetzt so verletzt und erschreckt worden bist. Das habe ich nie gewollt. Ich wäre nie auf die Idee gekommen, dass Jay dich aufspüren könnte und ..."

„Das hat er auch nicht. Er sah mich im Foyer der Firma. Ich hatte einen Termin mit der PR-Abteilung und wartete. Er erkannte mich von dem Foto, das du von mir hast", erklärte Fate still.

„Ja." In Taylors Augen trat ein schmerzerfüllter Ausdruck. „Deine Mutter und ich sind immer in Verbindung geblieben. Wir schrieben uns postlagernd und telefonierten ab und zu. Vor ein paar Jahren hat sie mir das Foto zum Geburtstag geschenkt. Sie hoffte wohl, ich würde meinen Entschluss ändern. Sie versuchte, mir zu zeigen, was mir alles entging. Und die Versuchung war gewaltig. Vielleicht hätte ich ihr nachgeben sollen ..." Sie sah Fate ernst an. „Lass nicht zu, dass Jay dir wehtut, Fate. Er ..."

„Er hat mich nur benutzt", ergänzte Fate ihren Satz spröde. „Ja, ich weiß. Er kann den Gedanken nicht ertragen, dass du mit Bram zusammen bist."

„Das ist richtig", stimmte Taylor bedrückt zu. „Bram hält es für das Beste, wenn er und Jay künftig getrennte Wege gehen. Er möchte, dass wir bald heiraten ... ich bekomme nämlich ein Kind. Außerdem will er Jay die Firma überschreiben. Er hofft, dass damit Jays Machthunger gestillt ist. Gleichzeitig hat Bram dadurch dann mehr Zeit, sich diesem Wohltätigkeitsprojekt zu widmen, mit dem er sich beschäftigt."

„Das klingt nach einer idealen Lösung", fand Fate, doch als ihre und Taylors Blicke sich trafen, wussten beide Frauen, was die andere dachte. „Hat Bram das Jay schon gesagt?" erkundigte Fate sich schließlich.

„Ich weiß es nicht genau. Er wollte es ihm heute Morgen mitteilen. Ich rede mir immer wieder ein, dass Jay kein Kind mehr ist. Und dann denke ich stets daran, wie oft er Bram im Laufe der Jahre wehgetan hat. Und doch ... ich kann nicht anders. Ich stelle mir wieder und wieder vor, wie es mir ginge, wenn Jay mein Sohn wäre, wie sehr ich darunter leiden würde, dass ..."

„Dass Bram ihm den Rücken zugekehrt hat“, vollendete Fate ihren Satz.

„Bram ist besorgt, dass Jay eventuell ... Ich meine, jetzt dürfen wir nicht mehr nur an uns beide denken, nun muss unsere Sorge auch dem Baby gelten.“ Taylor merkte, wie Fate sie entsetzt ansah, und lächelte traurig. „Nein, nein, damit meine ich nicht, dass Jay uns körperlich ein Leid zufügen würde. Aber es gibt noch andere Möglichkeiten, die weitaus weher tun und wirkungsvoller sind, wie Jay aus eigener Erfahrung weiß. Seine Großeltern, vor allem sein Großvater, waren unsagbar grausam zu ihm, als er noch ein Kind war. Sie sagten ihm immer wieder, dass er weder gewollt noch geliebt sei, dass er das Leben seiner Mutter ruiniert hätte. Bram gab sich alle erdenkliche Mühe, ihm zu beweisen, dass er sehr wohl geliebt wurde, und dass sein Großvater ihn schlichtweg angelogen hatte, aber ...“

„Armer, kleiner Junge“, entfuhr es Fate spontan mitleidig.

„Ja, armer, kleiner Junge“, stimmte Taylor zu. „Aber heute ist er kein kleiner Junge mehr.“

Sie unterhielten sich noch eine gute Stunde miteinander; manchmal lachten sie, manchmal ließen sie sich von ihren Gefühlen überwältigen und weinten beide.

„Ich wünschte, alles wäre anders gekommen, trotzdem bin ich froh, dass es überhaupt geschehen ist“, meinte Fate, als sie endlich aufstand, um sich zu verabschieden. „Nur schade, dass wir so lange warten mussten, bis wir uns kennen lernen konnten.“

„Das ist meine Schuld“, räumte Taylor unglücklich ein. Sie strich Fate liebevoll über die Wange. „Lass es nicht zu, dass Jay dir wehtut“, bat sie noch einmal, als sie den traurigen Augenausdruck ihrer Nichte bemerkte. Doch sie befürchtete, dass diese Warnung längst zu spät kam. Sie begleitete Fate bis auf die Straße und sah zu, wie sie das Auto aufschloss.

„Na, nun habe ich aber eine Überraschung für Mum, wenn sie nach Hause kommt!“ Fate umarmte Taylor. „Ich habe nicht nur eine Tante gefunden, die ich noch gar nicht kannte – sondern bekomme bald auch noch einen Cousin oder eine Cousine dazu! Ich freue mich so für dich und Bram“, fügte sie voller Wärme hinzu. „Nach allem, was du durchgemacht hast, ist es wundervoll, dass du Bram gefunden hast und nun auch noch sein Kind erwartest. Ich freue mich wirklich für euch und weiß, Mum wird es ebenso ergehen."

„Sag ihr, sie möchte mich anrufen", bat Taylor gerührt, als sie sich zum letzten Mal umarmten.

Hinter Fates Wagen parkte ein anderes Auto. Fate sah den Fahrer, als sie beim Anfahren in den Rückspiegel schaute. Der Mann saß hinter dem Steuer und schien Zeitung zu lesen. Er hatte blondes Haar, und man konnte auf Anhieb sehen, dass es ein Toupet war. Der Arme, dachte Fate. Warum war es bloß trotz aller modernen, wissenschaftlichen Erkenntnisse noch keinem Menschen gelungen, ein absolut natürlich wirkendes Haarteil zu erfinden?

Bram fand die Nachricht vor, als er von einer Besprechung mit seinen Buchhaltern zurückkam. Zwei Stunden lang hatte er sich ihrem einstimmigen Protest widersetzen müssen, als sie erfahren hatten, dass er die gesamte Firmenleitung niederlegen wollte.

„Gut, überlassen Sie Jay die Leitung, wenn Sie unbedingt wollen", hatte man ihm geraten. „Aber nicht die uneingeschränkte Kontrolle über die Finanzen!"

„Nichts da", hatte Bram energisch widersprochen. „Mein Entschluss ist gefasst, ich werde ihn nicht mehr ändern. Ich stimme der Einrichtung eines Treuhandfonds zu, damit die Wohltätigkeitsarbeit, die ich zu tun gedenke, finanziert werden kann. Aber so weit die Firma selbst betroffen ist . . ."

Zum Schluss hatten sie nachgegeben, wenn auch äußerst widerstrebend. Jay würde sich wenig geschmeichelt fühlen, wenn er wüsste, wie wenig man bereit ist, ihn als meinen Nachfolger zu akzeptieren, dachte Bram. Doch das war das Problem seines Sohns, nicht seins. Das Leben und auch die Zeit waren zu kostbar, um sie noch weiter mit Dingen zu vertun, die ihm nichts mehr bedeuteten. Bezog sich das auch auf Jay?

Er verdrängte den Gedanken an seinen Sohn und wählte die Telefonnummer auf der Nachricht, die man ihm hinterlassen hatte. Der stellvertretende Polizeipräsident wollte gerade zu einer Besprechung gehen, als Bram anrief, nahm das Gespräch aber dennoch entgegen.

„Wie es aussieht, befindet sich Ihr Mann nicht mehr in Haft", teilte er Bram mit. „Er hat Berufung gegen das Urteil eingelegt und ist damit durchgekommen. Vor ungefähr sechs Monaten ist er entlassen worden.“ Entlassen ... Dennis Phillips war wieder auf freiem Fuß? Bram runzelte die Stirn. „Trotzdem, Sie haben nicht das Geringste zu befürchten“, versicherte ihm der Mann am anderen Ende. „Das Opfer hat eine völlig neue Identität angenommen; es ist ausgeschlossen, dass er sie ausfindig machen kann. Vorausgesetzt, er will das überhaupt noch.“

Bram dankte ihm für seine Hilfsbereitschaft und legte den Hörer auf. Er runzelte immer noch die Stirn. Wie würde Taylor reagieren, wenn sie erfuhr, dass Phillips frei war? Er hatte selbst miterlebt, wie sie sich gebärdet hatte, als in ihre Wohnung eingebrochen worden war. Noch zu gut erinnerte er sich an ihren Schock, das blanke Entsetzen in ihren Augen.

Er hatte immer daran geglaubt, dass Offenheit in einer wertvollen, engen Beziehung das Wichtigste war. Wenn er Taylor die Neuigkeit vorenthielt, machte er sich sozusagen einer Unterlassungssünde schuldig. Erzählte er ihr jedoch davon, war es mit ihrem noch so zerbrechlichen inneren Frieden endgültig aus und vorbei. Ihm wurde klar, dass er keine andere Wahl hatte. Er musste das eben Erfahrene für sich behalten. Abgesehen davon hatte man ihm ja versichert, dass Phillips Taylor unmöglich aufspüren konnte. Trotzdem war er froh, dass es ihm gelungen war, sie zu einer schnellen Hochzeit zu überreden. Eine neuerliche Namensänderung würde Dennis Phillips nur noch mehr in die Irre führen und somit zu Taylors Sicherheit beitragen.

22. KAPITEL

Die erste Hälfte der langen Fahrt Richtung Norden hatte Plum abwechselnd gefordert, Gil möge sie auf der Stelle zurückfahren, hatte sie geweint, über ihre unsterbliche Liebe zu Bram geklagt und gleichzeitig beteuert, wie sehr sie ihn hasste, weil er sie nicht wiederliebte. Die zweite Hälfte hatte sie dann verschlafen. Schließlich wachte sie auf und stellte fest, dass der Wagen im Innenhof des alten schottischen Besitzes angehalten hatte, der Gil McKenzies angestammtes Zuhause war.

Als sie gerade wieder protestieren und verlangen wollte, Gil möge sie auf der Stelle nach London zurückbringen, kam dieser ihr energisch zuvor und sagte: „Warte hier und steige ja nicht aus, bis ich wieder da bin. Die Hunde kennen dich noch nicht."

„Die Hunde . . .?" Plum starrte voller Unbehagen in den schwach beleuchteten Innenhof, während Gil die Fahrertür öffnete. Im selben Moment ging auf der gegenüberliegenden Seite des Hofs knarrend eine schwere Holztür auf. Heraus fiel, zu Plums Freude, genügend Licht, um ihr eine Flucht leichter zu machen. Zu ihrem Entsetzen stürzten aber auch zwei unangenehm große Spürhunde ins Freie. „Gil!" Plum war den Tränen nahe, doch er verschloss bereits die Wagentür. Er blieb kurz stehen und sagte irgendetwas zu den Hunden, die ihm daraufhin nicht folgten, sondern rechts und links vom Wagen Stellung bezogen. Zu Plums Schutz – oder um sie am Aussteigen zu hindern? Sie fragte sich unglücklich, was sie überhaupt dazu bewogen hatte, mit Gil in den Norden zu fahren. Mit einem Mann, den sie nicht nur nicht mochte, sondern allmählich sogar zu hassen anfing. Gut, sie hatte eigentlich vor Bram und Taylor fliehen wollen. Aber da hätte es viele andere, wesentlich ansprechendere Fluchtziele gegeben!

Ihre Anspannung wuchs, als sie sah, wie die ältere Frau, die jetzt in der offenen Tür zu erkennen war, liebevoll von Gil umarmt wurde. War das seine Mutter? Hatte Gil denn nicht gesagt, seine Eltern wären beide tot? Wenn ja, dann hat er Glück, dachte sie trotzig. Sie malte sich aus, was sie wohl irgendwann von ihrer Mutter zu hören bekommen würde. Sie vermutete, dass Gil etwas über sie zu der Frau gesagt hatte, denn beide sahen jetzt in Richtung des Autos und Gil zeigte darauf. Plum schäumte vor Wut. Gil sollte es noch Leid tun, dass er sie hier einfach so im Auto eingesperrt hatte; dass er sie überhaupt mehr oder weniger gezwungen hatte, mit ihm bis zu diesem gottverlassenen Ende der Welt zu fahren! Man musste sich nur mal dieses Gebäude ansehen – kalter, nackter Granit, scheinbar endlose Mauern, winzige, schmale Fenster . . . das Ganze sah eher aus wie eine Festung, nicht wie ein Zuhause!

Gil und seine Begleiterin kamen jetzt auf das Auto zu. Die Hunde sprangen so verspielt und ausgelassen um die beiden herum, dass Plum sich argwöhnisch fragte, wie gefährlich sie tatsächlich waren. Die Frau jedenfalls, die etwa Ende Sechzig sein mochte, wie Plum inzwischen erkennen konnte, schien nicht im mindesten Angst vor ihnen zu haben; sie scheuchte sie einfach weg, als Gil nun die Beifahrertür öffnete.

„Plum, ich möchte dich mit Nanny Fairburn bekannt machen“, verkündete er und kam somit jedem wütenden Kommentar von Plum zuvor. „Hier, Nanny“, fuhr er an die Frau gewandt fort. „Du beklagst dich doch immer, diesem Haus fehlte eine Frau und dir eine Hand voll Gören, die dich auf Trab halten. Ich denke, Plum wird beiden Wünschen gerecht!“ fügte er trocken hinzu, während Plum ihn erbost ansah.

Was unterstand er sich, so von ihr zu reden, sich so über sie lustig zu machen! Sie wollte ihm eben wieder aufgebracht mitteilen, dass er sie gefälligst auf der Stelle nach London zurückbringen sollte, doch mehr als ein: „Ich bin nicht . . .“ brachte sie nicht hervor, weil sie erneut unterbrochen wurde.

Die Stimme klang ausgesprochen freundlich und der Akzent unverkennbar schottisch. „Nein, was für ein reizendes

Mädchen! So wie sie aussieht, muss sie allerdings halb verhungert sein! Was, zum Teufel, hast du mit ihr angestellt? Sie obendrein auch noch hier allein im Auto zu lassen ...“ Während sie weiter mit Gil schimpfte, nahm die Frau Plums Hand und lächelte so warmherzig, dass es Plum erst einmal vor Verblüffung die Sprache verschlug.

Die Londoner Freunde von Plum, die sich je in den Norden vorgewagt hatten, hatten sich oft darüber beklagt, dass die Schotten stur, nicht gerade gastfreundlich und vor allem extrem misstrauisch all denen gegenüber seien, die nicht aus ihrem Land stammten. Erschauernd hatte sich Plum die haarsträubenden Geschichten darüber angehört, wie unfreundlich die alteingesessenen Schotten mit ihren Besuchern umgegangen waren; Berichte über kalte, zugige Schlosstürme, ebenso kaltes, abweisendes Personal; über kaltes Wasser in den Bädern, klammes Bettzeug; über Unmengen schwer verdaulichen Essens; über entsetzliche, sich über den ganzen Tag hinziehende Jagdausflüge und die womöglich noch anstrengenderen schottischen Tanzveranstaltungen.

Sie warf der Frau, die sie nun aufforderte, ins Haus zu kommen und sich aufzuwärmen, einen misstrauischen Blick zu. Doch genau wie Nannys Hände wirkte auch ihr Gesicht weich und warm, und in ihren strahlend blauen Augen spiegelte sich so viel mütterliche Fürsorge wider, dass Plum gar nicht recht wusste, wie ihr geschah. „Kommen Sie und achten Sie nicht auf diese dummen Hunde. Ich begreife nicht, warum du sie hältst“, schalt sie Gil. „Sie sind so dumm wie Bohnenstroh und zu nichts nutze.“

„Es sind ausgezeichnete Wachhunde, Nanny!“ protestierte Gil.

Zu Plums Freude ließ sich die ältere Frau nicht so leicht beirren. „Wachhunde – dass ich nicht lache! Die lümmeln sich doch nur vor dem Kamin herum und springen auf die Sessel und Sofas! Dir wäre weitaus besser gedient mit einer modernen Alarmanlage, wie sie sich die Lindseys in Coldporter gerade haben einbauen lassen. So eine Anlage ist fantastisch, und vor allem springt sie nicht mitten in der Nacht in dein Bett und erschreckt dich halb zu Tode!“

Jetzt musste Plum lachen, sie konnte nicht anders. Ein Blick auf Gils betretenes Gesicht, und sie prustete los.

„Nanny, das ist nicht fair!“ begann er vorwurfsvoll.

„Ach, was, Schluss mit dem Gezeter! Lass uns lieber dieses arme Kind ins Haus bringen. Nein! Was hat er Ihnen bloß angetan?“ rief sie aus, als Plum, immer noch in ihrem Ballkleid, aus dem Auto stieg.

„Er hat mich von meinem eigenen Ball entführt, Nanny!“ teilte sie der älteren Frau verschmitzt mit und warf Gil einen herausfordernden Blick dabei zu. „Und er hat mich nicht einmal um Erlaubnis gefragt!“

„So? Aber natürlich, das liegt eben in der Familie. Ich erinnere mich noch gut an eine Geschichte, die man mir erzählt hat. Gils Urgroßvater hat seine spätere Frau auch einfach entführt, ihrem rechtmäßigen Bräutigam sozusagen direkt vor der Nase weg. Hat einen ziemlichen Wirbel ausgelöst damals, war aber nicht das erste Mal, dass ein McKenzie sich seine Braut mehr oder weniger gewaltsam geholt hat.“

Plum hörte ihr mit offenem Mund zu. Sie konnte sich partout nicht vorstellen, dass ein so bodenständiger, durch und durch ehrenwerter Mensch wie Gil auch nur im weitesten Sinn von so romantischen, verwegenen Vorfahren abstammen sollte. „Erzählen Sie mir mehr davon“, bat sie begeistert. „Ich meine, von dem Mann, der seine Braut entführt hat. Er muss furchtbar romantisch gewesen sein!“

Sie hörte, wie Gil hinter ihr geringschätzig schnaubte, und sie warf trotzig den Kopf in den Nacken. Plötzlich erschien ihr das warme Licht, das aus der offenen Tür fiel, unglaublich einladend. Nanny Fairburn erzählte ihr liebevoll irgendetwas davon, dass sie ihr ein heißes Bad einlaufen lassen und sie dann mit einer Wärmflasche und ihrem Spezialtee ins Bett stecken wollte. Plum seufzte zustimmend und restlos zufrieden. Genau das hatte sie sich ihr ganzes Leben lang gewünscht; jemanden, der sie umsorgte, ein Ort, an dem sie sich geborgen fühlen konnte . . . Vielleicht ist es doch keine so dumme Idee gewesen, nach Schottland zu kommen, dachte sie, als sie Nanny Fairburn ins Haus folgte. Nur schade, dass Gil auch da war. Aber schließlich gab es in jedem Paradies eine Schlange; außerdem hatte Plum das Gefühl, dass er sich unter Nannys kritischem Blick seine üblichen missbilligenden, anzüglichen Bemerkungen weit gehend sparen würde. Einer der Hunde drückte seine kalte Nase an Plums Hand und wedelte begeistert mit dem Schwanz, als Plum stehen blieb, um ihn zu streicheln. London, ihre Mutter, Bram – all das verursachte ihr nur Kummer. Hier hingegen . . .

„Guten Morgen! Zeit zum Aufstehen! Ich habe Ihnen ein Bad eingelassen und Tee gebracht. Unten erwartet Sie dann ein richtiges Frühstück, obwohl Sie heute Morgen wohl leider allein essen müssen. Der Herr ist schon draußen in den Hügeln."

Plum blinzelte verschlafen, als Nanny Fairburn die Vorhänge aufzog und das helle Sonnenlicht ins Zimmer strömte. Es hörte sich komisch an, dass Gil als ‚Herr' bezeichnet wurde. Irgendwie war das eine so altertümliche, feudalistische Anrede; dennoch klang sie weitaus aufregender, ja fast sogar sexy, als das gesetzte ‚Mylord', das sie in London so oft hörte. „Was meinen Sie damit, er ist in den Hügeln?" fragte sie und schwang gehorsam die Beine aus dem Bett, als Nanny ihre Bettdecke zurückschlug. Das gestärkte Batistnachthemd, das man ihr zur Verfügung gestellt hatte, hatte ursprünglich Gils Großmutter gehört. Der Stoff war außerordentlich fein, mit Biesen besetzt und offensichtlich handgenäht, wie Plum feststellte. Das Hemd hatte nichts mit dem zu tun, was Plum normalerweise zum Schlafen getragen hätte – wenn sie denn überhaupt nachts etwas anhatte. Doch als sie sich im Spiegel der Frisierkommode sah, musste sie zugeben, wie gut es ihr stand, wie züchtig und doch zugleich sehr weiblich es wirkte. „Es ist ja noch nicht einmal sieben Uhr!" staunte sie, als sie auf die Uhr sah. In London wäre ihr niemals eingefallen, so früh aufzustehen. Aber Nanny hielt ihr bereits die Badezimmertür auf, und Plum erkannte, dass es wenig Sinn hatte, zu protestieren. Abgesehen davon war sie ja nun ohnehin schon einmal auf.

Nanny lachte. „Der Herr ist schon seit sechs Uhr mit dem Falken unterwegs."

„Mit – was?" fragte Plum verblüfft.

„Mit seinem Falken", wiederholte Nanny und fügte finster hinzu: „Obwohl ich nie begreifen werde, was er an dem Tier eigentlich findet. Er hat ihn selbst großgezogen; einer der Jagdhüter hat ihm das Junge mitgebracht, nachdem er ein paar Bengel dabei erwischt hatte, wie sie das Nest plünderten."

„Ein Falke", hauchte Plum; sie war gegen ihren Willen

stark beeindruckt. Dieses Wort beschwor so viel Romantik und Männlichkeit herauf, es klang nach mittelalterlichen Rittern, Edelmut und Tollkühnheit.

Eine halbe Stunde später lag sie in der riesigen, tiefen viktorianischen Badewanne und fragte sich, ob wohl alle Einrichtungsgegenstände und Räumlichkeiten hier für Riesen geplant worden waren. Auch das Himmelbett, in dem sie geschlafen hatte, war gewaltig gewesen, ebenso wie die schweren Eichenmöbel im Schlafzimmer. Es muss wildromantisch sein, in einem Schloss zu wohnen, ging es ihr plötzlich durch den Kopf. Auf jeden Fall war es wesentlich aufregender als die langweiligen Räume voller Regencymöbel, für die ihre Mutter so schwärmte.

Nanny war nach unten gegangen, um Plums Unterwäsche zu holen, die sie wohl über Nacht gewaschen und getrocknet hatte, sowie ein paar bequemere Kleidungsstücke als das Ballkleid, mit dem Plum angekommen war. Als Plum ihren wagemutigen Entschluss gefasst hatte, mit Gil wegzufahren, hatte sie nicht einen Moment an Kleidung gedacht. Das bewies wohl, wie durcheinander sie gewesen sein musste, denn normalerweise war das Thema ‚Was ziehe ich heute an?‘ eins der wichtigsten für sie.

Die großen, weißen Badetücher, die Nanny für sie vorgewärmt hatte, wirkten zwar etwas spießig, fühlten sich aber herrlich weich und warm an. Plum stieg aus der Wanne, wickelte sich in eins der Tücher und sog genüsslich den Duft nach frischer Luft und Sonne ein. Im Schlafzimmer fand sie ihre saubere Unterwäsche vor, dazu eine tadellos saubere Jeans, ein T-Shirt und ein Paar Schuhe. Alles passte wie angegossen. Plum schlüpfte gerade in die Schuhe, als Nanny zurückkam, das nasse Badetuch aufhob, das Plum achtlos zu Boden hatte fallen lassen, und anfing, das Bett zu machen. „Wo kommen diese Sachen her?“ fragte Plum neugierig. „Denn die können ja wohl nicht von Gils Großmutter stammen!“

„Ganz sicher nicht!“ bekräftigte Nanny schockiert. „Die alte Herrin hätte niemals so etwas angezogen! Nein, der Herr hat sie aus dem Dorf kommen lassen.“ Als sie Plums verwirrten Blick auffing, fügte sie erklärend hinzu: „Sie gehören der Tochter eines seiner Pächter. Sie studiert zurzeit in St. Andrews Medizin. So, und nun kommen Sie. Ich habe etwas Porridge gemacht, dazu gibt es Toast mit unserem selbst geschleuderten Honig."

Porridge und Toast! Plum glaubte, ihren Ohren nicht zu trauen. „Ich frühstücke nie, Nanny!" begehrte sie auf.

„Hier doch", widersprach Nanny entschieden.

Und natürlich frühstückte Plum.

Es konnte nur an den traumatischen Ereignissen des letzten Abends liegen, dass sie so hungrig war. Plum leerte nicht nur die große Schüssel Porridge, sie aß auch noch drei Scheiben Toast und trank dazu einen riesigen Becher köstlichen französischen Filterkaffee.

In den Adern der Familie floss französisches Blut, wie Nanny Plum erzählt hatte. Einer der früheren Herren hatte eine Gräfin aus Frankreich geheiratet, zu einer Zeit, als die Schotten enger mit den Franzosen als mit den Engländern verbunden gewesen waren.

„Wann kommt Gil zurück?" erkundigte Plum sich jetzt.

„Oh, wahrscheinlich erst am späten Nachmittag", teilte Nanny ihr mit. „Und heute Abend findet eine Pächterversammlung statt. Morgen trifft er sich mit den Jagdhütern wegen des Moors. Ein Japaner möchte das Revier nächstes Jahr zum Jagen pachten."

„Das hört sich an, als wäre er sehr beschäftigt", fand Plum. Das freute sie natürlich, weil sie dadurch nicht gezwungen sein würde, die Zeit mit ihm zu verbringen. Genau das hatte sie gehofft. Er langweilte sie tödlich, und sie wusste, dass er sie nicht mochte. Sie hatten absolut nichts miteinander gemeinsam, und wenn sie nicht so verzweifelt gewesen wäre, wäre es ihr wohl nicht im Traum eingefallen, mit ihm durchzubrennen . . .

Durchbrennen . . . Sie lächelte verschmitzt vor sich hin. Wie dramatisch und romantisch das klang! Gil würde sicher sehr gereizt reagieren, wenn sie ihm gegenüber diesen Begriff benutzte. Das hieß natürlich, sollte sie je die Gelegenheit bekommen, mit ihm zu sprechen. Momentan schien es eher, dass er viel zu beschäftigt sein würde, um Zeit für sie zu haben. Ihr Lächeln wich einem leichten Stirnrunzeln. Na und? Sie hatte doch ohnehin keine Lust, ihre Zeit mit ihm zusammen zu verbringen, oder? Selbstverständlich nicht, redete sie sich ein. Es war nur . . . es war nur eben nicht sonderlich nett und schmeichelhaft zu wissen, wie wenige Leute Interesse an ihrer Gesellschaft hatten. Ihre Mutter wollte sie nicht, hatte sie nie gewollt. Ihr Vater lebte sein eigenes Leben. Und Bram – Bram wollte sie erst recht nicht. Tränen des Selbstmitleids stiegen ihr in die Augen. Und nun hatte es den Anschein, als wollte Gil sie ebenfalls nicht. „Ich weiß gar nicht, weshalb Gil die Mühe auf sich genommen hat, mich hier herzubringen, wenn er mich doch bloß zu ignorieren gedenkt“, entfuhr es ihr trotzig.

„Nein?“ Nanny warf ihr einen seltsam wissenden Blick zu. „Nun, ich wage zu behaupten, dass er seine Gründe dafür haben wird.“ Plum sah sie verwirrt an. „Gil hatte immer schon die Neigung, verletzte, junge Kreaturen zu retten!“ Und diese Antwort stürzte Plum in nur noch größere Verwirrung.

„War es unbedingt nötig, meiner Mutter zu verraten, dass ich hier bin?“ fragte Plum zornig,

„Irgendjemand musste es ihr ja sagen“, gab Gil trocken zurück.

Plum weilte nun schon etwa eine Woche in Schottland und hatte die Ereignisse, die zu ihrer Flucht geführt hatten, fast vergessen. Das hieß, bis zum gestrigen Tag, als ihre Mutter angerufen hatte. Eisig hatte sie zu erfahren gewünscht, wann Plum beabsichtigte, nach Hause zu kommen. Und sie hatte hinzugefügt, dass dann wohl einige Entschuldigungen fällig seien dafür, dass Plum ihren eigenen Ball einfach so und ohne jede Erklärung verlassen hatte. „Kannst du dir auch nur annähernd vorstellen, in welche Verlegenheit du mich gestürzt hast?“ hatte sie gefragt. „Wenn Gil uns nicht Bescheid gesagt hätte, dann wüssten wir immer noch nicht, wo du steckst! Was ist das überhaupt mit dir und Gil?“

„Er hat mich entführt“, hatte Plum flapsig zurückgegeben und sich innerlich gesagt, dass es Gil ganz recht geschähe. Schließlich hatte er ihrer Mutter hinter ihrem Rücken verraten, wo sie sich aufhielt. Das war typisch für ihn – überall mischte er sich ein und spielte den großen Meister. „So etwas liegt hier offenbar in der Familie.“ So, und nun sollte Gil das doch näher erklären. Sie warf ihm quer durch das Zimmer einen herausfordernden Blick zu.

„Sei nicht so zickig!“ hatte ihre Mutter sie getadelt. „Du

findest es wahrscheinlich sehr amüsant, den armen Gil überredet zu haben, dass er dich mit zu sich nach Hause nimmt. Ich jedoch kann gar nicht darüber lachen, und ich bin mir sicher, dass Gil seine freundliche Geste inzwischen auch bitter bereut. Ich möchte, dass du auf der Stelle nach Hause kommst. Ich nehme an, diesmal musst du den Zug nehmen."

Nach Hause. Plum starrte zornig auf den Hörer. In den wenigen Tagen, die sie hier in Schottland unter Nannys liebevollen Fittichen verbracht hatte, hatte sie sich mehr zu Hause gefühlt als je in dem unterkühlten Haus ihrer Mutter.

„Die Leute fragen allmählich, wo du bist. Du musst eine Reihe von Bedanke-mich-Briefen schreiben. Ich möchte . . ."

„Ich komme nicht nach Hause", war Plum ihrer Mutter ins Wort gefallen. „Ich bleibe hier." Sie hatte Gils Miene beobachtet, als sie das gesagt hatte. Nun, wenn er sie nicht hier behalten wollte, war das sein Problem. Schließlich hatte er sie hier hergebracht. Und dann – was zog sie denn ernsthaft zurück? Oder wer?

Ihre Mutter war natürlich außer sich gewesen, doch schließlich hatte sie einsehen müssen, dass sie nicht viel unternehmen konnte. Dagegen, dass sie mit Gil zusammen war, hätte sie ohnehin keine Einwände haben können, wie Plum düster vermutete. Sie war noch nie einem Menschen begegnet, der sein Leben und seine Verantwortungen so ernst nahm. Plum war erstaunt gewesen, als sie herausgefunden hatte, wie wohlhabend Gil war. Die reichen jungen Männer, die sie kannte, amüsierten sich lieber, als sich den täglichen, langweiligen Pflichten zu stellen, die Gils Leben ausfüllten. Wenn er sich nicht mit seinen Pächtern traf, dann mit zahllosen anderen Menschen, die irgendwie seine Hilfe und seinen Rat zu benötigen schienen.

„Nun, du hast mich schließlich hier hergebracht", erinnerte sie ihn jetzt herausfordernd.

Sie glaubte, ihn leise vor sich hinmurmeln zu hören: „Ich muss völlig verrückt gewesen sein". Aber da sie mit ihrem Pferd ein gutes Stück hinter seinem Braunen zurückgeblieben war, war sie sich dessen nicht ganz sicher.

Langeweile, aber auch das Bedürfnis, ihm irgendeine Reaktion zu entlocken, hatten sie dazu bewegt, ihm den Vorschlag zu machen, ihn bei seinem morgendlichen Ausritt zu begleiten. Und sie hatte sehr wohl gemerkt, wie überrascht

– und leicht verärgert – er sie angesehen hatte, als sie tatsächlich um sechs Uhr morgens vor dem Stall gestanden hatte.

Das Pferd, das er ihr zugeteilt hatte, war hübsch und sehr folgsam, aber kein Vergleich zu seinem wesentlich temperamentvolleren Araber. Ebenso wenig vergleichen ließen sich Plums brave Reitkünste mit der beneidenswert lässigen Art, in der Gil im Sattel saß, die Zügel locker um die eine Hand geschlungen, während auf seiner anderen der Falke saß. Die Hunde tollten ausgelassen hinter ihnen her und schnüffelten im taufeuchten Gras. Der Himmel über ihnen war klar und wolkenlos.

Wenn sie Gil nicht so gut gekannt hätte, hätte sie ihn leicht für sehr verwegen und unwahrscheinlich männlich aussehend halten können. In London hatte sie ihn langweilig, fast ein wenig lächerlich und unbeschreiblich spießig gefunden. Doch hier wirkte er irgendwie anders, eher . . . verhalten, ja, beinahe . . . gefährlich.

Gefährlich? Gil? Sie hatte seine Interesselosigkeit an ihr nicht vergessen, und auch nicht die Abfuhr, die er ihr erteilt hatte. Das zeigte, wie er wirklich war, nämlich eben doch langweilig und geschlechtslos. Auch wenn er momentan so aussah, als sei er direkt einem Abenteuerroman entstiegen.

Gil hatte bereits die Kuppe des Hügels erreicht und wartete dort auf sie. Plum hatte die geliehenen Kleidungsstücke zurückgegeben und sich stattdessen in der nahe gelegenen Kleinstadt etwas zum Anziehen gekauft. Die Sachen entsprachen ganz und gar nicht ihrem sonstigen Stil, aber Gil schienen sie zu gefallen. Es war eine für Plum sehr ungewohnte Erfahrung gewesen, dass ein Mann sie ausnahmsweise mal in Kleidungsstücken sehen wollte, die mehr verdeckten als enthüllten.

Als Plum ihn eingeholt hatte, stieg Gil vom Pferd, um es anzubinden, dann wollte er dasselbe mit ihrem Pferd machen. „Das kann ich auch“, wehrte Plum verstimmt ab und warf ihm einen verärgerten Blick zu, als er zweifelnd den Mund verzog. Hielt er sie wirklich für völlig unfähig?

Die Hunde durchstöberten gerade ein Farndickicht ein paar Meter weiter. Gil nahm dem Falken die Kopfhaube ab und sprach leise, ja, liebevoll auf ihn ein, wie Plum feststellen konnte. Er holte ein Stück rohes Fleisch aus der

Satteltasche und fütterte den Raubvogel damit. Plum beobachtete die Szene mit gemischten Gefühlen. Es war fraglos ein herrliches Tier, aber ganz ohne Zweifel auch ein äußerst gefährliches. Gil löste jetzt die Halteleine, warf den Arm hoch, und der Vogel stieg mit kraftvollem Flügelschlag in den blauen Himmel empor.

„Wie lange wird er fortbleiben?" erkundigte Plum sich.

„*Sie* wird so lange fortbleiben, wie *sie* es für nötig hält", gab er zurück.

„Sie . . ." Plum bedachte ihn mit einem koketten Blick unter halb gesenkten Lidern her. „So wie du mit ihr und über sie sprichst, könnte man beinahe annehmen, als sei sie eine Geliebte. Warum hast du keine Geliebte, Gil? Magst du Frauen nicht? Hast du Angst vor ihnen? Hast du keinen Spaß am Sex?" provozierte sie ihn.

„Oh, doch", erwiderte er schließlich, als sie schon fast geglaubt hatte, er würde ihre Frage nicht beantworten. „Sehr großen Spaß sogar." Er wandte sich zu ihr um und fügte sanft hinzu: „Im Gegensatz zu dir. Du hast im Grunde nicht den geringsten Spaß daran, nicht wahr, Plum?"

„Wie kommst du denn darauf?" widersprach sie prompt, doch sie merkte, wie sie rot wurde und ihr Magen sich zusammenzog. „Ich liebe Sex. Jeder weiß das. Und ich bin sehr gut darin", ergänzte sie verführerisch. „Sehr, sehr gut. Soll ich es dir beweisen?" Natürlich wusste sie, wie seine Antwort lauten würde. Er würde ihr kurz und schroff mitteilen, dass er keinen Wert darauf legte. Trotzdem erstarrte sie kaum merklich, als er sich die ärmellose Lederweste auszog und sie über einen großen Stein legte. Dann drehte er sich wieder zu Plum um.

„Also gut, Plum. Komm und beweise es mir."

Plum verschlug es die Sprache. Sie hatte plötzlich ein unangenehm trockenes Gefühl im Mund, und ihr Herz klopfte zum Zerspringen.

„Komm!" wiederholte er. „Komm zu mir, und beweise es mir!"

Für den Bruchteil einer Sekunde war Plum versucht, sich zu weigern, den Rückzug anzutreten und schmachvoll ihre Niederlage einzugestehen. Aber wie konnte sie das? Und außerdem . . . Er versuchte doch nur, sie einzuschüchtern, das war alles. Sie erinnerte sich noch, was beim letzten Mal passiert war, als sie ihm ein eindeutiges Angebot gemacht hatte. Er würde auch jetzt kein bisschen anders reagieren. Gil war ein Mann, der sein Liebesleben sehr ernst nahm, der von seiner Partnerin Anständigkeit verlangte – und der an die Liebe glaubte.

Sie ging auf ihn zu und redete sich dabei angestrengt ein, dass das alles nur ein Spiel war. Ein Spiel, das sie schon unzählige Male vorher gespielt hatte. Und – das sie immer gewonnen hatte.

Gil bewegte sich nicht, er sah ihr nur geradewegs in die Augen. Plum wollte seinem fast magnetischen Blick ausweichen, aber sie schaffte es nicht. Als sie nahe genug vor ihm stand, griff sie nach seinem Gürtel und lächelte leicht. Diesen Moment liebte sie immer am meisten, denn er brachte die Männer aus der Fassung und machte sie zur absoluten Herrin der Lage. Ihre Finger zitterten ein wenig beim Versuch, den Gürtel zu öffnen. Das Leder war dick und ziemlich hart, und darunter war auf höchst beunruhigende Weise die feste Straffheit von Gils Bauch zu spüren. Die meisten Männer, mit denen sie das getan hatte, hatten einen eher weichen Bauch gehabt, sie . . .

Plum stieß erleichtert den Atem aus, als Gils Finger sich Einhalt gebietend um ihre Handgelenke schlossen. Sie hatte ja gewusst, dass er es nicht zulassen würde. Ernsthaft hatte sie das nicht eine Sekunde bezweifelt. Triumphierend wollte sie ihn deswegen aufziehen, um ihren Sieg noch zu betonen, doch als sie den Kopf hob und seinen Blick wahrnahm, erstarben ihr die Worte auf den Lippen. Gil wirkte ganz und gar nicht siegesbewusst. Im Gegenteil, er sah aus als ob . . .

„Das ist nicht die Art, wie ich persönlich mir Sex vorstelle und wünsche, Plum. Zumindest nicht gleich zu Beginn. Ich ziehe es eher so vor . . ." Entsetzt stellte Plum fest, dass er ihre Handgelenke nicht gepackt hatte, um sie von sich fernzuhalten, sondern um sie ganz fest an sich zu ziehen und festzuhalten, trotz ihrer zornigen Bemühungen, sich aus seiner Umarmung zu befreien. „Sex soll für mich ein langsames, genussvolles Erkunden der jeweiligen Wünsche und Sehnsüchte sein", fuhr er sanft fort. „Und beginnen sollte das Ganze damit." Ehe sie sich noch versah, küsste er sie mit so erfahrener Sinnlichkeit, dass sie es völlig hilflos über sich ergehen ließ, hin- und hergerissen zwischen Erschrecken, dass er sie so überlistet hatte, und der wachsenden Erregung, mit der ihr Körper auf die sanften Liebkosungen seines Mundes reagierte. Sie leistete auch keinen Widerstand, als er sie geschickt und sehr entschlossen dazu brachte, ihm ihre Lippen zu öffnen; der Ansturm der Gefühle war so überwältigend, dass Plum sich benommen an Gil klammern musste, weil sich alles um sie zu drehen begann. Sie konnte nicht fassen, dass das tatsächlich Gil war, der sie so küsste, und sie schlug die Augen auf, um sich zu vergewissern, ob nicht vielleicht einer seiner wildromantischen Vorfahren an seine Stelle getreten war. Auch Gil hatte die Augen weit geöffnet, sie glühten vor Leidenschaft. Plum erschauerte, als sie erkannte, wie sehr sie sich offenbar in ihm getäuscht hatte.

Schon begann er, ihr die Bluse aufzuknöpfen; dann ließ er den Verschluss ihres BHs aufspringen und legte liebkosend die Hände auf ihre nackten Brüste. Plum stockte der Atem, noch nie hatte sie ein derartiges Gefühl erlebt. Ein Glutstrom durchzuckte ihren Körper bis in den verborgensten Winkel und weckte in ihr ein fieberhaftes, fast quälendes Verlangen. Sie stöhnte erstickt auf, als sie Gils Lippen erst auf ihrer Kehle und dann auf ihrer einen Brust spürte, und sie began unkontrolliert zu zittern. Als hätte er nur darauf gewartet, öffnete Gil nun den Mund über der aufgerichteten Knospe und sog intensiv und leidenschaftlich daran. Die Empfindungen, die er damit in Plum auslöste, waren ihr so fremd, dass sie spontan in Panik geriet und verzweifelt mit den Fäusten gegen seine Brust und Schultern trommelte. Sie war zutiefst entsetzt über ihre Reaktion auf ihn, und noch mehr darüber, dass sie diese Reaktion nicht beherrschen konnte.

Sie war stets die Beherrschende gewesen. Nie hatte sie wirklich und von Herzen einen Mann begehrt, sie hatte immer mit einer gewissen Belustigung und Verachtung die Lust registriert, die sie in ihren Partnern zu wecken verstand. Noch nie in ihrem ganzen Leben hatte sie das Bedürfnis verspürt, sich körperlich einem Mann ganz zu öffnen, ihn ganz tief in sich zu spüren, so tief, bis er die verborgensten Zentren ihrer Weiblichkeit berührte. Doch jetzt sehnte sie sich danach. Sie sehnte sich sogar so sehr danach, dass dieses Verlangen sie in dem Moment in helle Panik versetzte und sie sich verzweifelt gegen Gils Umarmung zu wehren begann.

Gil erinnerte ihr Verhalten an die angstvollen Versuche seines damals noch ganz jungen Falken, sich aus seinem Griff zu befreien. Doch so wie er den Falken gezähmt hatte, würde er auch Plum zähmen. Er würde sie lieben und ihr ein solches Gefühl der Sicherheit und Geborgenheit vermitteln, dass sie nie wieder vor ihm fliehen wollte. Doch zuvor musste er ihren Widerstand brechen. Bei dem Falken hatte das drei ganze Tage und Nächte gedauert, in denen er keinen Moment geschlafen hatte. Bei Plum ... Er glaubte bereits zu ahnen, wovor sie sich fürchtete – davor, sich selbst zu verlieren, sich verwundbar zu zeigen, zurückgewiesen zu werden. Als er sie schließlich ins weiche Gras bettete, sie entkleidete und ihre intimsten Stellen zunächst mit behutsamen Händen und dann, für Plum fast unerträglich erregend, mit Lippen und Zunge liebkoste, da erkannte er, dass er Recht gehabt hatte.

Plum war halb von Sinnen vor Angst und Panik, und sie versuchte, ihm Einhalt zu gebieten; nicht nur ihm, sondern auch ihrer unvermeidlichen Erniedrigung, denn sie spürte bereits, dass die Reaktion ihres Körpers sie zu überwältigen drohte. Krampfhaft hielt sie die Lippen geschlossen, damit ja kein verräterischer Laut aus ihrer Kehle drang, damit sie ihm ja nicht sagte, wie neu diese grenzenlose Lust für sie war, wie sehr sie sich davor und vor ihm fürchtete ... Wie sehr sie sich davor fürchtete, dass er sich von ihr abwenden würde, sobald er einmal entdeckt hatte, wie verwundbar sie war und wie sehr sie sich nach ihm sehnte.

Doch Gil hörte nicht auf. Als sie sich unter ihm zur Seite winden wollte, hielt er sie mit all seiner Kraft fest; als sie anfing, ihn zu kratzen und an seinen Haaren zu ziehen, packte er einfach ihre Hände und presste sie zu Boden. Als sie zu weinen und zu schimpfen anfing, wie sehr sie ihn hasste und verachtete, ihn anschrie, dass kein anständiger Mann je so etwas mit einer Frau tun würde, deren Achtung er zu gewinnen suchte, da fuhr er nur unbeirrt fort, sie zart mit dem Mund zu verwöhnen. Und so brach sie schließlich in krampfhaftes Weinen aus, das ihren Körper fast genauso zucken ließ wie die ekstatischen Wogen der Lust, die über ihr zusammenschlugen. Sie stieß einen heiseren Schrei aus, dann sank sie schwach, erschöpft und besiegt in seinen Armen in sich zusammen und senkte den Kopf, während sie darauf wartete, die abweisenden Worte von ihm zu hören.

„So“, sagte er nur ganz weich, und als er sie zärtlich küsste, spürte sie ihren eigenen Duft, der seinen Lippen anhaftete. „Jetzt bist du wirklich mein, und kein anderer Mann wird dich mehr berühren. Keiner wird dich mehr so erregen wie ich. Keiner wird dich je so lieben, wie ich dich liebe. Du bist mein. Hast du mich verstanden?“

Plum nickte benommen.

„Gut“, meinte er mit fester Stimme. „Nun zieh dich an, und ich bringe dich nach Hause. Wir werden deine Mutter anrufen und ihr sagen, dass wir uns verlobt haben und heiraten werden. Hier. So bald wie möglich. Und wenn wir das getan haben . . .“

„Heiraten?“ entfuhr es Plum. „Aber . . .“

„Aber?“ fragte Gil liebevoll.

„Du kannst mich doch unmöglich heiraten wollen! Mich doch nicht! Du hast doch noch nicht einmal . . . wir haben doch noch gar nicht . . .“

„Du warst diejenige, die begreifen musste, wie sehr ich dich liebe und begehre, nicht ich“, teilte Gil ihr spröde mit. „Ich wusste es längst. Ich muss nicht mit dir ins Bett gehen, um zu erkennen, was ich für dich empfinde, Plum.“

Sie konnte kaum verstehen, was er sagte. „Aber wie kannst du mich denn lieben? Du hast doch immer . . . Du hast doch noch nie . . . Wann? Seit wann?“

„Seit ich dich in jenem abstoßenden Lokal gesehen habe. Schon da wollte ich dich packen und hier herbringen.“

„Damals schon? Du wolltest mich entführen und mit mir durchbrennen? Genau wie dieser wilde Vorfahr von dir?“ stammelte sie.

„Genau wie er“, versicherte er feierlich, doch in seinen Augen funkelte unterdrücktes Gelächter. Und noch etwas anderes, wie Plum feststellte, und plötzlich durchströmte sie ein Schwindel erregendes, irrsinniges Glücksgefühl. Gil liebte sie. Er liebte sie wirklich. Er liebte sie, und sie würde ihn heiraten und immer hier bleiben, geliebt und behütet bis ans Ende ihres Lebens. Sie fühlte sich wie im siebten Himmel, wunderbar, ekstatisch, so als ob. . als ob . . .

„Oh, Gil, ich liebe dich auch! Ich liebe dich wirklich

und wahrhaftig!" Sie fiel ihm um den Hals und küsste ihn stürmisch.

„Ich kann es immer noch nicht fassen, dass Gil Plum wirklich heiraten will", sagte Helena zu James. „Es kommt mir vor wie . . ."

„Wie ein Wunder", vollendete er spöttisch ihren Satz. „Ich hoffe nur, er weiß, worauf er sich einlässt. Ich an seiner Stelle würde niemals . . ." Er verstummte kopfschüttelnd.

„Nein, aber überleg doch nur, was das bedeutet!" schwärmte Helena. „Keine Dramen mehr! Ich bin ja so erleichtert! Gil sagt, sie wollen so rasch wie möglich heiraten. In kleinstem Kreis, nur Familie."

„Klingt fast zu schön, um wahr zu sein", stimmte James zu. „Ich weiß, sie ist deine Tochter, Helena, aber manchmal . . ."

„Ich hatte nie richtig das Gefühl, dass sie mein Kind ist", bekannte Helena. „Sie schien stets mehr von Flyte mitbekommen zu haben als von mir. Ihm macht es auch solchen Spaß, Unruhe zu stiften, den Schwierigen zu spielen." In der Vergangenheit hatte es manchmal kurze, flüchtige Momente gegeben, in denen James im Vergleich zu Bram und sogar zu Flyte nicht so gut abgeschnitten hatte. Doch im Grunde bestand kein Zweifel mehr, welcher von den drei Männern der Beste war, wie Helena sich nun versöhnlich sagte. Man brauchte sich ja nur Plum und Jay anzusehen, dann wurde einem schnell der Unterschied zu James' Töchtern klar. Erschauernd stellte sie sich vor, was da eventuell auf sie zugekommen wäre, wenn sie und Bram . . . Plum war schon schlimm genug. Dazu noch ein Kind wie Jay . . . Nein, sie hatte großes Glück gehabt, einen Mann wie James gefunden und so reizende Kinder mit ihm bekommen zu haben. Das war ihre Zukunft – James und die beiden Mädchen. Diese dummen Reuegefühle wegen . . . der Vergangenheit waren längst vorbei und vergessen. Lächelnd malte sie sich aus, wie ungläubig und neidvoll ihre Freunde reagieren würden, wenn sie erfuhren, dass Plum Gil heiraten würde. Vielleicht hatte ihre Tochter ja doch das ein oder andere von ihr geerbt. Vielleicht konnten sie noch einmal ganz von vorn anfangen, jetzt, wo Plum endlich zur Vernunft gekommen zu sein schien. Sicher, sie selbst konnte nicht nachvollziehen, warum Gil ausgerechnet ihre Tochter heiraten wollte. Ein so reicher Mann von so vornehmer Abstammung! Nun, sie war dankbar dafür, dass er es tat, und dass sie bald keinerlei Verantwortung mehr für Plum zu tragen brauchte.

Gil hatte verkündet, sie wollten eine ganz kleine, stille Hochzeitsfeier, aber natürlich mussten manche Leute einfach eingeladen werden, auch schon um den schlechten Eindruck auszubügeln, den Plum durch ihr abruptes Verschwinden von ihrem Ball hinterlassen hatte. Plum konnte cremefarbenen Satin tragen, das würde ihr gut stehen. Sie konnte Blüten im Haar tragen, und ihre beiden jüngeren Halbschwestern würden Brautjungfern sein. Plötzlich begann es in Helena, fieberhaft zu arbeiten. Ob Plum eigentlich begriff, wie viele Vorbereitungen für eine Hochzeit, selbst für eine so kleine, nötig waren? Da mussten eine Gästeliste erstellt, das Hochzeitsfrühstück geplant, Gästeunterkünfte gebucht werden; man musste in der Kirche vorsprechen, sich auf eine passende Musik einigen . . . In Helena reifte ein Entschluss. „James, ich werde nach Schottland fahren müssen, um mit Plum zu sprechen. Es gibt jetzt vieles zu organisieren, und du weißt ja, wie unfähig Plum in solchen Dingen ist!“

In Schottland unterdessen sah Plum Gil verliebt in die Augen. Er hatte ihr gesagt, dass er auf keinen Fall vor ihrer Hochzeit ‚richtig‘ mit ihr ins Bett gehen würde.

„Das würde Nanny nie erlauben!“ hatte er lachend auf Plums Protest hin geantwortet. Doch obwohl er seinem Vorsatz strikt treu blieb, entwickelte er einen ungeheuren Erfindungsreichtum darin, ihr auf andere Weise Lust zu verschaffen. Und Plum überlief ein wohliger Schauer bei dem Gedanken daran, wie ihre Hochzeitsnacht erst werden würde, wenn er sie jetzt schon so in Ekstase versetzen konnte.

„Du weißt, was jetzt auf uns zukommt, nicht wahr?“ warnte sie ihn und knabberte verspielt an seinem Ohr. „Meine Mutter wird angerauscht kommen und wie eine Wahnsinnige alles und jedes durchorganisieren!“

„Gut. Genau das sollten Brautmütter auch tun“, gab Gil scheinbar ernst zurück, während er sich hingebungsvoll Plums nackten Brüsten widmete.

Gil und Plum lagen halb nackt auf dem Heuboden des

Stalls, nachdem Plum angedeutet hatte, sie fände einen zum Ausreiten gekleideten Mann äußerst erotisch, und sie hätte schon immer insgeheim davon geträumt, an einem so aufregenden Ort Sex zu haben. Daraufhin hatte Gil sie prompt in eine leere Box gedrängt, sie leidenschaftlich geküsst und ihre Bluse aufgerissen.

„Halt, wenn uns jemand sieht!“ hatte Plum angstvoll protestiert, als ihr eingefallen war, dass vor dem Stall ein paar Männer arbeiteten.

„Lass sie doch!“ hatte Gil erwidert. Er wusste nur zu gut, dass seine Angestellten viel zu taktvoll waren; sie hätten nie gewagt, ihn zu stören.

Halb schockiert, halb erregt hatte Plum weiter protestiert, bis Gil vorgeschlagen hatte, sie könnten ihr Liebesspiel ja auch auf dem Heuboden fortsetzen.

Nun schien die warme Nachmittagssonne auf ihre bloßen Brüste, und als sie merkte, wie Gil sie ansah, durchzuckte sie eine fast schmerzhafte Sehnsucht. Sie küsste ihn zart auf den Hals und flüsterte fast scheu: „Ich liebe dich so sehr.“ Sie hatte erwartet, er würde irgendeine scherzhafte Antwort geben, doch stattdessen nahm er ihre Hand, zog sie an die Lippen und küsste ihre Fingerspitzen. Unter seinem Blick geriet ihr Blut in Wallung. „Gil, ich weiß nicht, ob ich noch länger warten kann!“ klagte sie.

„Du?“ grollte Gil und legte sich ihre Hand auf seine Brust. „Was glaubst du, wie mir zu Mute ist!“

„Du warst derjenige, der darauf bestanden hat zu warten!“ rief Plum ihm in Erinnerung.

„Und das werden wir auch tun“, bekräftigte er, fuhr dann jedoch leise raunend fort: „Bedenke nur, in zwanzig Jahren wirst du die Hochzeit für unsere Tochter ausrichten!“

Sie waren beide der Meinung gewesen, dass sie Kinder haben wollten. „Viele!“ wie Plum begeistert vorgeschlagen hatte.

„Nun, Platz genug haben wir jedenfalls“, hatte auch Gil zugestimmt.

Gils Kinder . . . Plum räkelte sich glücklich. Sie konnte einfach nicht warten . . . Eigentlich . . . Provozierend strich sie über die harte Erhöhung unter seiner Kleidung.

23. KAPITEL

„Glücklich, Mrs. Soames?“ Bram strich Taylor etwas Konfetti aus dem Haar und beugte sich dann zu ihr, um sie zu küssen.

„Ja“, flüsterte sie, und in ihren Augen schimmerten Tränen.

Bram und Fate hatten es übernommen, die Hochzeit zu organisieren, und sich nicht von Taylors Protesten beirren lassen, sie wolle kein großes Aufheben. Ihre Schwester und Fate hatten sie zu einem ausgedehnten Einkaufsbummel überredet, im Laufe dessen Taylor sich auf wundersame Weise in eine frühere Zeit zurückversetzt fühlte. So viel Aufregung und Vorfreude hätten eher zu einem neunzehnjährigen Mädchen gepasst, statt zu einer bald doppelt so alten Frau, wie sie sich bei ihrer Schwester beklagt hatte. Man hatte sich auf drei Tage in Paris geeinigt, um für Taylor ein Brautkleid und eine so genannte Aussteuer zu kaufen. Taylor fragte sich, wann sie jemals all diese vielen hauchzarten Dessous aus Seide und Satin tragen sollte. Denn sie und Bram hatten beschlossen, anstelle einer Hochzeitsreise über Land zu fahren und sich die Häuser anzusehen, die für sie in die engere Wahl gekommen waren.

„Natürlich wirst du sie tragen“, hatte Caroline mit der wohltuenden Bestimmtheit einer älteren Schwester behauptet. „Denk doch bloß daran, wie viel Spaß es Bram machen wird, sie dir wieder auszuziehen!“

„Und denke du daran, wie diese Seidenstrümpfe aussehen werden, wenn ich sie in Gummistiefeln tragen muss!“ hatte Taylor seufzend gekontert.

Das Zusammensein mit ihrer Schwester kam ihr vor, als hätte sie endlich ein Stück von sich selbst wiedergefunden. Es war, als hätte es die vielen Jahre der Trennung nie gegeben. Sie ergänzten sich so gut, hatten sich so viel zu erzählen, lernten einander ganz von neuem kennen. Taylor wusste, weshalb Bram darauf bestanden hatte, dass sie mit Caroline und Fate nach Paris fahren sollte. Er hatte damit bewirken wollen, dass die drei endlich wieder zu der Beziehung zurückfanden, die sie von Haus aus immer gehabt haben sollten. Sein Einfühlungsvermögen hatte Taylor zutiefst gerührt, umso mehr, weil ihr klar war, wie schmerzlich es für ihn sein musste, ihre Familie wieder zusammenwachsen zu sehen, während er seine Beziehung zu Jay endgültig abgebrochen hatte. Liebevoll hatte sie versucht, ihm nahe zu legen, dass er Jay gegenüber vielleicht zu hart gewesen war. Dass sie nicht der Grund für die Kluft zwischen ihm und seinem Sohn sein wollte, unabhängig davon, welche Gefühle sie selbst für Jay hegte. Wie kam es nur, dass sie auf einmal so großzügig und voller Zärtlichkeit sein konnte? Instinktiv legte sie sich die Hand auf den Bauch.

„Ist alles in Ordnung?“ fragte Bram sofort.

„Ja, mir, uns beiden geht es gut“, versicherte sie spontan, doch ihr Lächeln wich einem Stirnrunzeln. Zögernd berührte sie seinen Arm. „Bram, Jay . . .“

„Nein“, fiel er ihr hart ins Wort. „Das ist vorbei, Taylor. Er hat seine Chance gehabt.“

Trotz dieser Bemerkung unterstellte Taylor ihm den Wunsch, alles möge anders gekommen sein. Dass Jay hätte dabei sein können; sowohl am Morgen in der kleinen, romantischen Kirche, in der sie geheiratet hatten, als auch jetzt, im sonnendurchfluteten Garten von Brams Haus. Ein Partyservice hatte für ein köstliches und auch optisch sehr ansprechendes kaltes Büffet gesorgt. Wenn die Lieferfirma überrascht gewesen war, ein solches Hochzeitsbuffet für nur fünf Personen zusammenzustellen, dann hatte sie sich zumindest nichts davon anmerken lassen. Darüber hinaus musste Taylor sich eingestehen, dass sie trotz aller anfänglichen Einwände froh war, Caroline und ihre Familie bei sich zu haben, sowohl in der Kirche als auch jetzt. Und wenn sie sich schon so nach der Nähe ihrer Familie gesehnt hatte, wie musste es dann Bram gehen, der sich Jay immer so eng verbunden gefühlt hatte . . . Und Bram ist wohl nicht der Einzige, der Jay vermisst, dachte Taylor, als sie verstohlen ihre Nichte beobachtete. Fate hatte angeregt mit Bram geplaudert, aber nun, da er sich wieder zu Taylor gesellt hatte, stand sie allein da, und ihr Blick verriet Kummer und Niedergeschlagenheit.

Taylor und Caroline hatten sich lange über Fates Beziehung zu Jay unterhalten, als Fate nicht dabei gewesen war. Taylor hatte gleich erkannt, dass ihre Schwester eine gewisse Schwäche für Jay hatte; und sie vermutete, dass er Fates Familie ein anderes Gesicht gezeigt hatte als ihr. Sie bezweifelte nicht, dass Jay sehr einschmeichelnd und charmant sein konnte, doch Fates unglücklicher Gesichtsausdruck war ihr nicht entgangen. Zwar hatten beide in stummer Übereinstimmung nie darüber gesprochen, welch grausame Rolle Jay bei ihrer ersten Begegnung gespielt hatte, doch Taylor ahnte, wie weh Jay ihrer Nichte damit getan haben musste, auch wenn diese sich weigerte, darüber zu reden. Taylor vermutete, dass Fate in ihn verliebt war, obwohl sich ihre Nichte alle Mühe gab, dieses Gefühl zu verdrängen.

„Du hast deine Hochzeitsgeschenke noch nicht ausgepackt!“ erinnerte Caroline Taylor jetzt.

Taylor schmunzelte. Schon als Kind hatte Caroline, sehr zum Kummer ihrer Eltern, nie der Verlockung widerstehen können, die von einem verpackten Geschenk ausging. „Das hebe ich mir für später auf!“ Sie schüttelte ein paar Konfettiflocken von ihrem Kleid. Es wirkte auf den ersten Blick sehr schlicht, verlieh seiner Trägerin aber eine Aura atemberaubender Eleganz. Taylor hatte den Atem angehalten, als sie sich das erste Mal in jenem eleganten Pariser Salon darin im Spiegel gesehen hatte. Sie hatte geschimpft, dass ein so teures Kleid die reine Geldverschwendung sei, und dass Bram von Sinnen sein musste, es ihr kaufen zu wollen. Ihr Protest war allerdings nicht auf fruchtbaren Boden gefallen, denn Bram hatte Caroline ganz ausdrückliche Anweisungen gegeben. Seine Braut sollte zur Hochzeit nicht etwas tragen, das ihm von seinem Sohn oder seiner Tochter später einmal den Vorwurf der Eifersucht einbringen sollte, wenn sie sich die Hochzeitsfotos ansahen.

„Eifersucht?“ hatte Taylor verständnislos gefragt.

„Sehr richtig, Eifersucht. Denn genau das würden sie denken, wenn sie ihre bildhübsche Mutter in einem Kleid sähen, das ihrer Schönheit nicht im Entferntesten gerecht wird.“

„Aber Bram!“ hatte Taylor kopfschüttelnd gerufen, doch letztlich hatte er seinen Willen durchgesetzt. Und sie dachte daran, dass dieses cremefarbene Seidenkleid sorgfältig verpackt wohl auf die Hochzeit ihrer Tochter oder Enkelin warten – und allgemein Bewunderungsstürme hervorrufen würde.

Insgeheim schwelgte sie in diesem Wunder, wie sehr Bram ihr Leben verändert hatte. Wenn ihr vor einem Jahr jemand gesagt hätte, dass sie heute den Mann heiraten würde, den sie von ganzem Herzen grenzenlos liebte, in Erwartung seines Kindes und noch dazu im Beisein ihrer Familie – dann hätte sie diese Möglichkeit nicht nur entschieden von sich gewiesen, sondern auch noch geglaubt, dass man sich auf die grausamste, bitterste Art über sie lustig machen wollte. So ausweglos hatte sie ihre Lage vor einem Jahr noch eingestuft. Und jetzt . . . Trotzdem gab es noch Wolken am Horizont, wie sie sich beklommen eingestehen musste. Nicht so sehr wegen ihrer Vergangenheit. Bram, ihr unvergleichlicher Bram hatte ihr zu erkennen gegeben, dass ihre Angst, Dennis könnte sie finden, eine ebensolche Wahnvorstellung war wie die, als Dennis behauptet hatte, sie zu ‚lieben'. Nein, nicht um sich sorgte sie sich, sondern um Bram.

Noch sah man ihr nichts von ihrer Schwangerschaft an, aber dennoch empfand sie bereits heftige Beschützerinstinkte für ihr ungeborenes Kind. Sie war schon jetzt bereit, jeden anzugreifen, der es auch nur wagte, dem Kind irgendein Leid zuzufügen. Und das nach nur vier Monaten. Wie würde sie empfinden, wenn sie an Brams Stelle und die Mutter eines Siebenundzwanzigjährigen wäre? Es widersprach jeder Logik, wenn man bedachte, was sich Jay alles geleistet hatte, trotzdem sehnte sie sich danach, ihn und Bram wieder vereint zu wissen. Damit endlich Harmonie in ihr aller Leben kehren konnte.

Doch Brams Kummer war nicht der einzige Schatten über ihrem Glück. Sie musste auch an Fate denken. Fate . . . Vergeblich hielt sie nach ihrer Nichte Ausschau.

„Sie ist gegangen“, erklärte Caroline, als Taylor sie fragte. „Sie bat mich, dir auszurichten, sie hätte da noch eine offene Rechnung zu begleichen. Sie meinte, du würdest sie verstehen.“ Die beiden Schwestern tauschten einen Blick. „Glaubst du, sie ist zu Jay gegangen?“ fragte Caroline.

„Ja, das nehme ich an.“

„Ich hoffe nur, dass er sie nicht irgendwie unglücklich macht.“ Caroline seufzte bedrückt. Taylor stimmte ihr insgeheim zu, allerdings ohne allzu großen Optimismus. „Du hast deine Geschenke noch nicht ausgepackt“, erinnerte Caroline sie erneut.

„Nein. Ich denke, das werde ich heute Abend tun.“ Taylor wurde allmählich müde, wie so leicht in letzter Zeit. Das Kind, natürlich. Ihr wurde klar, dass dieses Kind zumindest ansatzweise verantwortlich für die Ereignisse dieses Tages war.

Als sie in der Kirche der Predigt zugehört und dabei Bram angesehen hatte, war ihr aufgefallen, dass er Tränen in den Augen gehabt hatte. Sie hatte gespürt, dass er genauso bewegt war wie sie selbst. Und in dem Moment war ihr klar geworden, dass – unabhängig von allem, was je geschehen war oder noch geschehen würde – es die beste und richtigste Entscheidung ihres Lebens gewesen war, auf diese feierliche Art mit Bram die Krönung ihrer Liebe zu feiern. Und als sie vor dem Altar niedergekniet waren, um ihr Ehegelöbnis auszutauschen, da hatte sogar Jay seinen Schrecken für sie verloren. Ihm würde so vieles im Leben entgehen, wegen seiner fast besessenen Ansprüche. Er würde stets im Schatten dieser Besessenheit leben, so wie sie selbst jahrelang im Schatten ihrer Angst gelebt hatte. Doch, ja, er tat ihr irgendwie Leid, aber ebenso bedauerte sie auch ihre Nichte. Fate liebte ihn, und deshalb würde er ihr wehtun. Erst recht, weil sie Taylors Nichte war. Und Fate wusste das.

„Fühlst du dich wohl?“

Taylor lächelte Bram an, als er einen Arm um sie legte und die Hand auf ihrem Bauch ruhen ließ. Vor zwei Tagen war sie früh morgens wach geworden; Bram hatte neben ihr gelegen, die Hand auf ihrem Bauch, und sich leise mit dem Kind unterhalten. Er hatte ihm gesagt, wie sehr er es jetzt schon liebte, wie sehr er sie beide, das Kind und Taylor liebte. „Ich liebe dich, Bram“, meinte sie jetzt, als sie sich an jenen Moment erinnerte. Sie hob die Hand, um ihm über die Wange zu streicheln, und die Diamanten an ihrem Ehering funkelten gleißend in der Sonne.

Caroline hatte den Ring ehrfurchtsvoll bewundert, doch

Taylor hatte nur daraufhin vorwurfsvoll den Kopf geschüttelt. Sicherlich war der Ring wunderschön und zweifelsohne auch sehr teuer gewesen, aber das wertvollste von allen Geschenken hatte Bram ihr mit seiner beständigen Liebe gemacht.

„Ich hoffe, dass es Fate gut geht", gestand sie ihm jetzt still. Sie verglich im Stillen ihr eigenes Glück, das nun fast vollkommen war, mit Fates Kummer, den diese so tapfer hinter einer Maske entschlossener Fröhlichkeit zu verbergen versucht hatte.

24. KAPITEL

Fate war wütend auf sich selbst. Es ist eine absolut idiotische Idee gewesen, hier herzukommen, dachte sie und blieb mitten auf der Treppe zu Jays Apartment stehen. Ein völlig impulsiver, höchst gefühlsbetonter Entschluss. Selbst wenn Jay zu Hause war, würde er nicht gerade erfreut sein, sie zu sehen; nicht ausgerechnet an diesem Tag, nicht ausgerechnet sie. Warum also war sie trotzdem gekommen?

Weil sie für den verrückten Bruchteil einer Sekunde in Brams Haus das Foto von ihm und Bram gesehen hatte; von einem leicht verlegenen Bram und einem etwa achtjährigen, zornigen und sehr selbstständigen Jay. Da war ihm ihr Herz zugeflogen, sie hatte die Furcht hinter seiner so feindseligen Fassade gespürt und gewusst, dass auch der erwachsene Jay immer noch unter dieser Furcht litt, selbst wenn er es nie zugeben würde. Wie mochte es ihm heute gehen, wo er wusste, dass er von diesem so wichtigen Ereignis und von Brams weiterem Leben völlig ausgeschlossen war? Bereute er, was er getan hatte? Wünschte er, er könnte die Zeit noch einmal zurückdrehen, die richtigen Worte finden, um den Bruch mit seinem Vater ungeschehen zu machen? War er immer noch zu stolz, etwas Derartiges zuzugeben? Ja, da hatte sie sich von Herzen nach ihm gesehnt und der Stimme ihrer sonst so ausgeprägten Vernunft keine Beachtung mehr geschenkt.

Bewusst hatte sie wohl nicht beschlossen, ihn aufzusuchen; sie wusste nur, dass sie plötzlich draußen vor seinem Haus gestanden hatte. Und nun befand sie sich im Treppenhaus und betrachtete unsicher die Stufen, die nach oben führten. Wenn er nun gar nicht da war? Wenn er zwar da war, sich aber weigerte, mit ihr zu reden? Wenn . . .? Sie atmete tief durch, gab sich einen Ruck und lief die Treppe hinauf.

Jay starrte finster in sein leeres Glas, griff nach der Flasche auf dem Tisch und runzelte unwillig die Stirn, als er feststellte, dass sie ebenfalls leer war. Er hatte gestern Abend zu trinken begonnen, nachdem er die verblüffte, wütende Frau abgewimmelt hatte, mit der er zum Essen gegangen war. Er hatte den ganzen Abend heftigst mit ihr geflirtet, so dass sie äußerst zuversichtlich gewesen war, die Nacht mit ihm verbringen zu können. Zehn viel versprechende Minuten lang hatte er dann auch noch mit ihr im Auto auf dem Restaurantparkplatz herumgeknutscht, sie dann aber kurzerhand vor ihrem Haus abgesetzt. Darauf war sie nicht nur enttäuscht, sondern auch außer sich vor Zorn gewesen. Sie hatte Jay klipp und klar mitgeteilt, was sie von ihm hielt, und ihr bissiger Schlusskommentar hatte gelautet: „So weit ich mich erinnere, warst du nie mehr als bloß ein guter Fick. Jede Menge Muskeln, aber kein Herz. Und jetzt sieht es so aus, als ob dir auch die Muskeln den Dienst versagen!"

Jay machte sich gar nicht erst die Mühe, mit ihr zu streiten. Mit seiner Potenz war alles in bester Ordnung; das Problem war, sie funktionierte nur unter gewissen Umständen, oder besser gesagt, bei einer ganz bestimmten Frau. Und genau deren Bild hatte er vor Augen gehabt, als er sich auf diese hemmungslose Knutscherei eingelassen hatte. Und ihr Bild hatte ihn plötzlich wieder nüchtern gemacht.

Er nahm die leere Flasche und trug sie in die Küche. Es gab ein bezeichnendes Geräusch, als er sie in den Mülleimer warf – Glas gegen Glas.

Er ging wieder ins Wohnzimmer, und da hörte er die Türglocke. Er hatte seiner Sekretärin strikte Anweisung gegeben, dass er unter gar keinen Umständen gestört werden wollte. Außerdem wusste niemand, dass er zu Hause war. Er öffnete die Hausbar und stellte fluchend fest, dass die Flasche Whisky, die er eben weggeworfen hatte, auch die letzte gewesen war. Es klingelte erneut. Den Anrufbeantworter und das Faxgerät hatte er bereits ausgeschaltet, nur für den Fall, dass sich sein Vater mit ihm in Verbindung setzen und ihn bitten wollte, es sich doch noch mal anders zu überlegen. Am vergangenen Tag hatten Bram und er die ersten Verträge unterzeichnet, durch die er zum Leiter der Firma werden würde. Sie hatten sie getrennt unterzeichnet, jeder in seinem Büro, jeder in Anwesenheit seines jeweiligen Anwalts. Nie im Leben hätte er gedacht, dass es so weit kommen würde.

Dass sein Vater ihn zugunsten dieser Frau verstoßen, dass er sie auch noch heiraten und gar schwängern würde. Ein plötzlicher Brechreiz würgte ihn, aber er unterdrückte ihn, wie so vieles in seinem Leben, und statt ins Bad zu gehen, ging er an die Wohnungstür.

Fate sah ihn entsetzt an, als er öffnete. Jay, normalerweise gesund und leicht gebräunt aussehend, wirkte fahl. Tränensäcke zeichneten sich unter seinen leicht blutunterlaufenen Augen ab, während er ihr einen diffusen Blick zuwarf, und er hatte eine nicht zu ignorierende Alkoholfahne.

„So, so, wenn das mal nicht die Tochter der Braut ist!" begrüßte er sie zynisch. „Was für ein Glück, dass wir nie miteinander ins Bett gegangen sind, was, Stiefschwester? Oder – irre ich mich vielleicht? Bist du gekommen, um mir gute Neuigkeiten mitzuteilen? Dass die Hochzeit geplatzt ist? Oder noch besser – dass die Braut tot ist?"

Hätte er nicht die Tür hinter ihr geschlossen und sich dagegen gelehnt, wäre Fate wohl auf der Stelle davongelaufen. Abgesehen von der Tatsache, dass er eindeutig getrunken hatte, war er in viel zu gefährlicher Stimmung. Möglich, dass er litt, aber ganz sicher nicht, weil er ein schlechtes Gewissen hatte. Der kleine Junge, den zu trösten sie hergekommen war, existierte leider nur in ihrer törichten Phantasie.

„Du warst natürlich bei dem glücklichen Ereignis dabei", hörte sie ihn langsam und betont gehässig sagen.

„Ja, ich war dabei", bestätigte sie ruhig. „Du hättest auch da sein sollen, Jay. Es war ein wunderschöner Gottesdienst." Sie erkannte, dass sie nicht richtig in Worte fassen konnte, wie sehr diese schlichte Trauung sie bewegt hatte, wie sehr sie ihr Mut gemacht hatte.

„Ich? Großer Gott!" Er fing an zu lachen. „Wozu denn? Um die glückliche Familie – mein Vater, deine Mutter, wir zwei – zu vervollständigen? Hast du je bedacht, dass deren Kind für uns ein Halbbruder oder eine Halbschwester sein wird?"

„Nein, das wird es nicht", verbesserte sie ihn schlicht. „Taylor ist nicht meine Mutter, sondern meine Tante."

„Das hat sie dir erzählt? Und du hast ihr geglaubt? Du bist naiv", stellte er verächtlich fest.

„Lieber dumm als schlecht", gab sie leichthin zurück, ehe sie fortfuhr: „Taylor ist wirklich meine Tante."

„Deine Tante, ich verstehe." Jay lachte hämisch. „Warum hat sie dann gelogen und behauptet, sie wäre deine Patentante – wenn sie doch tatsächlich deine leibliche Tante ist?" Er grollte und lächelte gleichzeitig – ein überaus gefährliches Zeichen bei Jay. Doch nicht Jay versetzte sie in solches Unbehagen, sondern seine strikte Weigerung, eine andere Version als seine eigene zu akzeptieren.

„Sie hat gelogen, weil sie glaubte, uns schützen zu müssen", erklärte Fate und legte besondere Betonung auf das Wort ‚uns'.

„Ach, ja?" Seine Augen verengten sich zu Schlitzen. „Wovor denn? Zugegeben, sie ist nicht gerade jemand, den ich gern in unsere Familie haben möchte, aber . . ."

„Hör auf!" unterbrach Fate ihn zornig. „Du verstehst nicht! Das ist hier kein Spiel, bei dem man einem anderen Minuspunkte geben kann. Das ist das Leben, die Realität! Taylor hat sich von ihrer Familie, von uns, losgesagt, weil sie Angst um uns hatte. Wegen eines Mannes. Da hat es einen Mann gegeben", teilte sie Jay leise mit. „Und der . . ." In kurzen Worten schilderte sie Jay, was Taylor widerfahren war, und sie sah ihn erst an, als sie geendet hatte. Sie suchte in seinem Blick nach irgendeinem Anzeichen, dass er ihr nicht glaubte, und wappnete sich innerlich, Taylor zu verteidigen. Doch seine Miene war undefinierbar.

„Das hat sie dir erzählt, stimmt's?" fragte er beinahe sanft.

„Ja, das ist richtig."

„Und du hast ihr das geglaubt."

Diesmal zögerte sie nicht mit ihrer Antwort. „Du hast dich in ihr getäuscht, Jay", erwiderte sie fest. „Und selbst wenn du es nicht getan hättest . . ."

Während Jay Fate nach außenhin zuhörte, arbeitete es fieberhaft in seinem Kopf. Erwartete sie ernsthaft, dass er ihr die Geschichte abnahm? Taylor war reaktionsschnell und erfindungsreich, das musste er ihr lassen. Nicht einmal ihm wäre in so kurzer Zeit etwas so Raffiniertes eingefallen. Raffiniert, aber dennoch absolut unwahrscheinlich. Ein weniger naiver Mensch als Fate hätte ihr sicher nicht geglaubt. Sein Vater, zum Beispiel . . . Andererseits hatte Bram seine eigenen Gründe, warum er zumindest nach außenhin Taylors Geschichte Glauben schenkte. Nun, da er mit ihr verheiratet war, konnte er ja schlecht zugeben, dass sie ihn belogen hatte. Jay an seiner Stelle hätte auch nicht anders gehandelt. Schon allein sein Stolz hätte ihn davon abgehalten. Er lächelte verbittert vor sich hin. Sein Vater würde einen hohen Preis für Taylor zahlen müssen, und das nicht nur in finanzieller Hinsicht. Diese Erkenntnis hätte eigentlich ausreichen müssen, seine Rachegelüste zu befriedigen.

Fate wiederum hatte ebenfalls ein berechtigtes Interesse, Taylor ihre Geschichte abzunehmen. Tat sie es nicht, würde sie sich nicht länger mit diesem makellos leuchtenden Mantel wahrer Elternliebe umhüllen können. Während er sie beobachtete, fiel ihm ein, wie oft er diesen unsichtbaren Schutzschild schon hatte herunterreißen wollen, um Fate zu zeigen, wie die Welt und die Menschen darin wirklich waren, wie es sich anfühlte, wenn man verletzt wurde und leiden musste.

„Du hättest wirklich zur Hochzeit kommen sollen, Jay", sagte Fate gerade sanft. „Ich kann mir vorstellen, wie es dir jetzt gehen muss. Wie verletzt und einsam du dir vorkommen musst. Aber dass Bram Taylor liebt, heißt nicht, dass er nicht auch ..."

Sie redete weiter, und plötzlich verkrampfte sich alles in ihm. Er wollte sie zum Schweigen bringen, damit er sich nicht anhören musste, was sie ihm erzählte. Seine Gefühle befanden sich mit einem Mal in wildem Aufruhr, er spürte, wie ihm die Brust eng wurde, und ein quälender, bohrender Schmerz durchzuckte ihn. Vor Jahren hatte schon einmal eine Frau so zu ihm gesprochen, mit einer ähnlichen sanften Stimme und voller falscher Wärme, die nur über ihre eigentliche Gefühlskälte hinwegtäuschen sollte. „Dein Vater liebt dich nicht. Wie könnte er auch? Wie kann man ein so schreckliches Kind wie dich lieb haben, Jay?" Helena ... Er schloss die Augen, als die Erinnerungen zurückkamen, um ihn zu quälen. Instinktiv packte er Fate bei den Schultern und zog sie an sich, getrieben von dem Bedürfnis, sie zum Schweigen zu bringen und das Mitleid und die Anteilnahme zu ersticken, die er aus ihrer Stimme heraushören konnte. Mit nur ganz wenigen Worten hatte Fate seinen Schutzwall durchbrochen und war machtvoll in sein Innerstes vorgedrungen; nicht unbedingt tödlich, aber auf jeden Fall zerstörerisch und äußerst schmerzhaft. Ihr Angriff zielte eher darauf zu verstümmeln, statt zu töten, und

Jay reagierte darauf genauso wie jedes andere, vor Schmerz besinnungslose Geschöpf auf einen körperlichen Angriff. Seine Methode der Gegenwehr bestand darin, Fate mit eisernem Griff an sich zu pressen, und er benutzte seinen Mund, um die weichen, mitfühlenden Worte zu ersticken, die zu hören er nicht ertragen konnte, die ihn bis aufs Blut quälten.

Fate erstarrte und gab einen unwillkürlichen, erstickten Protestlaut von sich. In ihren Augen flammte Zorn auf, und sie versuchte verzweifelt, sich aus seiner Umarmung zu befreien. Körperlich mochte sie unangebrachterweise erregt sein durch seine Nähe, durch das Zusammenbrechen seiner Beherrschung; aber ihr Verstand verriet ihr ganz klar, dass weder Verlangen noch Liebe das Motiv für sein Tun war.

Nicht nur sie war erregt, wie sie feststellte. Ihr Körper weigerte sich, auf die mahnende Stimme ihrer Vernunft zu hören, Jays spürbare Erregung zu ignorieren. Ihr Körper gebärdete sich wie ein eigenständiges Wesen, wie ein unerzogener, junger Hund, der freudig an seiner Leine zerrte, weil er einen Freund erkannt zu haben glaubte. Ohne ihr willentliches Zutun presste sie ihr Becken gegen Jays und bewegte auffordernd die Hüften.

Das rhythmische Vorstoßen seiner Zunge in ihren Mund versetzte ihren ganzen Körper in einen Zustand beinahe schmerzhaften Verlangens. Irgendwie war es Jay gelungen, sie mit dem Rücken gegen die Tür zu drücken; mit aller Kraft hielt er ihre Arme über ihrem Kopf fest. Fate ahnte, wenn sie ihm nicht bald Einhalt gewährte, würde es zum Unvermeidlichen kommen. Sie geriet in Panik. Das war nicht das, was sie wollte. Sie wollte Jay nicht, nicht jetzt, überhaupt nicht mehr, und schon gar nicht auf diese Weise, ganz gleich, wonach sich ihr Körper auch sehnen mochte. Als ihre Versuche, sich zu befreien, scheiterten, wuchs ihre Panik noch, und ohne an die Folgen zu denken, biss Fate Jay kräftig in die Unterlippe. Sofort spürte sie den salzigen, leicht metallischen Geschmack von Blut. Entsetzt über das, was sie getan hatte, erstarrte sie vollständig.

Jay ließ ihre Hände los, um mit dem Finger die blutende Wunde zu berühren. Fate verfolgte angstvoll diese Geste und sah ihm dann in die Augen. Wie erwartet spiegelte sich Wut in seinem Blick wider – aber auch noch etwas anderes.

Etwas, das ihren Adrenalinspiegel gefährlich in die Höhe trieb.

„Das wird dir noch sehr Leid tun“, teilte Jay ihr mit belegter Stimme mit. „Sehr Leid sogar.“ Der sinnliche Blick unter halb gesenkten Lidern her ließ sie nicht im Zweifel darüber, was er meinte. Vielleicht hätte sie dem Ganzen jetzt ein Ende bereiten, sich aus seiner Umarmung lösen und fortlaufen können. Doch sie zögerte die sprichwörtliche Sekunde zu lange. Lange genug, dass er ihr Erröten richtig deuten konnte, die Art, wie sie seinem Blick auswich, die Art, wie sie den Atem anhielt, als er mit der Fingerspitze über ihren bloßen Hals strich. Erschauernd schloss sie die Augen, ohne sich von der Stelle zu rühren, und überließ es ihm, die Kontrolle zu übernehmen. Über die Situation, über sie selbst.

„Kein Einwand, kein Protest“, murmelte er, küsste ihre Kehle und weidete sich an ihrer Reaktion darauf, bis er sie endlich so weit hatte, dass sie zitternd und bebend in seinen Armen lag. „Aber schließlich ist es ja auch genau das, was du wolltest, nicht wahr?“ fügte er zynisch hinzu. „Was du von Anfang an gewollt hast.“ Fate wollte es abstreiten, doch dann sah sie in seine glühenden Augen, und die Worte erstarben ihr auf den Lippen. „Küss mich“, hörte sie Jay rau fordern. „Küss mich und spüre, was du getan hast. Und dann erinnere dich daran, was für eine Art Mann ich bin, Fate. Niemand tut mir so etwas ungestraft an, Fate, niemand.“

Sie sog scharf den Atem ein, als er die Hand auf ihre Brust legte, und sie wehrte sich. Eher gegen das, was sie empfand als gegen das, was er tat. Und zu ihrer Betroffenheit sah sie selbst, wie sich unter der dünnen Seide die Knospen ihrer Brüste verräterisch aufrichteten. Natürlich entging das auch Jay nicht, und Fate musste den Blick abwenden, als er die Spitze seines Zeigefingers mit der Zunge befeuchtete und aufreizend Kreise um die eine Spitze zog. Als sei das noch nicht genug, beugte er den Kopf und leckte wieder und wieder über die härter werdende Knospe.

Mit dem tiefen Wissen einer Frau, was ihre eigene Sexualität betraf, hatte sie immer geahnt, dass es genau so zwischen ihnen sein würde; dass Jay sie berühren würde, und sie schmolz dahin, verzehrte sich nach seiner Umarmung, nach der völligen Unterwerfung, die er stillschweigend von ihr verlangte. Und genau diese Erkenntnis, dass sie es unmöglich fertig bringen würde, jene beiden unvereinbaren Seiten ihres Charakters in Einklang zu bringen, hatte sie davon abgehalten, sich schon früher sexuell mit Jay einzulassen.

Jay fuhr fort, sie zu liebkosen, und sie streckte blindlings die Arme nach ihm aus, erbebte und nahm nichts mehr um sich herum wahr, nicht einmal die erstickten Laute der Lust, die sie ausstieß – nur noch ihr brennendes Verlangen nach ihm. Sie registrierte auch nicht bewusst, dass sie in sein Schlafzimmer gingen und sich auf dem Weg dorthin in beinahe fieberhafter Hast entkleideten. Die helle Leinenbettwäsche fühlte sich leicht rau unter ihrer Haut an, aber nicht unangenehm, sondern im Gegenteil sehr erotisierend, als Jay Fate auf das Bett legte und mit verhangenem Blick jede Einzelheit ihres nackten Körpers in sich aufnahm. Fate blieb reglos liegen und beobachtete ihn, während er sie betrachtete. Aber obwohl sie es sehr anregend fand festzustellen, dass er seine Reaktion auf ihren Anblick nicht unterdrücken konnte, bereitete es ihr unvergleichlich viel mehr Lust, ihn ihrerseits einfach anzusehen. Sein Körper war genau so, wie sie ihn sich vorgestellt hatte, mit festen, harten, aber nicht unangenehm übertrieben ausgeprägten Muskeln; seine Körperbehaarung war dunkel und fühlte sich verlockend weich an; und seine Brustwarzen waren im Gegensatz zu ihren klein und dunkel, aber ebenso hart und aufgerichtet. Fate berührte die eine mit der Fingerspitze und zog einen Kreis darum, genau wie Jay es vorhin bei ihr getan hatte, und ihre Lippen öffneten sich erwartungsvoll, als sie sich ausmalte, wie sie sie mit der Zunge liebkosen würde. Sofort spürte sie, wie Jay sich anspannte. Offenbar war er es nicht gewohnt, selbst Sklave seiner Lust zu sein, denn er packte ihre Hand, nahm sie fort und küsste die zarte Innenseite ihres Handgelenks.

Fate war schon von Männern geliebt worden, die weitaus einfühlsamer darauf bedacht gewesen waren, ihr Lust zu verschaffen. Doch noch nie hatte sie körperlich so intensiv auf einen Mann reagiert wie auf Jay. Als sie seine Lippen auf ihrem Bauch spürte, erschauerte sie vor Wonne. Dann nahm sie seinen heißen Atem zwischen ihren Schenkeln wahr, und sie wusste, wenn er sie nun mit der Zunge verwöhnen würde, dann konnte sie ihren Orgasmus auf keinen Fall mehr zurückhalten. Dabei wollte sie den ersten Höhepunkt erleben, wenn er in ihr war, wenn sie beide etwas davon hatten. Sie sah, wie seine Augen dunkel wurden, als sie die Hand ausstreckte, um ihn aufzuhalten; sie sah den Triumph darüber, dass sie ihr Verlangen nach ihm nicht verbergen konnte. Doch es störte sie nicht, sie verdrängte diesen Eindruck und sagte ihm nur mit heiserer Stimme, was sie wollte. Er zögerte, und spontan drängte sie ihn, sich zu beeilen. Er fühlte sich geschmeidig und doch hart an und füllte sie ganz aus, ihre Körper ergänzten einander in vollkommener Harmonie, als seien sie füreinander geschaffen. Sie empfand jede einzelne seiner Bewegungen so intensiv, dass sie den Höhepunkt erreichte, noch ehe er überhaupt richtig angefangen hatte, sie mit rhythmischen Stößen zur Ekstase zu bringen. Ihr ganzer Körper wurde geschüttelt unter der Intensität ihrer Empfindungen. Als Jay endlich ebenfalls kam, zwang sie ihn, ihr dabei in die Augen zu sehen und diesen außergewöhnlichen Moment mit ihr zu teilen. Er versagte ihr jedoch diesen stummen Wunsch und wandte den Blick zur Seite, ehe er die Augen schloss und sich zuckend aufbäumte. Auf seiner Haut glitzerten Schweißperlen. Fate strich ihm über die Brust und hob den Kopf, um ihn dort zu küssen, doch er wich zurück, und sie begnügte sich damit, ihre mit seinem Schweiß benetzte Fingerspitze an ihre Lippen zu führen. Noch immer schwelgte sie selbstvergessen in der grenzenlosen Lust, die sie eben gemeinsam erlebt hatten. Ihr war gleichzeitig zum Lachen und zum Weinen zu Mute. Verzweifelt sehnte sie sich danach, Jay im Arm zu halten und von ihm gehalten zu werden, doch er hatte sich bereits aufgerichtet und wandte ihr den Rücken zu. „Jay . . .?“ flüsterte sie zögernd und etwas verunsichert. Als er sich zu ihr umdrehte, krampfte sich ihr Magen zusammen. Sein Blick war kalt und hart, und seine Stimme klang grausam.

„Seltsam, da kann man eine Frau fast bis zur Selbstaufgabe begehren, doch wenn man sie dann gehabt hat, begreift man, dass sie einfach nicht hält, was sie verspricht; dass sie nicht im Mindesten den hoch gesteckten Erwartungen gerecht wird, und dass der Sex mit ihr nicht mehr ist als ein höchst durchschnittliches, langweilig und wenig anregendes Ereignis.“ Er warf einen Blick auf seine Armbanduhr und fügte gefühllos hinzu: „In einer halben Stunde muss ich weg. Du brauchst doch sicher nicht lange, um dich anzuziehen und zu gehen, nicht wahr? Ach, und noch etwas", ergänzte er, ehe er sich endgültig von ihr abwandte. „Ich glaube kein Wort von dem, was du mir über Taylor erzählt hast. Sie ist deine Mutter, ob du diese Tatsache nun akzeptierst oder nicht. Hast du dir wirklich eingebildet, ich könnte dich noch weiterhin begehren, nachdem ich wusste, dass du ausgerechnet ihre Tochter bist?" fragte er brutal. „Es gab nur einen Grund, warum ich mit dir ins Bett gegangen bin, und der hatte weder etwas mit Verlangen noch mit Lust zu tun."

Fate sah ihn nur benommen an. Ihr Herz schlug hart, aber auch gleichzeitig langsam, viel zu langsam. Ihr war zu Mute wie jemandem, der an einem Abgrund stand und wusste, dass er zu seiner eigenen Sicherheit einen Schritt zurückgehen musste. Genauso war auch ihr klar, dass sie Jay nicht erlauben durfte, sie zu quälen und sie dazu zu bringen, ihm die Frage zu stellen, die er offenbar von ihr hören wollte. Und doch wusste sie, dass sie sie stellen würde. „Dann . . . warum? Warum hast du mich geliebt, Jay?" erkundigte sie sich tonlos.

„Dich geliebt . . ." Er verzog bösartig den Mund. „Großer Gott, kein Wunder, dass du dir so leicht einreden konntest, Taylor hätte dich nicht belogen! Ich habe dich nicht ‚geliebt', Fate. Ich habe dich ‚gefickt'. Das war mein Hochzeitsgeschenk an meinen Vater und deine Mutter, wenn du so willst. Du hast doch nicht wirklich geglaubt, ich hätte *dich* gewollt, oder? Aus welchem Grund denn, bitte?" Er musterte sie gnadenlos, während ihr die Tränen über die Wangen liefen, dann griff er nach ihrem Kinn. „Du bedeutest mir nichts, Fate, absolut nichts. Du bist nicht mal besonders gut im Bett. So, und nun zieh dich an und verschwinde. Ach, ja, Fate . . ." Auf dem Weg zum Bad hielt er inne. „Und mach dir nicht die Mühe, noch einmal herzukommen. Das nächste Mal lasse ich dich nämlich gar nicht erst durch die Wohnungstür." Er sah erneut auf die Uhr. „So, und jetzt bleiben dir noch zwanzig Minuten."

„Hast du immer noch nicht alles ausgepackt?" stöhnte Bram und sah zu, wie Taylor langsam und bedächtig die kleine Schachtel mit der goldenen Schleife auspackte, die er unter die anderen Geschenke gemogelt hatte. Er liebte es, sie zu beschenken. Sein Herz quoll immer über vor Liebe, wenn er beobachtete, wie angestrengt sie versuchte, ihre Aufregung und Vorfreude im Zaum zu halten. Er fragte sich, wie oft sie als Kind wohl enttäuschende Geschenke erhalten haben mochte, dass sie sich diese verhaltene Art angeeignet hatte. „Ich wette, du hast als Kind alle wahnsinnig gemacht, weil du immer so lange brauchtest, bis du alle Weihnachts- und Geburtstagsgeschenke ausgepackt hattest!“ zog er sie nun liebevoll auf.

„Unsere Eltern hörten auf, uns Überraschungen zu kaufen, als wir sieben waren“, erklärte Taylor ihm trocken. „Mein Vater fand, so etwas förderte nur eine gewisse Unreife. Man gab uns eine Liste mit ausgesuchten Vorschlägen, dann durften wir uns ein Geschenk aussuchen und mussten dazu einen kurzen Aufsatz schreiben, in dem wir unsere Wahl begründen und erklären sollten, welchen Nutzen wir uns von diesem Geschenk erwarteten. Einmal lehnte Caroline sich dagegen auf und weigerte sich, sich ein Geschenk von der Liste auszusuchen. Stattdessen wünschte sie sich ein Fahrrad, ich brauche wohl nicht zu sagen, dass sie es nicht bekommen hat. Oh, Bram! Das hättest du nicht . . . !“ rief Taylor freudig erregt aus, als sie die Schachtel endlich geöffnet hatte.

Bram hörte, wie Caroline ehrfurchtsvoll den Atem anhielt beim Anblick der Ohrringe, die er seiner Frau gekauft hatte. Es waren Saphire in einer antiken Fassung. Er hatte sie zufällig beim Juwelier im Schaufenster gesehen und sofort gewusst, dass sie genau das Richtige für Taylor waren.

„Sie sind traumhaft!“ Taylor umarmte und küsste ihn. „Aber sie sind viel zu wertvoll, um sie zu tragen! Ich hätte ständig Todesangst, sie zu verlieren. Außerdem, wenn wir demnächst auf dem Land wohnen, werde ich wohl kaum noch Gelegenheit haben, so etwas Kostbares zu tragen.“

„Wir werden schon für die passenden Gelegenheiten sorgen“, widersprach Bram. „Und wenn wir warten müssen, bis er oder sie volljährig wird!“ meinte er und strich liebevoll über ihren Bauch. Alle lachten, und Bram wusste, dass Taylor trotz ihres Protests überglücklich über sein Geschenk war, denn sie strahlte über das ganze Gesicht vor Freude. „So, als Nächstes mach das hier auf“, drängte er und griff nach einem großen, sorgfältig verpackten Paket. „Komm, ich helfe dir dabei, dann geht es schneller!" zog er sie auf.

„Es ist an mich adressiert!" konterte Taylor und nahm es ihm weg.

Lachend trat Bram einen Schritt zurück, um ihr beim Auspacken zuzusehen; Caroline und Oliver standen neben ihm. Keiner hatte auch nur mit einem Wort Jays Abwesenheit erwähnt, ebenso wenig wie die Tatsache, dass Fate verschwunden war. Bram ahnte, dass Taylor nur deshalb schwieg, weil sie fürchtete, es würde ihm zu weh tun, wenn sie auf Jay zu sprechen kam. Aber da täuschte sie sich. Eigentlich hätte der Bruch mit Jay eine tiefe, schmerzende Wunde in ihm hinterlassen müssen, und es erschreckte ihn bisweilen selbst, dass er stattdessen gar nichts empfand. Kein Bedauern, keine Schuldgefühle, keinen Schmerz – gar nichts.

Taylor entfernte jetzt das Seidenpapier von dem Karton und sah Bram dabei lächelnd in die Augen. Und weil sie ihm das Gesicht zugewandt hielt, merkte er auch sofort, wie sich plötzlich ihr Gesichtsausdruck veränderte, wie ihr Lachen erstarb und in Sekundenschnelle in blankes Entsetzen umschlug, ehe sie gellend zu schreien anfing.

Er riss ihr den Karton weg und registrierte als Erstes den widerlichen, fauligen Gestank, der von ihm ausging. Dann warf er einen Blick in den Karton, und ein heftiger Brechreiz überkam ihn. „Was, zum Teufel ist da drin?" hörte er Oliver erschrocken fragen.

„Ein toter Fötus, glaube ich", gab Bram gepresst zurück. Er verschloss den Karton und stellte ihn vorsichtig auf den Tisch. Taylor hielt sich an Carolines Schulter fest und starrte blicklos vor sich hin, während Bram vergeblich versuchte, sie zu beschwichtigen. „Ich rufe den Arzt", sagte er zu ihr, und Caroline versuchte, sie dazu zu bewegen, das Zimmer zu verlassen.

Wer bringt so etwas fertig? fragte sich Bram. Ihm war immer noch übel, als er ans Telefon ging und die Nummer des Hausarztes wählte. Wer schickte einer schwangeren Frau an ihrem Hochzeitstag einen toten Fötus? Was für ein Mensch war das, der zu so etwas fähig war? Offenbar jemand, der Taylor hasste, der sie verletzen und ihr ungeborenes Kind umbringen wollte. Über die grausame, bösartige Symbolik des Kartoninhalts gab es gar keinen Zweifel. Wer hatte am meisten Grund, Taylor und das Kind zu hassen, das sie erwartete . . .? Sein eigener Sohn . . . Jay? Bram schloss die Augen und betete inständig, er möge sich irren. Dass Jay zu so einem wahnwitzigen Racheakt nicht fähig sein konnte. Aber wenn es nicht Jay war, wer dann?

Taylor schien die Antwort darauf zu kennen. Als Bram den Arzt eine halbe Stunde später hinauf ins Schlafzimmer führte, lief sie rastlos hin und her. Sie war kreidebleich und hielt die Arme fest um sich geschlungen. „Er ist es. Ich weiß, dass er es ist. Irgendwie hat er mich gefunden. Uns. Irgendwie. Oh, Gott, Bram, was habe ich angerichtet? Das ist alles nur meine Schuld! Wenn jetzt etwas passiert . . ."

„Gar nichts wird passieren", tröstete er sie. Doch während er noch sprach, spürte er erstmals in seinem Erwachsenenleben ein Gefühl hilfloser Ohnmacht. Er wusste, dass er nur Banalitäten von sich gab. Es war ganz offensichtlich, dass er weder Taylor noch ihr Kind beschützen konnte. Er konnte Taylor ja nicht einmal vor ihrer bloßen Angst vor Dennis Phillips schützen, geschweige denn, vor dem Mann selbst. Dennis Phillips. Seine Anspannung wuchs, als ihm einfiel, was er Taylor verschwiegen hatte – nämlich, dass sich Dennis Phillips inzwischen auf freiem Fuß befand. Aber er konnte sie doch unmöglich gefunden haben! Nein, das war völlig ausgeschlossen.

Er hörte, wie Taylor mit dem Arzt stritt und sich weigerte, ein Beruhigungsmittel zu nehmen. „Wozu denn noch? Jetzt, wo er weiß . . . wo er uns aufgespürt hat . . ."

Bram versuchte, sie zu beruhigen. „Taylor, wir wissen doch gar nicht, ob Dennis Phillips tatsächlich dafür verantwortlich ist."

„Doch!" widersprach sie heftig. „Ich weiß es! Aber ich werde nicht zulassen, dass er meinem, unserem Baby etwas tut", rief sie leidenschaftlich. „Eher bringe ich ihn zuerst um . . ." Die letzten Worte hatte sie wieder leise, aber mit solcher Bestimmtheit gesagt, dass Bram sie verwundert ansah. Sie meint es ernst, erkannte er. Und es faszinierte ihn, was die Natur bewirkte, wenn es darum ging, ein so verwundbares Wesen zu schützen. „Es geht mir wieder besser", versicherte sie jetzt dem Arzt und wandte sich an Bram. „Zeig es ihm, Bram. Zeig ihm, was in dem Karton ist. Ich will es wissen.“ Sie schluckte, ehe sie heiser fortfuhr: „Ich muss es einfach wissen.“

„Nun, Genaues vermag ich auch nicht zu sagen“, meinte er Arzt, nachdem er den Ekel erregenden Inhalt des Pakets untersucht hatte. „Ein menschlicher Fötus ist es nicht. Eher der eines Tieres, wenngleich ich nicht weiß, von was für einem. Trotzdem – kein Anblick, den man einer Schwangeren zumuten sollte . . .“ Stirnrunzelnd wickelte er den Fötus in einen Bogen Zeitungspapier und versenkte ihn wieder im Karton. „Sehen Sie, das hier scheint ein Brief zu sein“, machte er Bram aufmerksam.

Dem Umschlag haftete derselbe widerliche Geruch an. Bram riss ihn voller Abscheu auf und entnahm ihm einen mit Maschine beschriebenen Bogen Papier. Das Schreiben war an Taylor gerichtet, und Bram las es vor:

Denk an mich. Du hast mich betrogen, zum Narren gehalten, über deinen Tod belogen, genauso, wie du mich über deine Liebe belogen hast. Doch Lügner müssen bestraft werden. Du hast mich gestraft, weil ich dich geliebt habe, und nun strafe ich dich, weil du mich und unser Kind belogen hast. *Mein* Kind. Du warst es nicht wert, dieses Kind zu bekommen, genauso wenig wie du meine Liebe wert warst. Dieses Kind, das du verleugnet, verstoßen und weggegeben hast . . . mein Kind. Du verdienst es nicht, und deshalb nehme ich es dir jetzt weg. Du hast es nie verdient. Du hättest es am liebsten schon im Mutterleib umgebracht, wenn du gekonnt hättest, du und deine verfluchten Eltern. Nun sind sie tot, und du hättest eigentlich mit ihnen sterben sollen. Doch du wirst dich nicht mehr zwischen uns stellen. Jetzt gehört sie mir, und nichts und niemand wird uns mehr voneinander trennen können. Sie gehört mir . . .

Brams Hände zitterten, als er den Brief auf den Tisch legte.

In Taylors Augen spiegelte sich Entsetzen wider. „Der Brief ist von ihm . . . von Dennis Phillips, nicht wahr? Aber wie . . .?“ Ihre Miene verriet, dass sie zu verstehen anfing. „Er ist frei, habe ich Recht?“ wollte sie vorwurfsvoll wissen.

„Man hat ihn freigelassen, nach allem, was sie behauptet haben ... Er befindet sich auf freiem Fuß, und nun ..."

„Er hat Berufung eingelegt", bestätigte Bram grimmig. „Ich nehme an, weil die Gefängnisse so überbelegt sind, hat der Richter ..."

„Du hast es gewusst!" Taylor starrte ihn an. „Du hast es gewusst, aber du hast es mir nicht gesagt. Du ..."

Bram schloss die Augen. Ihm wollte nichts zu seiner Verteidigung einfallen.

„Oh, Bram! Was habe ich nur getan? Was habe ich getan?" Sie begann zu weinen. „Er glaubt, Fate sei seine Tochter", flüsterte Taylor. „Wie ist er nur darauf gekommen? Niemand weiß doch ..." Sie verstummte und sah ihn gequält an. „Doch, Jay. Jay wusste es. Sag mir, dass Jay das nicht getan hat, Bram! Sag mir, dass er sie nie so verletzen würde! Du bist doch sein Vater, du kennst ihn am besten! Sag mir ..."

Bram schüttelte den Kopf. Er schämte sich in Grund und Boden, dass er weder Taylor noch Fates Eltern die Gewissheit geben konnte, die sie brauchten und verdienten.

„Fate ist gerade bei Jay", teilte Taylor ihm angstvoll mit und klammerte sich an seine Schultern. „Jedenfalls wollte sie zu ihm, als sie von hier wegging. Ruf ihn an, Bram! Ruf ihn an und sage ihm, er soll sie dort behalten! Sag ihm, dass sie auf keinen Fall weggehen darf! Oh, Gott, wenn ihr etwas zustößt ..."

„Ihr wird nichts zustoßen", versprach Bram heftig. „Falls es nötig wird, können wir sie rund um die Uhr polizeilich bewachen lassen. Wir werden für ihre Sicherheit sorgen, Taylor, das schwöre ich dir! Koste es, was es wolle. Keinem von uns wird etwas passieren."

„Man sagte mir, es würde ihm nie gelingen, mich ausfindig zu machen", murmelte Taylor gepresst. „Man sagte mir, das sei schlichtweg unmöglich. Man hat mir beteuert, ich sei absolut sicher vor ihm."

„Und wo genau befindet sich nun die junge Dame, die angeblich in Gefahr sein soll?" wollte der Polizist teilnahmsvoll von Bram wissen.

Bram tauschte einen kurzen, aber viel sagenden Blick mit Taylor, ehe er antwortete. „Wir nehmen an, dass sie meinen Sohn besuchen wollte. Wir haben schon versucht, ihn zu erreichen. Aber da sich dort auf unseren Anruf hin niemand gemeldet hat . . ."

„Ich verstehe die Sachlage. Sie haben also im Grunde nicht die geringste Ahnung, wo sich die junge Dame momentan aufhält."

„Nein", gab Bram schweren Herzens zu. „Ich fürchte, wir wissen es leider nicht." Der einzige Laut, der die unheilvolle Stille durchbrach, war Carolines unterdrücktes Aufschluchzen.

25. KAPITEL

Jay starrte auf das zerknüllte Stück Stoff in seiner Hand und merkte erst jetzt, dass es sich dabei um sein Oberhemd handelte. Er dachte daran, wie Fate ihn angesehen hatte, als er aus dem Bad gekommen war. Angezogen und völlig reglos hatte sie im Zimmer gestanden.

„Es ist schon in Ordnung“, hatte sie ihm gefasst mitgeteilt. „Ich weiß, du willst, dass ich gehe, und ich werde dir keine Szene machen. Eines Tages wird es einen Mann in meinem Leben geben, der mich so schätzt wie ich bin.“ Jetzt zitterte ihre Stimme doch leicht und verräterisch. „Ich hatte gehofft, du würdest derjenige sein. Jetzt hoffe ich nur, dass wir uns niemals wieder begegnen werden.“ Und mit diesen Worten war sie gegangen.

Das Schrillen der Türglocke riss Jay aus seinen Gedanken, und er ging, um zu öffnen. Er konnte seine Überraschung darüber nicht verbergen, dass er seinen Vater und nicht wie erwartet – gehofft? – Fate vor sich sah. Bram nutzte diesen Moment, trat in die Wohnung und schloss die Tür hinter sich. „Ist Fate bei dir?“

Schrecken, Zorn, Enttäuschung, Schmerz ... Jay wusste nicht, welche Empfindung die stärkste in ihm war. Er wusste nur eins. Sein Vater, der ihm klipp und klar gesagt hatte, er wolle nichts mehr mit ihm zu tun haben, war zu ihm gekommen. Nicht etwa, um ihn zu sehen oder um die Versöhnung mit ihm anzustreben, nein. Er suchte Fate. Diese Erkenntnis erfüllte ihn mit einer bis dahin ungekannten Wut. Dementsprechend reagierte er auch. „Warum? Willst du jetzt mit ihr ins Bett? Bist du ihre Mutter schon leid und versuchst es nun bei der Tochter? Na, mir soll es gleich sein. Sie ist es nicht wert. Und im Moment dürfte sie ohnehin in der Hinsicht mehr als gesättigt sein.“

Bram hatte noch nie zu Gewalttätigkeit geneigt, und so genoss es Jay, seinen Augenausdruck und die hart aufeinander gepressten Kiefer zu sehen. Allerdings war er nicht darauf gefasst, dass Bram ihn plötzlich schmerzhaft an den Oberarmen packte. „Hör auf damit, Jay!" forderte Bram mit belegter Stimme. „Um Gottes willen, halt den Mund! Ist Fate noch hier – ja oder nein?"

„Nein." Verärgert machte Jay sich von ihm frei. „Hör mal, ich habe keine Ahnung, was los ist. Ich weiß auch nicht, weshalb dich deine Frau – ich nehme an, das ist sie inzwischen – zu mir schickt, damit du nach ihrer kostbaren Tochter suchst. Die ihr tatsächlich so viel bedeutet, dass sie fast zwanzig Jahre lang ihre Existenz verleugnet hat und es noch immer tut, wenn man Fate Glauben schenken darf . . ."

Bram ignorierte seine gehässige Bemerkung und fiel ihm einfach ins Wort. „Wann ist Fate gegangen? Hat sie gesagt, wohin sie wollte?"

„Vor etwa einer Stunde, und, nein, sie hat es mir nicht . . ."

Jays Tonfall und seine herablassende Miene brachten Bram dazu, ihn kalt zu unterbrechen. „Was hast du ihr angetan, Jay? Was hast du zu ihr gesagt?"

„Was ich ihr angetan habe?" Jay zuckte mit den Schultern. „Was sagt man schon zu einer Frau, die sich zum einen als Enttäuschung entpuppt und die noch dazu mit einem familiären Makel behaftet ist, über den man nur schlecht hinwegsehen kann?" Er zuckte erneut mit den Schultern und fügte zynisch hinzu: „Ich sagte ihr, dass die rein sexuelle Erfahrung sich nicht gelohnt hätte und keine Wiederholung wert sei. Und da das der einzige Grund war, warum ich überhaupt mit ihr ins Bett gegangen bin, teilte ich ihr ferner mit, dass demnach kein Anlass für sie bestände, noch länger zu bleiben."

„Du hast sie weggeschickt", stieß Bram hervor. „Du bist mit ihr ins Bett gegangen und hast sie dann weggeschickt. Großer Gott, Jay . . . !" Bram schloss die Augen. Nur zu gut konnte er sich vorstellen, in welcher Verfassung Fate sich befunden haben musste, als sie Jays Wohnung verlassen hatte. Und jetzt konnte sie wer weiß wo sein. Nur . . . bitte nicht an einem Ort, wo Dennis Phillips sie finden konnte . . .

„Na schön, dann habe ich sie also weggeschickt", grollte Jay. „Und? Wozu das Theater?"

„Wozu? Weil Fate in Lebensgefahr ist und wir sie finden müssen, um sie zu warnen und um dafür zu sorgen, dass sie sich in Sicherheit befindet! Dich interessiert das natürlich alles herzlich wenig, aber mich, ihre Eltern und Taylor umso mehr ...“

„Ach, komm, sag bloß nicht, dass du darauf hereingefallen bist, dass Taylor ihre Tante ist! Taylor ist ihre Mutter. Und wenn sie etwas anderes behauptet, dann lügt sie!“

„Taylor wollte Fate und ihre Eltern schützen. Durch dein Eingreifen, durch deine wahrhaft grausamen Rachegelüste hast du im Wesentlichen dazu beigetragen, dass sich Fate nun in Gefahr befindet, ja, du hast die Gefahr sogar noch größer gemacht! Mir ist schleierhaft, wie Dennis Phillips darauf kommen konnte, Fate sei seine Tochter, doch es gibt meines Wissens nur einen einzigen Menschen, der diesen Irrglauben in Bezug auf Taylor teilt – und das bist du. Kennst du ihn?“

„Dennis Phillips? Nein“, erwiderte Jay verärgert, und Bram hörte ihm an, dass er die Wahrheit sagte. „Ich habe nie von ihm gehört, bis Fate mir von ihm erzählte. Und trotzdem glaube ich noch immer ...“

„Was denn?“ unterbrach Bram ihn schroff. „Dass ich lüge? Nein, Jay, du bist derjenige, der lügt. Du belügst dich selbst, weil dir deine Selbstherrlichkeit nicht erlaubt, die Wahrheit zu akzeptieren! Doch sollte Fate jetzt etwas zustoßen, dann wird dich diese Selbstherrlichkeit nicht vor deinem schlechten Gewissen schützen. Und erst recht nicht vor mir!“

Als Bram sich abwandte, tat Jay einen Schritt auf ihn zu, hielt dann aber inne. Schließlich war es nicht seine Schuld, wenn dieser Dennis Phillips glaubte, Fate sei seine Tochter! Er kannte den Mann ja noch nicht einmal. Was konnte man ihm dann zum Vorwurf machen?

An der Tür drehte Bram sich noch einmal um. „Falls Fate sich mit dir in Verbindung setzt ...“ Er verstummte und sah Jay voller Verachtung an. „Aber nein, das wird sie wohl nicht, stimmt's, Jay? Da bist du völlig auf Nummer sicher gegangen. Jahrelang habe ich mir Vorwürfe gemacht, dass du so geworden bist, wie du bist. Ich habe mich selbst dafür verflucht, für die Umstände deiner unglückseligen Entwicklung mitverantwortlich zu sein, aber jetzt ...“ Er schüttelte den Kopf. „Für deine ganz besondere Grausamkeit gibt es keine Rechtfertigung, Jay. Deine eigenen Erfahrungen hätten dir der beste Lehrmeister sein müssen. Du weißt doch wohl, dass Fate dich liebt, oder?“

„Ich weiß, dass sie sich das einbildet“, gab Jay schroff zu. Er ignorierte geflissentlich die Schuldgefühle, die ihn zu überwältigen drohten. Er konnte dem Blick seines Vaters nicht standhalten. Sein Herz schlug zu heftig und zu schnell, und ein Gefühl, das er nicht näher deuten wollte, stieg qualvoll in ihm auf. Er versuchte, sich zu verteidigen. „Aber schließlich kennt Fate mich im Grunde gar nicht, und selbst wenn . . .“

„Spar dir die Litanei für jemand anderen, Jay“, teilte Bram ihm mit und öffnete die Tür. „Bedenke, ich kenne die Geschichte schon, dieses ganze Trauma deiner Vergangenheit. Letztlich bin ich diese Vergangenheit, und momentan muss ich mich um wichtigere Dinge sorgen als um deine vermeintlichen . . .“

Beide zuckten zusammen, als das Telefon plötzlich klingelte. Jay nahm den Hörer ab und reichte ihn kurz darauf an Bram weiter. „Taylor ist am Apparat . . .“

„Bram, da ist ein weiterer Brief gekommen“, berichtete Taylor unter Tränen. „Er sagt, er hat Fate, und er sei nicht bereit, sie je wieder gehen zu lassen! Er sagt, ich hätte sie zwanzig Jahre lang gehabt, jetzt sei er an der Reihe. Dass sie seine Tochter ist, und dass ich sie genauso verstoßen habe wie ihn. Und dass er dafür sorgen wird, dass ich sie nie wieder zu Gesicht bekomme! Oh, Bram! Ich mache mir solche Sorgen um sie!“ Taylor fing an zu weinen, sie konnte nicht weiterreden.

Bram umfasste den Hörer fester. Aus dem Augenwinkel heraus sah er, wie eine Ader sichtbar an Jays Schläfe pochte. „Ich komme gleich nach Hause. Hast du die Polizei schon darüber informiert?“

„Ja. Oliver und Caroline sind gerade auf dem Revier.“

Als Bram den Hörer auflegte, hörte er Jay gepresst sagen: „Dad . . .“

Bram schüttelte den Kopf. „Nicht jetzt, Jay. Was du auch sagen willst, heb es dir für später auf. Ich muss sofort zu Taylor zurück.“

Jay starrte ihm wortlos nach, als sein Vater die Wohnung verließ. In seinem Inneren machte sich ein ungewohnt eisiges

Gefühl breit, sein Herz schlug noch immer zum Zerspringen. Alte Empfindungen, die er jahrelang verdrängt gehabt zu haben glaubte, drohten, seinen selbst errichteten Schutzwall zu durchdringen. Auf fast unheimliche Weise fühlte er sich wieder wie damals, als er erfahren hatte, dass seine Mutter und seine Großeltern tot waren, als er erkannt hatte, dass . . .

Nur – Fate war nicht tot. Sie konnte einfach nicht tot sein. Noch vor weniger als einer Stunde war sie hier bei ihm gewesen, noch vor kurzem hatte sie in seinem Bett gelegen und ihm ihren Körper geschenkt, mit derselben Wärme und Großzügigkeit, die allem anhaftete, was sie tat, was sie . . . war. Fate. Fate. Er schloss die Augen und ballte die Fäuste. Fate. Es konnte, durfte doch nicht seine Schuld sein, wenn dieser Mann, dieser Dennis Phillips, sie entführt hatte. Es war doch nicht seine Schuld, wenn Phillips glaubte, Fate sei seine Tochter. „Nein . . ." Er zuckte zusammen, als ihm bewusst war, dass er das Wort laut und verzweifelt in die leere Wohnung gerufen hatte.

Sie musste irgendwo stecken, sie konnte nicht einfach verschwunden sein. Ohne sich dessen bewusst zu sein, öffnete Jay die Tür und lief auf die Straße hinaus. Er sah nach links, dann nach rechts, und fing an, ziellos loszulaufen. Welchen Weg hatte sie eingeschlagen, als sie ihn verlassen hatte? Wo war sie hingegangen? Die menschenleeren Straßen schienen ihn zu verhöhnen. Von der Logik her hätte Fate entweder zu seinem Vater oder zu ihren Eltern zurückkehren müssen. Allerdings war sie zu jenem Zeitpunkt weit davon entfernt gewesen, logisch zu denken. Wo war sie also hingegangen? Wie hatte Dennis Phillips sie gefunden? Bram hatte gesagt, nur er und Phillips glaubten, Fate sei Taylors Tochter. Und damit hatte er den Verdacht geäußert, Phillips könnte den entscheidenden Hinweis von Jay bekommen haben. Aber Jay hatte Fates Entführer keinen Tipp gegeben. Wie hätte er das auch gekonnt?

Es war fünfzehn Minuten vor Ladenschluss, und der Supermarkt war fast menschenleer. Die Kassiererin lächelte Dennis Phillips belustigt zu, als sie den Preis für den Lilienstrauß und die teuren Pralinen eintippte. „Na, da hat heute ja jemand seinen Glückstag!" meinte sie, als er ihr das Geld reichte.

„Das ist alles für meine Tochter!" erklärte er ihr stolz. „Wir waren lange getrennt, aber jetzt sind wir wieder zusammen!"

Es handelte sich um einen ganz unscheinbar aussehenden Mann mittlerer Größe mit mittelblondem Haar, der ihr normalerweise nicht weiter aufgefallen wäre, hätte er nicht mit so leuchtenden Augen und solcher Wärme in der Stimme gesprochen. Offenbar bedeutete seine Tochter ihm alles. Hatte die ein Glück! Die Kassiererin wünschte, ihr Vater hätte auch so viel von ihr gehalten.

Dennis Phillips warf stirnrunzelnd einen prüfenden Blick über den Parkplatz. Er hatte den Wagen etwas abseits von den anderen Autos abgestellt, trotzdem machte er vorsichtshalber einen kleinen Umweg, ehe er sich ihm näherte. Es war ihm wichtig, dass ihn keiner dabei beobachtete.

Überlebenstechniken hatten ihn schon immer brennend interessiert, und er hatte sich eine recht ansehnliche Sammlung von Büchern zu diesem Thema einverleibt, bevor er entlassen worden war. Natürlich war heutzutage vieles anders. Inzwischen gab es auch Videos. Die Gefängnisbücherei war da nicht völlig auf dem laufenden Stand gewesen, dennoch hatte er sie gut genutzt. Das Personal hatte ihn sehr gelobt wegen hingebungsvollen Beschäftigung mit Ahnenforschung. Natürlich hatte keiner geahnt, dass seine Bemühungen, seinen eigenen Stammbaum zu rekonstruieren, nur ein Vorwand gewesen waren. Dass er dadurch nur dem Miststück auf die Spur kommen wollte, das ihm das alles eingebrockt hatte ...

Er hatte das Gefängnis mit dem Entschluss verlassen, sie ausfindig zu machen und sie für das büßen zu lassen, was sie getan hatte. Allerdings war das nicht ganz so leicht gegangen, wie er gehofft hatte. Ihre Schwester hatte er ziemlich schnell gefunden, ja, das war einfach gewesen. Er hatte das Haus beobachtet, ... abgewartet ... und damals noch nicht geahnt, dass ...

Schon vorher hatte er dieses Luder gehasst, weil sie ihn verraten hatte, doch das war nichts im Vergleich zu dem, was er jetzt empfand, wo er die Wahrheit kannte. Jetzt, wo er wusste, dass sie ihm sein Kind vorenthalten und es zu anderen Menschen gegeben hatte. Allein dafür hätte er sie umbringen können. Sie war genau wie seine Mutter, die erst seinen Vater aus dem Haus gejagt hatte. Und als er dann versucht hatte, sie dafür zu bestrafen, dass sie ihn von seinem Vater getrennt hatte, da hatte sie dem Jugendamt mitgeteilt, dass sie ihn nicht mehr wollte, weil sie nicht mit ihm fertig würde. Daraufhin war er in einem Heim gelandet. Es war schrecklich dort gewesen, und so hatte er sich geschworen, seine Mutter eines Tages dafür büßen zu lassen, was sie ihm angetan hatte.

An dem Tag, als er zu ihr gegangen war, war sie allein zu Hause gewesen. Der Mann, mit dem sie inzwischen zusammenlebte, war beim Arbeiten. Sie hatte so getan, als freute sie sich, Dennis zu sehen, doch er hatte gewusst, dass sie innerlich ganz anders dachte. Erfreut hatte er bemerkt, dass sie sich offenbar vor ihm fürchtete. Das war ein großartiges Gefühl gewesen, ein Gefühl der Macht. Er hatte sie im Glauben gelassen, er hätte vergessen, was sie getan hatte, dass sie erst seinen Vater und dann ihn fortgeschickt hatte. Und in dem Moment, als sie angefangen hatte, ihre Angst zu verlieren und sich zu entspannen – da hatte er sie geschlagen. Er hatte sich streng dabei eingeredet, dass er nur das tat, was sein Vater von ihm erwartet hätte. Sie hatte zu weinen begonnen, dann laut zu schreien. Aber nicht sehr lange. Er hatte sie nicht getötet, doch später war ihm zu Ohren gekommen, dass ihr Freund sie verlassen hatte, weil er mit den entstellenden Narben in ihrem Gesicht und mit ihren Wahnvorstellungen nicht mehr umgehen konnte.

Alle Frauen waren gleich. Allesamt waren sie Luder, die bestraft werden mussten. Er hasste sie alle – bis auf eine. Bis auf seine Tochter. Sie war so wunderschön, so vollkommen. Als er damals ihr Haus beschattet und sie verfolgt hatte, war ihm noch nicht bewusst gewesen, dass sie sein war. Er hatte einfach nur Ausschau nach Anne gehalten – nach Taylor, wie sie sich jetzt nannte. Wieder trat ein wütender Ausdruck in seine Augen, als er die Tür seines Wagens aufschloss. Das Miststück hatte genau gewusst, wie sehr er sich ein Kind gewünscht hatte. Sie hatte es gewusst und ihn dennoch belogen. All die vielen Jahre war er Vater gewesen, ohne es zu wissen, und er hätte es wohl auch nie erfahren, wenn er nicht mitangehört hätte, was der Mann auf der Straße gesagt hatte. Er mochte ihn nicht, diesen Jay Soames, diesen reichen, arroganten Bastard, der seine geliebte Tochter zum

Weinen gebracht hatte. Doch nun würde sie nie mehr weinen, denn jetzt hatte sie ja ihn, und er würde sie lieb haben und für immer beschützen.

Früher hatte er gedacht, seine Liebe zu Taylor wäre das Wichtigste in seinem Leben gewesen, um das sich alles gedreht hatte. Heute war ihm klar, dass es nur eine Vorstufe, eine Vorbereitung auf das gewesen war, was noch kommen sollte. Die Liebe, die er für Fate, sein Kind, seine Tochter empfand, übertraf bei weitem alles, was er je für die Frauen empfunden hatte, die er vor ihr geliebt zu haben glaubte – für seine Mutter, für ihre Mutter. Diese Frauen hatten ihn verraten, seine Liebe verschmäht, zerstört. Sie hatten seine Liebe gar nicht verdient; trotzdem, er hatte aus ihrer Hinterhältigkeit gelernt.

Er parkte den Wagen in angemessener Entfernung von seinem eigentlichen Ziel, ganz unauffällig in einer Parklücke zwischen anderen Autos in einer anonymen Straße. Morgen würde er sich eine andere Straße aussuchen. Wem fiel in dieser geschäftigen, gleichgültigen Stadt schon ein weiteres Auto auf, noch dazu ein graues, langweiliges, das nichts Spektakuläres an sich hatte? Er vergewisserte sich, dass ihm niemand folgte, holte dann seine Einkäufe aus dem Wagen und schloss ihn sorgfältig ab. Nicht, dass irgendjemand versuchen würde, dieses Auto zu stehlen, dazu war es zu wertlos. Er hatte einfach viele Dinge gelernt im Gefängnis, nicht nur, wie man Menschen und ihre Familien aufspürte. Diese Theatergruppe zum Beispiel war unglaublich nützlich gewesen. Fate hatte überhaupt nicht gemerkt, dass er sie tagelang, ja, wochenlang verfolgt hatte, weil er genau gewusst hatte – irgendwann würde sie ihn zu Anne führen. Dabei hatte er dann auch einmal mit angehört, wie Jay Soames ihr mitteilte, wer sie wirklich war, wer ihre leibliche Mutter war. An dem Tag hatte er dann begriffen, dass Fate sein Kind war.

Und Fate hatte ihn tatsächlich zu Taylor geführt, wie sie inzwischen hieß. Von Anfang an war ihm klar gewesen, dass er sie finden würde, genauso wie er gleich gewusst hatte, dass es gelogen war, als man ihm mitteilte, sie sei bei dem Unfall zusammen mit ihren Eltern ums Leben gekommen.

Noch hatte er Fate nicht gesagt, dass er ihre Mutter dafür bestrafen würde, weil sie sie so lange voneinander getrennt gehalten hatte. Auch ihre so genannten Eltern würde er dafür büßen lassen, dass sie versucht hatten, den eigentlich ihm gebührenden Platz in Fates Leben einzunehmen. Zuerst wollte er ihr Vertrauen gewinnen und ihr klarmachen, welch großes Unrecht man ihnen beiden angetan hatte. Sie sollte dieselbe Wut, denselben Hass empfinden wie er auch. Und das würde sie auch. Sie musste es einfach. Schließlich war sie sein Kind, sein eigenes Fleisch und Blut, ein Teil von ihm . . . Ungeduldig beschleunigte er seine Schritte, er konnte es kaum noch abwarten, endlich wieder bei ihr zu sein. Wilde, freudige Erregung stieg in ihm auf. Fate gehörte ihm! Ihm allein! Er genoss die Vorstellung, wie es Taylor jetzt wohl gehen mochte. Er malte sich ihren Schmerz und ihre Verzweiflung aus, wenn sie erkannte, wie mächtig er war – und wie schwach und hilflos sie selbst. Nun, sie hatte dieses Leid verdient. Er hatte ihr seine Liebe geschenkt, und sie hatte sie zurückgewiesen. Er hatte ihr sein Kind geschenkt, und sie hatte es ebenfalls von sich gewiesen. Arme Fate. Doch er würde sie für das alles entschädigen. Er würde ihr zeigen, wie sehr er sie liebte. Und wie sie ihn dafür wiederlieben musste.

26. KAPITEL

Fate erstarrte, als sie außerhalb ihres Gesichtsfelds im Dunkeln etwas rascheln hörte. Eine Maus, vielleicht eine Ratte. Sie erschauerte. Oder kam er etwa zurück? Jetzt fing sie richtig an zu zittern.

Sie saß auf einem niedrigen Feldbett und lehnte mit dem Rücken an einer Wand, die sich so glatt anfühlte, als sei sie mit Plastikfolie bespannt. Die Wand strahlte Kälte aus, jene Kälte, die von Feuchtigkeit herrührt, trotzdem schien sie ganz trocken zu sein. Fates Hände und Füße waren zusammengebunden, darüber hinaus hatte man ihr Handschellen angelegt und diese an einem dicken Metallpfosten befestigt. Das hatte Fate gerade noch sehen können, ehe er das Kerzenlicht gelöscht und sie im Dunkeln zurückgelassen hatte.

Obwohl sie nun schon Gott weiß wie lange hier saß und sich ihre Augen ganz allmählich an die Dunkelheit gewöhnten, konnte sie so gut wie nichts erkennen, nur das Seidenkleid, das sie noch immer trug, den dicken Mantel, den er ihr umgelegt hatte, und wenn sie das Handgelenk verdrehte, das Zifferblatt ihrer Uhr. Es war fast, als hätte man sie lebendig begraben, als hätte er vor, sie hier sterben zu lassen. Panik schnürte ihr die Kehle zu. Sie fürchtete sich jetzt noch weit mehr als in dem Moment, als er auf der Straße auf sie zugekommen war und sie begriffen hatte, dass Gefahr drohte. Sie hatte noch versucht, wegzulaufen und um Hilfe zu rufen, doch auf der Straße hatte sich keine Menschenseele befunden, und er war außerdem schneller gewesen als sie. Mit eisernem, schmerzhaften Griff hatte er sie an sich gezogen und ihr einen stechend riechenden Lappen auf Mund und Nase gedrückt, bis sie das Bewusstsein verloren hatte.

Wieder zu sich gekommen war sie erst an diesem Ort hier,

der schlimmer war als alle ihre schlimmsten Albträume. Zuerst hatte sie gedacht, der Mann wolle sie vergewaltigen und danach umbringen, und sie hatte ihm nicht geglaubt, als er ihr beteuert hatte, sie brauchte keine Angst vor ihm zu haben, er würde ihr nichts tun. Doch dann hatte er sie völlig aus der Fassung gebracht, indem er ihr sagte, er wäre ihr Vater, sie sei sein und Taylors Kind, und Taylor hätte ihn verraten, ihn, seine Liebe, sie beide. In dem Moment hatte sie gewusst, wer er war, und wie betäubt hatte sie seinen Namen vor sich hin geflüstert.

Er hatte sie gepackt. „So, sie hat dir also von mir erzählt! Was hat sie gesagt? Hat sie gesagt, dass ich ihr alles gegeben, sie geliebt, sie angebetet habe? Dass ich geschworen habe, nichts und niemand dürfte uns je trennen – und dass sie diesen Schwur erwidert hat? Aber sie hat gelogen. Sie hat mich nur benutzt. Sie hat uns beide betrogen. Mir hat sie mein Kind vorenthalten und dir deinen Vater. Doch jetzt sind wir zusammen . . . Was wolltest du von Jay Soames?“ hatte er sie unvermittelt gefragt, und sie war beim Ausdruck seiner Augen erschrocken zusammengezuckt. „Warum bist du zu ihm gegangen? Er will dich, nicht wahr? Aber er wird dich nie bekommen. Du gehörst mir, und niemand wird dich mir mehr wegnehmen, hörst du, Fate? Du weißt, dass du nun für immer bei mir bleiben musst. Und dass du es nie zulassen darfst, dass sich jemand zwischen uns stellt. Du wirst dich nicht wie deine Mutter verhalten. Die hat das nämlich getan, sie hat versucht, mir wehzutun, mich zu verlassen, und deshalb musste ich sie dafür bestrafen . . . Ich musste es tun, Fate . . . Ich musste ihr zeigen, wie sehr ich sie liebte, wie viel sie mir bedeutete! Aber sie hat es nicht verstanden, sie hat mir eine Menge Unannehmlichkeiten bereitet . . . Also, warum warst du bei Jay Soames?“

Fate hatte sich nervös ihre ausgetrockneten Lippen befeuchtet; noch nie im Leben hatte sie solche Angst gehabt. Nie hätte sie sich träumen lassen, dass ihr so etwas passieren könnte. Solche schrecklichen Dinge stießen doch immer nur anderen Menschen zu, aber nicht einem selbst! Selbst jetzt hatte sie noch immer das Gefühl, als sei das, was ihr gerade widerfuhr, irgendwie unwirklich; es war so unvorstellbar schrecklich, dass sie es nicht wagte, die Realität zu sehen. Instinktiv ahnte sie, dass Dennis niemals erfahren durfte, was sie tatsächlich mit Jay verband. „Ich ging zu ihm, weil ... ich wollte ihn überreden, dass er ... Er hatte sich mit seinem Vater gestritten, und ..."

„Mit seinem Vater ... du meinst Bram Soames? Er und Anne haben heute geheiratet, nicht wahr? Ich habe ihnen ein Geschenk geschickt", fügte er im Plauderton hinzu. „Er wird es schon bald bereuen. Sie ist nichts anderes als eine Hure ..." Fate erstarrte, als seine Stimme lauter, beinahe schrill wurde. „Sie ist und war schon immer eine Hure, auch wenn sie mir damals weismachen wollte, sie sei noch Jungfrau. Doch das stimmte gar nicht. Sie hat gar nicht geblutet, dabei bluten Jungfrauen immer, nicht wahr, Fate? Ich hoffe, du selbst bist noch Jungfrau und hast dich rein erhalten. Aber du bist ja schließlich meine Tochter, du würdest so etwas bestimmt nicht tun, nicht, Fate? Meine Tochter! Ich hatte mir so sehr ein Kind gewünscht, doch sie ließ mich nicht ... sie sagte mir, sie wolle keins. Schon wieder eine Lüge. Sie war schon die ganze Zeit mit dir schwanger, verheimlichte mir das jedoch. Lüge. Genau wie die, dass sie mit ihren Eltern im Wagen gesessen hätte. Doch ich wusste die ganze Zeit, dass das nicht stimmte. Ich wusste, dass sie nicht tot war, und ich schwor mir, dass ich sie finden würde. Der Gouverneur hielt mich immer für einen mustergültigen Häftling, weil ich Ahnenforschung betrieb und mich mit dem Stammbaum meiner Familie beschäftigte ... So habe ich dann auch dich gefunden, Fate. Ich wusste, sie hatte eine Schwester, die in Australien lebte. Sie hatte sich in jemanden dort verliebt, doch ihre Eltern waren dagegen. Sie bestanden darauf, sie solle nach Hause zurückkehren, aber sie wollte davon nichts wissen. Anne ... sagte stets, sie würde sie so vermissen. Ich vermute, sie hat das alles vergessen, als sie sich die neue Identität zulegte – nur ich, ich habe es nie vergessen. Sie hielt sich sicher für sehr schlau, als sie sich vor mir versteckte, indem sie den Namen eines toten Mädchens annahm. Allerdings war ihr wohl entfallen, dass sie mir von ihrer Schwester erzählt hatte. Luder ... Gibt einfach ihr Kind fort ... Mein Kind!"

Fate überlief eine Gänsehaut, als sie wieder an jenes Gespräch zurückdenken musste. Sie fragte sich, wie es in einem Menschen aussehen mochte, der so ausschließlich auf eine Person, einen Zwang, eine Besessenheit fixiert war, dass sein ganzes Denken, sein ganzes Leben davon beherrscht wurde, jahrein, jahraus, bis nichts anderes mehr zählte. Fate hatte panische Angst vor Dennis, gleichzeitig jedoch empfand sie auch tiefstes Mitleid für ihn, wegen dieser grenzenlosen Leere in ihm, in seinem Dasein. Außerdem fielen ihr voller Unbehagen ganz leichte Parallelen in seiner und in Jays Denkweise auf. Natürlich war Jay kein Mörder, kein Entführer; er war nicht so besessen, dass er töten würde, um das zu bekommen, was er wollte, und dann nachher den anderen die Schuld für sein Tun gab. Aber auch er würde die Wahrheit verdrehen und verstümmeln, er würde lügen und intrigieren, er würde andere Leute benutzen, um seine eigenen Interessen und seine Beziehung zu seinem Vater zu schützen. Jay . . . Wusste er, was ihr zugestoßen war? Machte er sich Sorgen . . .? In ihren Augen brannten plötzlich Tränen, wütend wischte sie sie fort. Aus dem, was Dennis ihr erzählt hatte, konnte sie entnehmen, dass ihre Eltern und Taylor inzwischen wussten, was mit ihr passiert war. Das Wissen, dass sie sofort eine Fahndung nach ihr veranlassen würden, dass sie an sie dachten und sich um sie sorgten, erfüllte sie gleichermaßen mit Trost und Kummer. Kummer, weil sie sich vorstellen konnte, wie viele Ängste sie jetzt ihretwegen ausstehen würden; und Trost, weil die Wärme ihrer Liebe und Sorge sie wie ein schützender Umhang umgab und davor bewahrte, in blinde Panik zu verfallen.

Doch was war, wenn sie sie niemals finden würden? Wenn Dennis Phillips, trotz aller gegenteiligen Beteuerungen, doch vorhatte, sie umzubringen? Er hatte gesagt, er würde sie nie wieder fortlassen, dass sie immer und ewig zusammenbleiben würden, dass sie ihm gehörte . . .

Sie musste jetzt unbedingt einen kühlen Kopf bewahren. Sie durfte ihrer Angst und ihrem Entsetzen nicht nachgeben. Stattdessen wollte sie sich darauf konzentrieren, sich an alles zu erinnern, was sie je über Entführungsopfer gelesen hatte, die überlebt hatten . . . Man sollte doch mit seinen Entführern reden, nicht wahr? Sich sozusagen dem Anschein nach mit ihnen verbünden. Nun, eine solche Bindung gab es ja bereits, zumindest in Dennis Phillips Augen. Bisher hatte sie zu sehr unter Schock gestanden, um seiner Behauptung, sie sei seine Tochter, widersprechen zu können. Vielleicht war es klüger, wenn sie dabei blieb.

Doch wie sollten die anderen sie bloß finden? Sie hatte ja selbst nicht die geringste Ahnung, wo sie war. Erneut vernahm sie ein Geräusch in der Dunkelheit, ihr Puls begann zu jagen.

„Fate? Ich bin wieder da. Tut mir Leid, dass ich dich allein gelassen habe, aber ich musste noch Verschiedenes erledigen." Dennis schaltete die starke Taschenlampe an, die er mitgebracht hatte, und das Licht blendete Fate schmerzhaft. „Sieh nur, was ich hier für dich habe!" Mit der Begeisterung eines kleinen Jungen warf er ihr die Lilien und die Pralinen zu.

Ein hysterisches Schluchzen würgte Fate. Die Lilien würden hier sehr bald verwelken, ohne Licht, ohne Wärme . . . so wie sie selbst auch? Und was die Pralinen betraf . . . Sie wich erschrocken zurück, als er die Hand nach ihr ausstreckte, und sofort begannen, seine Augen zornig zu funkeln.

„Dummes Mädchen! Ich tue dir nichts! Ich bin doch dein Vater! Ich liebe dich! So, nun werde ich dich losbinden, und dann können wir uns unterhalten. Ich habe große Pläne für uns, Fate", meinte er, während er ihr den Knebel abnahm. „Und was für welche! Warte nur ab!"

„Was . . . was für Pläne?" Ihre Stimme war nur ein heiseres Krächzen. Wenn sie ihn doch bloß dazu bringen konnte, ihr irgendetwas zu erzählen, ihr irgendeine noch so kleine Information preiszugeben, dann würde sie sich so viel stärker und mutiger fühlen. Sie merkte allerdings, dass er verärgert über ihre Frage schien. Er hatte zwar bisher noch nichts dazu gesagt, aber seine Körpersprache, die Art, wie er nervös das Gewicht von einem Bein aufs andere verlagerte, warnte sie davor, ihn nicht zu drängen.

„Das wirst du dann schon sehen. Sieh mal, was ich dir mitgebracht habe!" fuhr er fort und riss aufgeregt die Zellophanhülle von der Pralinenschachtel. „Welche isst du denn am liebsten?"

Fate war übel vor Angst und Erschöpfung, und der Sinn stand ihr ganz und gar nicht nach Schokolade, doch sie wollte ihn besänftigen und streckte die Hand nach der offenen Schachtel aus.

Vor Schreck und Schmerz schrie sie leise auf, als Dennis ihr grob auf die Hand schlug. „Nicht doch, du ungezogenes Mädchen! Nicht einfach naschen! Ich suche dir eine Praline aus, du darfst sie nicht alle essen! So, mach brav den Mund auf."

Schon hielt er ihr eine Praline vor den Mund, und obwohl Fate einen leichten Würgereiz im Hals spürte, wagte sie nicht abzulehnen. Die Schokolade fühlte sich zunächst kühl und glatt auf ihrer Zunge an, schmolz aber rasch, und die Füllung schmeckte widerlich süß und klebrig.

„Erdbeercreme!" strahlte Dennis stolz. „Ich wusste doch, dass du das magst! Das sind auch meine Lieblingspralinen. Sie . . . deine Mutter konnte sie nicht ausstehen. Sie zog einfache, harte Schokolade ohne weiche Füllung vor. Typisch, ich hätte mir damals schon denken können, wie . . ." Seine Stimme wurde leiser, verlor sich, so als führte er jetzt eher ein Selbstgespräch, und Fate fragte sich insgeheim schockiert, wie oft er wohl im Laufe der Jahre solche Monologe gehalten haben mochte. „Gleich nehme ich dir auch die Handschellen ab", teilte er ihr mit, während er ihr eine weitere Praline in den Mund schob. „Und dann bringe ich dich an einen Ort, wo du deine Notdurft verrichten kannst. Vorher werde ich dir allerdings die Augen verbinden müssen, und versuche ja nicht wegzulaufen, sonst . . ."

Ihre Notdurft verrichten . . . wie prüde und altjüngferlich sich das anhörte. Aber wahrscheinlich musste sie ihm dankbar sein, dass er überhaupt so einfühlsam war. Ein Schauer überlief sie, als er ihr wieder die Augenbinde und den Knebel umband. Es kostete sie größte Beherrschung, sich nicht voller Panik gegen ihn zu wehren, sondern alles still über sich ergehen zu lassen.

Sie mussten ein Stück gehen. Der Weg führte über unebenen Boden; und Fate atmete begierig die kühle, frische Luft ein. Irgendwann befahl Dennis ihr, stehen zu bleiben, während er offenbar eine Tür aufsperrte. Der Raum, in den er sie führte, war klein und sehr primitiv. „Ich warte draußen", verkündete er, ging und schloss die Tür hinter sich ab. Die Augenbinde hatte er Fate zwar abgenommen, ihrem Wunsch nach mehr Licht aber nicht nachgegeben.

Nur eine Taschenlampe hatte er ihr dagelassen, und mit ihrer Hilfe sah Fate sich nun um. Sie vermutete, sich in einer kleinen Holzhütte zu befinden, die mit einer chemischen Campingtoilette und einer transportierbaren Dusche ausgestattet war. Auch ein einfacher Holzstuhl stand da, auf dem kratzige, aber saubere Handtücher, ein Stück Seife und Kleidung zum Wechseln lag. Fate glaubte, ihren Augen nicht zu trauen – das waren ja ihre eigenen Sachen! Er musste sie aus ihrem Zimmer zu Hause gestohlen haben. Nun, zumindest würden die Jeans, das T-Shirt und der warme Pulli sie wesentlich besser wärmen als das Kleid, das sie anhatte. Sollten sie womöglich auch wesentlich unauffälliger wirken?

Fate überlegte, was sie wohl für Fluchtchancen haben mochte, wenn sie jetzt einfach die Tür aufstieß und losrannte? Doch dann musste sie wieder daran denken, wie stark er gewesen war, als er sie in sein Auto gezerrt hatte, und ihr war klar, dass sie nicht den Mut hatte, das Risiko einzugehen. Jedenfalls nicht so lange, bis sie nicht etwas mehr über ihre Umgebung in Erfahrung gebracht hatte. Einstweilen würde sie mit ihm reden, ihm Fragen stellen und versuchen müssen, sein Vertrauen zu gewinnen. Je mehr sie von ihm erfuhr, desto besser.

Sie betätigte die Toilettenspülung und fing an, sich ihre verschmutzten Sachen auszuziehen. Zumindest brauchte sie wohl keine Angst zu haben, dass er sie sexuell missbrauchen würde. Wenigstens etwas.

Was ihre Eltern wohl gerade taten? Und Jay? Waren sie . . . war er . . . Als das kalte Wasser der Dusche über ihr Gesicht rann, gestattete sie sich endlich den Luxus, ihren Tränen freien Lauf zu lassen.

27. KAPITEL

„Hey, pass doch auf, Mann!“

Jay wollte dem Mann, mit dem er beinahe zusammengestoßen wäre, schon eine aggressive Antwort geben, ließ es aber dann sein. Was hatte es denn auch für einen Sinn, dem anderen zu sagen, dass der ihn schließlich nicht gesehen hatte, und nicht umgekehrt? Was hatte überhaupt noch einen Sinn? Es war inzwischen fast zwei Uhr nachts, und Jay hatte die letzten sechs Stunden damit zugebracht, sämtliche Straßen in seinem Viertel nach einer Spur von Fate abzusuchen, obwohl er die ganze Zeit geahnt hatte, dass seine Suche erfolglos bleiben würde. Auf einmal drohten ihn seine Empfindungen zu überwältigen. Er erkannte, dass all seine schlimmsten Albträume plötzlich zum Leben erwacht waren, Albträume, die er bisher so intensiv verdrängt hatte, dass er von ihrer Existenz gar nichts gemerkt hatte. Auf dem Rückweg zu seiner Wohnung zögerte er einen Moment lang. Dann änderte er die Richtung, ohne über seine Gründe weiter nachzudenken, und machte sich auf dem Weg zum Haus seines Vaters.

Alle Fenster waren hell erleuchtet. Vor dem Haus parkte ein Polizeiwagen. Jay überquerte die Straße und ging auf die Haustür zu. Bram musste ihn kommen gesehen haben, denn er öffnete, ehe Jay dazu kam zu klingeln. Das Gesicht seines Vaters wirkte müde und von Sorgenfalten durchzogen, Traurigkeit und Schmerz spiegelten sich in seinen Augen wider. Als Jay sich im großen Spiegel in der Diele sah, fiel ihm auf, dass er und Bram sich nie ähnlicher gesehen hatten.

Er brauchte Bram nicht zu fragen, ob es irgendwelche Neuigkeiten gab; seiner Miene und seinen Bewegungen war deutlich anzumerken, dass das nicht der Fall war. „Ich musste einfach kommen", waren die einzigen Worte, die Jay herausbringen konnte, doch sie schienen genug auszudrücken. Bram legte ihm flüchtig die Hand auf die Schulter, als hätte er auch so alles verstanden, was unausgesprochen geblieben war.

„Fates Eltern sind nach Hause gefahren. Der Arzt hielt es für das Beste. Fates Mutter hat einen Schock. Abgesehen davon meint die Polizei, man könne im Moment ohnehin nichts anderes tun als abwarten."

„Die Polizei?" wiederholte Jay. „Ich habe den Wagen draußen gesehen . . ."

„Ja, sie sprechen gerade mit Taylor. Eine Polizeipsychologin ist auch dabei; sie versucht, ein Psychogramm von Dennis Phillips zu erstellen, in der Hoffnung, dass man dann sein weiteres Verhalten genauer vorkalkulieren kann. Außerdem kennt Taylor ihn wahrscheinlich besser als jeder andere Mensch. Sie hat am eigenen Leib erfahren müssen, wozu er fähig ist. Sie gibt sich selbst die Schuld an dem, was jetzt vorgefallen ist, und . . ."

„Sie sich?" fiel Jay ihm hart ins Wort. „Ich bin derjenige, der Fate buchstäblich auf die Straße gesetzt hat und . . . Was für ein Mensch ist dieser Dennis Phillips überhaupt, dass er zu so etwas fähig ist?"

„Er ist Psychopath", gab Bram nüchtern zurück. „Nach dem, was Taylor mir von ihm erzählt hat, reagiert er wie ein Besessener, wenn er sich einmal eine fixe Idee in den Kopf gesetzt hat. Dann zählt für ihn nichts anderes mehr."

„Und nun glaubt er, durch meine Schuld, dass Fate seine Tochter ist. Und hat sie deshalb entführt."

„Wir wissen nicht genau, warum er dieser Meinung ist", erwiderte Bram ruhig, doch Jay fiel auf, dass er ihm dabei nicht in die Augen sehen konnte. Nun, ganz gleich, was sein Vater auch von ihm denken mochte – schlimmer als das, war er selbst von sich hielt, konnte es nicht sein.

Jay erstarrte innerlich, als er Taylor ins Zimmer kommen sah. Sie wurde begleitet von zwei Polizisten in Uniform und einer älteren Frau. Das Kleid, das sie noch immer trug, schien ihr Hochzeitskleid zu sein. Zusammen mit ihrem blassen, tränenüberströmten Gesicht ergab das einen fast grotesken Anblick. „Es tut mir Leid, dass ich Ihnen nicht noch weiter behilflich sein kann", wandte sie sich nun an die

Frau, von der Jay annahm, dass sie die Polizeipsychologin war.

„Aber Sie haben uns sehr geholfen!" widersprach die Frau bestimmt. „Die Einzelheiten Ihrer Beziehung zu ihm, und vor allem das, was geschah, als er Sie damals entführte ... Alles das wird uns sehr weiterhelfen. Selbst wenn wir Ihre Nichte erst einmal noch nicht gleich finden, können wir doch wenigstens schon einmal die Orte ausschließen, an denen wir nicht zu suchen brauchen. Ihrer Aussage nach hört es sich so an, als sei er ganz besonders stolz auf seine Überlebensfähigkeiten, auf seine Gabe, sich nicht so sehr in der Natur zurechtzufinden, sondern vielmehr eins mit ihr zu werden, sich wirksam in ihr zu tarnen. Sie sagten, er hätte Ihnen oft von seinen Kindheitsträumen erzählt, davon, dass er gern in den Wäldern gelebt und sich dort ein Versteck gebaut hätte ..."

„Einen Bau nannte er das. Er meinte immer, Tiere suchten Zuflucht in der Erde, und so sollten menschliche Wesen eigentlich denselben Instinkten gehorchen. Er erzählte mir, wenn er nachts im Bett gelegen hatte, dann hätte er sich vorgestellt, er läge in einer Höhle, die er sich selbst gegraben hätte, so tief und so versteckt, dass ihn niemand finden könnte, ganz gleich, wie sehr man auch suchen mochte. Das war auch so eine fixe Idee von ihm ..." Jay sah, wie Taylor erschauerte und noch blasser wurde.

„Genug für heute. Wir gehen jetzt, damit Sie etwas zur Ruhe kommen", teilte die Psychologin ihr mit. „Wenn ich darf, würde ich jedoch gern morgen früh wiederkommen. Da gibt es einiges, was ich noch einmal mit Ihnen durchsprechen möchte."

„Wenn es Ihnen nichts ausmacht, können wir das auch gleich tun", bot Taylor an und schüttelte den Kopf, als die Frau einwandte, sie wäre doch bestimmt zu müde dazu. „Nein", widersprach Taylor ruhig. „Ich kann noch genug schlafen, sobald wir Fate wiederhaben."

Sie hörte sich zwar völlig gefasst und beherrscht an, dennoch sah Jay, wie ihr Mund leicht bebte, und er ahnte, welch enorme Anstrengung es sie kostete, ihren Gefühlen nicht freien Lauf zu lassen. Während er sie so beobachtete, trafen sich plötzlich ihre Blicke. In Taylors Augen entdeckte er denselben Schmerz, den auch er empfand. Und er wusste, ganz gleich, was man ihr auch sagen mochte, dass sie sich genau wie er die Schuld an den Ereignissen gab. Die Last des Schuldbewusstseins lastete gleichermaßen auf ihnen beiden. Erstmals im Leben fragte Jay sich, ob wohl vieles anders gekommen wäre, wenn er jemanden gehabt hätte, mit dem er das Trauma seiner Kindheit hätte teilen können – einen Bruder, eine Schwester. Und erstmals erkannte er auch, dass er in einem Bruder oder einer Schwester eher einen Verbündeten gehabt hätte, keinen Konkurrenten; eher einen Freund, keinen Feind, der ihm die Liebe seines Vaters streitig gemacht hätte.

Nach einer Stunde hörte er sowohl Erschöpfung, aber auch grimmige Entschlossenheit aus Taylors Stimme heraus, dieses Gespräch mit der Psychologin zu Ende zu bringen. In diesem Moment beschlich ihn ein eigenartiges, ungeahntes Gefühl. Respekt. Er hatte Respekt vor Taylor, wegen ihres Verhaltens, wegen ihrer Beherrschung, ihrer eisernen Willenskraft und ihrer Fähigkeit, sämtliche eigenen Bedürfnisse hintenan und dafür Fates in den Vordergrund zu stellen. Ihm wurde klar, dass es gut tun musste, eine solche Frau im Leben an seiner Seite zu haben, ganz gleich, in welcher Funktion. Wäre sie älter und er jünger gewesen . . . hätte sie vielleicht die Stiefmutter für ihn sein können, durch die sein Leben und er selbst anders geworden wären? Doch es war zu spät, sich diese Frage zu stellen; es war zu spät, die Feindschaft zu bereuen, die sich zwischen ihnen eingenistet hatte. Sie hatten beide eine Entscheidung gefällt und unterschiedliche Positionen bezogen.

„Ich gehe jetzt wohl lieber“, teilte er seinem Vater mit. „Wenn es etwas Neues gibt, dann . . .“

„Warum bleiben Sie . . . bleibst du nicht einfach hier? Platz haben wir genug, und die Polizei wird dich ohnehin auch noch befragen wollen . . .“

Bram und Jay drehten sich beide zu Taylor um. Sie schob sich eine Hand in den schmerzenden Nacken. Ganz genau wusste sie selbst nicht, weshalb sie diesen Vorschlag gemacht hatte. Im Grunde hatte sie nicht die geringste Lust, sich mit Jay unter einem Dach aufzuhalten. Er war ihr Feind, er wollte ihre Beziehung zu seinem Vater zerstören, und er war genauso besessen in seinem Wunsch, Brams Leben zu beherrschen, wie Dennis es mit seiner Liebe zu ihr gewesen war . . . Aber Jay ist nicht Dennis, rief sie sich energisch zur Vernunft. Jay war kein Mörder, kein Entführer.

Jay wandte sich mit bewusst neutraler Miene seinem Vater zu, während er darauf wartete, was Bram zu Taylors Vorschlag zu sagen hatte. Doch so gelassen er äußerlich auch wirken mochte, innerlich klopfte sein Herz wie rasend. Ein Zeichen nur von seinem Vater, ein Zeichen, dass er Bescheid wusste und einsah, dass er . . . Ja, dass er was? fragte Jay sich verbittert? Dass er seinen Sohn noch immer liebte? Warum sollte er? Es hatte eine Zeit gegeben, da hätte Jay seinen Vater bewusst dazu gebracht, ihn einzuladen, damit er sozusagen vor Ort eine bessere Möglichkeit gehabt hätte, Brams und Taylors Beziehung zu untergraben.

Dabei war die Liebe zwischen seinem Vater und Taylor absolut unzerstörbar. Das erkannte er jetzt genauso deutlich wie er den gemeinsam durchlittenen Kummer in ihren Augen entdeckte. Er hatte nicht das Recht zu versuchen . . . Er hatte nicht das Recht auf . . . auf Brams Liebe. Wirklich, aufrichtige Liebe musste freiwillig geschenkt werden, sie durfte nicht wie ein Anrecht eingefordert werden. Das hatte Fate ihm mit ihrer Liebe zu ihm zu zeigen versucht, doch er hatte sie nur ausgelacht, verspottet, verachtet und fortgeschickt.

„Ja, sicher kannst du bleiben, obwohl . . ." Bram zuckte müde mit den Schultern. Er braucht den Satz nicht zu vollenden, dachte Jay grimmig. Schließlich wussten sie alle drei nur zu gut, was er gedacht hatte. Warum sollte Jay bleiben? In welcher Form konnte er ihnen schon behilflich sein?

„Wie . . . wie kommt dieser Dennis Phillips darauf, dass Fate seine Tochter ist?" fragte Jay Taylor plötzlich. Ob sie auch, genau wie sein Vater, glaubte, er hätte das dem Mann irgendwie verraten? Jay konnte einen heiligen Eid darauf schwören, dass er das nicht getan hatte. Über dieses ganze Thema hatte er nur mit Fate und mit seinem Vater gesprochen, mit niemandem sonst.

„Er wollte verzweifelt ein Kind von mir", teilte Taylor ihm ruhig mit. „Er dachte wohl, das würde ihm zusätzliche Macht über mich verleihen. Heute scheint es jedoch, als hätte er diese Besessenheit irgendwie auf Fate übertragen . . ."

Jay wandte sich an Bram. „Ich habe ihm nicht gesagt, Fate

sei seine Tochter. Ich kenne den Mann nicht einmal. Ich habe wirklich mit niemandem . . ."

„Es ist jetzt fast vier", meinte Bram nur. „Wir sind alle müde. Wir sollten versuchen, etwas zu schlafen."

„Die Polizei kommt morgen früh wieder", erinnerte ihn Taylor. „Die Psychologin will noch einmal alles genau mit mir durchgehen, nur für den Fall, dass ich irgendetwas vergessen habe."

Bram runzelte die Stirn. „Ich bin sicher, du hast alles Entscheidende gesagt. Du . . ."

„Bram, ich möchte es aber", erklärte Taylor freundlich, aber bestimmt. Flüchtig legte sie sich eine Hand auf den Bauch. „Fate ist zwar nicht mein Kind, aber . . ." Sie schüttelte sich leicht und schloss kurz die Augen. „Auch wenn wir sie heil und wohlbehalten wiederbekommen, wird hinterher keiner von uns mehr derselbe sein. Diese Narben werden uns allen bis ans Ende unseres Lebens bleiben."

Jay schlug das Herz schmerzhaft gegen die Rippen. Gleichzeitig fühlte er sich wie ein verängstigtes Kind, das die Hilflosigkeit und Verwundbarkeit der Erwachsenen zu spüren bekommt; aber auch wie ein Erwachsener, der den Mann zu fassen bekommen wollte, der Fate entführt hatte und ihr alle möglichen seelischen und körperlichen Grausamkeiten . . . Er schluckte krampfhaft. Fate . . . Warum, warum nur hatte er sie nicht bei sich behalten, bei sich in der Wohnung, wo sie sich in Sicherheit befunden hatte? Warum hatte er ihr nicht gesagt, dass er sie liebte?

Er erstarrte. Es traf ihn wie ein Schock, dass diese Erkenntnis so mühelos leicht den Schutzwall aus zornigem Abstreiten und Verleugnen hatte durchbrechen können. Wie oft hatte er sich eingeredet, dass sie ihm nicht das Geringste bedeutete. Und doch – es war eine Lüge gewesen. Im Unterbewusstsein hatte er es von Anfang an gewusst, und nun begriffen es auch sein Herz, sein Körper und seine Seele. Er wusste es mit jeder Faser seines Seins, und er empfand Schmerz, Angst und Schuldgefühle. Ganz zu schweigen von dem Wissen, dass er ein wertloser Mensch war . . .

Jay wandte den Blick ab, als Bram Taylor in die Arme nahm. Er beneidete sie um ihre Liebe, ihre Nähe, ihr Zusammensein, und eine eisige, trostlose Kälte stieg in ihm auf.

„Auch Narben heilen mit der Zeit und bei liebevoller Behandlung", beteuerte Bram zärtlich. „Was von ihnen übrig bleibt, erinnert uns an den Schmerz, den wir erlitten haben, aber auch an unsere Kraft bei der Überwindung dieses Schmerzes. Bedenke, dass es Kulturen gibt, die ihre Narben voller Stolz tragen, weil sie der Beweis für inneres Wachstum und Bereicherung sind. Zu erkennen, dass Schmerz ein wichtiger Bestandteil menschlicher Erfahrung ist, dass man ihn überwinden und lernen kann, mit den Nachwirkungen zu leben und sie nicht zu fürchten, ist einer der Stützpfeiler für Reife und Weisheit. Doch wem sage ich das? Du hast schon so viel durchlitten . . ."

„Das war etwas anderes", unterbrach Taylor ihn. „Das spielt keine Rolle mehr. Ich war noch so jung. Fate . . ."

„Auch Fate ist jung – und sie ist stark. Wenn man der Psychologin Glauben schenken darf, ist sie in Sicherheit, solange Dennis Phillips davon überzeugt ist, dass sie seine Tochter ist."

Zehn Minuten später ging Jay nach oben ins Gästezimmer. Als er aus dem Fenster blickte, sah er draußen den Dienst habenden Polizeibeamten Wache halten. Diese Tatsache erfüllte ihn mit rasendem Zorn. Fate, die irgendwo jetzt Angst und Schrecken durchmachen musste, hätte diesen Schutz gebraucht, doch nicht er! Er schon gar nicht! Er bereute von ganzem Herzen, was er gesagt und getan hatte. Hätte er Fate doch nur gestanden, was er für sie empfand . . . hätte er doch nur. Aber es war zu spät, sich zu wünschen, alles wäre anders gekommen. Zu wünschen, er selbst wäre anders.

Es dauerte lange, bis Jay einschlief, und dann fing er an zu träumen. Es war der alte, Angst einflößende Traum aus seiner Kindheit, den er schon so viele Jahre nicht mehr gehabt hatte. Er versuchte verzweifelt aufzuwachen, seinem Unterbewusstsein zu entfliehen – doch es gelang ihm nicht.

Jay war sich sehr aufgeregt und wichtig vorgekommen, als sie mit dem Polizeiwagen vor dem Krankenhaus vorgefahren waren. Mit großen Augen hatte er die Krankenwagen vor dem Gebäude und das geschäftige Treiben in der Unfallnotaufnahme beobachtet. Die Lehrerin, die ihn begleitet hatte, und der Polizeibeamte unterhielten sich mit gedämpften Stimmen; ab und zu blickten sie in seine Richtung und zu ihm herüber, wichen aber seinem Blick aus.

Irgendetwas musste passiert sein, etwas Außergewöhnliches. Doch die Aufregung, die ihn befallen hatte, als die Lehrerin und der Polizist ihn aus der Klasse geholt und mitgenommen hatten, wich allmählich einem eigenartigen, ganz ungewohnten Schmerz in seiner Magengrube. Ihm war kalt, als sie den langen, nüchternen Korridor entlangliefen, in dem es Ekel erregend nach Desinfektionsmitteln roch. Vor einer Tür blieben sie plötzlich stehen, und da geriet er auf einmal in Panik. Er wich zurück, schüttelte den Kopf und weinte los, er wolle dort nicht hineingehen. Die Lehrerin wurde böse. Ihr Gesicht lief rot an vor Ärger, und sie sah ihn genauso an wie sein Großvater, wenn Jay etwas Unrechtes getan hatte. Sie trug das Haar straff zu einem Knoten zusammengefasst und war hager und knochig, ganz anders als seine Mutter, die sich immer so warm und weich anfühlte. Manchmal kletterte er seiner Mutter auf den Schoß, um sich bei ihr anzukuscheln, doch in letzter Zeit hatte sein Großvater bestimmt, er sei nun zu alt für so etwas, und er hatte seiner Mutter verboten, ihn weiterhin so zu verwöhnen.

Bisweilen nachts, wenn er sicher war, dass niemand ihn hören konnte, weinte er in sein Kopfkissen und wünschte sich, seine Mutter möge zu ihm kommen und mit ihm fortgehen, irgendwohin, wo sie beide ganz allein wären. Er hatte versucht, ihr zu sagen, wie sehr er sich das wünschte, doch sie hatte ihn nur erschrocken und unglücklich angesehen. Da war ihm klar geworden, dass er diesen Wunschtraum nie in Gegenwart seines Großvaters aussprechen durfte.

Seine Mutter hatte einen neuen Freund. Das wusste er, weil er seine Großeltern darüber hatte sprechen hören. Sein Großvater mochte diesen neuen Mann. Er hatte gesagt, er sei ‚genau der Richtige'. Jay hingegen konnte ihn nicht ausstehen. Er hatte helle, stechende Augen, die immer durch ihn hindurch zu blicken schienen. Ohne dass es je zur Sprache gekommen wäre, wusste Jay, dass der Mann ihn genauso wenig leiden konnte wie sein Großvater.

Er hatte sich bei seiner Mutter darüber beklagt, doch sie hatte ihm nur geantwortet, er solle still sein und nicht so dummes Zeug reden. Trotzdem hatte er mit angehört, wie seine Großeltern darüber diskutiert hatten, was aus ihm, Jay, werden sollte, wenn seine Mutter ihren Freund heiratete. „Man kann nicht von ihm erwarten, dass er die

Verantwortung für das Kind eines anderen Mannes übernimmt", hatten seine Großeltern gemeint. Und deshalb würde man sich wohl nach einem geeigneten Internat für Jay umsehen müssen.

Als er seiner Mutter mitgeteilt hatte, dass er nicht in ein Internat gehen wollte, war sie ganz außer sich gewesen. Sie hatte ihm versichert, dass sein Großvater nur sein Bestes wolle und dass er brav sein müsse und ihn nicht verärgern dürfe.

In seinem Traum durchlebte Jay wieder die Angst und die Verzweiflung, die er im Krankenhaus durchlitten hatte, als die Krankenschwester herausgekommen war, um mit dem Polizisten und der Lehrerin zu sprechen. In ihrer Unachtsamkeit hatte sie die Zimmertür offen stehen lassen, so dass Jay in den Raum blicken konnte. Seine Mutter war dort drinnen, sie lag auf einem Bett und sah irgendwie fremd aus. Sie war ganz still und sehr blass, man hatte ihr das Haar aus dem Gesicht gekämmt und mit einem weißen Tuch abgedeckt. Auf ihrer Wange war eine hässliche, aufgetriebene Wunde zu erkennen. Ihre Reglosigkeit und die absolute Stille im Raum versetzten ihm einen furchtbaren Stich mitten ins Herz. Er fürchtete sich sehr und hätte am liebten geweint, aber sein Großvater hatte immer zu ihm gesagt, dass Jungen nicht weinten. Die Schwester sprach unverändert leise auf die Lehrerin und den Polizisten ein, keiner der Erwachsenen schenkte ihm besondere Beachtung. Er trat näher an die Tür, um besser ins Zimmer sehen zu können. Sein Herz begann, schmerzhaft zu klopfen, als er noch zwei weitere Betten entdeckte, auf denen seine Großmutter und sein Großvater lagen, ebenso starr und reglos wie seine Mutter. Zumindest ahnte er, dass es sein Großvater sein musste, obwohl dessen Gesicht . . .

Jetzt ging er vollends in das Zimmer, wenngleich er tief im Innern den verzweifelten Wunsch hatte, sich umzudrehen und wegzulaufen, zu vergessen, was er da gesehen hatte, einfach so zu tun, als hätte er es überhaupt nicht gesehen. Doch dann versperrte ihm plötzlich ein großer, sehr zornig aussehender Mann den Weg; er packte Jay am Arm und rief den anderen zu: „Wer, zum Teufel, hat das Kind hier hereingelassen? Wer ist der Junge überhaupt?"

„Er . . . er ist der Sohn der einen Verstorbenen", teilte ihm die Schwester hastig mit und wandte sich dann an Jay. „Du bist ein unartiger Junge, du hättest hier nicht hineingehen dürfen . . .“ Noch im Sprechen schloss sie die Tür. Jay geriet in Panik. Seine Mutter war dort drinnen, und irgendetwas stimmte mit ihr nicht. Er wollte zu ihr, doch die Schwester ließ ihn nicht. Da fing er erst zu weinen, dann zu schreien an und trat heftig um sich, bis der Polizist ihn auf den Arm nahm.

„Was für ein armer, kleiner Kerl“, sagte er zu der Lehrerin. „Trotzdem hat er wohl noch großes Glück gehabt, dass er nicht mit in dem Auto war.“

„Hat es irgendwelche Überlebenden gegeben?“ wollte die Lehrerin wissen.

„Nein, es war ein Frontalzusammenstoß. Die jüngere Frau, seine Mutter, hat erst noch gelebt. Die anderen müssen auf der Stelle tot gewesen sein.“

Tot. Seine Mutter war tot. Seine Großeltern waren tot. Jay war plötzlich wie versteinert. Wie oft hatte er sich insgeheim gewünscht, sein Großvater und seine Großmutter sollten sterben und ihn ganz allein mit seiner Mutter zurücklassen. Nun jedoch hatte ihn der liebe Gott wohl für seine bösen Gedanken bestraft, wie seine Großmutter es ihm so oft prophezeit hatte, indem er ihm auch noch seine Mutter weggenommen hatte. Jay fing an zu weinen . . .

Taylor hörte den Laut im Schlaf, ordnete ihn gleich richtig ein und reagierte instinktiv. Sie war auf und griff nach ihrem Morgenrock, ehe sie die Augen noch richtig geöffnet hatte. Erst als sie draußen auf dem Flur stand, wurde ihr klar, dass das Weinen nicht, wie so oft in der Vergangenheit, ihr eigenes gewesen war, die Folge eines bösen Traums. Nein, diesmal war sie nicht diejenige, die weinte. Es war . . .

Zögernd ging sie auf das Zimmer zu, in dem Jay schlief, und öffnete die Tür. Jay lag auf der Seite, mit dem Gesicht zur Tür. Er hatte die Augen krampfhaft fest geschlossen und die Hände zu Fäusten geballt. Es war die verängstigte Haltung eines kleinen, verstörten Kindes. Er sprach im Schlaf, schluchzte und beteuerte wieder und wieder, dass er das doch nicht so gemeint hatte, dass er nie gewollt hätte, dass sein Großvater starb. Er rief nach seiner Mutter, wollte sie sehen; klagte, sie dürfe nicht tot sein, er brauche sie doch.

So wie Taylor sofort erkannt hatte, dass Jay in einem Albtraum seiner Kindheit gefangen war, so reagierte sie auch auf dieses Kind und seinen Kummer. Taylor sah nur das Kind, das nach seiner Mutter rief, und so setzte sie sich zu ihm auf die Bettkante, nahm seine eine Faust in ihre Hände, sprach tröstend auf ihn ein und strich ihm das Haar aus der Stirn.

„Es ist ja gut, Jay", beschwichtigte sie ihn sanft. „Jetzt bin ich ja da. Alles ist gut." Er zitterte unter seiner Bettdecke, und sie musste daran denken, dass letztlich auch er ein Mensch und sehr verwundbar war, dass er Schmerz und Kummer ebenso empfinden konnte wie sie.

Er entspannte sich nun unter ihrer liebevollen Berührung und beim warmen Klang ihrer Stimme und fiel in einen ruhigeren, tieferen Schlaf. Als sein Atem gleichmäßiger ging, beugte Taylor sich plötzlich über ihn und küsste ihn auf die Stirn. Es war die Geste einer Mutter ihrem Kind gegenüber, eine Geste des Verstehens und der Liebe. Schließlich hatten sie sehr viel gemeinsam, dieser Sohn von Bram, der ihr solche Feindseligkeit entgegengebracht hatte; viel mehr als nur ihre jeweilige, über jeden Zweifel erhabene Liebe zu Bram. Taylor wusste, dass Jay von ihr Vorwürfe für das erwartete, was Fate zugestoßen war; Vorwürfe, die er sich offenbar auch selbst machte. Doch irgendwie war er nur ein Glied in der Kette tragischer Ereignisse, die zur jetzigen Situation ihrer Nichte geführt hatten.

Inzwischen schlief er ganz friedlich und fest, war wieder ein erwachsener Mann, kein Kind mehr. Armer, kleiner Junge. Wie musste er unter dem Verlust seiner Mutter gelitten haben, unter dem Gefühl, unerwünscht und ungeliebt zu sein. Kein Wunder, dass er so verzweifelt darum gekämpft hatte, Bram für sich zu behalten. Taylor berührte sein Gesicht ein letztes Mal zart mit den Fingerspitzen, dann stand sie auf. Jay lächelte im Schlaf.

Es war vier Uhr morgens, aber Dennis fand keinen Schlaf. Überdreht ging er in dem kleinen Versteck auf und ab und blieb zwischendurch immer wieder stehen, um sich zu vergewissern, dass sie noch da war . . . seine Tochter . . .

Sie lag auf der Seite, eingehüllt in den Schlafsack, den er ihr besorgt hatte. Sie hatte ihn gebeten, er möge ihr die Fußfesseln und die Handschellen abnehmen, und hatte nur mit

Mühe das Weinen unterdrückt, als er sich geweigert hatte. Sie hatte ihm Leid getan, doch dann hatte er sich streng in Erinnerung gerufen, dass sie sich immer noch in demselben Stadium befand wie ein junges, wildes Tier, das erst gezähmt werden musste. Wenn er sie jetzt losband, versuchte sie womöglich zu fliehen und ihn zu verlassen; dabei konnte ihr leicht etwas zustoßen. Nein. Später, sobald sie etwas gefügiger war, würde vieles anders werden.

Er warf einen Blick auf ihr kurz geschnittenes Haar und runzelte die Stirn. Sie würde es sich wieder wachsen lassen müssen. Mädchen sollten einfach lange Haare haben. Er würde ihr hübsche Kleider kaufen, und alle Leute würden ihr Komplimente wegen ihrer Schönheit machen. Er würde so stolz auf sie sein, und jeder würde ihn beneiden, dass er eine solche Tochter hatte.

Wenn das hier alles erst einmal überstanden war und sie unbesorgt fortgehen konnten, würde er ihr die Welt zeigen, genauso wie er es einmal auch ihrer Mutter versprochen hatte. Sie würden zusammen reisen . . . Im Gefängnis hatte er etwas Geld gespart, außerdem konnte er arbeiten gehen, damit sie beide genug zum Leben hatten. Sie würden nach Kanada oder Amerika gehen, und dort würde sie niemand jemals finden.

Er hatte ihr ein paar Tabletten zum Schlafen gegeben, die er im Gefängniskrankenhaus entwendet hatte. Damals hatte er sich noch nicht vorstellen können, dass er sie ihr einmal verabreichen würde . . . Nun, schließlich hatte er da ja auch noch nicht einmal geahnt, dass sie überhaupt existierte.

Ob sie wohl je dahinter kommen würde, dass er der Mann gewesen war, mit dem Jay in diesem Hotelfoyer zusammengestoßen war? Oder der, der ihren Streit mit Jay vor dessen Haus mitverfolgt hatte? Die Frau, die er gebeten hatte, mit ihm die Straße entlangzuschlendern, war abstoßend betrunken gewesen. Sie hatte ihn gebeten, mit ihr nach Hause zu kommen. Er verzog angewidert das Gesicht. Als er sich geweigert und sie von sich gestoßen hatte, war sie ziemlich ausfallend geworden. Es war nicht seine Schuld gewesen, dass er sie schließlich hatte schlagen müssen. Er hatte es Fate zuliebe getan . . .

Fate . . . Wieder und wieder murmelte er glücklich ihren Namen vor sich hin. Jetzt gehörte sie ihm. Ihm allein . . .

28. KAPITEL

Das Erste, was Jay auffiel, als er aufwachte, war der leichte, blumige und durch und durch weibliche Duft, der ihn zu umgeben schien.

Wie ein Irrlicht hatte dieser Duft ihn auch in seinem Traum verfolgt; immer wenn er versucht hatte, ihn festzuhalten, war er ihm wieder entwischt. Es war ein Traum von seiner Mutter gewesen. Wie sie ihn im Arm hielt, ihn tröstete, ihm sagte, wie sehr sie ihn liebte, dass er in Sicherheit sei, dass alles gut werden würde und dass er nichts zu befürchten hatte. Solche Träume hatte er vorher noch nie gehabt. Träume, die ihm wirklich Kraft und Mut gaben, nicht wie diese erniedrigenden Albträume, die er sonst gewohnt war.

Und so war er an diesem Morgen nicht mit dem Bild seines strengen, unversöhnlichen Großvaters vor Augen aufgewacht, der ihm wieder einmal seine Unehelichkeit vorgeworfen hatte, sondern mit dem tiefen, wärmenden Gefühl, geliebt und umsorgt worden zu sein.

Das Parfüm, das er immer noch riechen konnte, war jedoch höchst wirklich, und es war auch nicht der Duft seiner Mutter. Neugierig roch er an seinem Kopfkissen. Der Duft war ihm einerseits sehr vertraut, andererseits konnte er ihn in keiner Weise einordnen. Fates Duft war das nicht. Fate hatte einen warmen, sehr weiblichen Eigenduft, und manchmal, auch wenn sie das empört von sich gewiesen hätte, haftete ihr beinahe noch jener köstliche, an Vanille erinnernde Babyduft ganz junger Menschen an.

Ob Fate wohl gerade schlief? Oder lag sie jetzt auch irgendwo wach, hatte Angst und wusste nicht, was mit ihr geschehen würde? Was geschah überhaupt mit ihr? Was hatte dieser Mann vor, der sie entführt hatte, der behauptete, sie wäre sein Kind? Was hätte Jay wohl an seiner Stelle vorgehabt? Jay schloss die Augen und versuchte, sich vorzustellen, wie es wohl sein würde, wenn er ein Kind hätte, das ihm jemand weggenommen hätte. Wie oft las man von Vätern, die ihre Kinder entführten, die es eher in Kauf nahmen, das Gesetz zu brechen, als sich von ihnen zu trennen. Doch das waren Väter, die ihre Kinder von Anfang an miterlebt hatten, vom Tag ihrer Geburt an, jahrelang. So sehr er sich auch bemühte, Jay schaffte es nicht, sich in diese Männer hineinzuversetzen. Abgesehen davon war dieser Fall anders gelagert. Dennis Phillips hatte von Fates Existenz ja gar nichts gewusst, bis ... Bis Jay ihm auf irgendeine Art und Weise dieses Wissen hatte zukommen lassen.

Er setzte sich auf, schlug die Bettdecke zurück und schwang die Beine aus dem Bett.

Im Haus war es ganz still; offensichtlich schliefen Taylor und sein Vater noch. Jay trat hinaus in die frühe Morgensonne. Um diese Uhrzeit gab es noch kaum Autoverkehr – er sah nur einen Milchwagen, das Auto eines Frühaufstehers – oder Spätheimkehrers – , ein Paar, das aus dem gegenüberliegenden Haus trat und sich leidenschaftlich umarmte. Jay wandte den Blick von ihnen ab. Irgendetwas an der Art, wie die Frau den Mann angesehen hatte, erinnerte ihn an Fate. Wo war sie jetzt? Großer Gott, warum konnte er jetzt nicht bei ihr sein?

Zum ersten Mal in seinem Leben erkannte er, dass es noch etwas Schlimmeres gab, als selbst verletzt zu werden. Und das war das Wissen, dass jemand, den man liebte, leiden musste, und dass man ihm nicht helfen konnte.

Kirchenglocken durchdrangen die morgendliche Stille. Stirnrunzelnd blieb Jay stehen und sah sich um. Der Glockenklang kam von einer kleinen Kirche an der Ecke des Platzes, der vor ihm lag. Ohne sich dessen richtig bewusst zu sein, änderte Jay die Richtung und lief auf die Kirche zu. Das Portal stand offen, im dunklen Innern konnte er Kerzen flackern sehen. Ein Geistlicher lächelte ihm zu, als er an ihm vorbeiging.

Jay war noch nie religiös gewesen, dennoch ertappte er sich jetzt dabei, wie er eine Kerze nahm und sie mit zitternder Hand anzündete. Ein paar Meter von ihm entfernt saß eine Frau, tief ins Gebet versunken. Als sie kurz darauf aufstand, erkannte er sie. Auch Taylor musste ihn erkannt haben, obwohl sie ihm im Vorbeigehen nur einen flüchtigen, erschöpften Blick zuwarf. Der Duft ihres Parfüms streifte ihn, er wusste sofort, wo und wann er ihn das letzte Mal wahrgenommen hatte . . .

Wie lange mochte sie schon hier gewesen sein? Stunden, ihrem Aussehen nach zu urteilen. War sie hergekommen, nachdem sie ihn getröstet hatte – um selbst Trost zu finden? Er versuchte, sich auf den Altar zu konzentrieren und eine gewisse Ordnung in seine Gedanken zu bringen. Doch was für einen Sinn hatte es schon, herzukommen und für Fate zu beten, wenn ihm nicht einmal mehr der Text des Vaterunser einfiel, das er als Kind so viele Male gebetet hatte? Wo war der Friede, die Zuversicht und der Trost, den einem ein solcher Ort eigentlich spenden sollte? Zornig wandte Jay sich vom Altar ab und strebte dem Ausgang zu. Als er hinaus in den hellen Sonnenschein trat, sah er, dass Taylor auf ihn gewartet hatte, und er blieb abrupt stehen.

Die Erinnerung an seinen Albtraum und die Art, wie Taylor ihn getröstet hatte, war noch zu frisch und schmerzhaft für ihn; er konnte nicht einfach an ihr vorbeigehen, obwohl es ihm lieber gewesen wäre.

„Du musst mich hassen“, stieß er hervor.

„Nein, ich hasse dich nicht“, widersprach sie ruhig. „Allerdings habe ich Angst vor dir. Du erinnerst mich in so vieler Hinsicht an – ihn. Deine Besitz ergreifende Art deinem Vater gegenüber, die schon fast an Besessenheit grenzt . . .“ Sie erschauerte.

Jay starrte sie fassungslos an, als ihm die Bedeutung ihrer Worte aufging. „Du denkst, ich wäre wie er? Wie Phillips? Du glaubst, ich könnte dasselbe tun wie er . . .?“ Die stumme Antwort in ihrem Blick traf ihn wie ein Schock. Dennis Phillips hatte gegen das Gesetz verstoßen. Er war im Gefängnis gewesen. Er war ein Mörder und Entführer, und Jay hielt ihn für geisteskrank. „Du glaubst das alles, und trotzdem hast du gestern Nacht . . .“ Er konnte nicht weitersprechen.

„Das war etwas anderes. Letzte Nacht warst du ein einsames Kind in Not.“ Unwillkürlich strich sie über ihren Bauch.

„Ich ... ich wollte Fate nicht wehtun. Ich ... liebe sie." Jay konnte es selbst kaum fassen, was er da sagte und tat. Ausgerechnet er, der sich noch nie jemandem anvertraut, der generell noch nie jemandem vertraut hatte, der im Lauf seines ganzen Erwachsenenlebens noch nie das Bedürfnis nach dem Verständnis und dem Beistand eines anderen Menschen gehabt hatte! Aber schließlich ... hatte er auch noch nie jemanden geliebt. „Du kannst mich gar nicht lieben", hatte Fate zu ihm gesagt. „Du kannst niemanden lieben, weil du dich selbst nicht liebst." Sie hatte sich geirrt. Genauso wie er sich in sich selbst geirrt hatte, als er geglaubt hatte, gegen die Liebe immun zu sein.

„Ja, ich weiß", antwortete Taylor sanft.

„Großer Gott, was hat er mit ihr gemacht? Wohin hat er sie verschleppt?"

Taylor betrachtete ihn schweigend. Was soll sie darauf auch sagen? dachte Jay verbittert. Sie konnte ihn höchstens daran erinnern, dass die Qualen, die Fate nun ausstehen mochte, hundert Mal größer waren als seine eigenen. Schließlich wandte sie sich zum Gehen. Jay warf einen letzten Blick zurück auf die Kirche und folgte ihr dann.

„Das war wohl ein ziemlich unnützes Unterfangen – herzukommen und Hilfe von einem Gott zu erbitten, an den ich nicht glaube", meinte er verbittert. „Das ist so ähnlich wie bei dem Mann, der sein Leben lang sein Geld in einem Koffer unter dem Bett aufbewahrt und dann die Bank um ein Darlehen bittet, nachdem ihm dieses Geld gestohlen worden ist. Warum sollte Gott, wer immer er auch sein mag, mich anhören und mir helfen?"

„Vielleicht Fate zuliebe?" gab Taylor zu bedenken. „War das nicht letztlich der Grund, weshalb wir beide hier hergekommen sind? Fate zuliebe, und weil uns nichts anderes mehr einfiel, wohin wir uns hätten wenden können?"

„Ich verspreche Ihnen, wir werden alles tun, um sie zu finden", hörte Jay den Inspektor zu Fates Mutter sagen, als er Brams Haus betrat. Fates Eltern waren soeben eingetroffen, trotz der frühen Tageszeit.

Fates Mutter ging geradewegs auf Taylor zu und umarmte sie verzweifelt. „Ich habe die ganze letzte Nacht gegrübelt, und plötzlich kam mir ein Verdacht. Vielleicht hat Dennis

Phillips uns deswegen ausfindig machen können, weil wir wieder in die Umgebung von Oxford gezogen sind, gar nicht weit weg vom ehemaligen Haus unserer Eltern?" Caroline war sehr blass, man sah ihr an, wie sehr diese Vorstellung sie die Nacht hindurch gequält haben musste. „Oliver und ich waren schon damals etwas besorgt deswegen."

Taylor erwiderte die Umarmung ihrer Schwester herzlich und versicherte ihr, dass Dennis sie wohl überall aufgespürt hätte, ganz gleich, wohin sie auch gezogen wären. „Ihr dürft euch das nicht zum Vorwurf machen."

„Wir durchsuchen gerade alle Häuser in der Gegend, in der sie zuletzt gesehen wurde", teilte der Inspektor ihnen mit. „Wir gehen davon aus, dass er sie ganz in der Nähe des Entführungsorts versteckt hält. Sein Pass ist inzwischen ungültig, und Fate hat ihren gar nicht dabei."

„Ja, wir haben ihn mitgebracht", bestätigte Oliver.

Jay wusste, welche Theorie die Polizei vertrat. Auf Grund von Taylors Informationen nahm man an, dass sich Phillips ähnlich verhalten würde wie seinerzeit, als er Taylor entführt hatte. Das bedeutete, dass er Fate in einen Unterschlupf gebracht hatte, den er vorher für diesen Zweck gebaut oder zumindest präpariert hatte. Um das Risiko, gefunden zu werden, so gering wie möglich zu halten, hatte er sich vermutlich ein Versteck ganz in der Nähe des Ortes ausgewählt, wo er sie entführt hatte.

Stirnrunzelnd vernahm der Inspektor, dass er über Funk gerufen wurde. Er entschuldigte sich und ging hinaus zu seinem Wagen. Etwa zehn Minuten blieb er draußen, und als er zurückkam, verkündete er: „Es könnte sein, dass wir herausgefunden haben, wo er sie versteckt hält."

„Wo?" riefen alle fast einstimmig. Taylor und Caroline klammerten sich aneinander und fingen zu weinen an.

„Einer meiner Männer hat jemanden gesehen, auf den die Beschreibung von Phillips zutrifft. Der Mann verließ gerade eine angeblich aufgelassene Baustelle ganz in der Nähe Ihrer Wohnung", wandte er sich an Jay. „Wir haben das Gebiet großräumig umstellt und . . ."

„Umstellt!" unterbrach Oliver ihn aufgebracht. „Wenn Sie glauben, dass Fate dort festgehalten wird, warum gehen Sie dann nicht einfach hin und holen sie heraus?"

„Zunächst einmal müssen wir sichergehen, dass es sich bei

dem Mann wirklich um Phillips handelt." Er schwieg einen Moment lang, ehe er vorsichtig fortfuhr: „Außerdem kann er das Gebiet um das Versteck herum mit Sprengladungen präpariert haben."

„Sprengladungen?" rief Caroline entsetzt und wurde noch blasser. Jays Puls begann zu rasen.

„Wann werden wir sicher wissen, ob es wirklich Phillips ist und ob er Fate dort versteckt hält?" erkundigte Bram sich äußerlich gelassen.

„Diese Frage kann ich Ihnen leider noch nicht beantworten", gestand der Inspektor. „Ich verspreche Ihnen aber, dass wir unser Bestes tun werden. Vorerst muss ich Sie alle bitten, hier im Haus zu bleiben." Er sah gezielt Oliver, Bram und Jay an. „Bitte, keine Heldentaten, ja? Dadurch würden Sie nicht nur das Leben meiner Leute, sondern auch das von Fate in Gefahr bringen."

Jay wusste, dass er Recht hatte, aber gleichzeitig ... Gleichzeitig dachte er genau dasselbe wie Oliver und sein Vater. Genau wie er hatten beide das Bedürfnis, bei ihr zu sein, sie zu befreien und dafür zu sorgen, dass Dennis Phillips ihr niemals wieder zu nahe kommen konnte.

Jay sah auf die Uhr. Es war zwei Uhr nachts. Mehr als achtzehn Stunden waren vergangen, seit der Inspektor angekündigt hatte, das Versteck sei möglicherweise gefunden worden.

Der Inspektor war nicht mehr da. Ein junger Polizist war gekommen, um sie über den Stand der Dinge auf dem Laufenden zu halten und, wie Jay vermutete, um sie daran zu hindern, das Haus zu verlassen. Der Polizist war zwar sehr höflich, dennoch machte er bisweilen ein mürrisches Gesicht und schimpfte, dass ihm bei der Aktion eine so passive Rolle zugeteilt worden war.

Kurz bevor der Inspektor gegangen war, hatte er ihnen mitgeteilt, es stände inzwischen ziemlich sicher fest, dass der Mann, den man beim Verlassen der Baustelle beobachtet hatte, tatsächlich Dennis Phillips war. Das Gelände sei nun vollkommen abgeriegelt worden.

„Worauf warten die denn noch?" stieß Oliver gereizt hervor, als er zum ungezählten Mal aufstand und ans Fenster trat. „Wie lange soll der sie denn noch dort festhalten?" fragte er und sah den jungen Polizisten grimmig an.

Wie lange noch? Jay ahnte, dass diese Frage jeden Einzelnen von ihnen in dieser endlosen Nacht quälte, in der die Zeit nicht vergehen wollte. Alle waren erschöpft, doch keiner konnte und wollte schlafen. Die Morgendämmerung brach an, der Himmel war blass und klar. Der junge Polizist ging und wurde durch einen anderen ersetzt. Um acht Uhr knisterte es im Funkgerät des Polizisten. Wieder eine belanglose Durchsage, wieder falscher Alarm. In der angespannten Stille hörten sie die anonyme Stimme, die einen Ladeneinbruch meldete und um Streifenwagen bat.

Jay warf seinem Vater einen Blick zu. Sie hatten kaum ein Wort gewechselt, seit Jay mit Taylor nach Hause gekommen war. Aber was hätte sein Vater ihm auch sagen sollen? Was würde er, Jay, an seiner Stelle sagen? Wie würde er sich fühlen?

Das Funkgerät schaltete sich wieder ein. „Sie gehen hinein!“ rief der Polizist ihnen aufgeregt zu. „Phillips hat die Baustelle verlassen, und sie gehen jetzt hinein!“

Es war Bram, der merkte, wie Jay zur Tür sah, und er war es auch, der sich ihm in den Weg stellte. „Ich muss dabei sein!“ fuhr Jay seinen Vater heftig an.

„Wozu? Tust du das für Fate – oder für dich selbst?“

Jay schloss die Augen. Natürlich hatte sein Vater Recht. Wie immer. Wie immer . . .

Die nächste halbe Stunde war für Jay die längste seines Lebens. Sie zog sich sogar noch grausamer hin als die schrecklichen Augenblicke damals, als er gefürchtet hatte, sein Vater würde sich weigern, ihn zu sich zu nehmen. Keiner sprach oder bewegte sich. Bram und Taylor saßen nebeneinander, Bram hatte den Arm fest um sie gelegt. Fates Eltern standen eng umschlungen am Fenster und beobachteten angstvoll den Polizisten und sein Funkgerät. Nur ich bin allein, dachte Jay. So wie er immer allein gewesen war und es immer sein würde.

Jay sah den Wagen zuerst. Kein äußerliches Anzeichen wies darauf hin, dass es ein Polizeiwagen war, doch irgendetwas an der Art, wie er fuhr – schnell, mit ungeduldiger Eile – zog Jays Aufmerksamkeit an. Jetzt hielt der Wagen hinter dem Streifenwagen vor dem Haus an. Zunächst stieg der Inspektor aus, er wirkte müde und unrasiert. Dann half er behutsam Fate aus dem Auto. Als sie zum Fenster blickte, erkannte sie Jay. Sie errötete.

„Fate.“ Jay hatte nicht einmal gemerkt, dass er ihren Namen ausgesprochen hatte, bis die anderen ihn aufgeregt umringten.

Fate blinzelte. Ihre Augen hatten sich noch nicht wieder vollständig an das helle Tageslicht gewöhnt nach der langen Dunkelheit. Zuerst hatte sie Angst gehabt, Dennis könnte schon von seinen Einkäufen wieder zurück sein, als die Polizei sie gefunden hatte. Ehe er fortgegangen war, hatte er sie wieder mit den Handschellen an den Metallpfosten gefesselt und sie davor gewarnt, sich zu bewegen oder um Hilfe zu rufen. Er sagte, er hätte Sprengstoff rund um das Versteck gelegt, der durch laute Geräusche zur Explosion gebracht werden könnte. Sie hatte nicht gewusst, ob sie ihm glauben sollte, war aber zu verängstigt gewesen, irgendein Risiko einzugehen.

„Standardhandschellen von der Polizei“, hatte man ihr erklärt, als sie befreit worden war. Sie hatte so gezittert, dass der eine Polizist mehrfach den Versuch unternehmen musste, den Schlüssel in das Schloss zu stecken, ehe er die Handschellen aufschließen konnte. Erst später, in der Sicherheit des Autos, hatte man ihr gestanden, dass man große Angst gehabt hatte, rund um das Versteck hätten sich tatsächlich Sprengsätze befinden können.

Man hatte sie sehr rasch vom Ort des Schreckens weggeführt, trotzdem hatte sie die von außen einem Grab ähnelnde Höhle noch sehen können, in der Phillips sie gefangen gehalten hatte. Ihre Beine, die sich ohnehin kraftlos und steif anfühlten, hätten ihr in dem Moment beinahe ganz den Dienst versagt. Sie erschauerte.

Doch Dennis Phillips war der Letzte, an den sie jetzt denken wollte. Durch das Autofenster sah sie, wie Jay sie beobachtete. Das Herz schlug ihr bis zum Hals, ihr wurde schwindelig. Jay war da . . . Jay wartete auf sie.

Die Haustür ging auf, und Fates Eltern kamen herausgeeilt, erst ihre Mutter, dann ihr Vater, dicht gefolgt von Taylor und Bram. Angestrengt sah Fate an ihnen vorbei und hielt Ausschau nach Jay. Er stand in der offenen Tür, abseits von allen anderen. Schließlich wandte er den Blick von ihr ab.

Jay zog sich stirnrunzelnd ins Haus zurück. Fate wurde gerade von ihrer Mutter umarmt, während ihr Vater mit Tränen in den Augen daneben stand. Caroline lachte und weinte gleichzeitig und rief wieder und wieder Fates Namen. Auch Fate lachte noch etwas unsicher, als sie allen versicherte, ihr fehlte nichts. Jay hatte ihr kaum Beachtung geschenkt, nur ein flüchtiger Blick, dann hatte er ihr den Rücken zugekehrt. Was hatte er auch anders erwartet? Und war es schließlich nicht besser so? Sicherer? Er gestand sich ein, dass er Angst vor seinen eigenen Empfindungen hatte; Angst vor dem Schmerz, den sie in ihm auslösten. Angst vor ihrer Tiefe und Intensität. „Ich hasse dich nicht", hatte Taylor zu ihm gesagt. „Allerdings habe ich Angst vor dir." Nun teilte er ihre Angst.

Der Inspektor schob die Gruppe ins Haus. Jay trat ein Stück zur Seite, um sie vorbeizulassen. Niemand sah ihn an oder sprach mit ihm. Es war, als existierte er gar nicht, als gehörte er gar nicht zu ihnen, als sei er ein Außenseiter, ein Fremder . . . Mit finsterer Miene betrachtete er sie alle, sah zu, wie sie Fate abwechselnd umarmten, wie diese die Umarmungen erwiderte, wie sie alle durcheinander lachten und weinten. Grenzenlose Erleichterung machte sich in dem Raum breit, in dem noch vor kurzem lähmende Angst geherrscht hatte.

Fate bemerkte zuerst, dass Jay nicht mehr da war. „Wo ist er hingegangen?" fragte sie besorgt. Keiner konnte ihr Auskunft geben, sie waren alle viel zu sehr beschäftigt gewesen.

Es war ein Leichtes für Jay, durch den Zaun zu schlüpfen. Die Polizei hatte ein großes Loch hineingebrochen, als man in die Baustelle eingedrungen war, um Fate zu befreien.

Dennis Phillips war auf dem Rückweg vom Supermarkt gefasst und sofort ins nächste Polizeirevier gebracht worden. Ohne allzu große Schwierigkeiten fand Jay das Versteck, wo er Fate gefangen gehalten hatte. Da er sich erinnerte, was Taylor der Polizei über Phillips erzählt hatte, ordnete er den Schutthaufen in der einen Ecke der sonst völlig leeren Baustelle sofort richtig ein.

Sein Magen krampfte sich zusammen, als er sich durch die schmale Öffnung in die dunkle Höhle darunter zwängte. Dennis Phillips musste eindeutig wesentlich kleiner sein als er. Der Unterschlupf war mit einer Persenning ausgekleidet, es war kalt und klamm darin. Obwohl Jay eine Taschenlampe aus dem Auto mitgebracht hatte, befiel ihn eine beklemmende Angst. Er erkannte, dass er es wohl keine zwei Stunden an einem solchen Ort ausgehalten hätte, ohne den Verstand zu verlieren – geschweige denn zwei Tage. Er strich über den Schlafsack, in dem Fate gelegen hatte, und berührte den Metallpfosten, an dem sie angekettet gewesen war. Ein Schauer überlief ihn.

Als er wieder draußen im hellen Sonnenlicht stand, war sein Gesicht tränenüberströmt.

EPILOG

Drei Jahre später

„Du weißt doch, dass Fate nach Hause kommt, oder?“

Jay rettete seinen zweieinhalb Jahre alten Bruder Thomas vor Lara, Plums jüngerer, aber wesentlich temperamentvolleren Tochter, ehe er ruhig antwortete. „Ja, Taylor hat es erwähnt.“

Plum war wieder schwanger. Schwerfällig erhob sie sich, um sich ihrer Tochter zu widmen, die in lautes Protestgeschrei ausgebrochen war. Wer hätte gedacht, dass sich ausgerechnet Jay einmal so ändern könnte, dachte sie. Wenn man ihn jetzt beobachtete, wie er mit Taylors und Brams beiden Kindern umging . . . Jemand, der ihn früher nicht gekannt hatte, würde sich nicht vorstellen können, wie er einmal gewesen war. Es war kein Geheimnis, dass er sich nach Taylors und Brams Hochzeit einer Therapie unterzogen hatte. Zu dem Zeitpunkt war Plum zu sehr mit ihren eigenen Angelegenheiten beschäftigt gewesen, um etwas davon mitzubekommen, aber sie hatte es später durch ihre Mutter erfahren.

Nachdem Jay Thomas‘ verletzten Stolz tröstend wieder aufgerichtet hatte, wandte er sich mit ausgestreckten Armen Lara zu. Kleines Biest, dachte Plum innerlich schmunzelnd, als sie beobachtete, wie Lara Jay prompt einen koketten Blick zuwarf und sich mit einem zufriedenen Gurren für seine Aufmerksamkeit bedankte. Plum hätte sich im Traum nie ausmalen können, dass Jay eines Tages einer ganzen Horde von Kleinkindern bereitwillig erlauben würde, ihn pausenlos zu belagern – und das auch noch mit nicht zu übersehendem Vergnügen. Völlig sprachlos war sie dann auf Thomas‘ letztem Kindergeburtstag gewesen, als sie zusammen mit einer Freundin gekommen war, um Lara abzuholen. Die Freundin war absolut hingerissen gewesen von Jays Art, mit Kindern umzugehen, und sie hatte neidisch gefragt, welches von den Kindern denn seins sei und wo seine Frau wäre.

„Komm, Lara, Zeit, nach Hause zu gehen“, verkündete sie. Etwas atemlos ging sie zu Jay, um ihm die Kleine abzunehmen. Sie fand sich unglaublich dick in dieser zweiten Schwangerschaft, und so waren weder sie noch Gil überrascht gewesen, als sie erfahren hatten, dass sie Zwillinge erwartete.

Helena hatte die Neuigkeit, sie würde gleich zwei neue Enkel bekommen, etwas verstört aufgenommen. „Schon gut, Mutter“, hatte Plum leicht boshaft erwidert. „Du kannst beruhigt sein, sie haben beide denselben Vater!“ Natürlich hatte Helena diese Bemerkung gar nicht gefallen.

„Komm, ich trage Lara bis zum Auto“, bot Jay an und schmunzelte, als Thomas sich prompt darüber beschwerte, von seinem heiß geliebten großen Bruder so vernachlässigt zu werden. „Los, du auch“, beruhigte Jay ihn und wartete, bis das Kind ihn eingeholt hatte.

Plum wusste noch, wie entsetzt ihre Mutter gewesen war, als Taylor und Bram das erste Mal wieder ausgegangen waren und das knapp acht Monate alte Baby in Jays Obhut zurückgelassen hatten. „Mir ist ja klar, dass Bram immer blind war für Jays Fehler, aber Taylor hätte ich mehr Verstand zugetraut!“ hatte Helena geschimpft.

Plum war damals bei ihrer Mutter zu Besuch gewesen und war bereitwillig auf ihren Vorschlag eingegangen, mal bei Taylor und Bram vorbeizuschauen, während die beiden nicht da waren. Zunächst hatte sie sich erschrocken, wie dünn und verhärmt Jay aussah; seit ihrer Hochzeit hatte sie ihn nicht wieder zu Gesicht bekommen. Doch dann hatte sie erstaunt festgestellt, dass es ihm sehr gut zu gehen schien. Ganz offen hatte er erzählt, wie sehr die Therapie sein Leben zum Positiven verändert hätte. Was sie jedoch noch mehr verblüfft hatte, war die Art, wie Jay mit seinem winzigen Halbbruder umging – und wie das Baby seinerseits auf Jay reagierte. Es war ungewohnt für sie gewesen, ein so inniges Band zwischen einem Kind und einem erwachsenen Mann zu spüren – vor allem zwischen *diesem* Kind und *diesem* Mann. Genau wie ihre Mutter war sie sich sicher gewesen, dass Jay dieses Kind hassen würde. Doch jener Anblick nun hatte sie gefühlsmäßig so aufgewühlt, dass sie, wie sie Gil später verlegen erzählte, plötzlich in Tränen ausgebrochen war. Und da hatte Jay auch noch großes Mitgefühl mit ihr gehabt, weil sie seiner Meinung nach noch unter einer Wochenbettdepression litt! „Du hättest deinen Augen nicht getraut, Gil“, hatte sie zu ihrem Mann gesagt. „Er ging so zart, so liebevoll und fürsorglich mit Thomas um, fast als ob . . .“

„Als ob er sein Vater wäre?“

Das hatte Plum jedoch sofort entschieden abgestritten. „Nein, ganz und gar nicht. Es war eher, es bestünde zwischen den beiden ein ganz besonderes Band. Ich kann es nicht richtig beschreiben, aber man konnte ganz deutlich sehen, wie sehr die beiden sich lieben. Sie wirkten wie . . . ja, wie ganz echte Brüder, falls du verstehst, was ich meine.“ Sie hatte die außergewöhnlichen Empfindungen, die sie gehabt hatte, wirklich nicht in Worte fassen können. Sie hatte jedoch eins ganz klar erkannt – Jay war ein Mann, *der* Mann geworden, den alle Kinder liebten, und der alle Kinder liebte. Keines allerdings so hingebungsvoll wie Thomas.

Nach ein paar Drinks an Thomas‘ Tauftag hatte sie den Mut gefunden, Jay nach dem Grund dafür zu fragen. Er hatte sie ganz ruhig angesehen und geantwortet: „Vielleicht weil er meine Seelenrettung ist. So wie ich mal seine sein möchte, falls er es nötig hat – was jedoch hoffentlich wohl nie der Fall sein wird.“ Ganz genau hatte sie bis heute nicht verstanden, was er damit hatte sagen wollen, doch schließlich war Jay schon immer ein sehr tiefgründiger Mensch gewesen.

Inzwischen hatte er die dreißig überschritten und war nach wie vor unverheiratet. Helena hatte mehr als einmal sarkastisch behauptet, er würde wohl auch nie eine Frau finden, die so dumm sein würde, ihn zu heiraten. Dem hatte Plum heftig widersprochen. Doch seit ihrer Hochzeit mit Gil fiel es ihr wesentlich leichter zu verstehen, warum ihre Mutter so war wie sie war. Manchmal tat sie ihr sogar aufrichtig Leid.

Natürlich würde Jay eine Frau finden, wenn er das wollte. Eine Frau vielleicht, aber nicht *die* Frau. Plum warf ihm einen verstohlenen Seitenblick zu. Er mochte zwar etwas von seiner früher so beeindruckend männlichen Aura verloren haben, aber noch immer war er einer der – wenn nicht *der* aufregendste, sexyste Mann, den sie je gesehen hatte. Jede Frau schmolz unwillkürlich dahin beim Anblick, wie er mit einem Kleinkind oder Baby umging; auch Plum ging das nicht anders, obwohl sie gegen seine Reize völlig immun und nach wie vor Hals über Kopf in Gil verliebt war. Sie hatte Jay mit Fate auf ihrem Volljährigkeitsball gesehen und war nicht überrascht gewesen, als sie erfahren hatte, dass Jay Fate kurz nach ihrer schrecklichen Entführung einen Heiratsantrag gemacht hatte, von ihr jedoch abgewiesen worden war.

„Grüß Taylor und Bram, wenn sie zurückkommen", erinnerte sie Jay jetzt, während er Lara im Kindersitz des Autos anschnallte. „Ich fahre morgen zurück." Sie musste lachen. „Gil möchte nicht, dass mir mit diesen beiden hier dasselbe passiert wie bei Laras Geburt!" Sie klopfte sich auf den Bauch. Bei ihrer ersten Geburt hatten die Wehen plötzlich während der Heimfahrt von ihrer Mutter begonnen. Lara war im Krankenwagen in einer Nothaltebucht an der Schnellstraße zur Welt gekommen.

Lara warf Jay Kusshändchen zu, als er Plum die Autotür aufhielt. „Fahr vorsichtig!" ermahnte er Plum. „Vergiss nicht, dass du mein Patenkind bei dir hast!"

Plum verzog das Gesicht. Noch immer war sie sich nicht ganz sicher, warum sie damals plötzlich ihre Meinung geändert und doch nicht Bram gefragt hatte, ob er Laras Patenonkel werden wollte, sondern Jay. Aber genau wie ihre Entscheidung, Gil zu heiraten, war auch diese eine der besten ihres Lebens gewesen.

Jay wartete, bis Plums Auto nicht mehr zu sehen war, dann hob er Thomas auf und trug ihn ins Haus. Taylor und Bram waren auf der feierlichen Amtseinführung eines jungen, behinderten Akademikers, dessen Studium durch eins ihrer speziellen Computerprogramme ermöglicht worden war. Jay und Bram gerieten auch heute noch manchmal aneinander. Brams Philosophie der Menschenfreundlichkeit und Jays Ellenbogenmentalität im Beruf vertrugen sich nicht immer. Dennoch musste Bram zugeben, dass Jay die ihm überschriebene Firma zu großem internationalen Ansehen geführt hatte. Auch der so lange heftig umstrittene Abschluss mit den Japanern hatte entscheidend zum wirtschaftlichen Wachstum der Firma und zur Absicherung aller daran Beteiligten beigetragen. „Jemand muss den Laden ja in Schwung halten, bis Thomas so weit ist“, hatte er seinem Vater Weihnachten erklärt.

Nur Taylor und Bram kannten alle Einzelheiten der großen Wandlung, die mit Jay während der Therapie vor sich gegangen war. Taylor war es gewesen, die ihm schließlich von Kingspeace erzählt hatte, dem abgelegenen Zentrum, das all denen Zuflucht bot, die sich freiwillig eine Zeitlang von der Alltagswelt zurückziehen wollten. Mit einer gewissen Skepsis hatte er sich die Anlage angesehen. Doch genau die Faktoren, die wohl die meisten anderen Leute abgestoßen hätten, hatten ihn seltsamerweise am allermeisten angezogen – die Isolation und die Abgeschiedenheit vom Rest der Welt. Er brauchte einfach Abstand zu den tragischen Erinnerungen an London.

Jay tröstete Thomas lächelnd, der eben mit Protestgebrüll auf Jays plötzlich bei diesen Erinnerungen härter werdenden Griff reagierte.

Zu einer Gerichtsverhandlung im Fall Dennis Phillips war es nie gekommen. In den Zellen des Untersuchungsgefängnisses, in dem Phillips untergebracht war, war es zu einer Meuterei unter den Gefangenen gekommen. Im Tumult war Dennis zu Boden gerissen worden, dabei war er mit dem Kopf gegen eine Steinkante geschlagen. Der Gerichtsmediziner hatte festgestellt, dass der Tod sofort eingetreten sein musste. Er hatte hinzugefügt, es sei ein unglücklicher Unfall gewesen, der nicht auf das Fehlverhalten eines Einzelnen zurückzuführen wäre, sondern nur auf die Tatsache, dass die Gefängniszellen heutzutage zwangsläufig einfach zu überbelegt seien.

Taylor hatte nur ausgesprochen, was alle dachten, als sie tapfer verkündete, dass sie über Phillips‘ Tod froh sei. Fate hatte zu der Zeit im Ausland gearbeitet. Sie hatte das Land drei Tage nach dem Weihnachten verlassen, das auf ihre Entführung gefolgt war . . . drei Tage, nachdem sie Jays Heiratsantrag abgelehnt hatte. Seitdem hatte er sie nicht wieder gesehen.

Fate . . . Auch wenn er sie nicht mehr gesehen hatte, gedacht hatte er oft an sie. Doch es hatte wohl keinen Sinn, nur in die Vergangenheit zu blicken und zu bereuen, dass nicht alles anders gekommen war. Der Jay von früher, den er überwunden zu haben hoffte, hätte von Fate sicher verlangt, dass ihr die Veränderung auffiel, die mit ihm vorgegangen war. Vielleicht hätte er diese Wandlung auch eingesetzt, um Fate umzustimmen, um ihr zu sagen, sie sei der Grund dafür gewesen. Doch der Jay von heute, der ahnte, dass noch ein langer Weg vor ihm lag, gab sich damit zufrieden, dass er selbst die Wandlung an sich wahrnahm, dass er selbst Frieden und Trost in dem Wissen fand, wie sehr er sich verändert hatte und warum.

Ein Zupfen an seinem Kragen und ein hoffnungsvoll gelispeltes „Kekse?" brachten ihn in die prosaischere Wirklichkeit zurück.

„Keine Kekse", teilte er Thomas entschieden mit. Er kannte die Vorschriften, und sein niedergeschlagener kleiner Bruder ebenfalls. „Tee, und dann ist Schlafenszeit."

„Märchen!" bettelte Thomas. „Liest du mir . . ."

„Mal sehen", erwiderte Jay mit gespielter Strenge.

Charlotte, das Baby, lag friedlich vor sich hin glucksend in ihrem altmodischen Kinderwagen mit den großen Rädern. Jay hatte den Wagen sorgsam umgedreht, damit die Sonne nicht direkt hineinschien, ehe er Plum zum Auto begleitet hatte. Jetzt hielt er Thomas sicher auf einem Arm, während er mit der anderen Hand den Kinderwagen zum Haus schob. Das Baby lächelte ihn an und blinzelte mit Augen, die ihm schmerzlich vertraut schienen. „Sie hat Fates Augen", hatte Caroline festgestellt, als sie Charlotte das erste Mal gesehen hatte. Jay war nicht entgangen, wie Taylor ihm sofort einen besorgten Blick zugeworfen hatte.

Es gab kein Zurück, das wusste er. Schließlich hatte er Fates Liebe zu ihm zerstört – und in der Folge beinahe auch Fate selbst. Mochte er auch jetzt unter der Erkenntnis leiden, was er verloren hatte, doch irgendwie gab es auch Entschädigungen, andere Formen von Liebe. Und eine davon hielt er gerade im Arm.

„Kekse", wiederholte Thomas einschmeichelnd, als Jay die Hintertür öffnete und den Kinderwagen in die riesige, altmodische Küche schob, die Taylor zum warmen Mittelpunkt ihres neuen Heims gemacht hatte.

Das große, heruntergekommene Haus in Cambridgeshire, das Bram und Taylor vor drei Jahren gekauft hatten, war inzwischen zu seiner ursprünglichen georgianischen Pracht restauriert worden. Die Stuckdecken hatten sie ausgebessert und dort, wo es nötig war, erneuert; die Kamine und Holztäfelungen waren in stand gesetzt worden. Taylor hatte Messen und Antiquitätenläden nach Möbeln und ‚Krimskrams', wie sie es lachend nannte, durchstöbert; also nach Gemälden, Porzellan und Silberwaren, mit denen sie das alte Haus dekoriert hatte. Fand sich nicht das zum Stil passende antike Ausstattungsstück, hatte Taylor kurzerhand junge, tüchtige Handwerker beauftragt, es neu anzufertigen. Das Ergebnis war ein Zuhause, das Wärme und Glück ausstrahlte, eine wunderbare Harmonie von Alt und Neu, die zum Entspannen einlud und Kraft schenkte.

Die verkommenen Stallungen und Nebengebäude waren so renoviert und ausgebaut worden, dass Taylor und Bram in ihnen die Räumlichkeiten fanden, von denen aus sie ihr neues Unternehmen leiten konnten. Dieses Unternehmen war so erfolgreich, dass die beiden zunehmend öfter gebeten wurden, ins Ausland zu reisen und dort Vorträge über ihre Arbeit und ihre Errungenschaften zu halten. Taylor weigerte sich, ein Ganztagskindermädchen einzustellen; sie versuchte, die Reisen so zu planen, dass Jay dann auch gerade Zeit hatte, sich um die Kinder zu kümmern.

Fate kam also zurück. Jay musste wieder an Plums Bemerkung von vorhin denken. Da Fate für Taylor und Bram arbeitete, wusste sie sicher, dass die beiden momentan nicht zu Hause waren. Das wiederum bedeutete zum Glück, dass sie wahrscheinlich erst hier herkommen würde, nachdem er, Jay, wieder fort war. Jay setzte Charlotte in ihr Kinderstühlchen, versprach Thomas leichtsinnigerweise zwei Gutenachtgeschichten und grübelte währenddessen über seine anstehenden Geschäftstermine nach. Notfalls konnte er ein paar Reisen nach Übersee ‚einbauen', um sicher zu gehen, dass er bei Fates Rückkehr nicht mehr da war.

„Mund auf!" befahl er Charlotte und machte ihr vor, was sie zu tun hatte, ehe er ihr einen Löffel Brei einflößte. Ihrem strahlenden, zahnlosen Lächeln nach zu urteilen, genoss sie es sichtlich.

Fate hatte die letzten acht Wochen hinter dem Lenkrad des großen Wohnmobils verbracht, das ihre Eltern für die ausgedehnte Australientour gemietet hatten. Deshalb kam ihr der kleine Leihwagen jetzt winzig vor, und sie verzog das Gesicht, als sie sich ans Steuer schob. Es hatte unweigerlich geregnet, als sie in Heathrow gelandet war. Vielleicht war es doch keine so gute Idee gewesen, direkt vom beginnenden australischen Sommer in den Anfang eines nasskalten, britischen Winters zurückzukehren. Sie hatte jedoch Verschiedenes mit Bram und Taylor zu besprechen, auch hatte sie Charlotte seit deren Geburt nicht mehr gesehen.

Außerdem hatte sie sich danach gesehnt, nach Hause zurückzukommen. Sie hatte gesehen, wie ihre Eltern wieder an ihre Jugend angeknüpft hatten auf dieser lang geplanten Australienreise; sie hatte beobachtet, wie die beiden dort ihre ohnehin große Liebe zueinander aufgefrischt hatten. Und all das hatte in ihr ein Gefühl der Rastlosigkeit hervorgerufen, eine gewisse Unsicherheit und das vage Gefühl, dass ihrem Leben etwas fehlte. Beziehungsweise – jemand.

Natürlich war sie sich bewusst, dass sie großes Glück mit ihrer Familie, ihren guten Freunden und ihrem tollen Job hatte, auch wenn sie bezüglich des Letzteren anfangs ihre Zweifel gehabt hatte. Tatsächlich war sie sogar ziemlich böse auf Taylor gewesen, als diese ihr vorgeschlagen hatte, für sie und Bram zu arbeiten. Fate sollte ihnen helfen, ein Netz von amerikanischen und australischen Universitäten aufzubauen, die denjenigen Studienplätze zur Verfügung stellten, die vorher auf Grund einer Behinderung nicht hatten zugelassen werden können.

„Ein Kinderspiel", hatte sie gespottet, als Taylor ihr das erste Mal von diesem Job erzählt hatte. „Gut, ich bin entführt worden, und seelisch mag mir das Narben zugefügt haben – aber auf meinen Intellekt hat es keine Auswirkungen gehabt. Ich brauche kein Mitgefühl, und ich will nicht, dass man mir Chancen gibt, die ich gar nicht verdient habe. Mein Kopf funktioniert noch sehr gut, ich bin durchaus imstande, mir selbst eine Arbeit zu suchen."

„Das bezweifle ich nicht", hatte Taylor leicht verstimmt erwidert. „Doch ich fürchte, du machst uns edelmütiger als wir sind, Fate. Wir wollen nicht dir einen Gefallen mit dem Job tun, sondern uns selbst. Wir brauchen jemanden, der unsere Ansichten teilt, unsere Ideale, unsere Einstellung zu dem, was wir für die Zukunft erreichen wollen. Ich, das heißt, wir glauben, dass du dieser Jemand bist. Es wird nicht einfach werden, schon erst recht nicht ein Kinderspiel. Wir werden in die Welt ziehen und überzeugen müssen, sowohl die Studenten, die hoffentlich unser Programm benutzen werden, als auch die Universitäten, die unsere Studenten dann hoffentlich aufnehmen werden. Wir können uns nicht auf eine lange Vorgeschichte berufen, können uns nicht auf Tatsachen und Zahlen stützen. Wir haben nichts anderes vorzuweisen als unseren Glauben daran, dass das Ganze machbar ist."

Einige Monate waren seit dem Trauma der Entführung vergangen, und noch immer war Fate nervös und gereizt gewesen, wütend auf sich und den Rest der Welt wegen des Dramas, das ihr widerfahren war. Zu allem Überfluss hatte Jay sich ausgerechnet jenes Weihnachtsfest ausgesucht, um ihr einen Heiratsantrag zu machen. Sie hatte ihn gehasst für die Demütigung, die er ihr mit seinem Mitleid zufügte, dafür, dass er ihr dieses Mitgefühl als Ersatz für eine Liebe anbot, die er niemals für sie würde empfinden können.

Und so hatte sie den Job schließlich angenommen und in ihm die Möglichkeit gesehen, endlich all dem entfliehen zu können, wogegen sie kräftemäßig einfach nicht mehr anzukämpfen vermochte. Ständig von so überbesorgten, rücksichtsvollen Menschen umgeben zu sein, hatte sie mehr ausgelaugt und angestrengt, als sie sich eigentlich eingestehen wollte. Durch den Job würde sie der übertriebenen Fürsorglichkeit entgehen und sich einer etwas handfesteren Wirklichkeit stellen können, in der die Leute sicher nicht jedes Wort auf die Goldwaage legten, nur um sie zu schonen.

Anfangs hatte sie eingewilligt, erst einmal ein halbes Jahr für Bram und Taylor zu arbeiten. Inzwischen war sie nun schon fast drei Jahre bei ihnen. Sie liebte ihre Arbeit und konnte zu Recht stolz auf das sein, was sie bisher erreicht hatte. Die ersten Studenten, die zunächst noch etwas widerwillig von den Universitäten aufgenommen worden waren, näherten sich allmählich ihrem Studienabschluss. Ihren Tutoren zufolge würden wohl alle glänzend abschneiden. Fate wusste, dass Bram und Taylor ein paar von ihnen einstellen wollten, sie brauchten ihre Erfahrungen und Fähigkeiten, um ihr Unternehmen weiter auszubauen. Der gute Ruf des Unternehmens hatte sich rasch durch Mundpropaganda herumgesprochen. Jetzt wandten sich die Universitäten zögernd von sich aus an Fate, um mehr über dieses Programm und andere Computerhilfen für Behinderte in Erfahrung zu bringen.

Ein sehr anziehender, kultivierter Tutor von der Bristol University hatte ihr klar zu verstehen gegeben, dass er sich in sie verliebt hatte und sich wünschte, sie möge sein Leben fortan mit ihm teilen. Sie hatte ihn sehr gemocht, bewundert und gewusst, dass sie vom Kopf her ausgezeichnet zueinander passen würden. Aber sie hatte ihn nicht begehrt. Deshalb hatte sie ihm einen Korb gegeben und im Geiste einen weiteren Punkt auf die lange Liste der Gründe gesetzt, warum sie Jay auch weiterhin entschieden aus ihrem Leben heraushalten sollte.

Nun fuhr sie also Richtung Osten nach Cambridgeshire zu Taylor und Bram und widerstand tapfer der Versuchung, die von den Wegweisern nach London ausging. Jay war in London, und wo immer er war, war für sie kein Platz.

Jay kam gerade aus der Dusche, als er die Türglocke hörte. Stirnrunzelnd schlüpfte er in seinen Bademantel. Das Haus lag zu abgelegen für Überraschungsgäste, und so viel er wusste, erwarteten Taylor und Bram auch keinen Besuch. Also konnte es wohl nur die Frau des Vikars sein, die Taylor um ihre Unterstützung bei einer Wohltätigkeitsveranstaltung bitten wollte. Oder, was noch wahrscheinlicher war, Plum, die irgendetwas Wichtiges hier vergessen hatte. Als er an der halb geöffneten Tür zu Thomas' Zimmer vorbeikam, vernahm er die typischen, leisen Schnaufer, die sein kleiner Halbbruder im Schlaf von sich gab. Er lauschte kurz, dann ging er weiter nach unten.

„Hallo, ich habe noch einen Platz in einer früheren Maschine bekommen! Hier bin ich und . . ." Fate verstummte erschrocken und starrte Jay an. Ist er krank gewesen? schoss es ihr durch den Kopf. Er war viel dünner, als sie ihn in Erinnerung hatte, er war blass und schmal im Gesicht, was seiner männlichen Ausstrahlung allerdings keinen Abbruch tat, im Gegenteil. „Wo ist Taylor? Und Bram?" fragte sie und trat in die Diele. Energisch ignorierte sie ihr rasendes Herzklopfen und die Tatsache, dass sie irgendwie plötzlich schlechter Luft zu bekommen schien.

„Sie sind nicht da, sie sind bei der Amtseinführung von Neil Walters. Gleich im Anschluss daran wollen sie für ein, zwei Tage zusammen wegfahren."

Fate errötete. „Das sollte doch erst nächste Woche sein!" Wenn sie gewusst hätte, dass die beiden nicht da waren, wäre sie niemals hier hergekommen. Ihr war bekannt, dass sich Jay in ihrer Abwesenheit immer um die Kinder kümmerte; sie hatte genug Briefe von Taylor erhalten, in denen sie sich überschwänglich über seine hingebungsvolle, liebevolle Art im Umgang mit seinen kleinen Halbgeschwistern geäußert hatte. Jetzt musste Jay doch unweigerlich denken, sie sei absichtlich zu diesem Zeitpunkt hier erschienen! Sie warf ihm einen trotzigen Blick zu, doch es war zu dunkel in der Diele, sie konnte seinen Gesichtsausdruck nicht richtig erkennen. Unsicher sah sie zu ihrem Wagen zurück und überlegte, ob sie sich irgendwo ein Hotelzimmer nehmen sollte. Doch sie fröstelte jetzt schon in der nach der Hitze in Sydney ungewohnt kalten Luft, und Jay betrachtete sie abwartend. Wenn sie nun ging, würde er glauben, sie liefe vor ihm weg. Sie holte tief Luft und ging an ihm vorbei, und dabei fiel ihr erstmals auf, was er anhatte, beziehungsweise, wie wenig. Augenblicklich spürte sie, wie sie rot anlief und ihr plötzlich heiß wurde. Jedes Mal, wenn sie ihn sah oder auch nur an ihn dachte, war es dasselbe. Sie hatte gehofft, dass sich das legen würde, wenn sie ihm mal eine ganze Zeit lang nicht begegnete.

„Warum sagst du ihm nicht, was du empfindest?" hatte ihre Mutter ihr behutsam vorgeschlagen, als Fate ihr einmal gestanden hatte, welche tiefen Gefühle sie immer noch für ihn hegte.

Es war nicht etwa so, dass Fate ihm die Schuld an dem gegeben hätte, was ihr widerfahren war. Vielmehr waren der Schmerz und die Angst, die sie ausgestanden hatte, der Zorn, den sie während ihrer Entführung nicht hatte abreagieren können, auf ganz unerklärliche Weise und sehr intensiv mit ihren Gefühlen für Jay verknüpft. Oder noch einfacher – lag es vielleicht daran, dass sie ihn geliebt und er sie zurückgewiesen hatte?

„Lass dich von mir nur nicht aufhalten", sagte sie jetzt gereizt und warf ihm einen kühlen Blick zu.

„Du bist sehr nervös. Warum? Es kann doch unmöglich

mein Anblick im Bademantel sein. Schließlich hast du mehr als deutlich zu verstehen gegeben, dass du an dem, was sich darunter befindet, kein Interesse hast. Oder hast du es dir etwa anders überlegt?" Jay wusste, dass er genau das Falsche sagte und tat, dass er sich haargenau so flegelhaft benahm wie in alten Zeiten, doch er kam nicht dagegen an. Fate schien diese schlechten Seiten wieder in ihm zum Vorschein zu bringen, mit ihrem herablassenden Blick und dem verächtlichen Zug um den Mund . . . diesen Mund, den er einmal mit wilder Leidenschaft geküsst hatte, den Mund, mit dem sie einmal jede Stelle seines Körpers liebkost hatte, den Mund, den er noch immer . . .

Sie hatte sich verändert. Sie war eine Frau geworden, war kein junges Mädchen mehr. Sie trug ihr Haar wieder länger in einer weich fallenden Bobfrisur; die alten Jeans waren einem eleganten Armani Kostüm gewichen. Im Dämmerlicht der Diele sah er das Blinken ihrer schlichten, goldenen Ohrringe und des dazu passenden Reifs um ihr Handgelenk. Ihre Nägel waren lackiert, das Gesicht gekonnt geschminkt. Sie sah elegant und selbstbewusst aus, tadellos . . . unnahbar. Jay verfluchte sich und die Reaktion seines Körpers und wandte sich ab. Fate würde bestimmt kein Verständnis haben, wenn sie ahnte, welch lustvolle Phantasien ihm jetzt durch den Kopf gingen, von ihrem nackten Körper unter seinem, von Schweißperlen auf ihrer Haut, von ihrem verklärten, befriedigten Blick, ihren von seinen Küssen geschwollenen Lippen, von ihrem wirren Haar, das sich so weich anfühlte . . .

„Wann kommen Bram und Taylor zurück?"

„Übermorgen." Herausfordernd sah er sie an. Sollte sie ihm doch sagen, dass sie nicht hier bleiben würde. Sollte sie ihm doch sagen, was ihr offensichtlich auf der Zunge brannte, sollte sie ihn doch abweisen, so wie sie es schon einmal getan hatte und wie sie es nun wohl immer tun würde. „Im Gästezimmer ist ein Bett bezogen, falls du . . ."

Mit zornblitzenden Augen unterbrach sie ihn. „Nun, ich werde dich bestimmt nicht darum bitten, mit in deinem schlafen zu dürfen!"

Manche Wunden verheilten einfach nicht. Manche Wunden überraschten einen, weil sie auch nach langer Zeit immer noch so wehtaten. „Nein, das wirst du wohl nicht", gab Jay zu. Er hörte sich müde an, aber auch noch etwas anderes schwang in seiner Stimme mit. Fate war jedoch nicht in der Stimmung, diesen anderen Unterton zu analysieren, schon gar nicht, nachdem sie eben eine so dumme, kindische Bemerkung gemacht hatte.

Sie stellte ihre Reisetasche ab und zuckte mit den Schultern. „Nun, wenn ich jetzt schon einmal da bin, kann ich ja eigentlich auch bleiben."

Jay nahm die Tasche, und Fate blieb nichts anderes übrig, als ihm die Treppe hinauf zu folgen. Sie sah zwei halb offen stehende Türen. Die eine war die zum Kinderzimmer, Fate konnte die Wiege erkennen. Die andere ... Fate hielt wie versteinert inne, als sie einen Blick hineinwarf. Das Licht brannte, sie konnte das ungemachte, zerwühlte Bett sehen und dazu einen achtlos auf den Boden geworfenen Spitzenslip. Jay hatte also eine Frau bei sich gehabt. Und ganz eindeutig hatte er sie auf diesem Bett geliebt. Geliebt ... Jay wusste doch gar nicht, was das bedeutete. Jay wusste nur, wie man eine Frau sexuell befriedigte und ihr gleichzeitig emotional unwahrscheinlich wehtun konnte, er konnte sich nur im Bett ganz hingeben, während er sich sonst gänzlich in sich zurückzog, er ...

„Die gehört Plum."

Fate stockte der Atem, als ihr aufging, was er da sagte, und in ihrem Blick spiegelten sich Zorn und Entsetzen wider.

„Nein, ich war nicht mit ihr im Bett, ich war es nie und werde es ganz sicher nie tun", erklärte er ruhig. „Plum ist hochschwanger, sie erwartet Zwillinge. Das Bett ist deswegen so zerwühlt, weil sie sich eine Weile hingelegt hat. Was den Slip dort betrifft ..." Er zuckte leicht mit den Schultern. „Das kannst du dir sicher auch selbst denken."

Fate musste zugeben, dass es Plum durchaus ähnlich sah, einen plötzlichen Wäschewechsel zu beschließen und den abgelegten Slip dann einfach zu vergessen. Doch dieser kleine Zwischenfall jetzt hatte sie innerlich aufgewühlt, und sie ärgerte sich darüber, mit was für einem Gefühlsaufruhr sie auf den Gedanken reagiert hatte, Jay könnte mit einer anderen geschlafen haben. Sie redete sich ein, sie wäre nur deshalb so schockiert gewesen, weil sie geglaubt hatte, er hätte die ihm anvertrauten Kinder vernachlässigt und sich stattdessen mit einer Frau amüsiert. Doch sie wusste, dass ihre Ausrede nicht sonderlich überzeugend war.

„Dieses Zimmer hier ist frei", sagte er und hielt ihr die Tür auf. „Es hat den zusätzlichen Vorteil, dass es von meinem Zimmer weit entfernt ist. Ich meine, ein Vorteil ist es zumindest von deiner Seite aus gesehen", fügte er sarkastisch hinzu.

Was hat er damit gemeint? grübelte Fate, nachdem sie sich von ihm verabschiedet und die Tür geschlossen hatte. Doch sicher nicht, dass er sie noch immer wollte. Ihr Herz schlug plötzlich beunruhigend schnell. Und wenn doch? Nun, was ging es sie an. Sie war inzwischen völlig über ihn hinweg. Völlig und endgültig.

Stirnrunzelnd betrat Fate die leere Küche. Wo waren Jay und die Kinder? Vorhin hatte sie sie doch noch gehört.

Es war schon nach neun, und Fate hatte länger geschlafen als beabsichtigt. Aus Müdigkeit – oder aus Feigheit? Am vergangenen Abend war sie zu müde und zu entsetzt gewesen; das Einzige, was sie noch registriert hatte, war die unerwünschte Reaktion ihres Körpers auf Jays unerwartete Anwesenheit gewesen. An diesem Morgen nun . . . Natürlich konnte sie nicht bleiben. Das war ganz unmöglich. Andererseits, wenn sie fortging . . . Ihr Stirnrunzeln vertiefte sich, als sie Jay durch das Küchenfenster sah. Er trug das Baby auf dem Arm und hatte Thomas an der Hand. Sie liefen durch das taufeuchte Gras auf den Zierteich zu, der einen außergewöhnlich reizvollen Blickfang in dem großen Garten darstellte.

Als Thomas zur Welt gekommen war, hatte Bram den Teich zuschütten lassen wollen, doch Taylor war nicht seiner Meinung gewesen. „Wenn wir ihm jede noch so kleine Gefahrenquelle aus dem Weg räumen, wie soll er später dann Gefahren als solche erkennen, wenn es darauf ankommt? Solange er noch zu klein ist, um sie selbst zu erkennen, müssen wir ihn davor beschützen und gut auf ihn aufpassen. Und dann werden wir ihm möglichst früh das Schwimmen beibringen – ihm und allen, die da noch kommen werden!" hatte sie verschmitzt hinzugefügt.

Und so hatte Taylor ihren Kopf durchgesetzt, der Teich war geblieben. Er sah wunderhübsch aus im frühen Mor-

genlicht. Nur – Thomas konnte noch nicht schwimmen, und Jay ließ gerade die Hand des Kleinen los, damit er auf den kleinen Steg zulaufen konnte. Thomas war noch nicht hundertprozentig sicher auf den Beinen. Wenn er nun stolperte und hinfiel . . .
Ohne zu überlegen, riss Fate die Glastür auf und rannte hinaus. Jay war Thomas auf den Steg gefolgt. Der Kleine hatte sich dem Ende des Stegs bedenklich genähert. Fate stockte der Atem, als Jay den Arm nach ihm ausstreckte. Jeder wusste, dass Bram Thomas geradezu vergötterte. Jay musste unweigerlich Vergleiche gezogen haben zwischen Thomas' Geburt und Brams Rolle in seiner eigenen frühen Kindheit.

Fate stieß geräuschvoll den Atem aus, als Jay Thomas plötzlich hochhob und ihn so auf dem Arm hielt, dass die beiden sich in die Augen blicken konnten. Jays Gesicht vermochte sie nicht zu sehen, denn er hielt ihr den Rücken zugewandt, aber sie sah, mit wie viel Liebe Thomas ihn anstrahlte, ihn mit seinen rundlichen Kinderhänden streichelte und ihn küsste.

Fate spürte den buchstäblichen Kloß im Hals, als Jay sich zu dem Kleinkind beugte, um es zu küssen. Sie sah, wie beschützend Jay den Arm um Thomas legte und mit welcher Zärtlichkeit er seine Küsse erwiderte. Charlotte, die er auf dem anderen Arm trug, fing an zu protestieren, weil sie sich von dieser Schmuserei ausgeschlossen fühlte, und sie zerrte ungeduldig an Jays Haar. Lachend wandte er sich ihr zu, die Gefühlsintensität der vorangegangenen Szene verflog. Fate hatte fast ein schlechtes Gewissen, weil sie ihn und Thomas beobachtet hatte. Die beiden verband etwas extrem Persönliches, Intimes, diese Brüder, in deren Adern dasselbe Blut floss und die doch . . . Plötzlich schämte sie sich in Grund und Boden für ihre Angst von vorhin, Jay könnte so eifersüchtig auf Thomas sein, dass er ihm womöglich wehtun wollte. Ihr fiel auf einmal ein, wie sie Taylor damals nach Thomas' Geburt gefragt hatte, ob sie es für klug hielte, Jay so nahe an das Baby heranzulassen.

„Ich vertraue ihm doch!" hatte Taylor geantwortet. „Irgendjemand muss es ja tun . . ."

„Aber ausgerechnet in Bezug auf Thomas, auf dein Kind!" hatte Fate eingewandt und den Blick ignoriert, den Taylor ihr zuwarf. Ihre Tante wusste, dass Fate *ihr* keinerlei Vorwürfe machte, weil sie Denms Phillips in ihr Leben gebracht hatte, wohl aber in gewissem Maß Jay. Auch Fate war klar, wie unlogisch sie dachte, aber was sollte sie machen, so war ihr nun mal zu Mute.

„Gibt es denn einen besseren Beweis dafür, dass ich ihm, nach allem, was war, trotzdem vertraue?" hatte Taylor hinzugefügt. „Er hat hart an sich gearbeitet, Fate. Sein ganzes Leben lang hat er immer wieder auf die eine oder andere Art zu hören bekommen, er hätte es nicht verdient, dass man ihm vertraute oder ihn liebte. Er hat hart daran gearbeitet, uns und sich selbst zu beweisen, dass das nicht wahr ist. Jetzt müssen wir ihm zeigen, dass wir ihm glauben."

„Und Bram stimmt dem zu?" hatte Fate wissen wollen.

„Bram stimmt insofern zu, dass er die Entscheidung momentan mir überlässt."

„Aber Jay hat immerhin versucht, dich und Bram auseinander zu bringen. Du selbst hast einmal gesagt, du hättest Angst vor ihm, vor seiner Besitz ergreifenden Art Bram gegenüber."

„Ja, ich weiß. Doch das betraf den Jay von früher. Der neue Jay ist anders."

„Ein Leopard verliert seine Flecken nicht."

„Nein?" Taylor hatte sie nachdenklich betrachtet. „Verlieren vielleicht nicht, aber er kann ihr Aussehen verändern, unter anderen Lebensbedingungen, und wenn man ihm die nötige Zeit lässt. Letztlich sind die Flecken ohnehin nur Tarnung."

„Und sein Tötungsinstinkt . . .?"

„Er jagt, um zu fressen, nicht aus blinder Mordlust. Jay hat verstanden und akzeptiert, dass Bram ihn immer geliebt hat, und dass meine Beziehung zu Bram diese Liebe nicht beeinträchtigen kann. Und durch diese Erkenntnis hatte er plötzlich auch nicht mehr das Bedürfnis, Bram so eifersüchtig an sich zu binden."

„Jay ist über dreißig und darüber hinaus sehr intelligent. Da hätte er doch schon viel früher zu diesem Schluss kommen können, wenn er es wirklich gewollt hätte", hatte Fate eingeworfen.

„Ja, du sagst es, wenn er es wirklich gewollt hätte. Genau das ist es ja, Fate. Er konnte das nicht allein schaffen. Es musste erst etwas absolut Einschneidendes passieren, damit er verstand, was er im Grunde sich selbst und allen anderen antat; damit er sich endlich von seinen eigenen Ängsten befreien konnte."

„Etwas Einschneidendes . . . Du meinst damit, dass Bram sich in dich verliebte?"

„Nein", hatte Taylor gelassen widersprochen. „Dass Jay sich in dich verliebte."

„Hat er dir das gesagt?" Fate hatte verbittert gelacht. „Jay hat mich nie geliebt. Er ist gar nicht dazu fähig, irgendjemanden zu lieben."

Und bis heute hatte sie das auch fest geglaubt. Doch es entsprach nicht der Wahrheit. Sie hatte gerade selbst miterlebt, zu wie viel Liebe Jay fähig war und wie offen er diese zum Ausdruck bringen konnte.

Sie wollte eben zum Haus zurückkehren, doch Thomas hatte sie inzwischen entdeckt. Jay drehte sich zu ihr um und sah sie fragend an.

„Ich hatte dich vom Haus aus gesehen", erklärte sie verlegen. „Und ich dachte . . ." Sie verstummte voller Unbehagen. Sie wusste, dass er ihr nicht glauben würde, wenn sie jetzt behauptete, sie hätte ihnen einfach nur Gesellschaft leisten wollen. Ohnehin blickte er bereits zwischen ihr und dem Steg hin und her. „Ich . . . ich hatte Angst, Thomas könnte ins Wasser fallen."

„Oder ich würde ihn hineinstoßen", ergänzte Jay ruhig.

Fate konnte seinem Blick nicht standhalten. Verdammt, weshalb sollte er ihr Schuldgefühle einjagen, wo er doch . . . „Du warst immer dagegen, dass dein Vater Tayior heiratet", verteidigte sie sich heftig.

„Stimmt", gab Jay zu. „Doch die Menschen verändern sich, Fate. Gerade du solltest das am besten wissen. Schließlich hast du mich auch einmal geliebt."

Als hätten die Kinder die unausgesprochenen Spannungen und Qualen der Erwachsenen gespürt, fingen sie plötzlich zu quengeln an. Charlotte weinte, und Thomas jammerte, er wolle ins Haus gehen und etwas essen. Als Jay mit den Kindern an Fate vorbeiging, hätte sie ihn am liebsten zurückgehalten, doch dann überlegte sie es sich anders. Was hätte sie ihm auch schließlich noch sagen sollen? Was hatten sie sich überhaupt noch zu sagen?

Zwei Tage später erzählte Fate Taylor von dem Zwischenfall, und sie wurde rot, als sie den Blick ihrer Tante auffing. „Jeder hätte wohl so gedacht!“ verteidigte sie sich trotzig.

„Nein, Fate“, widersprach Taylor freundlich. „Jay liebt Thomas, und Thomas liebt ihn. Zwischen den beiden existiert ein Band, das in mancher Hinsicht stärker ist als das zwischen Thomas und uns, seinen Eltern. Jay hat mir einmal erzählt, dass er durch Thomas quasi selbst noch einmal zur Welt gekommen sei. Dass sie jetzt beide zusammen aufwachsen und lernen würden; dass er sich in Thomas wiederfindet, wieder zum Kind wird, aber diesmal ohne den Schmerz und die Finsternis seiner eigenen Kindheit. Und so wie Thomas ihm seine völlig kritiklose, uneingeschränkte Liebe schenkt, so schenkt Jay ihm die Sicherheit, dass seine Kindheit niemals so überschattet und unglücklich verlaufen wird wie seine eigene damals. Er möchte, dass Thomas nie erfährt, wie es ist, nicht geliebt und unerwünscht zu sein. Thomas soll wissen, dass, ganz gleich was auch geschieht, er immer Jay haben wird, an den er sich wenden kann. Eines Tages wird Jay eigene Kinder haben wollen, und dann . . . Wie lange willst du ihn noch bestrafen, Fate? Bis er mit einer anderen verheiratet ist? Bis du siehst, dass sie sein Kind erwartet? Bis du siehst, dass er ihren Kindern dieselbe Liebe entgegenbringt wie Thomas und Charlotte, und dass er diese Frau so liebt, wie er dich geliebt hat? Wozu, Fate? Was verlangst du denn von ihm? Welche Buße soll er denn noch tun? Was . . .“

„Gar nichts, ich will gar nichts von ihm“, war Fate ihr zornig ins Wort gefallen.

„Du lügst“, hatte Taylor sanft widersprochen. „Du liebst ihn noch immer, das weißt du so gut wie ich, und auch er liebt dich noch . . .“

„Noch . . .“ Fate lachte traurig. „Du hast behauptet, Jay hätte mich geliebt, aber das ist nicht wahr. Er hat mich nie geliebt. Oh, ja, er hat mich gebeten, ihn zu heiraten – aus Mitleid, aus Schuldbewusstsein, weil er dachte, nach alldem, was mir zugestoßen war, könnte ich mein Leben allein nicht mehr in den Griff bekommen. Doch da hat er sich geirrt. Das Letzte, was ich will oder nötig habe, ist Mitleid. Nein. Jay hat mich nie geliebt.“

„Doch, das hat er“, beharrte Taylor ruhig. „Er hat dich

schon geliebt, ehe du entführt wurdest. Er hatte nur zu große Angst, das zuzugeben."

„Das hat er wohl gerade dir anvertraut, nicht wahr?" spottete Fate.

„In gewisser Hinsicht, ja." Und Taylor fing an, ihr von der Nacht zu erzählen, in der Jay seinen Albtraum gehabt hatte; von der Nacht, als sie ihn weinen gehört hatte und impulsiv zu ihm gegangen war; von der Nacht, als er im Traum seine unglückliche Kindheit und den Tod seiner Mutter noch einmal durchlebt hatte. Und von dem nächsten Morgen, als sie sich in der Kirche begegnet waren und miteinander geredet hatten; wie er ihr dann widerstrebend, aber aufrichtig gestanden hatte, dass er Fate liebte, aber zu große Angst davor hatte, von ihr abgewiesen zu werden, dass er sie brauchte und wie sehr es ihm zu Herzen ging, was ihr zugestoßen war.

„Das erfindest du doch nur", wehrte Fate ab, als Taylor fertig war. Tief im Innern wusste sie jedoch, dass es die Wahrheit war.

„Nein", stritt Taylor ab.

„Aber warum hat er nie mit mir darüber gesprochen?"

„Vielleicht, weil er befürchtete, du würdest ihm ohnehin nicht zuhören. Als du seinen Heiratsantrag ablehntest, sagtest du ihm, dass du ihn niemals, unter gar keinen Umständen heiraten würdest. In dem Moment hast du nicht nur Jay abgewiesen, Fate, sondern auch seine Liebe. Er glaubt, dass du ihm die tragischen Geschehnisse immer noch zum Vorwurf machst. Ich hingegen glaube, du lässt ihn unbewusst in diesem Glauben, um ihn dafür zu bestrafen, dass er vermeintlich deine Liebe nicht erwidert hat. Du musst jetzt entscheiden, was für dich im Leben wertvoller ist – Jay oder dein Stolz. Und diese Entscheidung kann dir keiner abnehmen. Übrigens, wir haben heute Morgen eine Karte von deinen Eltern bekommen", wechselte Taylor abrupt das Thema. „Sie scheinen ihre Ferien ungemein zu genießen."

Im kommenden Jahr würden Caroline und Oliver Silberhochzeit feiern. Fünfundzwanzig Jahre, und sie liebten sich wie eh und je, in vieler Hinsicht sogar noch mehr als früher . . . Was würde sie, Fate, in fünfundzwanzig Jahren tun? Und – an wessen Seite? „Wie lautet Jays Adresse?" fragte sie unvermittelt. Sie wusste, dass er seine Wohnung verkauft und sich ein kleines Haus in Richmond gekauft hatte, direkt am Fluss.

„Er liebt es, in der Nähe des Flusses zu sein“, hatte Taylor erklärt, als Fate ihre Überraschung über seinen Wohnortwechsel zum Ausdruck gebracht hatte. Jetzt gab sie Fate seine Anschrift, fügte aber vorwarnend hinzu: „Ich bezweifle sehr, dass du ihn dort antreffen wirst. Du hast ihm sehr wehgetan mit deiner Furcht, er könnte den Kindern etwas antun wollen. Oh, ja, er hat mir davon erzählt“, meinte sie ironisch, als Fate sie verblüfft ansah. „Er musste einfach von mir hören, dass ich deine Bedenken nicht teile“, ergänzte sie. „Nach außenhin mag er noch immer der unnahbare, rätselhafte, unerschütterliche Jay sein, doch im Innern ist er sehr zerbrechlich, unsicher. Er weiß nicht, inwieweit er sich selbst trauen kann, inwieweit ihm andere vertrauen können.“

„Was . . . was hast du ihm geantwortet?“ wollte Fate wissen. „Ich sagte ihm, es wäre höchste Zeit, dass er Thomas Schwimmunterricht gibt. Er ist der Einzige, mit dem Thomas freiwillig ins Wasser geht. Bram war zutiefst gekränkt, als wir im Frühjahr alle nach Zypern fuhren und Thomas sich strikt weigerte, mit seinem Vater in den Pool zu gehen. Er ging nur mit Jay. Ich vermute, er ist zurück nach Kingspeace gefahren. Noch immer zieht er sich ab und zu dorthin zurück, wenn ihm danach ist. Immer mehr Topgeschäftsleute tun das, um ihre Batterien wieder aufzuladen.“ „Ich habe davon gehört, aber Jay . . . Wo genau liegt das?“

Als Fate Richtung Norden fuhr, fragte sie sich, was um alles in der Welt sie da tat – aber nicht warum. Nein, nach dem Warum fragte sie nicht ein einziges Mal. Wenn man jemanden so liebte, wie sie Jay liebte, dann war das etwas Endgültiges.

Sie fand das Zentrum mühelos. Es war eine etwas heruntergekommene Ansammlung von Gebäuden, die ursprünglich von Benediktinermönchen errichtet worden waren. Hinter den Gebäuden erstreckten sich fruchtbare Ländereien.

Die Mönche waren mit den ersten Christen hier hergekommen, und der Orden hatte durch gute und schlechte Zeiten an dem Land festgehalten. Innerhalb der Klostermauern hatten sich Szenen größter Grausamkeit, aber auch größten Edelmuts abgespielt ... ein Prior war in seinem eigenen Refektorium von den Dienern eines eifersüchtigen Lords geköpft worden; und an die blutige, schreckliche Herrschaft eines anderen Abts erinnerte man sich heute noch. Trotzdem spürte Fate die Atmosphäre tiefen Friedens und überlegener Weisheit, die diesen Ort umgab, als sie ihr Auto abstellte und ausstieg.

Ein höflicher Mönch an der Pforte teilte ihr mit, Jay befände sich im nördlichen Kreuzgang, wo eine Gruppe gerade das Mauerwerk ausbesserte. Er beschrieb ihr den Weg.

Sie entdeckte ihn, bevor er sie sah. Er arbeitete an einer beschädigten, mit Schieferplatten besetzten Mauer. Gewissenhaft maß er die Lücke im Mauerwerk aus, ehe er eine von den neben ihm aufgestapelten Schieferplatten nahm und sie entsprechend einsetzte. Seine vollständige Konzentration galt dieser Aufgabe, die er sich selbst auferlegt hatte.

Fate tat das Herz weh beim Anblick seiner viel zu weit gewordenen Jeans und der zwar noch immer kräftigen, aber sehr abgemagerten Unterarme. Die Scheu und die Unsicherheit, die sie auf ihrer langen Fahrt nach Norden begleitet hatten, fielen jetzt in der beruhigenden Atmosphäre des Klostergartens von ihr ab. Der Himmel über ihr war blassblau, der Rasen des Gartens sattgrün. Der Duft der Kräuter und Blumen wirkte wie Balsam auf ihre Seele. Auf einmal hatte sie es nicht mehr eilig. Es genügte ihr, einfach da zu stehen, zu beobachten und jede Einzelheit der Umgebung und des Mannes in sich aufzunehmen, für den sie die lange Reise auf sich genommen hatte. Und während sie das tat, erfüllte sie plötzlich ein tiefes, machtvolles Gefühl der Liebe, der Erkenntnis und der Hoffnung. Es erfüllte sie wie die wärmenden Sonnenstrahlen, es machte sie reich und endlich – frei. Ganz intuitiv begriff sie, dass ihr in diesem Moment ein großes Geschenk zuteil wurde.

Sie atmete tief durch und ging auf Jay zu. Als er sich zu ihr umdrehte, war sie darauf vorbereitet. Sie hielt zwar einen gewissen Abstand ein, sah ihm aber ohne Scheu geradewegs in die Augen. „Sollte dein Heiratsantrag noch gelten, Jay, und ich hoffe sehr, dass das der Fall ist – dann lautet meine Antwort Ja. Aber selbst wenn dem nicht so ist ...“ Sie ließ sich von seiner undefinierbaren Miene nicht einschüchtern und hielt den Kopf hoch. „Selbst, wenn dem nicht so ist, kann mich das nicht davon abhalten, dich zu lieben. Nichts kann mich davon abhalten und nichts wird mich je davon abhalten. Ich möchte nur, dass meine Liebe für dich ein Geschenk ist, keine Last. Ich möchte . . .“

Sie verstummte, weil Jay auf sie zukam, sie in die Arme schloss und sie so zärtlich und leidenschaftlich küsste, dass ihr die Tränen in die Augen stiegen und sie sich an ihn schmiegte. Sie vergaß alles andere, was sie ihm eigentlich hatte sagen wollen, stattdessen gestand sie ihm – genau wie er ihr – dass alles andere warten konnte, nur ihre Liebe nicht.

Er fuhr mit ihr in einen kleinen Landgasthof und bestellte dort ein Zimmer mit einem riesigen, altmodischen Bett mit dicken, weißen Plumeaus. Sie legte sich hin, und Jay entkleidete sie langsam und bedächtig mit verräterisch zitternden Händen. Zärtlich und hingebungsvoll liebkoste und erkundete er mit den Lippen ihren ganzen Körper, bis sie ihm Einhalt gebot, ihn voller Verlangen küsste und ihm immer wieder zuraunte, wie sehr sie ihn brauchte und sich nach ihm sehnte. Lachend erinnerte sie ihn auf einmal daran, wie er ihr einmal gesagt hatte, er würde sie dazu bringen, dass sie darum betteln würde, mit ihm zu schlafen. „Jetzt bin ich bereit, dich darum zu bitten“, flüsterte sie und erschauerte, als sie seinen heißen Atem an der einen aufgerichteten Spitze ihrer Brust spürte.

Jay legte ihr den Finger auf den Mund, und in seinem Blick spiegelten sich Schmerz und Reue wider. „Wie viele Male habe ich mir gewünscht, diese Worte niemals ausgesprochen zu haben . . . Diese und noch so viele andere. Glaubst du mir das?“

Fate wusste, worauf er anspielte; auf seine Vermutung, Taylor sei ihre Mutter, auf Worte, die Dennis Phillips zufällig mit angehört hatte und die daraufhin seine Phantasie auf so fatale Weise beflügelt hatten. Jetzt war es an ihr, Jay zum Schweigen zu bringen. „Ich verstehe mehr als du denkst. Du kamst nicht gegen die Angst an, deinen Vater zu verlieren; ich kam nicht dagegen an, dir die Schuld an den Ereignissen zu geben. Doch jetzt haben wir beide gelernt, uns nach drei Jahren endlich von alldem loszusagen. Jetzt sind wir hier, weil wir die Vergangenheit loslassen und gemeinsam in die

Zukunft gehen können – in unsere Zukunft. Hier und jetzt können wir zusammen einen Neuanfang machen, wenn wir es wollen."

„Ich will es", bestätigte Jay bewegt und küsste Fate liebevoll.

„Und ich ebenfalls." Sie schlang die Arme um ihn und öffnete sich ihm, zuerst ihren Mund, und später ihren Körper; sie hielt ihn und liebte ihn, genau so wie sie von ihm gehalten und geliebt wurde. Zusammen würden sie den Kreis endlich schließen, den Kreis ihrer Liebe, die durch nichts mehr zu erschüttern war; den Kreis ihres Lebens. Für immer und alle Zeiten.

– ENDE –